PÁSSARO & SERPENTE

SHELBY MAHURIN

PÁSSARO & SERPENTE

Tradução de
Glenda d'Oliveira

7ª edição

Galera
RIO DE JANEIRO
2022

CIP-BRASIL. CATALOGAÇÃO NA PUBLICAÇÃO
SINDICATO NACIONAL DOS EDITORES DE LIVROS, RJ

M182p
Mahurin, Shelby
7.ed
Pássaro e serpente / Shelby Mahurin; tradução Glenda d'Oliveira. – 7. ed. – Rio de Janeiro: Galera Record, 2022.

Tradução de: Serpent & dove
ISBN: 978-65-5587-234-7

1. Romance americano. I. D'Oliveira, Glenda. II. Título.

21-70998
CDD: 813
CDU: 82-31(73)

Leandra Felix da Cruz Candido – Bibliotecária – CRB-7/6135

Título original:
Serpent & dove

Leitura sensível: Lorena Ribeiro

Publicado mediante acordo com *HarperCollins Children's Book*,
um selo da HarperCollins Publishers.

Texto revisado segundo o novo Acordo Ortográfico da Língua Portuguesa.

Direitos exclusivos de publicação em língua portuguesa somente para o Brasil
adquiridos pela
EDITORA RECORD LTDA.
Rua Argentina, 171 – Rio de Janeiro, RJ – 20921-380 – Tel.: (21) 2585-2000,
que se reserva a propriedade literária desta tradução.

Impresso no Brasil

ISBN 978-65-5587-234-7

Seja um leitor preferencial Record.
Cadastre-se e receba informações sobre nossos
lançamentos e nossas promoções.

Atendimento e venda direta ao leitor:
sac@record.com.br

Para minha mãe, *que ama livros,*
meu pai, *que me deu a confiança para escrevê-los,*
e RJ, *que ainda não leu este aqui.*

PARTE I

Un malheur ne vient jamais seul.
Azar nunca vem sozinho.
— Provérbio francês

O BELLEROSE

Lou

Há algo sinistro em um corpo tocado por magia. A primeira coisa que a maior parte das pessoas nota é o cheiro: não é o pútrido da decomposição, mas uma doçura enjoativa em seus narizes, um gosto pungente em suas línguas. Alguns raros indivíduos também sentem uma crepitação no ar. Uma aura que persiste na pele do cadáver, como se a própria magia ainda estivesse presente de alguma forma, espreitando e aguardando.

Viva.

Naturalmente, aqueles que eram ignorantes o bastante para falar a respeito disso acabavam na fogueira.

Treze corpos haviam sido encontrados em Belterra no último ano — mais do que o dobro dos anos anteriores. Embora a Igreja fizesse o melhor que podia para ocultar as circunstâncias misteriosas de cada morte, todos foram enterrados com caixão fechado.

— Lá está ele — Coco gesticulou na direção de um homem em um canto. Mesmo com a luz das velas banhando metade de seu rosto em sombras, era impossível não reconhecer o brocado dourado no casaco ou o brasão pesado ao redor do pescoço. Estava rígido na cadeira, nitidamente desconfortável, enquanto uma mulher seminua se debruçava sobre seu torso roliço. Não pude conter um sorriso.

Apenas Madame Labelle deixaria um aristocrata como Pierre Tremblay esperando nas entranhas de um bordel.

— Vamos. — Coco apontou para uma mesa no canto oposto. — Babette já deve estar para chegar.

— Que tipo de babaca pomposo escolhe vestir *brocado* enquanto está de luto? — perguntei.

Coco olhou para Tremblay por cima do ombro e abriu um sorrisinho torto.

— O tipo de babaca pomposo que tem dinheiro.

A filha dele, Filippa, tinha sido o sétimo corpo encontrado.

Depois de seu desaparecimento na calada da noite, a aristocracia ficou abalada quando ela reapareceu — com a garganta cortada — à beira do L'Eau Mélancolique. Mas isso não foi o pior. Rumores correram pelo reino, falando de seus cabelos prateados e da pele enrugada, dos olhos opacos e dos dedos retorcidos. Aos 24 anos, tinha se transformado em uma velha decrépita. Os conhecidos de Tremblay simplesmente não conseguiam entender. Pelo que saibam, ela não tinha inimigos, ninguém atrás de vingança para justificar tal violência.

Mas se, por um lado, *Filippa* não tivera inimigos, o babaca pomposo do seu pai, por sua vez, havia acumulado mais do que o suficiente deles traficando objetos mágicos.

A morte da filha fora um aviso: ninguém explorava as bruxas e ficava impune.

— *Bonjour, messieurs* — Uma cortesã de cabelos cor de mel se aproximou de nós, batendo os cílios, esperançosa. Gargalhei pela maneira desavergonhada como encarava Coco. Mesmo disfarçada de homem, Coco era deslumbrante. Embora cicatrizes marcassem a pele marrom de suas mãos, que ela cobria com luvas, sua face permanecia lisa e macia, e os olhos escuros brilhavam mesmo na semiescuridão. — Posso tentá-los a se juntar a mim?

— Sinto muito, querida — Com minha voz mais aduladora, dei tapinhas na mão da cortesã, como já vira outros homens fazerem. — Mas já estamos comprometidos esta manhã. Mademoiselle Babette virá se juntar a nós em breve.

Ela fez um bico que durou apenas um segundo, antes de se virar para nosso vizinho, que aceitou o convite com entusiasmo.

— Você acha que está com ele? — Coco examinava Tremblay do topo da careca à ponta dos sapatos polidos, deixando os olhos se demorarem nos dedos nus. — Babette pode ter mentido. Isto pode ser uma armadilha.

— Babette pode até ser mentirosa, mas não é boba. Não vai nos entregar antes de pagarmos a ela. — Eu observava as cortesãs com mórbida fascinação. Com as cinturas definidas e os seios transbordando, dançavam cheias de flexibilidade por entre os fregueses, como se os corpetes não as estivessem sufocando lentamente.

Para ser justa, porém, muitas não usavam corpetes. Nem qualquer outra coisa.

— Tem razão. — Coco tirou o saco com moedas do casaco e o jogou sobre a mesa. — Vai ser depois de pagarmos.

— Ah, *mon amour*, assim você me magoa. — Babette se materializou ao nosso lado, sorrindo e dando um peteleco na aba do meu chapéu. Diferente das companheiras, envolvia o máximo que podia de sua pele pálida em seda carmim. Camadas grossas de maquiagem branca cobriam o restante... e as cicatrizes. Elas serpenteavam os braços e o peito num padrão similar ao de Coco. — E por mais dez *couronnes* de ouro, jamais *sonharia* em traí-las.

— Bom dia, Babette. — Com uma risadinha, apoiei um pé sobre a mesa e me recostei na cadeira, deixando apenas os pés traseiros dela no chão. — Sabe, é assombroso como você sempre aparece segundos depois do nosso dinheiro. Sente o cheiro dele? — Virei-me para Coco, cujos lábios tremiam com o esforço para não rir. — Parece até que ela sente o cheiro.

— *Bonjour*, Louise. — Babette beijou minha bochecha antes de se virar para Coco e baixar a voz. — Cosette, você está arrebatadora, como sempre.

Coco revirou os olhos.

— E você está atrasada.

— Perdão. — Babette inclinou a cabeça para o lado com um sorriso doce. — Mas não as reconheci. Nunca vou entender por que mulheres tão bonitas insistem em se disfarçar como homens...

— Mulheres desacompanhadas chamam atenção demais. Você sabe disso. — Tamborilei no tampo da mesa com naturalidade treinada, forçando um sorriso. — Qualquer uma de nós poderia ser uma bruxa.

— Ah! — Ela piscou de maneira conspiratória. — Só um tolo tomaria duas moças encantadoras como vocês por essas criaturas tão vis e violentas.

— Óbvio. — Assenti, baixando ainda mais a aba do chapéu. Enquanto as cicatrizes de Coco e Babette revelavam sua verdadeira natureza, Dames Blanches podiam andar em meio à sociedade virtualmente indetectáveis. A mulher de pele negra sobre Tremblay poderia ser uma. Ou a cortesã de cabelos cor de mel que desaparecera escada acima apenas alguns segundos antes. — Mas, com a Igreja, a fogueira vem primeiro. Depois vêm as perguntas. São tempos perigosos para as mulheres.

— Não aqui. — Babette abriu os braços, os lábios se curvando para cima. — Aqui, estamos seguras. Aqui, somos apreciadas. A oferta da minha senhora ainda está de pé...

— Sua senhora jogaria você, e nós também, no fogo se soubesse a verdade. — Voltei minha atenção para Tremblay, cuja óbvia riqueza havia atraído mais duas cortesãs. Rejeitou educadamente as tentativas das moças de abrir e abaixar sua calça. — Viemos por causa dele.

Coco suspendeu a bolsa de moedas que estava na mesa.

— Dez *couronnes* de ouro, como prometido.

Babette fungou e levantou o nariz no ar.

— Humm... Acho que me lembro de serem vinte.

— O quê? — Os pés da cadeira despencaram no chão com um estrondo. Os fregueses mais próximos de nós piscaram em nossa direção, mas os ignorei. — O combinado foi *dez*.

— Isso foi antes de vocês machucarem meus sentimentos.

— Que droga, Babette. — Coco tirou a bolsinha de perto antes que a outra pudesse tocá-la. — Tem ideia de quanto tempo levamos para conseguir juntar todo este dinheiro?

Tive que me esforçar para manter a voz estável:

— Nem sabemos se Tremblay tem *mesmo* o anel.

Babette apenas deu de ombros e estendeu a mão aberta.

— Não é minha culpa se vocês insistem em ficar pela rua, afanando moedas de bolsos alheios como duas ladrazinhas ordinárias. Podiam estar ganhando o triplo disso em uma única noite aqui no Bellerose, mas são orgulhosas demais.

Coco respirou fundo, as mãos se fechando em punhos na mesa.

— Olha, sentimos muito se ofendemos seus sentimentos delicados, mas o combinado foi dez. Não temos como...

— Consigo ouvir as moedas no seu bolso, Cosette.

Incrédula, encarei Babette.

— Você é *mesmo* um cão farejador.

Os olhos dela brilharam.

— Ora, vamos! Convido vocês até aqui, arriscando minha própria pele, para que possam ouvir o que minha senhora tem para falar com Monsieur Tremblay, e vocês ainda me insultam como se fosse...

Naquele exato momento, porém, uma mulher alta de meia-idade veio descendo as escadas, como se deslizasse pelos degraus. O vestido de um tom profundo de verde-esmeralda acentuava os cabelos flamejantes e o corpo em forma de ampulheta. Tremblay pôs-se imediatamente de pé quando ela surgiu, e as cortesãs ao nosso redor — incluindo Babette — fizeram cortesias profundas.

Era bastante estranho ver mulheres nuas se curvarem daquele jeito.

Tomando os braços de Tremblay com um sorriso largo, Madame Labelle beijou as duas bochechas do homem e murmurou algo que não pude ouvir. Pânico correu por mim quando ela entrelaçou seu braço ao dele e o guiou para o outro lado do salão, em direção às escadas.

Babette nos observava de canto de olho.

— Decidam depressa, *mes amours*. A senhora é uma mulher ocupada. O assunto que tem para tratar com Monsieur Tremblay não vai demorar.

Olhei feio para ela, resistindo à vontade de colocar as mãos em seu belo pescoço e apertar.

— Você pode ao menos nos dizer o que a sua senhora está comprando? Ela deve ter lhe contado *alguma coisa*. É o anel? Está com Tremblay?

Ela sorriu como um gato que pegou um rato.

— Talvez... Por mais dez *couronnes*.

Coco e eu trocamos um olhar sombrio. Se Babette não tomasse cuidado, logo ficaria sabendo exatamente o quanto nós duas podíamos ser *vis* e *violentas*.

O Bellerose ostentava doze salas luxuosas onde suas cortesãs podiam entreter fregueses, mas Babette não nos levou a nenhuma delas. Em vez disso, abriu uma décima terceira porta, sem marcações, ao fim de um corredor e nos guiou para dentro.

— Sejam bem-vindas, *mes amours*, aos olhos e ouvidos do Bellerose.

Piscando, esperei até que meus olhos se ajustassem à escuridão desse novo corredor mais estreito. Doze janelas — grandes e retangulares, espaçadas em intervalos regulares ao longo de uma parede — deixavam entrar um brilho sutil de luz. Olhando mais de perto, me dei conta de que, definitivamente, não se tratavam de janelas, mas de quadros.

Tracei com um dedo o nariz do retrato mais próximo: uma bela mulher com curvas voluptuosas e um sorriso sedutor.

— Quem são?

— Cortesãs famosas de tempos passados. — Babette fez uma pausa para admirar a mulher com a expressão melancólica. — Meu retrato vai substituir o dela um dia.

Franzindo o cenho, cheguei mais perto para examinar a mulher em questão. A imagem era de alguma forma espelhada, as cores menos vibrantes, como se fosse a parte de trás da pintura. E... que inferno!

Dois fechos dourados cobriam seus olhos.

— Esses buracos são para *espiar?* — perguntou Coco com incredulidade, se aproximando. — Que tipo de bizarrice macabra é essa, Babette?

— Shhh! — Fez ela, levando um dedo urgente aos lábios. — Os olhos e *ouvidos*, estão lembradas? *Ouvidos.* Precisam sussurrar aqui.

Eu não queria nem imaginar o propósito daquele detalhe na arquitetura. O que *queria mesmo* era imaginar um longo banho a minha espera quando retornasse ao teatro. Envolveria esponjas esfregando minha pele. Com vigor. Só podia rezar para que meus globos oculares sobrevivessem a isto.

Antes que pudesse expressar meu nojo, duas sombras moveram-se na minha visão periférica. Girei, a mão voando para a faca em minha bota, antes dos vultos tomarem forma. Parei quando dois homens, horrivelmente familiares e desagradáveis, me olharam torto.

Andre e Grue.

Encarei Babette com cara feia, a faca ainda em punho.

— O que *eles* estão fazendo aqui?

Ao ouvir minha voz, Andre inclinou-se para a frente, piscando devagar na escuridão.

— É a...?

Grue examinou meu rosto, passando rápido pelo bigode e se demorando nas sobrancelhas escuras e nos olhos turquesa, nariz sardento e pele bronzeada de sol. Um sorriso maldoso atravessou sua face. O dente da frente era quebrado. E amarelo.

— Olá, Lou Lou.

Ignorando-o, olhei séria para Babette.

— Isso não era parte do acordo.

— Ah, relaxe, Louise. Eles estão trabalhando. — Atirou-se numa das cadeiras de madeira que os dois tinham acabado de deixar vagas. — Minha senhora os contratou como seguranças.

— Seguranças? — zombou Coco, buscando o próprio punhal dentro do casaco. Andre mostrou os dentes. — Desde quando voyeurismo é considerado parte da segurança?

— Se alguma de nós se sentir desconfortável com um cliente, é só dar duas batidas na parede, e estes dois encantadores cavalheiros intervêm. — Babette apontou preguiçosamente para as pinturas com o pé, revelando um pálido tornozelo marcado por cicatrizes. — São portas, *mon amour.* Acesso imediato.

Madame Labelle era uma idiota. Era a única explicação para tal... Bem, idiotice.

Dois dos ladrões mais estúpidos que já conheci, Andre e Grue invadiam com frequência nosso território na Costa Leste. Aonde fôssemos, eles nos seguiam — em geral a dois passos atrás de nós —, e aonde fosse *a dupla*, a força policial inevitavelmente também ia. Grandes, feios e barulhentos, esses dois não tinham nem a sutileza, nem a aptidão necessárias para serem bem-sucedidos no Leste. Nem inteligência para isso.

Eu temia pensar o que fariam com *acesso imediato* a qualquer coisa. Especialmente sexo e violência. E esses talvez fossem os *menores* dos vícios acontecendo dentro das paredes deste bordel, se a transação comercial em questão servisse como exemplo.

— Não se preocupe. — Como se pudesse ler meus pensamentos, Babette lançou aos dois um sorrisinho. — Minha senhora mata os dois se vazarem informações. Não é verdade, *messieurs*?

Os sorrisos deles desapareceram, e enfim notei a descoloração ao redor de seus olhos. Hematomas. Ainda assim não abaixei a faca.

— E o que os impede de vazar informação *para* a sua senhora?

— Bom... — Babette pôs-se de pé, passando por nós em direção a um quadro mais ao fim do corredor. Levou a mão ao botão dourado ao lado dele. — Creio que isso dependa do que vocês estão dispostas a oferecer a eles em troca de silêncio.

— Que tal se eu oferecer a *todos* vocês uma faca no...

— Ah, ah, ah! — Babette apertou o botão assim que avancei, o punhal no ar, e as portinholas cobrindo os olhos das cortesãs se abriram. As vozes abafadas de madame Labelle e Tremblay encheram o corredor.

— Pense com muito cuidado, *mon amour* — sussurrou Babette. — Seu precioso anel pode estar bem ali, naquele quarto. Venha, veja você mesma. — Afastou-se, o dedo ainda no botão, permitindo que eu ficasse de frente para o quadro.

Xingando baixinho, fiquei na ponta dos pés para ver através dos olhos da cortesã.

Tremblay estava quase abrindo um buraco no fofo carpete floral do cômodo. Parecia mais pálido ali naquele quarto pastel — onde o sol da manhã banhava tudo em uma suave luz dourada —, e o suor brotava em gotas em sua testa. Molhando os lábios com a língua, nervoso, olhou para Madame Labelle, que o observava de uma *chaise longue* perto da porta. Mesmo sentada, ela transpirava graça, como se fosse parte da realeza, o pescoço reto e as mãos entrelaçadas.

— Acalme-se, Monsieur Tremblay. Asseguro-lhe de que conseguirei os fundos necessários dentro de uma semana. No mais tardar, uma quinzena.

Ele balançou a cabeça depressa.

— É muito tempo.

— Outra pessoa diria que não é nem de longe tempo suficiente para o preço que está pedindo. Apenas o rei poderia custear uma soma astronômica assim, e, para ele, anéis mágicos não têm serventia alguma.

Com o coração na boca, me afastei para olhar Coco. Ela franziu o cenho e pescou do casaco mais *couronnes*. Andre e Grue guardaram as moedas nos bolsos com sorrisinhos de deleite.

Prometendo a mim mesma que os esfolaria vivos após roubar o anel, retornei minha atenção à sala.

— E... e se dissesse que já tenho outro comprador? — perguntou Tremblay.

— Eu o chamaria de mentiroso, Monsieur Tremblay. Não creio que possa sair por aí alardeando que artefatos tem em sua posse depois do que aconteceu a sua filha.

Tremblay girou para encará-la.

— Não fale da minha filha.

Alisando as saias, Madame Labelle o ignorou completamente.

— A bem da verdade, estou até surpresa que ainda esteja no mercado clandestino mágico. Tem outra filha, não tem? — O homem não respondeu e ela abriu um sorrisinho cruel. Triunfante. — As bruxas são ferozes. Se ficarem sabendo que está em posse do anel, a fúria que dirigirão aos que restam da sua família será... desagradável.

Com o rosto ficando roxo, ele deu um passo na direção da cortesã.

— Não gosto da insinuação que está fazendo.

— Então talvez prefira minha ameaça, *monsieur*. Não me engane, ou será a última coisa que fará.

Engolindo um bufo de zombaria, virei outra vez para Coco, que agora tremia com o riso reprimido. Babette nos olhou feio. Anéis mágicos à parte, esta conversa podia muito bem ter valido quarenta *couronnes*. Até o teatro perdia em comparação a todo aquele melodrama.

— Agora me diga — ronronou Madame Labelle —, o senhor tem outro comprador?

— *Putain.* — Encarou-a com raiva por vários longos segundos antes de balançar a cabeça de má vontade. — Não, não tenho outro comprador. Passei *meses* cortando laços com todos os meus antigos contatos, queimando estoque, mas esse anel... — Engoliu em seco, e a fúria em sua expressão se apagou. — Temo falar nele, para que os demônios não descubram que o tenho comigo.

— Foi incauto da sua parte se gabar de ter qualquer item delas.

Tremblay não respondeu. Seus olhos permaneceram distantes, assombrados, como se visse algo que nós não víamos. Minha garganta se fechou sem explicação. Ignorando o tormento do visitante, Madame Labelle prosseguiu impiedosamente:

— Se não o tivesse feito, talvez nossa querida Filippa ainda estivesse conosco...

A cabeça dele se levantou depressa ao ouvir o nome da filha, e os olhos, já não mais assombrados, brilharam com um propósito feroz.

— Verei aqueles demônios queimarem pelo que fizeram a ela.

— Que tolice.

— Como é?

— Faz parte do meu negócio saber dos negócios dos meus inimigos, *monsieur*. — Ela se levantou graciosamente, e ele deu meio passo trôpego para trás. — Como agora elas também são suas inimigas, devo lhe oferecer um conselho: é perigoso se meter nos assuntos das bruxas. Esqueça a sua vingança. Esqueça tudo que aprendeu sobre este mundo de sombras e magia. O senhor não é páreo para essas mulheres, nem em número, nem em capacitação. A morte é o tormento mais gentil que oferecem... Uma dádiva dada somente àqueles que a merecem. Era de se esperar que já tivesse aprendido isso com sua querida Filippa.

A boca de Tremblay se retorceu, e ele se empertigou até atingir a altura máxima, balbuciando raivoso. Madame Labelle, ainda assim, o ultrapassava com vários centímetros de vantagem.

— V-você está passando dos limites.

A cortesã não se encolheu diante dele. Ao contrário, correu a mão pelo corpo do vestido, completamente impassível, e tirou um leque das dobras da saia. Uma adaga espiava da armação.

— Vejo que a conversa fiada terminou. Muito bem. Passemos aos negócios. — Abrindo o acessório com um único floreio, abanou-o. Tremblay fitou a ponta da faca, ressabiado, e deu um passo atrás. — Se é seu desejo que eu tire o peso do anel de cima de seus ombros, o farei aqui e agora... Por cinco mil *couronnes* de ouro abaixo do preço inicial.

Um estranho ruído engasgado escapou da garganta do homem.

— Você só pode estar brincando...

— Do contrário — continuou Labelle, a voz se enrijecendo —, o senhor deixará este bordel com um nó atado no pescoço da sua filha. O nome dela é Célie, não é? Será um deleite para La Dame des Sorcières drenar a juventude dela, beber o viço da sua pele, o brilho dos cabelos. Quando as bruxas terminarem com ela, estará irreconhecível. Oca. Destroçada. Assim como Filippa.

— Sua... Sua... — Os olhos de Tremblay saltavam das órbitas, e uma veia surgiu na testa brilhosa. — *Fille de pute!* Não pode fazer isto comigo. Não *pode*...

— Ora, *monsieur*, não tenho o dia inteiro. O príncipe já retornou de Amandine, e não pretendo perder as festividades.

Tremblay trincou o maxilar, obstinado.

— Eu... eu não o tenho aqui comigo.

Maldição. A decepção se instalou em mim, amarga e aguda. Coco soltou um xingamento.

— Não acredito no senhor. — Caminhando até a janela do outro lado do cômodo, Madame Labelle espiou lá embaixo. — Ah, Monsieur Tremblay, como pôde um cavalheiro como o senhor deixar sua filha esperando do lado de fora de um bordel? Uma presa tão fácil.

Suando em bicas, Tremblay apressou-se em virar os bolsos ao avesso.

— Juro que não o tenho! Pode olhar, olhe! — Esmaguei o rosto contra a pintura enquanto ele revirava o conteúdo dos bolsos diante dela: um lenço bordado, um relógio de bolso de prata e um punhado de *couronnes* de cobre. Nada de anel. — Por favor, deixe minha filha em paz! Ela não tem nada com isto!

Estava com um semblante tão triste que eu poderia até ter sentido pena dele... Se ele não tivesse acabado de destruir todos os meus planos. Naquele momento, porém, ver seus membros trêmulos e o rosto pálido me enchia de um prazer vingativo.

Madame Labelle parecia compartilhar do meu sentimento. Suspirou de forma teatral, deixando cair a mão da janela, e — curiosamente — virou-se para encarar o exato quadro atrás de onde eu estava. Me afastando aos tropeços, caí com o traseiro no chão e mordi a língua para conter um xingamento.

— O que foi? — sussurrou Coco, agachando-se a meu lado. Babette soltou o botão com o cenho franzido.

— Shhhh! — Abanei as mãos com urgência, gesticulando em direção ao cômodo do outro lado. — *Acho* — apenas movia os lábios, sem ousar falar alto — *que ela me viu.*

Os olhos de Coco se arregalaram, alarmados.

Todos congelamos quando a voz da cortesã mais velha se aproximou, abafada, mas audível através da parede fina.

— Então me diga, por obséquio, *monsieur*... Onde está o anel?

Infernos! Coco e eu nos encaramos, incrédulas. Embora não ousasse retornar ao retrato, colei o corpo à parede, minha respiração quente e desconfortável batendo nela e voltando ao meu rosto. *Responda*, supliquei em silêncio. *Conte-nos.*

Milagrosamente, Tremblay concedeu a resposta veemente mais melodiosa do que a mais doce das músicas.

— Está trancado na minha casa, sua *salope ignorante*...

— Terminamos por aqui, Monsieur Tremblay. — Quando a porta se abriu com um clique, eu quase podia ver o sorriso no rosto de Labelle. Era idêntico ao meu. — Espero que, pelo bem da sua filha, o senhor não esteja mentindo. Estarei na sua casa ao amanhecer com o dinheiro. Não me faça esperar.

O CHASSEUR

Lou

— Estou ouvindo.

Sentado na pâtisserie cheia, Bas levou uma colherada de *chocolat chaud* aos lábios, com cuidado para não deixar cair sequer uma gota no lenço de seda ao redor do pescoço. Resisti à tentação de espirrar um pouco do meu nele. Para o que tínhamos planejado, precisávamos dele de bom humor.

Ninguém sabia enrolar um aristocrata melhor do que Bas.

— O combinado é o seguinte — falei, apontando a colher para ele —, você pode levar tudo que encontrar dentro do cofre do Tremblay como pagamento, mas o anel é nosso.

Ele se inclinou para a frente, os olhos escuros se fixando em meus lábios. Quando limpei o *chocolat*, irritada, do bigode, ele sorriu.

— Ah, sim. Um anel mágico. Tenho que admitir que estou surpreso pelo seu interesse num objeto como esse. Achei que tivesse renunciado a toda e qualquer magia...

— O anel é um caso diferente.

Seus olhos encontraram meus lábios outra vez.

— Claro que é.

— Bas. — Estalei os dedos na frente do rosto dele. — Foco, por favor. É importante.

Houve uma época, assim que cheguei a Cesarine, em que até considerei Bas um homem bonito. O suficiente para cortejá-lo. Sem dúvida, o suficiente para beijá-lo. Do outro lado da mesinha minúscula, fitei o contorno escuro de seu maxilar. Ainda havia uma pequena cicatriz ali — logo abaixo da orelha, escondida na sombra dos pelos faciais —, onde o mordi durante uma de nossas noites de paixão mais ardentes.

Soltei um suspiro arrependido ao lembrar. Ele tinha a pele marrom mais linda. E um traseiro bem gostoso.

Bas deu uma risada, como se pudesse ler minha mente.

— Está bem, Louey, tentarei controlar meus pensamentos... Contanto que você faça o mesmo. — Mexendo o *chocolat*, ele se recostou com um sorriso de canto de lábio. — Então... Você quer roubar de um aristocrata e veio, é lógico, ao mestre em busca de orientação.

Bufei, mas mordi a língua. Como um primo longínquo de um barão, Bas estava na peculiar posição de pertencer à aristocracia ao mesmo tempo em que *não* fazia parte dela. A riqueza de seu parente permitia que se vestisse de acordo com a moda mais requintada e comparecesse às festas mais pomposas, mas ainda assim os aristocratas nem se davam ao trabalho de tentar lembrar seu nome. Uma ofensa útil, já que Bas costumava ir a tais reuniões para destituí-los do que tinham de valioso.

— Uma decisão sábia — continuou —, visto que idiotas como Tremblay se utilizam de camadas e camadas de segurança: portões, fechaduras, guardas e cães, só para mencionar algumas delas. É provável que tenha ainda mais proteções agora, depois do que aconteceu à filha. As bruxas a surrupiaram na calada da noite, não foi? Com certeza ele incrementou a segurança.

Filippa estava começando a se tornar uma pedra no meu sapato.

Com uma carranca, olhei para o mostruário no balcão. Exibia variados tipos de doces em toda a sua glória: bolos com coberturas, pães doces e tartelettes de *chocolat*, bem como macarons e folheados de todas as cores. Éclairs de framboesa e uma *tarte tatin* de maçã completavam a amostra.

Em meio a toda aquela decadência, no entanto, era o enorme rolo de canela — grudento, com seu creme doce — que me fazia salivar.

Como se fosse sua deixa, Coco atirou-se na cadeira vazia ao lado das nossas. Jogou um prato dos tais pães em minha direção.

— Aqui.

Eu poderia tê-la beijado.

— Você é uma deusa. Sabe disso, não sabe?

— É óbvio. Só não espere que fique segurando o seu cabelo enquanto vomita tudo isso mais tarde... Ah, e está me devendo uma *couronne* de prata.

— Estou nada. É meu dinheiro também...

— Verdade, mas você pode surrupiar um rolo de canela do Pan quando quiser. A *couronne* é taxa de serviço.

Olhei por cima do ombro para o homem baixinho e atarracado atrás do balcão: Johannes Pan, mago dos doces e bobalhão. Mais importante, porém: era amigo pessoal e confidente de Mademoiselle Lucida Breton.

Eu era Mademoiselle Lucida Breton. De peruca loura.

Às vezes, eu não queria me disfarçar de homem... E rapidamente descobri que Pan tinha um fraco pelo dito sexo frágil. Na maioria das vezes, bastava bater os cílios para ele. Em outras ocasiões, tinha que ser um pouquinho mais... criativa. Lancei um olhar discreto a Bas. Mal sabia ele que tinha cometido todo tipo de ofensas terríveis contra a pobre Mademoiselle Breton ao longo dos últimos dois anos.

Pan não era páreo para as lágrimas de uma mulher.

— Estou vestida de homem hoje. — Ataquei o primeiro pão, enfiando metade na boca sem qualquer decoro. — A'ém isso, ele p'fere — Engoli com dificuldade, os olhos marejando — as louras.

Calor radiava do olhar escuro de Bas enquanto me observava.

— Então o cavalheiro não tem bom gosto.

— Eca. — Coco colocou a língua para fora como se fosse vomitar, revirando os olhos. — Vai com calma, por favor? Correr atrás de mulher como um cachorrinho não lhe cai nada bem.

— O que não cai bem é esse seu terno...

Deixando os dois se alfinetarem à vontade, voltei minha atenção aos rolos de canela. Embora Coco tivesse trazido o suficiente para alimentar cinco pessoas, aceitei o desafio. Depois de três, porém, até meu apetite aqueles dois conseguiram estragar. Empurrei o prato para longe com violência.

— Não podemos nos dar ao luxo de perder tempo, Bas — interrompi, no instante em que Coco parecia estar prestes a pular nele por cima da mesa. — Pela manhã, o anel não estará mais lá, então precisa ser hoje à noite. Vai ajudar ou não?

Ele franziu o cenho para o meu tom.

— Pessoalmente, não entendo por que tanta algazarra. Você não precisa de anel de invisibilidade para proteção. Sabe que posso protegê-la.

Pfft. Promessas vazias. Talvez tenha sido a razão pela qual deixei de amá-lo.

Bas era muitas coisas — encantador, perspicaz, impiedoso —, mas não era protetor. Não, estava preocupado demais com questões mais importantes, como salvar a própria pele ao primeiro sinal de perigo. Eu não guardava rancor. Ele *era* homem, afinal de contas, e os beijos tinham mais do que compensado suas falhas.

Coco o olhou feio.

— Como já lhe dissemos... *várias* vezes... o anel confere ao usuário mais do que invisibilidade.

— Ah, *mon amie*, confesso que não estava escutando.

Quando sorriu, soprando um beijo no ar para ela, as mãos de Coco se fecharam em punhos.

— *Bordel!* Juro que um dia desses vou...

Intervim antes que ela estourasse uma veia:

— Ele faz com que o usuário fique imune a encantamentos. Mais ou menos como as Balisardas dos Chasseurs. — Voltei os olhos para Bas. — Tenho certeza de que você consegue entender como isso seria útil para mim.

O sorriso dele se desfez. Lentamente, levantou a mão para tocar meu lenço de pescoço, os dedos traçando onde escondia minha cicatriz. Arrepios correram pelas minhas costas.

— Mas ela não a encontrou. Você ainda está segura.

— Por enquanto.

Ele me encarou por um longo momento, a mão ainda em meu pescoço. Enfim, suspirou:

— E você está disposta a fazer qualquer coisa para conseguir o tal anel?

— Estou.

— Até... magia?

Engoli em seco, entrelaçando os dedos nos dele, e assenti. Ele pousou nossas mãos entrelaçadas sobre a mesa.

— Muito bem. Vou ajudar. — Olhou para fora da janela, e segui seu olhar. Mais e mais pessoas haviam se reunido para o cortejo do príncipe. Embora a maioria risse e conversasse com empolgação palpável, uma inquietação borbulhava logo abaixo da superfície: na rigidez de suas bocas e nos rápidos movimentos dos olhos nervosos. — Hoje à noite — continuou Bas — haverá um baile que o rei mandou preparar como boas-vindas ao filho depois da estada em Amandine. A aristocracia inteira foi convidada... inclusive Monsieur Tremblay.

— Conveniente — murmurou Coco.

Nós todos nos enrijecemos simultaneamente ao ouvirmos uma comoção na rua, olhos fixos nos homens que surgiam de dentro da multidão. Vestidos em casacos de um tom profundo de azul, marchavam em fileiras de três — cada *tum*, *tum*, *tum* das botas em perfeita sincronia —, com adagas prateadas seguras sobre os corações. Policiais os flanqueavam de cada lado, gritando e guiando pedestres em direção às calçadas.

Chasseurs.

Leais à Igreja e jurados como seus caçadores, Chasseurs protegiam o reino de Belterra do oculto — ou seja, das Dames Blanches, mais conhecidas como as bruxas mortais que assombravam os preconceituosos de mente pequena de Belterra. Uma fúria silenciosa pulsava por minhas veias enquanto os observava marchar mais para perto. Como se *nós* fôssemos as intrusas. Como se esta terra não tivesse *nos* pertencido um dia.

Não é sua luta. Erguendo o queixo, me chacoalhei mentalmente. A rixa antiquíssima entre Igreja e bruxas não me afetava mais... não desde que deixei o mundo da feitiçaria para trás.

— Você não deveria estar aqui, Lou. — Os olhos de Coco seguiam os Chasseurs enquanto bloqueavam a rua, evitando que qualquer um pudesse chegar perto da família real. O cortejo começaria em breve. — Devíamos voltar ao teatro. Multidões como essa são perigosas. É certo que vai atrair problemas.

— Estou disfarçada. — Com dificuldades para falar com o rolo de canela na boca, engoli-o a seco. — Ninguém vai me reconhecer.

— Andre e Grue reconheceram.

— Só por causa da minha voz...

— Não vou a lugar nenhum até o cortejo ter acabado. — Largando minha mão, Bas pôs-se de pé e limpou o colete com um sorriso lascivo. — Uma multidão deste tamanho é um glorioso mar de dinheiro, e planejo me afogar nele. Se me dão licença.

Ele tocou a aba do chapéu num gesto cortês e serpenteou por entre as mesas da confeitaria para longe de nós. Coco ficou de pé num pulo.

— Aquele filho da mãe vai dar para trás assim que tiver desaparecido. Provavelmente vai nos entregar para a polícia... Ou pior, para os Chasseurs. Não sei por que confia nele.

O fato de eu ter revelado minha verdadeira identidade a Bas ainda era um tópico sensível e de discordância em nossa amizade. Meu nome verdadeiro. Não importava que tivesse sido após uma noite de muito uísque e muitos beijos. Cortando com os dedos o último rolo de canela como pretexto para evitar o olhar de Coco, tentei não me arrepender dessa decisão.

O arrependimento não mudava nada. Agora eu não tinha escolha senão confiar nele. Estávamos irrevogavelmente ligados.

Ela suspirou em resignação.

— Vou segui-lo. Você dá o fora daqui. Nos encontramos no teatro em uma hora?

— Combinado.

Deixei a pâtisserie minutos depois de Coco e Bas. Embora dúzias de moças se amontoassem lá fora, quase histéricas com a possibilidade de ver o príncipe, era um homem quem bloqueava a saída.

Verdadeiramente enorme, ele avultava sobre mim com vantagem de ombros e cabeça, as costas largas e braços poderosos forçando as costuras do casaco de lã marrom. Também estava virado para a rua, mas não parecia estar assistindo ao cortejo. A postura dos ombros era rígida, os pés plantados como se estivesse se preparando para uma luta.

Pigarreei e o cutuquei nas costas. Ele não se mexeu. Voltei a cutucá-lo. Ele se moveu levemente, mas não o bastante para que eu pudesse passar.

Certo. Revirando os olhos, enfiei o ombro no flanco dele e tentei me espremer entre sua silhueta larga e o batente da porta. Parece que *desta* vez sentiu o contato, pois finalmente se virou... e me acertou em cheio no nariz com o cotovelo.

— Merda! — Segurando o nariz, tropecei para trás e caí de bunda pela segunda vez aquela manhã. Lágrimas traidoras surgiram em meus olhos. — O que diabos tem de *errado* com você?

Estendeu a mão com rapidez.

— Perdão, *monsieur*. Não o vi.

— Isso está mais do que evidente. — Ignorei o gesto e me levantei sozinha. Espalmando a calça, me movi para passar por ele, que bloqueou meu caminho outra vez. O casaco surrado se abriu com o movimento, revelando uma bandoleira atravessada no peito. Facas de todos os formatos e tamanhos piscavam para mim, mas foi a que estava embainhada por sobre o coração dele que fez o meu parar por um instante. Brilhante e prateada, era adornada por uma grande safira que reluzia de forma ameaçadora no cabo.

Chasseur.

Abaixei a cabeça. Merda.

Inspirando fundo, me forcei a permanecer calma. Ele não era um perigo para mim enquanto estivesse disfarçada. Eu não tinha feito nada de errado. Cheirava a canela, não a magia. Além do mais... Os homens como um todo não gozavam de uma espécie de camaradagem tácita? Uma concordância mútua sobre sua importância coletiva?

— Se machucou, *monsieur*?

Certo. Hoje, eu era um *homem*. Podia fazer isto.

Forcei meus olhos a se erguerem.

Além da altura obscena, a primeira coisa que notei foram os botões de latão no casaco — eram dos mesmos tons de cobre e dourado dos cabelos dele, que brilhavam ao sol como um farol. Combinados ao nariz reto e à boca carnuda, eles o tornavam inesperadamente atraente para um Chasseur. *Irritantemente* atraente. Não pude evitar encará-lo. Cílios grossos emolduravam olhos da exata cor do mar.

Olhos que, no momento, me observavam com choque desvelado.

Merda. Minha mão voou até o bigode, que se dependurava de meu rosto após a queda.

Bem, tinha sido um bravo esforço. E enquanto os homens podem ser considerados seres orgulhosos, as mulheres, por outro lado, sabem quando é hora de cair fora de uma situação desfavorável.

— Estou bem. — Abaixei a cabeça depressa e tentei passar por ele, ansiosa para me distanciar o máximo possível. Embora não tivesse feito nada de errado, não tinha por que desafiar a sorte. Às vezes, ela desafiava de volta. — Só olhe por onde anda da próxima vez.

Ele não se mexeu.

— Você é uma mulher.

— Bem observado. — Mais uma vez, tentei passar, agora com um pouco mais de força do que o necessário, mas ele me segurou pelo cotovelo.

— Por que está vestida assim?

— Alguma vez já vestiu um corpete? — Virei para encará-lo, arrumando o bigode com o máximo de dignidade que consegui. — Duvido que fosse perguntar isso se tivesse. Calças dão infinitamente mais liberdade.

O homem me fitou como se um braço tivesse saltado da minha testa. Olhei-o feio, e ele balançou a cabeça de leve como se quisesse desanuviá-la.

— Eu... Perdão, *mademoiselle.*

As pessoas ao redor estavam nos olhando agora. Puxei o braço em vão, uma pontada de pânico borbulhando no estômago.

— Me *solta*...

Ele apertou ainda mais.

— Eu a ofendi de alguma forma?

Perdendo a paciência, dei um solavanco para me livrar dele, com toda a força.

— Você quebrou o meu cóccix! Minha bunda está arruinada!

Talvez tenha sido minha vulgaridade que o chocou, mas me liberou como se o tivesse mordido, me olhando com um desagrado que beirava a repulsa.

— Nunca ouvi uma senhorita falar dessa maneira em toda a minha vida.

Ah. Chasseurs eram homens de Deus. Em sua cabeça, com certeza devia me considerar um demônio.

Não estaria errado.

Ofereci um sorriso felino enquanto me afastava, batendo os cílios na melhor imitação de Babette que era capaz de fazer. Quando não fez menção de me deter, a tensão em meu peito aliviou.

— Está andando com as senhoritas erradas, Chass.

— Então você é uma cortesã?

Teria ficado furiosa se não conhecesse várias cortesãs perfeitamente respeitáveis — Babette não estava entre elas. Aquela maldita extorsionária. Em vez disso, suspirei de forma dramática. — Uma pena, mas não, e corações por toda a terra de Cesarine estão partidos por isso.

Ele trincou o maxilar.

— Qual é o seu nome?

Uma onda de vivas estrondosos me salvou de precisar responder. A família real tinha enfim virado a esquina de nossa rua. O Chasseur virou-se por um segundo apenas, mas era tudo de que precisava. Deslizando para trás de um grupo de mocinhas particularmente entusiasmadas — que gritavam o nome do príncipe num timbre que apenas cachorros deveriam ser capazes de escutar —, desapareci antes que ele se voltasse para mim.

Cotovelos me sacudiam de todos os lados, no entanto, e logo me dei conta de que era pequena demais — baixa demais, magra demais — para abrir caminho por entre a multidão. Pelo menos sem furar alguém com minha faca. Retribuindo algumas cotoveladas na mesma moeda, procurei um lugar mais alto onde poderia aguardar o fim da procissão. Um local fora de vista.

Ali.

Com um salto, alcancei o peitoril de um prédio antigo de arenito, escalei um cano e puxei o corpo para subir no telhado. Descansando os cotovelos na balaustrada, examinei a rua lá embaixo. Bandeiras douradas com o escudo da família real agitavam-se de cada porta, e comerciantes vendiam comida em todos os cantos. Apesar do aroma de fazer salivar de suas *frites*, salsichas e croissants de queijo, a cidade ainda fedia a peixe. Peixe e fumaça. Franzi o nariz. Um dos prazeres de se morar em uma península cinzenta e lúgubre.

Cesarine era a incorporação do cinza. Casas cinza malfeitas se amontoavam umas em cima das outras como se fossem sardinhas em lata, e ruas caindo aos pedaços serpenteavam por mercados cinza imundos e portos cinza ainda mais imundos. Uma nuvem onipresente de fumaça de chaminé abarcava tudo.

Era sufocante, o cinza. Sem vida. Maçante.

Ainda assim, havia coisas piores na vida do que "maçante". E havia tipos piores de fumaça do que a de chaminés.

Os vivas e aplausos atingiram seu clímax quando a família Lyon passou embaixo do prédio onde eu estava.

O Rei Auguste acenava da carruagem de ouro, os cachos dourados soprados pelo vento de fim de outono. O filho, Beauregard, estava sentado ao lado dele. Os dois não podiam ser mais diferentes. Enquanto o primeiro tinha olhos e pele claros, o segundo tinha as pálpebras um pouco caídas, pele marrom-clara e cabelos escuros que herdara da mãe. No entanto, seus sorrisos tinham um charme quase idêntico.

Charmosos *demais*, na minha opinião. A arrogância irradiava de seus poros.

A esposa de Auguste vinha com o rosto carrancudo atrás dos dois. Eu não a culpava. Também teria a mesma expressão se meu marido tivesse mais amantes do que dedos nas mãos e nos pés — não que eu planejasse ter um marido algum dia. Preferiria ir ao inferno a me acorrentar a alguém por meio do matrimônio.

Tinha acabado de virar as costas, já entediada, quando algo se moveu lá embaixo. Foi sutil, quase como se o vento tivesse mudado de direção no meio do caminho. Um zumbido quase imperceptível reverberou das ruas de pedra, e todos os sons da multidão — todo cheiro, gosto e toque — se desfizeram dentro do éter. O mundo parou. Dei um passo para trás, me afastando da beira do telhado, e os pelos em minha nuca se eriçaram. Sabia o que viria a seguir. Reconhecia o leve contato de energia contra minha pele, o ribombar familiar nos ouvidos.

Magia.

E, então, gritos.

PERVERSOS SÃO OS MÉTODOS DAS MULHERES

Reid

O cheiro sempre seguia as bruxas. Doce e herbáceo, porém pungente — pungente demais. Como o incenso que o arcebispo acendia durante a missa, só que mais acre. Embora tivessem se passado anos desde o meu juramento à Igreja, nunca consegui me acostumar a ele. Mesmo agora — com apenas uma pitada dele no ar —, o cheiro queimava minha garganta. Me sufocando. Zombando de mim.

Eu abominava o cheiro de magia.

Tirando a faca Balisarda de seu lugar sobre meu coração, examinei os foliões ao redor. Jean Luc me lançou um olhar desconfiado.

— Problemas?

— Não está sentindo o cheiro? — murmurei em resposta. — É fraco, mas presente. Já começaram.

Ele desembainhou a própria Balisarda da bandoleira atravessada em seu peito. Abriu as narinas.

— Vou alertar os demais.

E desapareceu dentro da aglomeração sem mais palavras. Embora também não estivesse de uniforme, a multidão ainda assim abriu caminho para ele como se fosse o Mar Vermelho diante de Moisés. Provavelmente por conta da safira na faca. Murmúrios seguiram atrás dele, e alguns dos espectadores mais astutos olharam para mim. Seus olhos se arregalaram, o reconhecimento brilhando neles.

Chasseurs.

Tínhamos suspeitado da possibilidade deste ataque. A cada dia que passava, as bruxas ficavam mais inquietas — motivo pelo qual metade de meus irmãos estava enfileirada na rua de uniforme, enquanto a outra metade (a que se vestia como eu) escondia-se em plena luz do dia em meio aos cidadãos comuns. Aguardando. Vigiando.

Caçando.

Um homem de meia idade se aproximou de mim. Segurava a mão de uma menininha. Mesma cor de olhos. Estrutura óssea similar. Filha.

— Estamos em perigo aqui, senhor? — Mais pessoas se viraram ao ouvir a pergunta. Cenhos se franziram. Olhos se inquietaram. A filha do homem se retraiu, franzindo o nariz e deixando cair a bandeirinha. Pairou no ar um segundo além do que deveria antes de chegar ao chão.

— A minha cabeça está doendo, papai — sussurrou.

— Quieta, menina. — Ele olhou para a faca em minha mão, e os músculos tensos ao redor de seus olhos relaxaram. — Este homem é um Chasseur. Ele vai nos manter a salvo. Não é, meu senhor?

Ao contrário da filha, ele ainda não tinha sentido o cheiro da magia. Mas sentiria. Em breve.

— Vocês precisam evacuar a área imediatamente. — Minha voz saiu mais ríspida do que eu pretendia. A menininha se encolheu outra vez, e o pai envolveu seus ombros com um braço. As palavras do arcebispo voltaram à minha cabeça. *Tranquilize-os, Reid. Você deve inspirar calma e confiança, bem como proteger.* Balancei a cabeça e voltei a tentar. — Por favor, *monsieur*, volte para casa. Coloque sal nas portas e janelas. Não saia de novo até...

Um grito estridente cortou o resto de minhas palavras.

Todos ficaram paralisados.

— VÃO! — Empurrei o homem e sua filha para dentro da pâtisserie atrás de nós. Ele mal tinha passado pela porta, e outros começaram a correr para fazer o mesmo, sem se preocuparem com ninguém que estivesse em seu caminho. Corpos colidiam em todas as direções. Os gritos ao nosso redor se multiplicavam, e uma risada antinatural ecoou de todos os cantos ao mesmo tempo. Apertei a faca contra a lateral do corpo e abri caminho à força por entre os espectadores aterrorizados, tropeçando em uma senhora.

— Cuidado. — Trinquei os dentes, segurando os ombros frágeis da mulher antes que ela pudesse cair para a morte. Olhos opacos piscaram em minha direção, e um sorriso lento e peculiar tocou seus lábios murchos.

— Deus o abençoe, meu jovem — disse ela, com a voz trêmula. Depois se virou com graça impossível e desapareceu dentro da horda de pessoas passando. Demorei vários segundos para registrar o odor enjoativo e chamuscado que deixou em seu rastro. Meu coração pareceu desabar, com o peso de uma pedra.

— Reid! — Jean Luc estava de pé na carruagem da família real. Dúzias de nossos irmãos a cercavam, safiras cintilando enquanto mantinham os cidadãos em frenesi afastados. Comecei a me dirigir até lá, mas a multidão diante de mim se moveu, e finalmente as vi.

Bruxas.

Deslizavam rua acima com sorrisos serenos, cabelos ondeando ao vento que inexistia. Três delas. Rindo enquanto corpos caíam a seu redor com o mais simples movimento de dedos.

Embora rezasse para que suas vítimas não estivessem mortas, não raro me perguntava se a morte não seria um destino mais bondoso. Os menos afortunados acordavam sem lembranças do segundo filho, ou talvez com um apetite insaciável por carne humana. No mês anterior, uma criança tinha sido encontrada sem olhos. Outro homem perdera a capacidade de dormir. Outro passou o resto de seus dias obcecado por uma mulher que ninguém mais podia enxergar.

Cada caso era diferente. Cada um mais perturbador que o outro.

— REID! — Jean Luc sacudia os braços, mas o ignorei. A inquietude se espalhava por baixo dos pensamentos conscientes enquanto eu observava as bruxas avançarem até a família real. Lentamente, sem pressa, apesar do batalhão de Chasseurs correndo em sua direção. Corpos se levantaram como se fossem marionetes, formando um escudo humano ao redor delas. Assisti com horror quando um homem se lançou à frente e enterrou o peito na Balisarda de um de meus irmãos. As bruxas apenas gargalharam e continuaram contorcendo os dedos de maneiras inumanas. A cada movimento, um corpo impotente se erguia. Marionetistas.

Não fazia sentido. As bruxas operavam em segredo. Atacavam das sombras. Um ato tão aberto assim da parte delas — um *espetáculo* desses — sem dúvida era tolo. A menos que...

A menos que não estivéssemos vendo o panorama geral.

Corri em direção aos prédios de arenito à direita a procura de um ponto de vantagem mais alto. Segurando a parede com dedos trêmulos, forcei braços e pernas a escalar. Cada ponto de apoio parecia mais e mais alto do que o anterior — tudo embaçado agora. Girando. Meu peito se apertou. Sangue ribombava em meus ouvidos. *Não olhe para baixo. Continue olhando para cima...*

Um familiar rosto com bigode surgiu por cima do parapeito do telhado. Olhos azul-esverdeados. Nariz sardento. A moça da pâtisserie.

— Merda — disse ela. E se escondeu.

Foquei no ponto onde ela havia desaparecido. Meu corpo movia-se agora com propósito renovado. Dentro de segundos, me levantei e passei o corpo por cima da beirada, mas ela já estava pulando para o telhado seguinte. Segurava o chapéu com uma das mãos e me mostrava o dedo do meio com a outra. Franzi o cenho. A pequena herege não era assunto meu, apesar da descarada falta de respeito.

Virei para olhar para baixo, segurando no peitoril em busca de apoio enquanto o mundo girava.

Pessoas entravam aos blocos nas lojinhas margeando as ruas. Eram demais. Mais do que demais. Os comerciantes se esforçavam para manter a ordem enquanto aqueles mais perto das portas eram pisoteados. O dono da pâtisserie conseguira fazer uma barricada na entrada. Quem tinha ficado do lado de fora gritava e batia nas janelas enquanto as bruxas se aproximavam.

Esquadrinhei a rua à procura de algo que tivéssemos deixado passar. Mais de vinte corpos circulavam no ar ao redor das feiticeiras — alguns deles inconscientes, as cabeças pendendo para o lado, e outros dolorosamente despertos. Um homem pairava com braços e pernas esticados, como se acorrentado a uma cruz imaginária. Fumaça saía de sua boca, que se abria e fechava em gritos silenciosos. As roupas e cabelos de outra mulher flutuavam a sua volta, como se ela estivesse debaixo d'água, e as mãos tentavam agarrar o ar desesperadamente. O rosto começava a mostrar uma coloração azulada. Afogando-se.

A cada novo horror, mais Chasseurs avançavam.

Mesmo de longe, eu podia ver o desejo feroz de proteger em seus rostos. Mas, na pressa para socorrer os desamparados, tinham se esquecido de nossa verdadeira missão: a família real. Apenas quatro homens cercavam a carruagem naquele momento. Dois Chasseurs. Dois guardas reais. Jean Luc segurava a mão da rainha enquanto o rei gritava ordens — para nós, a guarda, qualquer um que estivesse ouvindo —, mas o barulho do tumulto engolia todas as suas palavras.

Pelas costas deles, insignificante em todos os sentidos, a velha se aproximava, quase se arrastando.

A realidade da situação me golpeou, me tirando o fôlego. As bruxas, as maldições — era tudo performático. *Distração.*

Sem parar para pensar, para tomar consciência da aterrorizante distância até o chão, agarrei o cano de escoamento e pulei por cima da beirada do telhado. O metal fez um ruído agudo e se deformou sob meu peso. Na metade do caminho, separou-se do prédio completamente. Pulei — o coração na boca — e me preparei para o impacto. Uma dor atordoante se irradiou pela minha perna quando cheguei ao chão, mas não parei.

— Jean Luc! Atrás de você!

Ele se virou para me olhar, seus olhos encontrando a velha no mesmo segundo que os meus. A compreensão o tomou. — Abaixem-se! — Ele atirou o rei para o chão da carruagem. Alertados pelo grito, os Chasseurs remanescentes cercaram o veículo.

A velha olhou para mim por cima do ombro, aquele mesmo sorriso peculiar abrindo-se em seu rosto. Fez um movimento com o pulso, e o cheiro nauseante se intensificou. Uma rajada de ar saiu de seus dedos, mas a magia não podia nos tocar. Não com nossas Balisardas. Cada uma delas tinha sido forjada com uma gota derretida da relíquia sagrada original de São Constantino, nos tornando imunes à feitiçaria das bruxas. Senti o ar doce enjoativo passar por mim, mas não podia fazer nada para me deter. Nada para deter meus irmãos.

Os guardas e cidadãos mais próximos não tinham a mesma sorte. Voaram para trás, batendo na carruagem e nas lojinhas de rua. Os olhos da velha faiscaram com triunfo quando um de meus irmãos abandonou o posto para ajudar os atingidos. Ela se movia depressa — depressa demais para ser natural — em direção à porta da carruagem. O rosto incrédulo do príncipe Beauregard surgiu ao ouvir a comoção. Ela rosnou para ele, a boca se retorcendo. Eu a derrubei no chão antes que pudesse levantar as mãos.

Ela lutou com a força de uma mulher da metade de sua idade — de um *homem* da metade de sua idade —, chutando, mordendo e golpeando cada centímetro meu que conseguisse alcançar. Mas eu era pesado demais. Sufoquei-a com meu corpo, prendi suas mãos acima de sua cabeça, esticando-as o suficiente para deslocar seus ombros. Pressionei a faca contra seu pescoço.

Ela ficou imóvel quando abaixei para falar a seu ouvido. A pressão da lâmina aumentou.

— Que Deus tenha piedade da sua alma.

Então ela riu — uma gargalhada profunda que chacoalhou seu corpo inteiro. Franzi o cenho, me afastando... e congelei. A mulher sob mim já não era mais a velha decrépita. Assisti, horrorizado, quando o rosto ancião se derreteu para se transformar em pele lisa de porcelana, e o cabelo quebradiço deu lugar a madeixas grossas e escuras que chegavam aos ombros. Ela me olhou com os olhos sombreados, os lábios se separando enquanto levantava o rosto na direção do meu. Eu não conseguia pensar — não conseguia me mover, não sabia nem se *queria* —, mas, de alguma forma, consegui dar um impulso para trás antes que seus lábios roçassem os meus.

E foi então que senti.

A forma firme e arredondada de sua barriga contra a minha.

Ah, Deus.

Minha mente se esvaziou. Pulei para trás — para longe dela, longe daquela *coisa* — e fiquei de pé. Os gritos a distância vacilaram. Os corpos no chão estremeceram. A mulher se levantou lentamente.

Vestida agora em vermelho-sangue profundo, pousou a mão no ventre cheio e sorriu.

Os olhos esmeralda viraram-se depressa para a família real, que se agachava dentro da carruagem, todos pálidos e de olhos arregalados. Observando.

— Nós *vamos* reaver nossa terra, Majestades — ela falou baixinho. — Muitas vezes os advertimos. Mas vocês não levaram nossas palavras a sério. Em breve estaremos dançando sobre as suas cinzas, da mesma forma como fizeram com as das nossas antepassadas.

Seu olhar encontrou o meu. A pele de porcelana voltou a murchar, e os cabelos escuros se desfizeram em filetes de prata. Não era mais a bela mulher grávida. Era novamente a velha. Piscou para mim. O gesto era arrepiante em sua face depauperada.

— Temos que repetir este encontro em breve, bonitão.

Eu não conseguia falar. Nunca vira magia sombria assim — tal profanação do corpo humano. Mas bruxas não eram seres humanos. Eram serpentes. Demônios encarnados. E eu tinha quase...

O sorriso banguela se alargou como se fosse capaz de ler minha mente. Antes que eu pudesse me mover — antes que eu pudesse desembainhar a faca e mandá-la de volta ao Inferno ao qual pertencia —, ela deu meia-volta e desapareceu em uma nuvem de fumaça.

Mas não sem antes me soprar um beijo.

Horas mais tarde, o grosso carpete verde abafava meus passos no escritório do arcebispo. Painéis de madeira ornada recobriam as paredes sem janelas. Uma lareira banhava os papéis espalhados sobre a mesa em sua luz bruxuleante. Já sentado atrás da escrivaninha, o arcebispo gesticulou para que eu ocupasse uma das cadeiras de madeira opostas a ele.

Obedeci. Forcei meu olhar a encontrar o seu. Ignorei a humilhação ardente no estômago.

Ainda que o rei e sua família tivessem escapado ilesos do cortejo, muitos não conseguiram. Duas pessoas morreram — uma menina pela mão do irmão, e a outra, pela própria. O resto não apresentava ferimentos visíveis, mas naquele exato momento estavam atados a camas dois andares acima de nós. Gritando. Falando em línguas desconhecidas.

Encarando o teto sem piscar. A ermo. Os padres faziam o que podiam por eles, mas a maioria acabaria transferida para o manicômio dentro de uma quinzena. A medicina humana era muito limitada para ajudar os acometidos pela bruxaria.

O arcebispo me examinava por cima de dedos entrelaçados. Olhos de aço. Boca tensa. Faixas grisalhas nas têmporas.

— Agiu bem hoje, Reid.

Franzi o cenho, desconfortável em meu assento.

— Senhor?

Ele sorriu de forma sombria e se inclinou para a frente.

— Se não fosse por você, as fatalidades teriam sido muito maiores. O Rei Auguste tem uma dívida com você. Só tem elogios a fazer. — Gesticulou para um envelope branco e liso sobre a escrivaninha. — Planeja até um baile em sua homenagem.

Minha vergonha só queimou mais. Com força de vontade considerável, consegui relaxar os punhos. Não merecia elogios de ninguém — nem do rei, e especialmente não de meu patriarca. Tinha falhado. Quebrado a primeira regra de meus irmãos: *Jamais permitas a sobrevivência de uma bruxa.*

Tinha permitido a sobrevivência de quatro.

Pior: tinha até... Quisera...

Estremeci na cadeira, incapaz de terminar aquele pensamento.

— Não posso aceitar, senhor.

— E por que não? — Ele arqueou uma sobrancelha, voltando a se recostar. Encolhi-me diante do escrutínio. — Você, e apenas você, se lembrou de qual era sua missão. Foi quem reconheceu a velha e sua verdadeira natureza.

— Jean Luc...

Ele abanou a mão com impaciência.

— Sua humildade não passa despercebida, Reid, mas não se deve ter falsa modéstia. Você salvou vidas hoje.

— Eu... Senhor, eu... — Engasgado com as palavras, fitei minhas mãos com resolução, fechando-as em punhos mais uma vez.

Como sempre, o arcebispo entendeu sem maiores explicações.

— Ah... Sim. — Sua voz se suavizou. Levantei os olhos para encontrá-lo me observando com expressão inescrutável. — Jean Luc me contou sobre seu encontro desagradável.

Embora as palavras fossem amenas, podia ouvir a decepção por trás delas. A vergonha voltou a se insurgir dentro de mim. Abaixei a cabeça.

— Perdão, senhor. Não sei o que aconteceu comigo.

Ele soltou um suspiro.

— Não se aflija, filho. Perversos são os métodos das mulheres, especialmente os das bruxas. Sua astúcia não tem limites.

— Perdoe-me, senhor, mas jamais vi magia igual antes. A bruxa... Era uma velha, mas depois... Se transformou. — Olhei para baixo, para os punhos outra vez, determinado a fazer as palavras saírem. — Ela se transformou em uma mulher linda. — Respirei fundo e o encarei, o maxilar tenso. — Uma mulher linda e grávida.

Os lábios do arcebispo se retorceram.

— A Mãe.

— Senhor?

Ele ficou de pé, entrelaçando as mãos atrás das costas, e começou a caminhar pelo escritório.

— Você esqueceu os ensinamentos sacrílegos das bruxas, Reid?

Balancei a cabeça, as orelhas ardendo, e pensei nos severos diáconos da minha infância. A parca sala de aula ao lado do presbitério. A Bíblia descolorida em minhas mãos.

Bruxas não veneram nosso Senhor e Salvador, tampouco reconhecem a sagrada trindade do Pai, Filho e Espírito Santo. Exaltam outra trindade, uma trindade idólatra. A Deusa Tríplice.

Ainda que não tivesse crescido dentro da Igreja, todos os Chasseurs aprendiam a ideologia perversa das bruxas antes de fazerem seus votos.

— Donzela, Mãe e Anciã — murmurei.

Ele assentiu em aprovação, e a satisfação correu por mim.

— Uma personificação da feminilidade no ciclo do nascimento, vida e morte... Entre outras coisas. É uma blasfêmia, claro. — Ele bufou e balançou a cabeça. — Como se Deus pudesse ser uma mulher.

Franzi o cenho, evitando seus olhos.

— Evidente, senhor.

— As bruxas acreditam que sua rainha, La Dame des Sorcières, tenha sido abençoada pela Deusa. Acreditam que ela... aquele *ser*... possa mudar de forma para incorporar a trindade a seu bel-prazer. — Fez uma pausa, a boca se enrijecendo ao olhar para mim. — Creio que hoje você tenha encontrado La Dame des Sorcières em pessoa.

Minha boca caiu aberta.

— Morgane le Blanc?

Ele assentiu brevemente.

— A própria.

— Mas, senhor...

— Isso explica a tentação. Sua inabilidade de controlar sua natureza mais primeva. La Dame des Sorcières é incrivelmente poderosa, Reid, especialmente naquela forma. As bruxas afirmam que a Mãe representa a fertilidade, a realização e... a sexualidade. — Seu rosto se desfigurou com repulsa, como se a palavra deixasse um gosto amargo na boca. — Um homem mais fraco teria sucumbido.

Mas eu quis sucumbir. Meu rosto estava quente o suficiente para me causar dor física, e o silêncio pairou sobre nós. Passos ressoaram, e a mão do arcebispo veio pousar sobre meu ombro.

— Esqueça isso ou corre o risco daquela criatura envenenar seus pensamentos e corromper seu espírito.

Engoli em seco e me forcei a encará-lo.

— Não vou falhar com o senhor outra vez.

— Eu sei. — Sem qualquer hesitação. Sem incertezas. O alívio inflou-se como um balão em meu peito. — A vida que escolhemos... a vida de autodomínio, temperança... não é livre de dificuldades. — Ele apertou meu ombro. — Somos seres humanos. Desde a aurora dos tempos, esta tem sido a luta do homem... ser tentado pelas mulheres. Mesmo dentro da perfeição do Jardim do Éden, Eva seduziu Adão e o fez cair em tentação.

Quando não respondi, ele soltou meu ombro e suspirou. Cansado.

— Leve suas preocupações ao Senhor, Reid. Confesse, e Ele o absolverá. E se... com o tempo... ainda não tiver conseguido superar essa aflição, talvez seja aconselhável encontrarmos uma esposa para você.

Suas palavras foram como um golpe em meu orgulho — minha honra. Raiva percorreu meu corpo. Implacável. Rápida. Atordoante. Apenas um punhado de meus irmãos tinha se casado desde que o rei requisitara nossa ordem sagrada, e a maioria deles acabou deixando sua posição e a Igreja.

Ainda assim... houve um tempo em que considerei a possibilidade. Desejei-a, até. Não mais.

— Não será necessário, senhor.

Como se pudesse ouvir meus pensamentos, o arcebispo prosseguiu de maneira cautelosa:

— Não preciso lembrá-lo de duas transgressões passadas, Reid. Sabe muito bem que a Igreja não pode forçar homem nenhum ao celibato... nem mesmo um Chasseur. Como Pedro disse: "Se não podem se conter, casem-se. Porque é melhor casar do que abrasar-se." Se for seu desejo se casar, nem eu, nem seus irmãos podemos impedi-lo. — Fez uma pausa, me observando com atenção. — Talvez a jovem Mademoiselle Tremblay ainda o aceite?

O rosto de Célie surgiu em minha mente diante dessas palavras. Delicado. Belo. Os olhos verdes marejados com lágrimas. Empapavam o tecido escuro do vestido de luto.

Não pode me dar seu coração, Reid. Não posso ter isso na conta da minha consciência.

Célie, por favor...

Os monstros que mataram Pip ainda estão à solta. Precisam ser punidas. Não vou distraí-lo do seu propósito. Se quer oferecer seu coração, ofereça-o a sua irmandade. Por favor, por favor, me esqueça.

Nunca a esquecerei.

Pois deveria.

Afastei a lembrança antes que me consumisse.

Não. Jamais me casaria. Após a morte da irmã, Célie deixara isso explícito.

— "Digo, porém, aos solteiros e às viúvas" — terminei, a voz baixa e firme —, "melhor seria se permanecerem como eu." — Fitei atentamente os punhos em meu colo, ainda de luto por um futuro, uma família, que nunca veria realizados. — Por favor, meu senhor... não pense que jamais arriscaria meu futuro dentro dos Chasseurs contraindo matrimônio. É meu desejo maior agradar a Deus... e ao senhor.

Olhei para cima, e ele me ofereceu um sorriso triste.

— Sua devoção ao Senhor me agrada. Agora, mande prepararem minha carruagem. Sou esperado no castelo para o baile do príncipe. Tolice, se me pergunta, mas Auguste tem a tendência de mimar o filho...

Uma batida cautelosa à porta deteve o restante de suas palavras. O sorriso desapareceu, e ele meneou a cabeça uma vez, me liberando. Levantei enquanto meu superior dava a volta na escrivaninha.

— Entre.

Um noviço jovem e espichado entrou. Ansel. Dezesseis anos. Órfão, como eu. Conheci-o apenas de passagem durante a infância, embora tenhamos ambos crescido dentro da Igreja. Era muito novo para acompanhar meu ritmo e o de Jean Luc.

Ele se curvou, o punho direito cobrindo o coração.

— Perdão interromper, Vossa Eminência. — O pomo de adão subiu e desceu ao entregar uma carta. — Mas o senhor tem uma missiva. Uma mulher acaba de bater à porta. Acredita que uma bruxa estará na Costa Oeste esta noite, senhor, perto de Parque Brindelle.

Congelei. Era onde Célie morava.

— Uma mulher? — O arcebispo franziu a testa e inclinou-se para a frente, tomando a correspondência. O selo tinha a forma de uma rosa. Tirou um abridor de envelopes do robe. — Quem?

— Não sei, Vossa Eminência. — As bochechas de Ansel estavam coradas. — Tinha cabelo vermelho-vivo e era muito... — Tossiu e encarou as botas —... muito bonita.

A testa do arcebispo se franziu ainda mais enquanto abria a carta.

— Não é aconselhável focar-se na beleza mundana, Ansel — repreendeu-o, voltando a atenção ao papel. — Espero vê-lo no confessionário ama... — Seus olhos se arregalaram diante do que quer que tivesse lido.

Cheguei mais perto.

— Meu senhor?

Ele me ignorou, os olhos ainda fixos na folha. Dei outro passo à frente, e seu rosto se levantou de supetão. Piscou rapidamente.

— Eu... — Balançou a cabeça e pigarreou, voltando o olhar para a carta.

— Meu senhor? — repeti.

Ao ouvir minha voz, deu um solavanco em direção à lareira e atirou a folha nas chamas.

— Estou bem — respondeu, ríspido, entrelaçando as mãos atrás das costas. Tremiam. — Não se preocupe.

Mas me preocupei. Conhecia o arcebispo melhor do que ninguém — e ele não se abalava. Encarei a lareira, onde a carta se desintegrava até se reduzir a uma cinza escura. Meus punhos se fecharam. Se uma bruxa pensava em vitimar Célie como tinha feito com Filippa, eu a destroçaria membro por membro. Ela suplicaria pela fogueira antes que eu tivesse terminado.

Como se sentisse meu olhar, o arcebispo voltou-se para mim.

— Reúna uma equipe, capitão Diggory. — Sua voz era mais estável agora. Mais firme. Seus olhos voltaram à fogueira, e a expressão se endureceu. — Embora sinceramente duvide da validade das alegações dessa mulher, temos que cumprir com nossos votos. Faça uma busca na área. Venha me relatar tudo de imediato.

Levei um punho ao coração, fiz uma mesura e comecei a andar em direção à porta, mas sua mão segurou meu braço. Não tremia mais.

— Se uma bruxa realmente estiver na Costa Oeste, traga-a *viva.*

Assentindo, repeti minha reverência. Resoluto. Uma bruxa não precisava de dois braços e duas pernas para continuar vivendo. Não precisava sequer da cabeça. Até queimarem, bruxas eram capazes de se reanimar. Não quebraria as regras do arcebispo. E se trazer uma delas de volta *viva* diminuiria a repentina inquietação do arcebispo, traria até três. Por ele. Por Célie. Por *mim.*

— Considere feito.

O ASSALTO

Lou

Vestimos nossas fantasias apressadamente no Soleil et Lune naquela noite. Nosso porto seguro e ponto de encontro, o sótão do teatro nos providenciava um infindável repositório de disfarces — vestidos, mantos, perucas, sapatos e até roupas de baixo de todos os tamanhos, formas e cores. À noite, eu e Bas íamos caminhando sob o luar como um casal apaixonado — vestindo os ricos e suntuosos tecidos da aristocracia —, enquanto Coco seguia atrás como escolta.

Colei o corpo, melosa, no braço bem torneado de Bas e lhe lancei um olhar de adoração.

— Obrigada por nos ajudar.

— Ah, Louey, sabe como detesto essa palavra. *Ajudar* implica que estou fazendo um favor.

Dei um sorrisinho torto, revirando os olhos.

— Deus o livre de fazer qualquer coisa pela bondade do seu coração.

— Não existe bondade no meu coração. — Com uma piscadela malandra, Bas me puxou para mais perto e se inclinou para falar ao pé do meu ouvido. Seu hálito era quente demais contra meu pescoço. — Só ouro.

Certo. Dei-lhe uma cotovelada em um gesto aparentemente inocente e me afastei. Depois daquele cortejo apavorante, passamos a maior parte da tarde planejando como romperíamos as defensas de Tremblay, cuja existência confirmamos após um rápido passeio diante de sua casa. O primo de Bas morava lá perto, de forma que, com sorte, nossa presença não havia levantado suspeitas.

Era exatamente como Bas tinha descrito: quintal gradeado com guardas fazendo rondas a cada quinze minutos. Ele me garantiu que haveria mais seguranças lá dentro, bem como cães treinados para matar. Embora fosse provável que os empregados de Tremblay já estivessem dormindo quando forçássemos nossa entrada, ainda representavam uma variável sobre a qual não tínhamos controle. E ainda tinha a questão de localizar o cofre — um feito que poderia levar dias, que dirá as poucas horas que tínhamos antes de Tremblay voltar para casa.

Engolindo em seco, comecei a mexer inquieta na peruca loura e volumosa, graças ao uso de muita pomada, e reajustei a fita de veludo no meu pescoço. Percebendo minha ansiedade, Coco tocou minhas costas.

— Não fique nervosa, Lou. Vai dar tudo certo. As árvores de Brindelle vão mascarar a magia.

Fiz que sim com a cabeça e forcei um sorriso.

— Certo. Eu sei.

Caímos em silêncio quando viramos na rua de Tremblay, onde as árvores etéreas e delgadas de Parque Brindelle luziam suavemente atrás de nós. Centenas de anos atrás, tinham sido um bosque sagrado para meus ancestrais. Quando a Igreja tomou controle de Belterra, no entanto, oficiais tentaram queimá-las — e falharam de forma espetacular. As árvores tinham renascido ainda mais fortes. Em questão de dias, avultavam sobre a terra mais uma vez, e os colonos tinham sido forçados a construir ao redor delas. Sua magia ainda reverberava pelo chão sob meus pés, anciã e imutável.

Após alguns momentos, Coco suspirou e voltou a tocar minhas costas. Quase relutante.

— Mas, ainda assim, *precisa* ser cautelosa.

Bas virou a cabeça para encará-la, o cenho franzido.

— Como é?

Ela o ignorou.

— Algo... está a sua espera na casa de Tremblay. Pode ser o anel, mas também pode ser outra coisa. Não consigo ver com clareza.

— O quê? — Parei de supetão, girando para ela. — O que quer dizer com isso?

Coco me fitou com expressão aflita.

— Foi o que disse. Não consigo *ver*. Está embaçado e pouco nítido, mas com certeza há algo lá. — Fez uma pausa, deixando a cabeça pender para o lado enquanto me examinava... ou melhor, examinava algo que eu não podia enxergar. Algo quente e molhado que fluía sob a superfície de minha pele. — *Pode* ser maléfico, mas não creio que vá lhe fazer mal. Mas é... é definitivamente poderoso.

— Por que não disse nada antes?

— Porque não podia vê-lo antes.

— Coco, passamos o *dia inteiro* fazendo planos...

— Não sou eu quem faz as regras, Lou — respondeu ela, irritada. — Só consigo ver o que o seu sangue me mostra.

Apesar dos protestos de Bas, Coco insistira em furar nossos dedos antes de sairmos. Não tinha sido um problema para mim. Como uma Dame Rouge, Coco não canalizava sua magia da terra como eu e outras Dames Blanches. Não, a sua vinha de dentro.

Vinha do sague.

Bas passou a mão pelos cabelos, agitado.

— Talvez devêssemos ter recrutado outra bruxa de sangue para ajudar na nossa causa. Quem sabe Babette não fosse mais bem preparada...

— Até parece — rosnou Coco.

— E Babette não é confiável — acrescentei.

Ele nos fitou com curiosidade.

— Ainda assim, confiaram informações sobre esta missão crítica a ela...

Bufei.

— Só porque a pagamos.

— Além do mais, ela me deve. — Com olhar de nojo, Coco reajustou o manto para se proteger contra o gélido vento outonal. — Eu a ajudei a se aclimatar a Cesarine quando deixou o coven, mas isso já faz mais de um ano. Não estou disposta a testar sua lealdade mais do que isso.

Bas assentiu com a cabeça de maneira agradável, abrindo um sorriso falso e falando entredentes:

— Sugiro que adiemos esta conversa. Não tenho nenhum desejo de ser colocado para assar num espeto hoje.

— *Você* não assaria — murmurei ao retomarmos nosso passeio. — Não é bruxa.

— Não sou — concordou, pensativo —, mas bem que seria útil. Sempre achei injusto que vocês, mulheres, fiquem com toda a diversão.

Coco chutou uma pedrinha nas costas dele.

— Porque ser perseguida é realmente uma delícia.

Ele se virou para ela de cara feia, chupando de leve a ponta do dedo indicador, onde o furinho ainda era visível.

— Sempre a vítima, não é, querida?

Dei-lhe uma segunda cotovelada. Mais forte.

— Cale a boca, Bas.

Quando abriu a boca para discutir, Coco lhe lançou um sorriso felino

— Cuidado. Seu sangue ainda está no meu sistema.

Ele olhou para ela com indignação.

— Só porque você o tirou de mim à força!

Deu de ombros, completamente sem pudor.

— Precisava saber se algo de interessante aconteceria a você hoje.

— E então? — Bas a encarou com raiva e expectativa. — Vai acontecer?

— Você adoraria saber, não é?

— Inacreditável! Então me diga, o que *ganhei* permitindo que você sugasse o meu sangue se não pretendia me contar...

— Já disse. — Coco revirou os olhos, fingindo tédio e examinando uma cicatriz no pulso. — Só consigo ver fragmentos, e o futuro está sempre mudando. Adivinhação não é o meu forte. Já a minha tia, ela, sim, consegue ver milhares de possibilidades com um gostinho só...

— Fascinante. Nem imagina o quanto me divirto com conversinhas desse tipo, mas prefiro *não* saber os pormenores da arte de adivinhar o futuro através do sangue. Tenho certeza de que você entende.

— Foi você quem disse que seria útil ser bruxa — comentei.

— Estava sendo um cavalheiro!

— Ah, me poupe. — Coco bufou e chutou outra pedrinha nele, sorrindo quando o acertou em cheio no peito. — Você é a pessoa menos cavalheiresca que conheço.

Ele olhou feio para nós duas, tentando — e falhando — conter nosso riso.

— Então é essa a minha recompensa por tentar ajudar vocês. Talvez devesse voltar para a casa do meu primo, no fim das contas.

— Ah, para com isso, Bas. — Belisquei seu braço, e ele virou o olhar funesto para mim. Mostrei a língua. — Você concordou em ajudar, e não é como se não fosse ganhar nada com isso. Além do mais, foi só uma gotinha de sangue. Já vai sair do sistema dela logo, logo.

— Melhor que saia mesmo.

Em reposta, Coco moveu um dedo, e Bas soltou um xingamento e se remexeu todo, como se a calça tivesse pegado fogo.

— Isso *não tem graça*.

Ri mesmo assim.

Em pouco tempo — pouco demais — a casa de Tremblay surgiu diante de nós. De pedra pálida e charmosa, avultava acima até das ricas construções vizinhas, embora desse a distinta impressão de opulência cujo auge já passara faz tempo. O verde escalava as paredes, desenfreado, e o vento soprava folhas mortas pelo gramado atrás dos portões. Hortênsias e rosas amarronzadas salpicavam os canteiros, ao lado de uma laranjeira ostensivamente exótica. Os espólios de seus negócios no mercado clandestino.

Perguntei-me se Filippa gostava de laranjas.

— Está com o sedativo? — sussurrou Bas para Coco. Ela se aproximou e fez que sim, tirando um pacotinho de dentro do manto. — Ótimo. Pronta, Lou?

Ignorei-o e segurei o braço de Coco.

— Tem *certeza* de que não é suficiente para matar os cachorros?

Bas rosnou, impaciente, mas Coco o silenciou com outro movimento rápido de dedos. Assentiu outra vez antes de levar uma unha afiada ao antebraço.

— Uma gota do meu sangue no pó para cada cachorro. É só lavanda seca — acrescentou, levantando o pacote. — Só vai fazê-los dormir.

Soltei seu braço, concordando.

— Certo. Vamos.

Levantando o capuz do manto, me aproximei silenciosamente da cerca de ferro forjado circundando a propriedade. Embora não pudesse ouvir seus passos, sabia que os outros dois estavam atrás de mim, escondidos dentro das sombras lançadas pela sebe.

O cadeado no portão era simples e robusto, do mesmo ferro da cerca. Respirei fundo. Podia fazer isso. Dois anos tinham se passado, mas sem dúvidas, *sem dúvidas*, era capaz de quebrar um simples cadeado. Enquanto o examinava, um cordão de ouro reluzente subiu do chão e se enrolou nele. Pulsou por um segundo apenas antes de se espiralar ao redor de meu dedo indicador, nos conectando. Soltei um suspiro de alívio — depois tomei outro fôlego profundo para acalmar os nervos. Como se sentisse minha hesitação, mais dois cordões surgiram e flutuaram até onde Coco e Bas aguardavam, desaparecendo dentro de seus peitos. Olhei feio para as coisinhas diabólicas.

Não se pode ganhar algo sem dar nada em troca, sabe, sussurrou uma voz odiosa dentro de minha cabeça. *Uma ruptura por uma ruptura. Seu osso por uma fechadura... ou talvez seu relacionamento. A natureza demanda equilíbrio.*

A natureza podia ir se ferrar.

— Tem algo de errado? — Bas se aproximou com cautela, os olhos se alternando entre mim e o portão, mas não podia enxergar os cordões dourados como eu. Existiam apenas em minha mente. Virei-me para ele, um insulto já na ponta da língua.

Seu covarde inútil. É óbvio que nunca poderia amá-lo.

Já está apaixonado por si mesmo.

E é péssimo de cama.

A cada palavra, o fio entre ele e o cadeado pulsava mais brilhante. Mas... não. Eu agi antes que pudesse reconsiderar, torcendo o dedo com violência. A dor lancetou minha mão. Com dentes trincados, assisti enquanto os cordões se desfaziam, retornando à terra em uma espiral de poeira dourada. Uma satisfação selvagem correu por mim quando o mecanismo de ferro se abriu em resposta.

Tinha conseguido.

A primeira fase de minha missão estava completa.

Não parei para celebrar. Em vez disso, abri o portão com pressa — cuidando para evitar o dedo indicador, que agora fazia um ângulo antinatural — e abri caminho para os demais. Coco passou por mim em direção à porta da frente, Bas atrás dela.

Mais cedo, tínhamos verificado que Tremblay tinha seis guardas patrulhando a casa. Três estariam postados no lado de dentro, mas Bas cuidaria deles. Era muito habilidoso com as facas. Estremeci e pisei na grama. Meus alvos do lado de fora encontrariam um destino muito mais favorável. Ou assim eu esperava.

Nem um instante tinha se passado, e o primeiro guarda surgiu da lateral da mansão. Não me preocupei em me esconder, jogando o capuz para trás e convidando-o a me olhar. Ele notou primeiro o portão aberto e imediatamente levou a mão à espada. Suspeita e pânico batalhavam em sua expressão enquanto esquadrinhava o quintal à procura de algo errado — e então me viu. Fazendo uma oração muda, sorri.

— Olá — uma dúzia de vozes falou junto da minha, e a palavra saiu estranha e encantadora, ampliada pela presença persistente de minhas ancestrais. Suas cinzas, há tempos absorvidas pela terra até elas próprias terem *se tornado* a terra — o ar, as árvores e a água —, vibravam sob mim. Através de mim. Meus olhos brilhavam com uma luz mais forte do que o normal. Minha pele luzia, lustrosa, sob o luar.

Uma expressão quase sonhadora cruzou o rosto do homem enquanto me fitava, e a mão na espada relaxou. Gesticulei para que se aproximasse. Ele obedeceu, caminhando para mim como se estivesse em transe. A apenas alguns passos de distância, pausou, ainda me encarando.

— Espere aqui comigo? — indaguei com a mesma voz estranha.

Ele fez que sim. Os lábios do guarda se separaram discretamente, e senti seu pulso acelerar sob meu olhar. Cantando para mim, me sustentando. Permanecemos assim até que o segundo guarda surgiu. Virei os olhos para ele e repeti todo o delicioso processo. Quando o terceiro segurança apareceu, minha pele brilhava mais reluzente do que a lua.

— Foram tão gentis. — Estendi as mãos para os três homens em súplica. Eles me olhavam com ganância. — Mil desculpas pelo que estou prestes a fazer.

Fechei os olhos, me concentrando, e um brilho dourado explodiu atrás de minhas pálpebras em uma teia infinita e intrincada. Foquei-me em um filete e o segui até uma lembrança do rosto de Bas — sua cicatriz, a noite de paixão que tínhamos passado juntos. Uma troca. Cerrei os punhos, e a memória se evaporou enquanto o mundo girava. Os guardas caíram ao chão, inconscientes.

Desorientada, abri lentamente os olhos. A teia se dissipou. Meu estômago se revirou, e acabei vomitando na sebe de rosas.

Provavelmente teria permanecido ali a noite inteira — suando e vomitando depois de usar magia reprimida — se não tivesse escutado o gemido suave dos cães de Tremblay. Coco devia tê-los encontrado. Limpando a boca com a manga, me chacoalhei mentalmente e segui para a porta. Esta não era uma noite para ficar enjoada.

O silêncio cobria o interior da casa. Onde quer que Bas e Coco estivessem, eu não conseguia ouvi-los. Caminhando pelo corredor de entrada, examinei as cercanias: as paredes escuras, a mobília nobre, as inúmeras peças de decoração. Tapetes enormes em padrões de mau gosto recobriam o piso de mogno, e vasilhas de cristal, almofadas com pompons e pufes de veludo ocupavam todas as superfícies. Tudo muito enfadonho, na minha opinião. Abarrotado. Queria arrancar as cortinas pesadas das paredes e deixar entrar a luz prateada da lua.

— *Lou.* — O chamado sibilado de Bas veio da escada, e quase pulei de susto. A advertência de Coco reanimou-se com nitidez aterrorizante: *Algo está a sua espera na casa de Tremblay.* — Pare de sonhar acordada e suba aqui.

— Está mais para ter um pesadelo acordada. — Ignorei o arrepio descendo pela minha espinha e me lancei numa marcha atlética para me juntar a ele.

Para minha surpresa (e deleite), Bas tinha encontrado uma alavanca na moldura de uma grande pintura no escritório de Tremblay: o retrato de uma jovem de olhos verdes penetrantes e cabelos de ébano. Toquei seu rosto como se me desculpasse.

— Filippa. Que previsível.

— Sem dúvida. — Bas puxou a alavanca e o quadro se abriu para a frente, revelando o cofre atrás dele. — Não raro, se confunde estupidez com sentimentalismo. Este foi o primeiro lugar em que olhei. — Ele gesticulou para a fechadura. — Consegue abrir?

Soltei um suspiro, olhando para o dedo quebrado.

— Você não pode cuidar disso desta vez?

— Abre logo — respondeu ele, impaciente —, e rápido. Os guardas podem acordar a qualquer momento.

Certo. Lancei um olhar feio ao cordão de ouro se formando entre mim e o cadeado antes de começar a trabalhar nele. Apareceu mais depressa desta vez, como se já estivesse esperando. Embora tenha mordido o lábio com força o suficiente para sangrar, um pequeno grunhido ainda assim me escapou quando quebrei um segundo dedo. O cofre fez um clique, e Bas o abriu.

Lá dentro, Tremblay tinha guardado um amontoado de itens fastidiosos. Empurrando para longe seu sinete, documentos legais, cartas e ações, Bas fitou a pilha de joias no fundo com voracidade. Rubis e granadas em sua maioria, embora tenha avistado um colar de diamantes especialmente atraente. A caixa brilhava com as *couronnes* de ouro que margeavam suas paredes.

Joguei tudo para o lado com impaciência, sem levar em conta os protestos de Bas. Se Tremblay estivesse mentindo, se *não* estivesse com o anel...

Ao fundo do cofre jazia um pequeno álbum de couro. Abri-o com violência — vagamente reconhecendo esboços de duas meninas que só podiam ser Filippa e a irmã —, até que um anel de ouro caiu de dentro das páginas. Aterrissou no carpete sem fazer som, ordinário em todos os aspectos, senão pela vibração oscilante e quase indiscernível que fez meu coração dar um salto no peito.

Com o fôlego preso na garganta, agachei para pegá-lo. Era quente em minha palma. Verdadeiro. Lágrimas arderam em meus olhos, ameaçando cair. Ela nunca mais me encontraria. Estava... a salvo. Na medida do possível. Em meu dedo, o anel rechaçaria qualquer encantamento. Na boca, me tornaria invisível. Não sabia por quê — um capricho da magia ou, quem sabe, da própria Angélica —, mas também não me interessava saber. Quebraria os dentes no metal se me mantivesse escondida.

— Encontrou? — Bas enfiou o que restava de joias e *couronnes* dentro da bolsa e olhou para o anel com expectativa. — Não é lá grande coisa, é?

Três batidas rápidas ecoaram do andar de baixo. Um aviso. Os olhos de Bas se estreitaram, e ele foi até a janela para espiar o gramado lá embaixo. Coloquei o anel enquanto ele estava de costas. Pareceu emitir um leve suspiro ao contato.

— Merda! — Bas se virou, os olhos turbulentos, e todo e qualquer pensamento sobre o anel fugiu de minha mente. — Temos companhia.

Corri até a janela. A polícia ocupava o quintal, seguindo em direção à casa, mas não foi isso que fez um temor genuíno se cravar como uma lâmina em meu estômago. Não, foram os casacos azuis que a acompanhavam.

Chasseurs.

Merda. Merda, merda, *merda*.

Por que *eles* estavam aqui?

Tremblay, a esposa e a filha faziam um círculo em volta dos guardas que eu deixara desacordados. Amaldiçoei a mim mesma por não os ter ocultado. Um erro de principiante, mas tinha estado desorientada graças à magia. Falta de prática.

Para meu horror, um deles já começava a se mexer. Não tinha dúvidas a respeito do que contaria aos Chasseurs quando recobrasse a consciência.

Bas já tinha entrado em ação, fechando o cofre com uma pancada e recolocando o quadro no lugar.

— Consegue nos tirar daqui? — Seus olhos continuavam arregalados em pânico e desespero. Podíamos ouvir os policiais e Chasseurs cercando a mansão. Todas as saídas logo estariam bloqueadas.

Encarei minhas mãos. Estavam tremendo, e não era só por conta dos dedos quebrados. Eu estava fraca, fraca *demais*, depois de todo o esforço da noite. Como me permiti ficar tão inepta? O risco de ser descoberta, lembrei a mim mesma, tinha sido alto demais...

— Lou! — Bas agarrou meus ombros e os sacudiu de leve. — Consegue nos tirar daqui?

Lágrimas encheram meus olhos.

— Não — sussurrei. — Não consigo.

Ele piscou, o peito subindo e descendo com rapidez. Os Chasseurs gritaram algo lá de baixo, mas não importava. Tudo o que importava era a decisão já tomada nos olhos de Bas enquanto nos encarávamos.

— Certo. — Ele apertou meus ombros brevemente. — Boa sorte.

Depois se virou e escapou do cômodo.

UM NOME MASCULINO

Reid

A mansão de Tremblay fedia a magia. O cheiro cobria o gramado, impregnava os guardas inertes que Tremblay tentava reanimar. Uma mulher alta de meia-idade estava ajoelhada ao lado dele. Cabelos ruivos. Estonteante. Embora não a reconhecesse, os murmúrios de meus irmãos confirmavam minhas suspeitas.

Madame Labelle. Notória cortesã e senhora do Bellerose.

Não tinha por que estar aqui.

— Capitão Diggory.

Virei-me na direção da voz tensa atrás de mim. Uma loura esguia estava parada com as mãos seguramente entrelaçadas, uma aliança de casamento que com certeza não fora barata reluzia em seu dedo anelar. Linhas de expressão marcavam os cantos de seus olhos — olhos que no momento fulminavam a parte posterior da cabeça de Madame Labelle.

A esposa de Tremblay.

— Olá, Capitão Diggory. — A voz suave de Célie a precedeu quando deu um passo para o lado da mãe. Engoli em seco. Ainda guardava luto, os olhos verdes severos na luz das tochas. Inchados. Vermelhos. Lágrimas brilhavam em suas bochechas. Eu não queria nada além de cruzar a distância entre nós e fazê-las desaparecerem. Fazer todo esse pesadelo — essa cena tão parecida com a da noite em que encontramos Filippa — desaparecer.

— Mademoiselle Tremblay. — Em vez disso, fiz um cumprimento baixando a cabeça, consciente dos olhares de meus irmãos. De Jean Luc. — Você parece... bem.

Uma mentira. Parecia miserável. Amedrontada. Tinha perdido peso desde a última vez em que a vira. O rosto estava resguardado, fechado, como se não dormisse há meses. Eu mesmo não dormira.

— Obrigada. — Um sorrisinho ao ouvir a mentira. — Você também.

— Peço perdão pelas circunstâncias, *mademoiselle*, mas lhe garanto, se uma bruxa for a responsável, seu destino será queimar na fogueira.

Voltei a olhar para Tremblay. Ele e Madame Labelle estavam recurvados próximos um ao outro, e pareciam estar conversando apressadamente com os guardas. Franzindo o cenho, me aproximei. Madame Tremblay pigarreou e virou os olhos indignados para mim.

— Eu lhe garanto, senhor, que sua estimada ordem e o senhor não são necessários aqui. Meu marido e eu somos cidadãos tementes a Deus, e não toleramos bruxaria...

Ao meu lado, Jean Luc curvou a cabeça para ela.

— É evidente que não, Madame Tremblay. Estamos aqui apenas como precaução.

— Seus guardas estavam desacordados, *madame* — argumentei. — E sua casa fede a magia.

Jean Luc suspirou e me lançou um olhar irritado.

— O cheiro é o mesmo de *sempre*. — Os olhos de Madame Tremblay se estreitaram, e os lábios formaram uma linha fina. Desagradada. — É culpa daquele parque infernal. Envenena a rua inteira. Não fosse pela vista para o Doleur, nos mudaríamos amanhã mesmo.

— Perdão, *madame*. Ainda assim...

— Nós entendemos. — Jean Luc deu um passo à minha frente com um sorriso apaziguador. — E nos desculpamos pelo alarme. Normalmente, assaltos são da jurisdição da polícia, mas... — ele hesitou, o sorriso vacilando um pouco. — Recebemos uma mensagem anônima informando que uma bruxa estaria aqui hoje. Faremos apenas uma rápida varredura na propriedade, e a senhora e sua família logo poderão retornar à casa...

— Capitão Diggory, Chasseur Toussaint. — A voz que interrompeu era calorosa. Suave. Íntima. Nos viramos todos ao mesmo tempo para ver Madame Labelle vindo em nossa direção. Tremblay se apressou em segui-la, deixando os seguranças desorientados para trás. — Acabamos de falar com os guardas. — Ela sorriu, revelando reluzentes dentes brancos. Quase brilhavam contra o escarlate de seus lábios. — Os pobrezinhos não se lembram de nada, infelizmente.

— Se não se importa que eu pergunte, Helene — começou Madame Tremblay, entredentes —, o que faz aqui?

Madame Labelle se virou para ela com desinteresse polido.

— Estava de passagem e vi uma comoção, é óbvio.

— De passagem? E o que veio fazer por *estas* partes da cidade, minha cara? Seria de se esperar que tivesse, hum, *negócios* para cuidar na sua própria rua a esta hora da noite.

Madame Labelle arqueou uma sobrancelha.

— E está correta. — O sorriso dela se alargou, e olhou de relance para Tremblay antes de retornar ao olhar gélido da esposa. — Tenho *mesmo* negócios para cuidar.

Célie se enrijeceu, abaixando a cabeça, e Tremblay não tardou em intervir antes que a mulher pudesse responder.

— Vocês têm total permissão para interrogar meus empregados, senhores.

— Não se preocupe, Monsieur Tremblay. Nós vamos. — Direcionando uma carranca a ele por Célie, levantei a voz para os policiais e

Chasseurs: — Separem-se e isolem a área. Bloqueiem todas as saídas. Oficiais, formem duplas com um Chasseur. Se for *de fato* uma bruxa, não permitam que os peguem desprevenidos.

— Não é uma bruxa — insistiu madame Tremblay, olhando ao redor, ansiosa. Luzes nas casas vizinhas tinham começado a se acender. Um punhado de espectadores já se acumulara perto do portão quebrado. Alguns vestiam roupas de dormir. Outros, trajes finos como os dos Tremblay. Todos tinham expressões reticentes já conhecidas. — É só um ladrão. É tudo que é...

Ela parou de repente, os olhos voando para a casa. Segui-os até uma janela no andar superior. Uma cortina se moveu, e dois rostos espiavam de lá.

Um deles era familiar, apesar da peruca. Olhos azul-esverdeados — vívidos mesmo a distância — se arregalaram em pânico. A cortina se fechou depressa.

Satisfação se espalhou pelo meu peito e me permiti um sorriso. *Deixai correr livre o direito como um rio caudaloso, e a justiça como um ribeiro eterno.*

— O que foi? — Jean Luc voltou-se para a janela também.

Justiça.

— Ainda estão aqui. Um homem e uma mulher.

Ele desembainhou a Balisarda com um floreio.

— Cuidarei da mulher com rapidez.

Franzi o cenho, lembrando do bigode da moça. A calça folgada demais, mangas levantadas e sardas. Seu cheiro quando topou comigo durante o cortejo... baunilha e canela. Não era magia. Balancei a cabeça com brusquidão. Mas bruxas nem sempre tinham *cheiro* de maldade. Apenas quando estavam praticando sua arte. O arcebispo fora explícito em nosso treinamento: toda mulher era uma potencial ameaça. Ainda assim...

— Não creio que ela seja uma bruxa.

Jean Luc levantou uma sobrancelha escura, as narinas infladas.

— Não? Com certeza não foi coincidência termos recebido uma pista desse tipo nesta noite específica... Antes destes ladrões específicos assaltarem esta casa específica.

Franzindo o cenho, voltei os olhos para a janela.

— Eu a conheci de manhã. Não... — Pigarreei, calor subindo às bochechas. — Não parecia uma bruxa.

A justificativa era fraca, mesmo aos meus próprios ouvidos. O olhar de Célie queimava em meu pescoço.

— Ah. Então ela não pode ser bruxa porque não *parecia* uma. Falha minha, claro.

— Estava usando um bigode falso — murmurei. Quando Jean Luc bufou, zombeteiro, resisti à tentação de esmagá-lo. Ele sabia bem que Célie estava assistindo. — Não podemos descartar Parque Brindelle logo aqui ao lado. É possível que o homem e a mulher sejam simples assaltantes, apesar das circunstâncias. Pode ser que mereçam o cárcere. Não a fogueira.

— Muito bem. — Jean Luc revirou os olhos e marchou em direção à porta sem esperar minhas ordens. — Vamos com isso, então, sim? Interrogamos os dois e depois decidimos... cárcere ou fogueira.

Trincando os dentes diante de sua insolência, gesticulei com a cabeça para os policiais, que correram atrás dele. Não os segui. Em vez disso, mantive os olhos na janela — e no telhado. Quando ela não reapareceu, contornei a casa, à espera. Embora a presença de Célie fosse como uma chama aberta em minhas costas, fiz o máximo para ignorá-la. Ela queria que eu me focasse nos Chasseurs. Era isso que tinha que fazer.

Um momento se passou. E mais outro.

Uma pequena porta obscurecida por hortênsias se abriu a minha direita. Jean Luc e um homem de pele marrom saíram por ela, facas luzindo sob o luar. Rolaram uma vez antes de Jean Luc acabar por cima, a Balisarda contra o pescoço do outro. Três policiais saíram da mesma portinhola com algemas e corda. Em questão de segundos, tinham atado os pulsos e tornozelos do assaltante. Ele rosnou e se contorceu, gritando uma litania de xingamentos. E uma outra palavra:

— Lou! — Em vão, ele fazia força contra as amarras, o rosto ficando roxo de fúria. Um dos policiais começou a se mover para amordaçá-lo. — LOU!

Lou. Um nome masculino. Era de se esperar.

Segui em frente, ainda esquadrinhando janelas e telhado. E, como previsto, logo notei um vulto discreto escalando parede acima. Devagar. Olhei com mais atenção. Desta vez, vestia um manto. Abriu-se durante a subida, revelando um vestido tão fino quanto o de Madame Tremblay. Provavelmente roubado. Mas não era o vestido que parecia lhe causar dificuldades.

Era a mão.

Toda vez que tocava a parede, ela a recolhia com brusquidão, como se estivesse com dor. Forcei os olhos, tentando localizar a fonte do problema, mas estava alto demais. *Demais.* Como se respondendo a meu medo, seu pé escapuliu do apoio, e ela despencou alguns metros antes de se segurar em um parapeito. Meu estômago se revirou e pareceu despencar, quase como ela.

— Ei! — Corri para a frente. Passos soaram quando os Chasseurs e policiais começaram a se aproximar. Jean Luc atirou o homem amarrado a meus pés. — Você está cercada! Já capturamos o seu namorado! Desça antes que se mate!

Ela escorregou e voltou a se segurar. Desta vez, a peruca caiu ao chão, revelando longos cabelos castanhos. Inexplicavelmente furioso, dei uma guinada para a frente.

— Desça AGORA MESMO...

O homem conseguiu se desfazer da mordaça.

— LOU, ME AJUDA...

Um policial lutou para amordaçá-lo outra vez. A mulher parou ao ouvir a voz, empoleirada em uma janela, e olhou para nós. Seu rosto se iluminou com reconhecimento quando me avistou, e levou a mão boa à testa em uma saudação zombeteira.

Fitei-a, perplexo.

Tinha realmente me *saudado*.

Meus punhos se fecharam.

— Subam e a peguem.

Jean Luc fez uma carranca diante do comando, mas ainda assim assentiu:

— Chasseurs, comigo. — Meus irmãos se adiantaram, desembainhando as Balisardas. — Policiais, no chão. Não a deixem escapar.

Se os demais Chasseurs questionaram por que permaneci no solo, não disseram palavra. Sabiamente. Mas isso não impediu os olhares curiosos dos outros oficiais.

— O quê? — perguntei com brusquidão, olhando feio para eles. Voltaram sua atenção para o telhado depressa. — Tinha mais alguém dentro da casa?

Após vários longos segundos, um deles se adiantou. Reconheci-o vagamente. Dennis. Não, Davide.

— Sim, capitão. Geoffrey e eu encontramos uma pessoa na cozinha.

— E?

Outro policial, que presumi que fosse Geoffrey, pigarreou. Os dois se entreolharam, ansiosos, e o segundo engoliu em seco.

— Ela escapou.

Soltei o ar, exasperado.

— Achamos que era a sua bruxa — acrescentou Davide com esperança. — Cheirava a magia, mais ou menos, e... e envenenou os cães. Tinha sangue no focinho deles e eles estavam com um cheiro... estranho.

— E, se isso ajuda alguma coisa, ela tinha... bem... *cicatrizes* — lembrou Geoffrey. O amigo assentiu, sério.

Virei para o telhado sem mais palavras, me obrigando a relaxar os punhos. A respirar.

Não era culpa de Davide ou Geoffrey. Não eram treinados para lidar com bruxas. Ainda assim... Talvez *eles* pudessem explicar sua incompetência ao arcebispo. Talvez pudessem aceitar a punição. A vergonha. Outra bruxa à solta. Outra bruxa livre para atormentar o povo inocente de Belterra. Para atormentar Célie.

Através de um véu vermelho de fúria, voltei os olhos para a ladra.

Lou.

Ela me diria para onde a bruxa tinha fugido. Eu arrancaria a informação dela, não importava o que custasse. Eu *corrigiria* esta falha.

Mesmo com a mão ferida, ela ainda conseguia escalar mais rápido do que os Chasseurs. Alcançou o telhado antes dos demais terem sequer chegado ao segundo piso.

— Espalhem-se! — Rugi aos policiais. Eles se dispersaram ao ouvir meu comando. — Ela vai ter que descer em algum lugar. Aquela árvore... vigiem-na! E os canos! Encontrem tudo que ela possa usar para escapar!

Aguardei, andando de um lado para outro e fervilhando de raiva, enquanto meus irmãos escalavam em um ritmo constante. Suas vozes chegavam até mim lá de cima. Ameaçando-a. Bom. Ela estava mancomunada com bruxas. Merecia nos temer.

— Algum sinal? — gritei para os oficiais em solo.

— Aqui não, capitão!

— Nem aqui!

— Nada, senhor!

Contive um grunhido impaciente. Então, finalmente — após o que pareceu uma eternidade —, Jean Luc chegou ao telhado atrás dela. Três de meus irmãos o seguiram. Esperei. E esperei.

E esperei mais.

Davide gritou atrás de mim, e virei para deparar com o ladrão amarrado já na metade da rua. Tinha, de alguma forma, desatado as amarras dos pés. Embora a polícia corresse atrás dele, tinham se dispersado demais pelo quintal seguindo minhas ordens. Sufocando o xingamento na ponta da língua, me lancei em seu encalço, mas o grito de Jean Luc me deteve.

— Ela não está aqui! — Ele reapareceu na beirada do telhado, ofegante. Mesmo a distância, podia enxergar a raiva em seus olhos. Era igual à minha. — Desapareceu!

Com um rugido de frustração, olhei pela rua à procura do homem. Mas ele também tinha sumido.

O ANEL DE ANGÉLICA

Lou

Eu ainda podia ouvir os Chasseurs enquanto corria pela rua, fitando o espaço onde meus pés — e pernas e o *corpo inteiro* — deveriam estar. Não podiam compreender para onde eu tinha fugido. Eu mesma mal o compreendia.

Num segundo, estava encurralada no telhado, e, no seguinte, o Anel de Angélica tinha esquentado a ponto de queimar em meu dedo. *Óbvio.* Em meu pânico, tinha esquecido o que o anel era capaz de *fazer*. Sem parar para pensar, o tirara do dedo e enfiara na boca.

Meu corpo sumiu.

Escalar a casa com plateia e dois dedos quebrados tinha sido difícil. Descer lá do alto com plateia, dois dedos quebrados e um anel entre os dentes — invisível — tinha sido quase impossível. Em duas ocasiões quase engoli a joia, e em outra tive certeza de que um dos Chasseurs me escutara quando torci os dedos feridos.

Ainda assim, consegui.

Se os Chasseurs não tivessem pensado que eu era uma bruxa antes — se, por milagre, os guardas não tivessem dado com a língua nos dentes —, sem dúvidas suspeitavam agora. Eu teria que ser muito cuidadosa. O Chass de cabelos acobreados conhecia meu rosto e, graças à tolice de Bas, também sabia meu nome. Procuraria por mim.

Outras pessoas muito mais perigosas podiam tomar conhecimento e começar a me procurar também.

Quando me distanciei o suficiente para me sentir relativamente segura, cuspi o anel da boca. Meu corpo reapareceu de imediato quando o coloquei no dedo.

— Truque bacana — comentou Coco.

Girei ao ouvir sua voz. Ela estava encostada em um edifício sujo num beco, a sobrancelha arqueada, e meneou a cabeça em direção ao anel.

— Estou vendo que encontraram o cofre de Tremblay. — Quando olhei para a rua, hesitando, ela riu. — Não se preocupe. Nossos amiguinhos musculosos de azul estão ocupados colocando abaixo a casa de Tremblay, tijolo por tijolo. Estão concentrados demais na busca para de fato conseguirem encontrá-la.

Dei um risinho, mas parei logo, voltando a encarar o anel com assombro.

— Nem consigo acreditar que o encontramos. As bruxas fariam uma revolução se soubessem que está comigo.

Coco seguiu meus olhos, a testa se franzindo levemente.

— Sei o que o anel é capaz de fazer, mas você nunca me contou por que o seu clã o reverencia assim. Com certeza deve haver outros objetos mais... não sei... poderosos?

— Este é o Anel de Angélica.

Ela me fitou sem expressão.

— Você também é bruxa. — Devolvi seu olhar de confusão. — Nunca ouviu a história de Angélica?

Ela revirou os olhos.

— Sou uma bruxa vermelha, caso tenha se esquecido. Perdoe-me se nunca me eduquei nas superstições do seu culto. Ela era parente sua ou coisa assim?

— Bom, sim — respondi, impaciente. — Mas isso não vem ao caso. Na verdade, não passava de uma bruxa solitária que se apaixonou por um cavalheiro.

— Que lindo.

— Ele era. Foi ele quem deu o anel a ela como promessa de casamento... e depois morreu. Angélica ficou tão devastada que suas lágrimas inundaram a terra e criaram um novo oceano. L'Eau Mélancolique, foi o nome que deram a ele.

— As Águas Melancólicas. — Coco levantou minha mão, o desdém dando lugar à admiração relutante ao examinar o anel. Tirei-o do dedo e estendi a palma da mão aberta para ela, mas ela não o pegou. — Que nome bonito e terrível.

Assenti com expressão sombria.

— É um lugar igualmente bonito e terrível. Quando acabaram suas lágrimas, Angélica atirou o anel dentro das águas e, depois, a si mesma. Ela se afogou. Quando o anel emergiu, estava imbuído de todo tipo de magia...

Ouvimos vozes e algazarra na rua, e parei de falar na mesma hora. Um grupo de homens passou, cantando alto uma canção de bar fora de tom. Coco e eu nos encolhemos mais para dentro do abrigo das sombras.

Quando o barulho cessou, relaxei.

— Como você escapou?

— Por uma janela — Diante de meu olhar de expectativa, ela sorriu. — O capitão e seus lacaios estavam preocupados demais com você para me notarem.

— Muito bem. — Fiz um bico e me recostei na parede ao lado dela. — De nada, então. E como me encontrou?

Ela subiu a manga. Uma teia de cicatrizes marcava os braços e pulsos, e um corte fresco no antebraço ainda sangrava. Uma marca para cada pinguinho de magia que já invocara. Pelo pouco que Coco já me contara a respeito das Dames Rouges, sabia que seu sangue era um ingrediente poderoso na maioria dos feitiços, mas não o compreendia a fundo. Diferentemente das Dames Blanches, elas não estavam sujeitas a leis ou regras. Sua magia não exigia equilíbrio. Podia ser selvagem, imprevisível... Parte de meu clã a considerava perigosa.

Mas eu também testemunhara o que as próprias Dames Blanches eram capazes de fazer. Hipócritas asquerosas.

Coco levantou uma sobrancelha diante de meu exame e esfregou um pouco de sangue entre os dedos.

— Quer mesmo saber?

— Acho que consigo adivinhar. — Suspirei e deslizei pela parede até me sentar no chão, fechando os olhos.

Ela se juntou a mim, a perna encostada na minha. Depois de alguns segundos de silêncio, me cutucou com o joelho, e forcei um olho a se abrir. Os dela estavam atipicamente sérios.

— A polícia me viu, Lou.

— O quê? — Dei uma guinada para a frente, os olhos bem abertos agora. — Como?

Ela deu de ombros.

— Fiquei esperando para ter certeza de que você tinha escapado. Foi sorte ter sido só a polícia, na verdade. Quase molharam as calças quando se deram conta de que eu era uma bruxa. Pelo menos isso me facilitou na hora de fugir pela janela.

Merda. Meu coração ficou pesado.

— Então os Chasseurs também estão sabendo. Já devem estar procurando por você. Precisa sair da cidade o quanto antes... hoje. Agora. Mande avisar a sua tia. Ela vai encontrá-la.

— Vão procurar por *você* também agora. Mesmo que não tivesse desaparecido no ar daquele jeito, sabem que você está associada com uma bruxa. — Ela abraçou os joelhos, não dando importância ao sangue no braço. Manchou a saia de vermelho. — Qual é o seu plano?

— Não sei — admiti baixinho. — Tenho o Anel de Angélica. Terá que ser suficiente.

— Você precisa de proteção. — Suspirando, Coco tomou minha mão ilesa. — Vem comigo. Minha tia vai...

— Me matar.

— Não vou permitir. — Ela balançou a cabeça, resoluta, e os cachos que emolduravam seu rosto se movimentaram na mesma direção. — Você sabe o que ela pensa da Dame des Sorcières. Jamais moveria um dedo para ajudar as Dames Blanches.

Eu sabia que não adiantava discutir, então soltei um longo suspiro.

— Mas as outras podem não pensar assim. Seria só questão de tempo até alguém do seu coven me apunhalar enquanto durmo... Ou me entregar para *ela*.

Os olhos de Coco brilharam.

— Eu cortaria o pescoço dela.

Dei um sorriso pesaroso.

— É com o meu próprio pescoço que estou mais preocupada.

— Então o que vai ser? — Ela soltou minha mão e se levantou. — Vai voltar para o Soleil et Lune, e é isso?

— Por enquanto. — Dei de ombros como se não tivesse preocupação alguma no mundo, mas o movimento foi tenso demais para ser convincente. — Só o Bas sabe que moro lá, e ele conseguiu escapar.

— Vou ficar com você então.

— Não. Não vou deixar que queime por minha causa.

— Lou...

— Não.

Ela bufou, impaciente

— Está bem. É o seu pescoço na linha. Só... me deixe curar os seus dedos, pelo menos.

— Nada de magia. Por hoje chega.

— Mas...

— Coco. — Levantei e tomei sua mão com gentileza, lágrimas subindo aos meus olhos. Nós duas sabíamos que ela só estava tentando ganhar tempo. — Ficarei bem. São só dois dedos quebrados. *Vá*. Cuide-se.

Ela fungou, levando o rosto para trás num esforço vão de conter as lágrimas.

— Só se você se cuidar também.

Nós nos abraçamos brevemente, nenhuma das duas querendo dizer adeus. Adeus era definitivo demais, e voltaríamos a nos encontrar um dia. Embora não soubesse quando, nem onde, eu me certificaria disso.

Sem mais palavras, ela se desvencilhou de mim e se perdeu dentro das sombras.

Eu não tinha sequer saído do beco quando duas figuras grandes bloquearam meu caminho. Xinguei quando me empurraram sem delicadeza alguma contra a parede. Andre e Grue. É claro. Tentei lutar contra eles, mas era inútil. Eram dezenas de quilos mais pesados do que eu.

— Como vai, docinho? — zombou Andre. Era mais baixo do que Grue, com um nariz longo e estreito e dentes demais. Lotavam sua boca, amarelos, quebrados e tortos. Com seu hálito me provocando ânsia de vômito, me afastei, mas Grue enfiou o nariz em meus cabelos.

— Humm. Você tem um cheiro tão bom, Lou Lou. — Dei-lhe uma cabeçada no rosto em resposta. Seu nariz fez um estalo, e ele cambaleou para trás, xingando violentamente, antes de agarrar meu pescoço. — Sua cadela...

Chutei seu joelho e dei uma cotovelada no estômago de Grue ao mesmo tempo. Quando afrouxou a mão, corri na direção da rua, mas ele agarrou meu manto no último segundo. Meus pés perderam contato com o chão, e aterrissei nas pedras com um baque doloroso. Ele me chutou para ficar de bruços, me prendendo na posição com uma bota pressionando minhas costas.

— Passe o anel para cá, Lou.

Embora me retorcesse para tentar desequilibrá-lo, ele só fez mais força. Uma dor lancinante se irradiou por minha coluna.

— Não estou com... — Ele se abaixou antes que pudesse terminar a frase, esmagando meu rosto contra o chão. Meu nariz fez um estalo, e sangue jorrou para dentro de minha boca. Sufoquei, estrelas explodindo atrás dos olhos, e lutei para não perder a consciência. — A polícia nos encurralou, seu canalha! — Então caí em mim, chegando a uma conclusão desagradável. — Foram *vocês?* Vocês nos entregaram, seus ratos filhos da mãe?

Grue rosnou e se levantou, ainda agarrado ao joelho. O nariz bulboso sangrava desimpedido, o líquido escorrendo pelo queixo. Apesar da dor ofuscante, um prazer vingativo me percorreu. Sabia que sorrir não me traria nada de bom, mas era difícil — *tão difícil* — resistir.

— Não sou rato nenhum. Reviste-a, Andre.

— Se colocar um dedo em mim outra vez, juro que arranco seus olhos da...

— Não acho que esteja em posição para fazer ameaças, Lou Lou. — Andre puxou meus cabelos para trás com violência, esticando meu pescoço, e fez uma carícia em meu maxilar com a lâmina da faca. — E acho que vou me divertir com essa revista. Vou procurar em cada cantinho. Vai saber onde você pode ter escondido o anel.

Uma lembrança veio à tona com foco cristalino.

Meu pescoço acima de uma bacia. Tudo branco.

Depois, vermelho.

Explodi debaixo dele num borrão de pernas, braços, unhas e dentes, arranhando, mordendo e chutando tudo que conseguisse alcançar.

Ele tropeçou para trás com um grito, a faca cortando meu queixo superficialmente, mas não senti sua picada enquanto a atirava para longe. Não sentia nada — nem o ar nos pulmões, o tremor nas mãos, as lágrimas no rosto. Não parei até meus dedos encontrarem os olhos dele.

— Espere! Por favor! — Ele os fechou com força, mas continuei pressionando, enganchando os nós dos dedos por baixo das pálpebras, dentro das cavidades. — Perdão! Eu... eu acredito em você!

— Pare! — Os passos de Grue ressoavam atrás de mim. — Pare, ou eu...

— Se tocar em mim, ele fica cego.

O som cessou abruptamente, e o ouvi engolir em seco.

— Você... Só queremos algo em troca do nosso silêncio, Lou. Pelo incômodo. Sei que levaram mais do que o anel da casa daquele asno.

— Não tenho que dar nada a vocês. — Andando de costas para fora do beco, devagar, mantive uma das mãos firmemente ao redor do pescoço de Andre. A outra permanecia em seu olho. A cada passo, a sensação retornava a meus braços e pernas. A minha mente. Meus dedos quebrados latejavam. Pisquei rápido várias vezes, engolindo a bile em minha garganta. — Não me sigam, ou vou terminar o que comecei aqui.

Grue não se moveu. Andre chegou até a gemer.

Quando alcancei a via principal, não hesitei. Lançando Andre para a frente na direção dos braços estendidos de Grue, virei e fugi para o Soleil et Lune.

Não parei para estancar o sangramento ou estabilizar os dedos até estar segura dentro do teatro. Embora não tivesse água para lavar o rosto, usei o pano da saia para limpar o sangue até que a maior parte estivesse no vestido e não mais em minha pele. Meus dedos já estavam rígidos, mas mesmo assim mordi o manto e endireitei os ossos, usando a armação de um corpete descartado como tala.

Mesmo exausta, não conseguia dormir. Cada barulhinho me fazia pular, e o sótão era escuro demais. Uma solitária janela quebrada — minha única porta de entrada — deixava entrar a luz da lua. Deitei em posição fetal abaixo dela e tentei ignorar a dor pulsante no rosto e na mão. Por um breve instante, contemplei a ideia de subir ao telhado. Passara muitas noites lá, acima da cidade, ansiando pelas estrelas em minhas bochechas e o vento nos cabelos.

Mas hoje, não. Os Chasseurs e a polícia ainda estavam a minha procura. Pior, Coco tinha ido embora, e Bas me abandonara ao primeiro sinal de perigo. Fechei os olhos, deprimida. Que confusão dos diabos.

Ao menos tinha o anel — e *ela* ainda não havia me encontrado. Esse pensamento foi conforto suficiente para enfim me fazer resvalar para um sono inquieto.

UMA DUPLA CHAMADA FÚRIA E INVEJA

Reid

O tinido de espadas se chocando enchia o campo de treinamento. O sol do fim da manhã raiava sobre nós — afastando o frio do outono —, e suor encharcava minha testa. Diferente dos demais Chasseurs, eu não havia tirado a camisa. Ela estava colada em meu peito, o tecido molhado irritando a pele, me punindo.

Tinha deixado outra bruxa escapar, distraído demais pela ladra sardenta para perceber que um demônio esperava do lado de dentro. Célie ficara devastada. Não tinha sido capaz de me encarar quando o pai finalmente a guiou para casa. Uma vergonha quente me invadia ao lembrar. Outro fracasso.

Jean Luc tinha sido o primeiro a tirar a camisa. Já fazia horas que estávamos treinando, e sua pele marrom brilhava de suor. Marcas recobriam seu peito e seus braços: uma para cada vez que tinha aberto a boca.

— Ainda com a cabeça nas suas bruxas, capitão? Ou talvez em Mademoiselle Tremblay?

Baixei a espada de madeira contra seu braço em resposta. Bloqueei o contra-ataque e lhe dei uma cotovelada no estômago. Com força. Mais duas marcas juntaram-se às outras. Torci para que virassem hematomas.

— Vou considerar isso um "sim". — Mesmo dobrando-se com as mãos na barriga, conseguiu me lançar um sorrisinho torto. Era óbvio que eu não tinha golpeado com força suficiente. — Não me preocuparia, se fosse você. Em breve todos terão esquecido o fiasco na mansão.

Apertei a espada até os nós dos dedos ficarem brancos. Um tique começou a tremelicar meu maxilar. Não ganhava nada atacando meu amigo mais antigo. Ainda que tal amigo fosse um canalha filho da...

— Você salvou a pele da família real, afinal. — Ele se endireitou, ainda protegendo o flanco, e seu sorriso se alargou. — Para ser franco, também se humilhou com aquela história da bruxa. Não posso dizer que entendo por quê. Paternidade não é bem minha preferência... Já aquela ladra de ontem à noite? *Ela*, sim, era uma belezinha...

Investi, mas ele bloqueou meu avanço, rindo e me socando no ombro.

— Bandeira branca, Reid. Sabe que estou brincando.

Suas brincadeiras tinham ficado cada vez menos engraçadas desde minha promoção.

Jean Luc tinha aparecido à porta da igreja quando tínhamos três anos. Todas as minhas memórias o incluíam de uma forma ou outra. Compartilhamos nossa infância. O mesmo quarto. Os mesmos conhecidos. A mesma raiva.

Nosso respeito também já fora mútuo. Mas isso foi antes.

Dei um passo atrás, e ele fez um espetáculo do ato de limpar meu suor em sua calça. Alguns de nossos irmãos riram. Pararam abruptamente diante de minha expressão.

— Toda brincadeira tem um fundo de verdade.

Ele inclinou a cabeça, ainda sorrindo. Os olhos verde-claros não deixavam passar nada.

— Talvez... mas nosso Senhor não nos comanda a abandonar a mentira? — Não parou para me deixar responder. Nunca deixava. — "E fala a verdade ao próximo, pois todos somos membros de um mesmo corpo."

— Conheço as escrituras.

— Então por que silenciar minha verdade?

— Você fala demais.

Ele riu mais ainda, abrindo a boca para, outra vez, nos deslumbrar com sua perspicácia, mas Ansel o interrompeu, ofegante. O suor colava os cabelos revoltos a sua testa, e o sangue corava suas bochechas.

— Só porque *podemos* dizer algo, não significa que *devemos.* Além do mais — disse, arriscando uma olhadela em minha direção —, Reid não estava sozinho no cortejo ontem. Nem na mansão.

Encarei o chão resolutamente. Ansel devia saber que não era seu papel intervir. Jean Luc nos examinou com interesse desvelado, fincando a espada no solo e se apoiando contra o cabo. Penteou a barba com os dedos.

— É verdade, mas ele parece estar se sentindo bem culpado, não parece?

— Alguém tem que se sentir. — As palavras me escaparam antes que pudesse detê-las. Trinquei os dentes e virei antes que pudesse fazer ou dizer algo de que me arrependeria.

— Ah. — Os olhos de Jean Luc se iluminaram, e ele se empertigou, sôfrego quase, espada e barba esquecidas. — Essa é a questão, não é? Decepcionou o arcebispo. Ou foi Célie?

Um.

Dois.

Três.

Ansel olhou de mim para ele, nervoso.

— Todos decepcionamos.

— Talvez. — O sorriso de Jean Luc se desfez, e os olhos agudos brilharam com uma emoção que eu não saberia nomear. — Mas só Reid é capitão aqui. Só Reid goza dos privilégios desse título. Talvez seja razoável e justo que Reid, e só ele, sofra as consequências.

Joguei a espada no suporte.

Quatro.

Cinco.

Seis.

Forcei uma respiração profunda, desejando que a raiva em meu peito se dissipasse. O músculo em meu maxilar ainda tremelicava.

Sete.

Você está no controle. A voz do arcebispo me veio à memória, saída de minha infância. *Essa raiva não pode governá-lo, Reid. Respire fundo. Conte até dez. Domine-se.*

Obedeci. Lenta, mas paulatinamente, a tensão em meus ombros amenizou. O calor em meu rosto resfriou. Minha respiração começou a fluir com mais facilidade. Apertei o ombro de Jean Luc, e seu sorriso vacilou.

— Tem razão, Jean. Foi minha culpa. Assumo toda a responsabilidade.

Antes que ele pudesse responder, o arcebispo entrou no campo de treinamento. Os olhos de aço encontraram os meus, e no mesmo instante levei o punho ao coração e me curvei. Os outros me imitaram.

Nosso superior inclinou a cabeça em resposta.

— À vontade, Chasseurs. — Nós nos endireitamos como se fôssemos um. Quando ele gesticulou para que eu me aproximasse, a carranca de Jean Luc ficou ainda mais feia. — Comentários sobre seu mau humor se espalharam pela Torre, capitão Diggory.

— Perdão, senhor.

Ele abanou a mão.

— Não se desculpe. Sua lida não é em vão. Vamos capturar as bruxas e livrar a terra de sua pestilência através do fogo. — Franziu o cenho levemente. — A noite de ontem não foi sua culpa. — Os olhos de Jean Luc brilharam, mas o arcebispo não notou. — Minha presença é exigida em um espetáculo matinal com um dos dignitários estrangeiros do rei. Embora não sancione o teatro... pois é uma prática vil adequada apenas a vagabundos e malandros... Você me acompanhará.

Limpei o suor da testa.

— Senhor...

— Não foi um pedido. Vá se lavar. Esteja pronto para partir em uma hora.

— Sim, senhor.

A emoção inominável nos olhos de Jean Luc fazia um buraco em minhas costas enquanto eu seguia atrás do arcebispo. Foi apenas mais tarde — sentado na carruagem do lado de fora do Soleil et Lune — que me permiti nomeá-la. Que me permiti sentir a ferroada amarga do arrependimento.

Nosso respeito tinha sido mútuo um dia. Mas isso foi antes da inveja.

UM ACORDO MUTUAMENTE VANTAJOSO

Lou

Quando acordei na manhã seguinte, raios se sol poeirentos se derramavam através da janela do sótão. Pisquei devagar, perdida dentro do momento agradável entre sono e despertar, onde não existe memória. Mas meu subconsciente veio me perseguir. Ruídos reverberavam vindos do teatro lá embaixo, enquanto elenco e equipe gritavam uns para os outros, e vozes empolgadas entravam pela janela. Franzi a testa, ainda me agarrando aos últimos resquícios de sono.

O teatro estava mais ruidoso hoje do que o normal.

Levantei num susto. O Soleil et Lune apresentava uma matinê todos os sábados. Como eu podia ter esquecido?

Meu rosto pulsou de forma particularmente dolorosa quando me atirei na cama outra vez. Ah, verdade — foi por isso. Meu nariz tinha sido destroçado, e eu fora obrigada a fugir para salvar minha vida.

O barulho lá embaixo aumentou quando a abertura começou.

Grunhi. Agora ficaria presa aqui em cima até o espetáculo terminar, e precisava ir ao banheiro com urgência. Em geral, não era problema me esgueirar até o toalete no andar inferior antes dos trabalhadores do teatro chegarem, mas tinha perdido a hora e dormido além da conta. Pondo-me de pé, avaliei depressa o estrago, a dor silenciosa nas costas fazendo com que eu me retraísse um pouco. Meu nariz estava quebrado, sem sombra de dúvidas, e os dedos tinham inchado até o dobro do tamanho normal. Mas meu vestido era elegante o suficiente para me permitir passar pelos espectadores sem ser notada... não fossem as várias manchas de sangue. Molhei os dedos ilesos com a língua e esfreguei a saia furiosamente, mas o tecido permaneceu vermelho.

Com um suspiro impaciente, olhei para as araras cheias de fantasias empoeiradas e o baú ao lado da cama que dividia com Coco. Calças de lã, cachecóis, luvas e xales transbordavam dele, junto com alguns poucos lençóis mofados que tínhamos encontrado no lixo uma semana antes. Toquei com delicadeza o lado em que Coco costumava dormir.

Torci para que tivesse chegado à tia em segurança.

Balançando a cabeça, voltei às araras e escolhi um conjunto de roupas aleatoriamente. Coco sabia se cuidar. Já eu...

Desisti de me despir após três tentativas excruciantes. Os dedos quebrados se recusavam a funcionar, e meu corpo não tinha a capacidade de se contorcer para alcançar os botões entre os ombros. Em vez disso, tirei um chapéu de abas retas e largas e um par de óculos de arame de um cesto e os coloquei. A fita de veludo de ontem ainda escondia a cicatriz em meu pescoço, e o manto cobria a maior parte das manchas de sangue. Teria que bastar.

Minha bexiga insistia em um alívio imediato, e eu me recusava a mijar num canto como um cachorro.

Além do mais, podia sempre colocar o Anel de Angélica na boca se precisasse recorrer a uma fuga rápida. Suspeitava que o lobby estaria cheio demais para me mover estando invisível, senão teria deixado o disfarce completamente de lado. Nada levantava tantas suspeitas quanto um fantasma pisando nos dedos alheios.

Escondendo o rosto com o chapéu, desci na surdina a escada que levava aos bastidores. A maioria dos atores me ignorou, exceto...

— Você não devia estar aqui — disse uma moça arrogante de nariz arrebitado. Tinha rosto redondo e cabelos da cor e textura de palha de milho. Quando me virei para ela, puxou o ar com assombro. — Meu Deus, o que aconteceu com seu rosto?

— Nada. — Abaixei a cabeça depressa, mas o mal estava feito.

Sua arrogância transformou-se em preocupação quando se aproximou.

— Alguém a machucou? Devo chamar a polícia?

— Não, não. — Lancei um sorriso envergonhado para ela. — Só errei o caminho para o banheiro, foi só isso.

— Fica na entrada. — Ela estreitou os olhos para mim. — Isso no seu vestido é *sangue*? Tem certeza de que está mesmo tudo bem?

— Tudo perfeito. — Fiz que sim com a cabeça de maneira extravagante. — Obrigada!

Fugi dela um pouco depressa demais para parecer inocente. Mesmo com a cabeça baixa, podia sentir os olhares dos outros ao passar. Meu rosto devia estar realmente horripilante. Talvez usar o Anel tivesse sido mais aconselhável, no fim das contas.

A entrada estava infinitamente pior do que os bastidores. Nobres e comerciantes endinheirados que ainda não tinham encontrado seus assentos abarrotavam o salão. Mantive-me na lateral, com o corpo virado para as paredes a fim de evitar atenção indesejável. Por sorte, os presentes estavam bem mais interessados uns nos outros para notar minha presença suspeita. O Soleil et Lune era, afinal, muito mais conhecido pela fofoca do que pelas peças.

Escutei um casal sussurrando que o arcebispo em pessoa compareceria à matinê — outra excelente razão para voltar ao sótão o mais rápido possível.

Como pai dos Chasseurs, o arcebispo guiava sua guerra espiritual contra o mal de Belterra, proclamando ter sido ordenado por Deus a erradicar o oculto. Tinha queimado dúzias de bruxas — mais do que qualquer outra pessoa —, mas ainda assim não descansava. Vira-o apenas uma vez, de longe, mas reconheci a verdadeira natureza da luz cruel brilhando em seus olhos: obsessão.

Entrei no banheiro antes que alguém pudesse me notar. Após me aliviar, arranquei o chapéu ridículo da cabeça e me voltei para o espelho. Isso revelou de imediato por que a equipe do teatro tinha me encarado. Meu rosto estava destruído. Hematomas roxo-escuros tinham aflorado sob os olhos, e sangue seco salpicava minhas bochechas. Esfreguei-as com a água fria da torneira, friccionado até a pele estar rosa e quase em carne viva. Não melhorou muito meu estado geral.

Uma batida educada soou à porta.

— Desculpe! — gritei, um pouco envergonhada. — Problemas de estômago!

Cessou de imediato. Os murmúrios de choque e reprovação chegaram até mim mesmo através da porta fechada enquanto ela partia. Melhor. Precisava aguardar a multidão entrar na sala de espetáculo, e um banheiro trancado era um lugar tão bom quanto qualquer outro. Franzindo a testa diante de meu reflexo, comecei a cuidar do sangue no vestido.

As vozes do lado de fora foram gradualmente diminuindo ao passo que a música aumentava, sinalizando o início da peça. Abrindo centímetros da porta, espiei o lobby. Apenas três lanterninhas permaneciam. Assentiram para mim ao passar, sem enxergar meu rosto roxo no escuro.

Minha respiração acalmou quando comecei a me aproximar da entrada para os bastidores. Estava a passos dela quando uma porta do auditório se abriu atrás de mim.

— Posso ajudá-lo, meu senhor? — indagou um lanterninha.

Quem quer que fosse murmurou uma resposta, e os cabelos em minha nuca se eriçaram. Devia ter seguido direto para o sótão. Devia ter corrido — todos os meus instintos urgiam que fugisse, fugisse, *fugisse*

—, mas não o fiz. Em vez disso, olhei para trás, para o homem parado à porta. O altíssimo homem de cabelos acobreados e casaco azul.

— *Você* — disse ele.

Antes que pudesse me mover, ele atacou. Suas mãos agarraram meus braços — como um torno —, e ele se virou comigo, posicionando-se em frente à saída. Era forte demais. *Grande* demais. Só me restava uma alternativa.

Enfiei o joelho direto em sua virilha.

Ele se dobrou com um grunhido, afrouxando as mãos.

Desvencilhando-me — e jogando o chapéu em seu rosto por precaução —, me lancei para dentro das entranhas do teatro. Havia uma segunda saída nos bastidores. Empregados do teatro assistiram boquiabertos quando passei correndo por eles, deixando cair caixotes e outros apetrechos no caminho. Quando o Chasseur agarrou a ponta de meu manto, arranquei o botão que o prendia em meu pescoço e o deixei voar, sem hesitar. Não importava, ele continuava em meu encalço, seus passos quase três vezes mais largos que os meus...

Ele agarrou meu pulso no instante em que avistei a mesma moça de nariz arrebitado de antes. Embora me debatesse — os óculos caindo no chão com um ruído metálico enquanto lutava para me aproximar dela —, ele só apertou mais. Lágrimas escorriam por meu rosto arruinado

— Por favor, me ajude!

Os olhos da moça se arregalaram.

— Solte-a!

As vozes no palco vacilaram, e todos congelamos.

Merda. Não, não, *não.*

Tirando proveito da hesitação dele, girei para me libertar, mas a mão do Chasseur encontrou meu seio por acidente. Retirou-a, nitidamente chocado, mas investiu quando me afastei, os dedos se enganchando em meu decote. Horrorizada, assisti em câmera lenta quando o tecido delicado se rasgou, quando os pés dele prenderam e se enrolaram em minha saia. Quando nos seguramos um no outro, tentando e não conseguindo recuperar o equilíbrio.

E quando tropeçamos na direção da cortina, palco adentro.

A plateia arquejou em uníssono — depois, silêncio. Ninguém ousava respirar. Nem mesmo eu.

O Chasseur, que estava debaixo de mim e ainda me segurava da queda, me fitou com olhos arregalados. Assisti — anestesiada — enquanto uma dúzia de emoções cruzava seu rosto. Choque. Pânico. Humilhação. Fúria.

A moça de nariz arrebitado veio parar ao nosso lado, e o encanto se desfez.

— Seu porco nojento!

O Chasseur me jogou para longe como se eu o tivesse mordido, e caí sentada. Com força. Gritos raivosos explodiram quando meu vestido se abriu. Viram meu rosto ferido, o corpete rasgado e tiraram suas conclusões. Mas não me interessava. Encarando os espectadores, o horror brotou em mim quando imaginei quem poderia estar encarando de volta. O sangue se esvaiu de meu rosto.

A moça colocou os braços ao meu redor, me ajudando gentilmente a levantar, e me guiou até os bastidores. Dois membros corpulentos da equipe surgiram e levantaram o Chasseur também. A plateia gritou em aprovação quando o levaram com as mãos presas atrás das costas. Olhei para trás, surpresa que não estivesse resistindo, mas sua face estava tão pálida quanto a minha.

Minha ajudante pegou um lençol de um dos caixotes e me cobriu com ele.

— Está tudo bem?

Ignorei a pergunta ridícula. Óbvio que não estava nada bem. O que tinha acabado de *acontecer*?

— Tomara que o joguem na prisão. — Ela olhou de cara feia para o Chasseur, que estava parado em meio aos funcionários do teatro, aturdido. Os espectadores ainda gritavam em indignação.

— Não vão — respondi, sombria. — Ele é Chasseur.

— Vamos todos testemunhar. — Ela ergueu o rosto, altiva, e gesticulou para os demais empregados. Estavam todos parados lá um pouco constrangidos, sem saber bem o que fazer. — Vimos a cena toda. Você tem muita sorte por ter sido aqui. — Olhou para meu vestido rasgado, seus olhos em chamas. — Quem sabe o que poderia ter acontecido?

Não a corrigi. Precisava sair dali. Todo aquele fiasco tinha sido uma tentativa vergonhosa de escapar, e esta era minha última chance. O Chasseur não podia me deter agora, mas os policiais chegariam em breve. Não se importariam com o que a plateia pensava ter presenciado. Eles me arrastariam para a prisão, independentemente do vestido destruído e dos hematomas, e seria fácil demais para os Chasseurs obterem minha guarda depois de toda a poeira ter baixado.

Sabia aonde isso me levaria. A uma estaca e um fósforo aceso.

Tinha acabado de decidir jogar toda a cautela para o alto e correr — quem sabe até colocar o Anel de Angélica na boca após ter alcançado as escadas —, quando a porta que dava acesso ao palco abriu-se com um rangido.

Meu coração parou quando o arcebispo entrou.

Era mais baixo do que pensei que fosse, mas ainda assim mais alto do que eu, com cabelos grisalhos e olhos azul-claros, quase cinzentos. Eles flamejaram brevemente ao me examinar — o rosto cheio de manchas roxas, cabelos desgrenhados, o lençol em volta dos ombros —, depois se estreitaram diante da devastação ao redor. Os lábios se retorceram.

Fez um movimento de cabeça para a saída.

— Deixem-nos a sós.

Os funcionários não esperaram uma segunda ordem — eu tampouco. Quase tropecei nos próprios pés na tentativa de escapar do cômodo o quanto antes. A mão do Chasseur agarrou meu braço depressa.

— Você, não — comandou o arcebispo.

A moça de nariz arrebitado hesitou, os olhos se alternando entre nós três. Um olhar do homem, porém, a fez correr porta afora com o rabo entre as pernas.

O Chasseur me liberou no segundo em que ela desapareceu e se curvou diante do superior, cobrindo o coração com o punho.

— Esta é a mulher da casa de Tremblay, Vossa Eminência.

O arcebispo fez um rápido movimento afirmativo com a cabeça, os olhos retornando aos meus. Outra vez analisaram meu rosto e outra vez se endureceram — como se minha valia tivesse sido analisada e julgada insuficiente. Entrelaçou as mãos rijas atrás das costas.

— Então é você a nossa ladra fugida.

Assenti, sem ousar respirar. Dissera *ladra*. Não bruxa.

— Você colocou a todos nós em uma situação para lá de difícil, minha cara.

— Eu...

— Silêncio.

Minha boca se fechou audivelmente. Não era estúpida a ponto de discutir com o arcebispo. Se havia alguém acima da lei, era ele.

Veio até mim devagar, as mãos ainda atrás das costas.

— Você é uma ladrazinha esperta, não é? Tem talento para evitar ser capturada. Como foi que escapou do telhado ontem à noite? O capitão Diggory me assegurou que a mansão estava cercada.

Engoli em seco. Aquela palavra outra vez. Ladra — não bruxa. A esperança se agitou em minha barriga. Olhei para o Chasseur ruivo, mas seu rosto não revelava nada.

— Minha... minha amiga ajudou — menti.

Ele ergueu uma sobrancelha.

— Sua amiga, a bruxa.

Temor desceu por minha espinha. Mas Coco estava a quilômetros dali — a salvo e escondida dentro de La Forêt des Yeux. A Floresta dos Olhos. Os Chasseurs jamais conseguiriam rastreá-la. Ainda que o fizessem, seu coven a protegeria.

Mantive contato visual cuidadosamente, me esforçando para não estremecer, me remexer ou me revelar de alguma outra forma.

— Ela é bruxa, sim.

— Como?

— Como ela é bruxa? — Embora soubesse que não devia zombar, não consegui evitar. — Creio que quando uma bruxa e um homem se amam muito...

Ele me golpeou no rosto. O tapa ecoou no silêncio do auditório vazio. De alguma maneira, tinham conseguido evacuar a plateia tão depressa quanto fizeram com os empregados. Levando a mão à face, olhei feio para o arcebispo com fúria silenciosa. O Chasseur se enrijeceu, desconfortável, a meu lado.

— Criança imunda. — Os olhos do homem estavam arregalados de forma alarmante. — Como foi que a criatura a ajudou a escapar?

— Não vou trair os segredos dela.

— Ousa omitir informação?

Uma batida à porta soou à direita, e um policial deu um passo à frente.

— Sua Santidade, uma multidão se formou lá fora. Vários dos espectadores e funcionários... Eles se recusam a ir embora antes de serem informados do destino da garota e do capitão Diggory. Estão começando a chamar... atenção.

— Já estamos quase acabando aqui. — O arcebispo se empertigou e ajustou a batina, respirando fundo. O homem fez uma cortesia e saiu.

O clérigo voltou sua atenção para mim. Um longo momento de silêncio passou enquanto nos encarávamos com ódio recíproco.

— O que farei com você?

Não me atrevi a falar. O abuso que meu rosto conseguia suportar tinha limites.

— É uma criminosa que está de conluio com *demônios*. Simulou publicamente que um Chasseur a teria atacado, entre... *outras* coisas. — O lábio se retorceu, e ele me contemplou com repulsa palpável. Tentei e falhei em ignorar a vergonha revirando meu estômago. Tinha sido um acidente. Não tinha simulado nada de propósito. E ainda assim... se o equívoco da plateia fosse me ajudar a escapar da fogueira...

Nunca aleguei ser uma pessoa honrada.

— A reputação do capitão Diggory será arruinada — continuou o arcebispo. — Serei forçado a destituí-lo do cargo, para evitar que a santidade dos Chasseurs seja questionada. Que a *minha* santidade seja questionada. — Seus olhos fitaram os meus, faiscantes. Cuidei para que minha expressão fosse de arrependimento, não querendo que sua mão coçasse outra vez. — O que farei com você? O que *farei?*

Embora fosse nítido que eu lhe causasse repulsa, seus olhos cinzentos de aço continuavam me buscando. Como uma mariposa atraída pela chama. Percorriam meu rosto como se buscassem algo, se demorando em meus olhos, nariz e boca. No meu pescoço.

Para meu desalento, me dei conta de que a fita de veludo tinha afrouxado durante o confronto com o Chasseur. Tentei arrumá-la depressa. A boca do arcebispo se retesou, e ele voltou a me fitar.

Tive que usar toda a minha força de vontade para não revirar os olhos diante de sua absurda luta interna. Não seria aquele o dia em que eu iria para a prisão, nem para a fogueira. Por qualquer que fosse a razão, o arcebispo e seu cão de guarda tinham decidido que eu não era uma bruxa. Com certeza não seria eu quem questionaria seu lapso.

Mas a pergunta permanecia... O que o arcebispo queria? Pois definitivamente queria *algo*. A fome em seus olhos era inequívoca, e quanto mais cedo eu descobrisse, mais cedo poderia usá-lo a meu favor. Demorei vários segundos para perceber que tinha retomado o monólogo.

— ...graças ao seu truque barato. — Ele deu meia-volta, uma espécie peculiar de triunfo na expressão. — Talvez um acordo mutuamente vantajoso possa ser feito.

Fez uma pausa, alternando o olhar entre mim e o subalterno com expectativa.

— Estou escutando — murmurei.

O Chasseur fez que sim com a cabeça, tenso.

— Excelente. É bastante simples, na verdade: matrimônio.

Olhei para ele, boquiaberta.

Ele soltou um risinho, mas o som era desprovido de hilaridade.

— Como sua esposa, Reid, esta criatura deselegante pertenceria a você. Teria todo o direito de a perseguir e disciplinar, especialmente após suas indiscrições de ontem à noite. Não haveria crime cometido, nem impuridade que o público possa alegar e depreciar. Seguirá sendo um Chasseur.

Ri. Saiu como um som sufocado e desesperado.

— Não vou me casar com ninguém.

O arcebispo não se juntou ao meu riso.

— Vai, se quiser evitar açoitamento público e cárcere. Embora eu não seja o chefe de polícia, ele é um amigo próximo.

Encarei-o, chocada.

— Não pode me chantagear...

Ele abanou a mão como se estivesse afastando uma mosquinha irritante.

— É a sentença que aguarda uma ladra. Aconselho a pensar com muito cuidado sobre minha proposta, criança.

Apelei ao Chasseur, determinada a me manter razoável, apesar do pânico que tinha fincado suas garras em minha garganta.

— Você não pode querer isso. Por favor, diga a ele para pensar em outra forma.

— Não há outra forma — interveio o superior.

O Chasseur permanecia absolutamente imóvel. Parecia ter parado de respirar.

— Você é como um filho para mim, Reid. — O arcebispo levantou a mão para segurar o ombro do outro: um rato reconfortando um elefante. Alguma partezinha desconectada de meu cérebro quis rir. — Não jogue fora a sua vida, sua carreira promissora, o juramento que fez a *Deus*... por conta desta herege. Uma vez que tenha se tornado sua esposa, pode trancafiá-la dentro de um armário e nunca mais pensar nela. Teria o direito legal de fazer o que bem entendesse com ela. — Lançou-lhe um olhar sério. — Este acordo também resolveria... outras questões.

O sangue finalmente voltou ao rosto do Chasseur — não, *inundou-o*. Corou da garganta até as bochechas, ardendo mais até que seus olhos. Ele trincou o maxilar.

— Senhor, eu...

Mas não o ouvi. Saliva cobria minha boca, e minha visão tinha se estreitado. Matrimônio. Com um Chasseur. Tinha que haver outro caminho, *qualquer* outro...

A bile subiu à minha boca e, antes que pudesse impedir, expeli um espetacular arco de vômito em cima dos pés do arcebispo. Ele pulou para longe de mim com um grito de nojo.

— Como *se atreve...!* — Ergueu um punho para me golpear uma segunda vez, mas o Chasseur moveu-se com a rapidez de um raio. Sua mão deteve o pulso de seu superior.

— *Se* esta mulher for mesmo se tornar minha esposa — disse, engolindo em seco —, o senhor não vai tocá-la novamente.

O clérigo arreganhou os dentes.

— Está de acordo, então?

O homem liberou o pulso do superior e me encarou, o rubor ainda mais pronunciado tomando conta de sua garganta.

— Só se ela também estiver.

Suas palavras me fizeram pensar em Coco.

Cuide-se.

Só se você se cuidar também.

Coco dissera que eu devia encontrar proteção. Olhei para o Chasseur ruivo, para o arcebispo ainda esfregando o pulso magoado. Talvez a proteção tivesse me encontrado.

Andre, Grue, a polícia, *ela*... nenhum deles poderia me machucar se tivesse um Chasseur como marido. Até os próprios Chasseurs deixariam de ser uma ameaça — se conseguisse desempenhar bem o meu papel na farsa. Se conseguisse evitar usar qualquer magia perto deles. Nunca saberiam que eu era bruxa. Estaria escondida em plena luz do dia.

Mas... também teria um marido.

Não queria um marido. Não queria me prender a ninguém por meio do matrimônio, especialmente alguém tão duro e moralista como aquele Chasseur. Mas se casar era minha única alternativa a passar o resto da vida na prisão, talvez fosse a opção mais aceitável. Certamente era a única opção que me tiraria deste teatro sem correntes.

Afinal, ainda tinha o Anel de Angélica. Poderia escapar *após* a certidão de casamento ser assinada.

Certo. Endireitei os ombros e levantei o queixo.

— Aceito.

A CERIMÔNIA

Reid

Os gritos aumentavam de intensidade fora do teatro, mas eu mal conseguia ouvi-los. Sangue ribombava em meus ouvidos. Engoliam todo e qualquer outro som: seu clamor por justiça, a comiseração do arcebispo.

Mas não os passos dela. Esses, ouvi em sua totalidade.

Leves. Mais do que os meus. Mais erráticos, porém. Menos comedidos.

Foquei-me neles, e o estrondo em meus ouvidos foi gradualmente se acalmando. Podia ouvir o administrador do teatro e a polícia agora, tentando acalmar a multidão.

Resisti à vontade de desembainhar a Balisarda quando o arcebispo abriu as portas. Minhas pernas travaram, e senti minha pele ao mesmo tempo quente e fria — e pequena demais para mim. Demais. Coçava e pinicava enquanto todos os olhares se viravam em nossa direção. Uma pequena e cálida mão repousava em meu braço.

Palmas calejadas. Dedos esguios — dois deles enfaixados. Olhei para baixo. Quebrados.

Não permiti que meus olhos seguissem dos dedos ao braço. Pois os braços levariam aos ombros, e estes levariam a seu rosto. E sabia o que encontraria lá. Dois olhos roxos, e uma marca vermelha fresca florescendo na bochecha. Uma cicatriz acima da sobrancelha. Outra cruzando o pescoço. Continuava aparente debaixo da fita preta apesar de sua tentativa de escondê-la.

O rosto de Célie veio a minha mente. Imaculado e puro.

Ah, Deus. *Célie.*

O arcebispo deu um passo à frente, e a multidão logo se calou. Com uma carranca, ele me puxou para tomar a dianteira. A mulher — a *herege* — não soltou meu braço. Ainda assim não a fitei.

— Irmãos! — A voz de meu superior ecoou pela rua agora silenciosa, atraindo ainda mais atenção. Todas as cabeças se viraram para nós, e a ladra se encolheu a meu lado. Olhei para baixo então, franzindo a testa. Seus olhos estavam enormes, as pupilas dilatadas. Amedrontada.

Afastei o olhar.

Não pode me dar seu coração, Reid. Não posso ter isso na conta da minha consciência.

Célie, por favor...

Os monstros que mataram Pip ainda estão à solta. Têm de ser punidas. Não vou distraí-lo do seu propósito. Se quer oferecer seu coração, ofereça-o a sua irmandade. Por favor, por favor, me esqueça.

Nunca a esquecerei.

O desespero quase me derrubou de joelhos. Ela jamais me perdoaria.

— Sua apreensão por esta mulher foi vista e é apreciada por Deus. — O arcebispo abriu os braços. Suplicante. — Mas não se deixem enganar. Após tentar assaltar um aristocrata como os senhores ontem à noite, ela teve a deselegância de fugir do marido esta manhã, quando tentou discipliná-la. Não se compadeçam dela, amigos. *Rezem* por ela.

Uma mulher à frente do grupo olhou feio para o arcebispo, com ódio desvelado. Esbelta. Cabelos pálidos. Nariz arrebitado. Fiquei tenso, reconhecendo a mulher dos bastidores.

Seu porco nojento!

Como se sentisse meu olhar, seus olhos viraram-se para mim e se estreitaram. Fitei-a de volta, tentando e não conseguindo esquecer sua condenação sussurrada. *Tomara que o joguem na prisão. Quem sabe o que poderia ter acontecido?*

Engoli em seco e desviei os olhos. É óbvio que daria aquela impressão. A herege tinha seus truques, e eu tornara tudo ridiculamente fácil. Caí em cheio em sua armadilha. Eu me amaldiçoei, desejoso de poder desvencilhar meu braço dela. Mas não podia. Muitas pessoas nos observavam, e o arcebispo deixara suas ordens muito evidentes.

— Teremos que confessar nossa falsidade assim que tornarmos à igreja — tinha dito, fazendo uma carranca enquanto andava de um lado a outro. — Essas pessoas lá fora precisam acreditar que vocês já eram casados. — Virou-se para ela abruptamente. — Estou correto quando presumo que sua alma é impura? — Quando ela não respondeu, a carranca intensificou-se. — Como pensei. Remediaremos as duas situações e viajaremos direto para o Doleur para batizá-la. Você, Reid, deve agir como marido dela até formalizarmos a união. Mova esse anel da mão direita dela para a esquerda. Caminhe a seu lado. A farsa pode terminar no segundo em que a multidão se dispersar. E, pelo amor de Deus, cubra-a novamente com o manto.

A herege brincava com o anel agora. Alternava o peso de um pé para o outro. Mexia em um cacho de cabelo que emoldurava seu rosto. Tinha prendido o restante em um coque bagunçado junto à nuca, selvagem e indomado. Exatamente como ela. Eu o odiava.

— Suplico-lhes que vejam os ensinamentos do Senhor nesta mulher. — A voz do arcebispo se levantou. — Aprendam com sua malícia. Mulheres, *obedeçam* aos seus maridos. *Arrependam-se* da sua natureza pecadora. Só então poderão estar verdadeiramente em união com Deus!

Vários membros da plateia assentiram, murmurando sua concordância.

É verdade. É o que sempre digo.

As mulheres são tão ruins quanto as bruxas hoje em dia.

O que elas todas precisam é de madeira... Seja a vara, ou a estaca na fogueira.

A mulher de cabelos pálidos dos bastidores parecia querer destroçar a mim e ao arcebispo. Arreganhou os dentes, os punhos fechados, antes de nos dar as costas.

A herege ficou tensa a meu lado, a mão apertando dolorosamente meu braço. Olhei feio para ela, mas ela não soltou. Foi então que senti o cheiro — esmaecido, sutil, quase indetectável. Mas ainda presente, demorando-se na brisa. Magia.

O arcebispo grunhiu.

Virei-me para ele no instante em que se dobrou, as mãos sobre a barriga.

— Senhor, está...

Fui interrompido quando ele expeliu gases chocantemente ruidosos. Seus olhos se arregalaram, e as bochechas coraram, em chamas. Murmúrios percorreram a multidão. Chocados. Enojados. Ele se levantou depressa, tentando endireitar a batina, mas se recurvou outra vez no último segundo. Outra flatulência abalou sua estrutura. Pousei a mão em suas costas, incerto.

— Senhor...

— Deixe-me — rosnou.

Eu me afastei de imediato e olhei feio para a herege, cujo corpo sacudia com um riso silencioso.

— Pare de rir.

— Eu não poderia nem se quisesse. — Ela segurava o torso, tremendo, e uma risada escapou de seus lábios. Fitei-a com desgosto crescente, me abaixando para sentir seu cheiro. Canela. Não magia. Endireitei-me depressa, e ela riu com ainda mais vontade.

— Só isto, só este exato momento, pode ser que já tenha valido precisar me casar com você, Chass. Vou guardá-lo para sempre na memória.

O arcebispo insistiu que eu e a herege caminhássemos até o Doleur para o batismo. Ele usou a carruagem.

Ela bufou quando desapareceu de nossas vistas, chutando uma pedrinha para dentro de uma lixeira próxima.

— A cabeça dele está tão enterrada no rabo que poderia usá-lo como chapéu.

Trinquei o maxilar. *Não aceite a provocação. Permaneça calmo.*

— Não tolerarei nenhum desrespeito a ele.

Ela sorriu, levantando o rosto para me examinar. E em seguida, inacreditavelmente, ficou na ponta dos pés e me deu um peteleco no nariz. Cambaleei para trás, estarrecido. Meu rosto corou inteiro. Seu sorriso se alargou, e começou a andar.

— Faço o que quiser, Chass.

— Logo será minha esposa. — Alcançando-a com duas passadas, levantei a mão para segurar seu braço, mas parei antes. — Isso significa que vai ter que me obedecer.

— Ah, sim? — Arqueou as sobrancelhas, ainda sorrindo. — Então acho que também significa que você vai me respeitar e proteger? Se formos seguir as velhas e empoeiradas ordens do seu patriarcado?

Diminuí o passo para acompanhar o dela.

— Sim.

Ela bateu palmas.

— Excelente. Pelo menos vai ser divertido. Tenho muitos inimigos.

Não pude evitar. Olhei de relance para o hematoma profundo colorindo seus olhos.

— Imagina só.

— Não ia querer imaginar, se fosse você. — Seu tom era casual. Leve. Como se estivéssemos discutindo sobre o clima. — Vai ter pesadelos durante semanas.

Perguntas queimavam em minha garganta, mas me recusei a expressá-las. Ela parecia contentar-se com o silêncio. Seus olhos se moviam sem parar para todos os lados. Para os vestidos e chapéus nas vitrines das lojas. Os damascos e avelãs nos carrinhos dos comerciantes. As janelas sujas de um pequeno pub, os rostos manchados de fuligem de crianças correndo atrás de pombos na rua. A cada esquina virada, uma nova emoção cruzava sua face. Admiração. Anseio. Deleite.

Observá-la era estranhamente exaustivo.

Após alguns minutos, não podia mais suportar. Pigarreei.

— Foi algum deles que a deixou desse jeito?

— Quem?

— Seus inimigos.

— Ah — disse, radiante. — Sim. Bom, dois deles, na verdade.

Dois? Encarei-a, incrédulo. Tentei imaginar aquela criatura diminuta batalhando contra duas pessoas ao mesmo tempo — depois me lembrei de como tinha me encurralado nos bastidores, enganando a plateia e fazendo a audiência pensar que a havia atacado. Fiz uma carranca. Ela era mais do que capaz.

As ruas se alargaram quando chegamos às fronteiras da Costa Leste. Dentro de pouco tempo, o Doleur reluziu diante de nós na ofuscante luz do sol da tarde. O arcebispo aguardava ao lado da carruagem. Para minha surpresa, Jean Luc o acompanhava.

É claro. Seria a testemunha.

A realidade me esmagou como uma bolsa de tijolos ao avistar meu amigo. Realmente estava para me casar com esta mulher. Esta... esta *criatura*. A mesma herege que tinha escalado telhados e assaltado aristocratas, que brigava e se vestia como homem e tinha um nome condizente.

Não era Célie. Era a coisa mais distante de Célie que Deus poderia ter criado. Célie era gentil e educada. Cortês. Respeitável. Amável. Jamais teria me envergonhado ou feito tamanho espetáculo de si mesma.

Olhei com cara feia para a mulher que logo seria minha esposa. Com um vestido rasgado e ensanguentado. Rosto ferido e dedos quebrados. Pescoço marcado. E um sorrisinho de escárnio que deixava poucas dúvidas a respeito de como tinha recebido cada um daqueles ferimentos.

Arqueou a sobrancelha.

— Está vendo algo do seu agrado?

Desviei os olhos. Célie ficaria devastada quando soubesse o que fiz. Merecia mais do que isso. Mais do que alguém como eu.

— Venham. — O arcebispo nos guiou até a margem deserta do rio. Um peixe morto era nossa única audiência, além do bando de pombos se refestelando com ele. Seu esqueleto se projetava para fora da carne pútrida, e um único olho estava voltado para o céu límpido de novembro.

— Acabemos com isto. A herege deve ser batizada primeiro, segundo as ordens de Deus, nosso Senhor. Não vos prendais a um jugo desigual com os infiéis. Luz não tem comunhão com as trevas.

Meus pés pesavam como se fossem de chumbo, cada passo um esforço incrível na areia e lama. Jean Luc vinha logo em nosso encalço. Podia sentir seu sorriso em meu pescoço. Nem queria imaginar o que pensava de mim agora — o que pensava disso tudo.

O arcebispo hesitou antes de entrar nas águas cinzentas. Olhou para a herege, os primeiros sinais de incerteza em seu rosto. Como se não soubesse bem como prosseguir. *Por favor, mude de ideia*, orei. *Por favor, esqueça esta insensatez e a mande para prisão, que é o seu lugar.*

Mas então perderia minha Balisarda. Minha vida. Meus votos. Meu propósito.

Uma vozinha odiosa escarneceu no fundo de minha mente: *Ele poderia perdoá-lo, se quisesse. Ninguém questionaria seu julgamento. Você poderia permanecer um Chasseur sem precisar se casar com uma criminosa.*

Então por que não perdoou?

A decepção me tomou frente ao pensamento. Claro que não me perdoaria. O povo acreditava que tinha abusado dela. Não importava se não era verdade. *Achavam* que era. Ainda que o arcebispo explicasse — ainda que ela própria confessasse —, as pessoas continuariam cochichando. Duvidariam. Questionariam a integridade dos Chasseurs. Pior: poderiam questionar o arcebispo. Suas motivações.

Já tínhamos nos emaranhado na mentira. O povo acreditava que ela era minha mulher. Se rumores se espalhassem contrariando aquela noção, o arcebispo seria marcado como mentiroso. Isso não podia acontecer.

Gostando ou não, aquela herege se tornaria minha esposa.

Ela foi marchando de má vontade até meu superior como se para reafirmar o fato. Ele fez uma carranca, secando as gotas d'água que tinha feito respingar em seu rosto.

— Que reviravolta interessante. — Os olhos de Jean Luc dançavam com humor ao observar a herege. Parecia estar discutindo com o arcebispo a respeito de algo. Claro que estava.

— Ela... me enganou. — A confissão doía.

Quando não expliquei mais, ele se voltou para mim. A hilaridade em seus olhos tinha diminuído.

— E Célie?

Forcei as palavras a saírem, me odiando:

— Célie sabia que não nos casaríamos.

Não havia lhe contado sobre a rejeição. Não teria sido capaz de aguentar suas piadas. Ou pior: sua pena. Ele me perguntara uma vez, após a morte de Filippa, quais eram minhas intenções com ela. A vergonha ardeu em meu estômago. Tinha mentido entredentes, dizendo que meus votos eram mais importantes. Que jamais me casaria.

E, no entanto, cá estava eu.

Ele retorceu os lábios, me fitando com perspicácia.

— Mesmo assim... sinto muito. — Virou-se para a herege, que apontava um dedo quebrado diante do nariz do arcebispo. — Um casamento com uma criatura assim não será fácil.

— E casamento em geral é fácil?

— Talvez não, mas ela parece particularmente intolerável. — Ele me lançou um sorriso pouco entusiasmado. — Acho que ela vai acabar se mudando para a Torre conosco, não é?

Não fui capaz de devolver o sorriso.

— Vai.

— Que pena — ele suspirou.

Assistimos em silêncio ao semblante do Arcebispo tornar-se cada vez mais duro. Quando finalmente perdeu a paciência e a puxou para si pela nuca. Quando a empurrou para dentro d'água e a segurou lá por um segundo mais do que o necessário.

Não o julguei. A alma dela levaria mais tempo para se purificar do que a de uma pessoa comum.

Dois segundos além do necessário.

O arcebispo parecia estar travando uma batalha consigo mesmo. O corpo tremia com o esforço de mantê-la submersa, e seus olhos estavam arregalados — desvairados. Com certeza não iria...?

Três segundos.

Pulei dentro d'água. Jean Luc atirou-se atrás de mim. Nos impulsionamos adiante, mas nosso pânico foi infundado. O arcebispo a liberou no instante em que os alcançamos, e ela saltou para fora d'água como um gato raivoso, sibilando. Água cascateava pelos cabelos, escorrendo pelo rosto e vestido. Fiz um movimento para estabilizá-la, mas fui empurrado para trás. Cedi um passo enquanto ela se girava, gaguejante, para meu superior.

— *Fils de pute!* — Antes que eu pudesse detê-la, ela voou para cima dele. Os olhos do arcebispo se arregalaram quando perdeu o equilíbrio e tropeçou, caindo de costas dentro d'água, braços e pernas se sacudindo. Jean Luc correu para ajudá-lo. Eu a segurei, prendendo seus braços junto do corpo antes que pudesse atacá-lo novamente.

Ela nem sequer pareceu notar.

— *Connard! Salaud!* — Debatia-se em meu abraço, espirrando água para todos os cantos. — Vou matá-lo! Vou pegar essa batina e estrangulá--lo com ela, seu *merda* corrompido e malcheiroso dos...

Nós três a encaramos com olhos enormes e boquiabertos. O arcebispo recuperou-se primeiro. Seu rosto ficou roxo e um ruído sufocado escapou de sua garganta.

— Como *ousa* se dirigir a mim dessa maneira? — Desvencilhou-se de Jean Luc, sacudindo um dedo na frente do rosto dela. Dei-me conta de seu erro uma fração de segundo antes dela dar o bote. Apertando com mais força, consegui carregá-la para longe antes que pudesse afundar os dentes na articulação.

Estava prestes a me casar com um animal selvagem.

— *Me. Solta. Agora.* — Ela enterrou o cotovelo em meu estômago.

— Não. — Foi mais um suspiro doloroso do que uma palavra. Mas, ainda assim, não afrouxei os braços.

Ela soltou um som frustrado — algo entre um rosnado e um grito — e, misericordiosamente, parou de se debater. Agradeci aos céus em silêncio antes de arrastá-la de volta para a margem do rio.

Os outros dois juntaram-se a nós pouco depois.

— Obrigado, Reid. — O arcebispo fungou, torcendo a batina e reajustando a cruz ao redor do pescoço. Desdém transbordava em sua expressão quando enfim se dirigiu à onça. — Teremos que algemá-la para a cerimônia? Talvez encontrar uma focinheira?

— Você tentou me *matar*.

Olhou para ela de cima, com altivez.

— Acredite em mim, criança, se quisesse matá-la, estaria morta.

Os olhos dela brilharam.

— Igualmente.

Jean Luc engasgou-se com riso.

O arcebispo deu um passo à frente, seus olhos se estreitando até sobrar apenas uma frestinha.

— Solte-a, Reid. Gostaria de encerrar este assunto sórdido de uma vez.

Com prazer.

Para minha surpresa — e decepção —, a ladra não fugiu quando a libertei. Apenas cruzou os braços e plantou os pés no lugar, fitando cada um de nós três. Obstinada. Soturna. Um desafio silencioso.

Mantivemos nossa distância.

— Que seja rápido — resmungou ela.

O arcebispo inclinou a cabeça.

— Venham à frente, os dois, e se deem as mãos.

Encaramo-nos. Nem eu, nem ela nos movemos.

— Ah, andem logo. — Jean Luc me empurrou com brusquidão, e cedi um passo. Assisti em fúria reprimida quando ela se recusou a cruzar a distância que restava. Aguardei.

Após vários longos segundos, revirou os olhos e moveu-se. Quando estendi as mãos, ela as fitou como se estivessem contaminadas com alguma doença.

Um.

Forcei-me a respirar. Inspiração pelo nariz. Expiração pela boca.

Dois.

A testa da ladra se franziu. Ela me observava com uma expressão divertida — sem dúvida questionando minha capacidade mental.

Três.

Quatro.

Tomou minhas mãos. Fez uma careta como se doesse.

Cinco.

Percebi, com um segundo de atraso, que ela *estava* com dor. Imediatamente afrouxei as mãos ao redor dos dedos quebrados.

Seis.

O arcebispo pigarreou.

— Comecemos. — Virou-se para mim. — Você, Reid Florin Diggory, aceita esta mulher como sua legítima esposa, para viverem juntos sob o decreto de Deus em sagrado matrimônio? Vai amá-la, confortá-la e respeitá-la, na saúde e na doença, e, renunciando a todas as outras, promete ser fiel até que a morte os separe?

Minha visão focou-se num pontinho branco em meio aos pombos — uma pomba. Minha cabeça girava. Todos me encaravam, esperando que falasse, mas minha garganta estava fechada. Eu sufocava.

Não podia me casar com aquela mulher. Não podia. Uma vez reconhecido, o pensamento se fixou, afundando as garras em cada fibra de meu ser. Tinha de haver outra maneira — *qualquer* outra maneira...

Dedos quentes pequeninos apertaram os meus. Ergui os olhos e encontrei um azul-esverdeado penetrante. Não — mais azul do que verde agora. Metálicos. Refletindo a água ferrosa do Doleur atrás dela. Engoliu em seco e fez um movimento de cabeça quase imperceptível.

Naquele breve instante, compreendi. A dúvida, a hesitação, o luto por um futuro que jamais viveria — também pertenciam a ela. Já não era mais a onça selvagem. Só restava uma mulher agora. E era pequena. E amedrontada. E forte.

E estava pedindo que eu fosse o mesmo.

Não sei por que o fiz. Ela era uma ladra, uma criminosa, e eu não lhe devia coisa alguma. Tinha arruinado minha vida quando me arrastou para dentro daquele palco. Se aceitasse, tinha certeza de que faria o possível para continuar destruindo tudo ao meu redor.

Mas respondi com a mesma pressão de dedos. Senti a palavra subir aos meus lábios, indesejada.

— Sim.

O arcebispo virou-se para ela. Mantive a pressão entre nossas mãos, atentando para os dedos quebrados.

— Qual é o seu nome? — perguntou com rispidez. — Nome completo.

— Louise Margaux Larue.

Franzi a testa. *Larue.* Era um sobrenome comum entre os criminosos da Costa Leste, mas em geral um pseudônimo. Significava, literalmente, *a rua.*

— Larue? — O arcebispo a examinou com suspeita, ecoando minhas dúvidas. — Deve estar ciente de que, se o nome for falso, seu casamento com o capitão Diggory será anulado. Não preciso lembrá-la de que sorte a aguarda se isso acontecer.

— Conheço a lei.

— Muito bem. — Ele abanou a mão. — Você, Louise Margaux *Larue*, aceita este homem como seu legítimo esposo, para viverem juntos sob o decreto de Deus em sagrado matrimônio? Vai obedecê-lo e servi-lo, amá-lo e respeitá-lo, na saúde e na doença, e, renunciando a todos os outros, promete ser fiel até que a morte os separe?

Podia ver o riso de escárnio subindo até seus lábios, mas ela resistiu, chutando um punhado de areia nos pássaros, que debandaram com grasnos de alarme. Um nó se formou em minha garganta quando a pomba alçou voo.

— Sim.

O arcebispo prosseguiu sem esperar:

— Pelo poder a mim investido, eu os declaro marido e mulher, em nome do Pai, do Filho e do Espírito Santo. — Fez uma pausa, e todos os músculos em meu corpo tensionaram, aguardando a frase seguinte. Como se lesse meus pensamentos, ele me lançou um olhar mordaz. Minhas bochechas coraram novamente.

— Como disse o Senhor — ele entrelaçou as mãos e inclinou a cabeça —, "melhor serem dois do que um... Porque se um cair, o outro levanta seu companheiro. Mas ai do que estiver só; pois, caindo, não haverá outro que o levante. E se alguém quiser prevalecer contra um, os dois resistirão. O cordão de três dobras não se quebra tão depressa."

Endireitou-se com um sorriso sombrio.

— Está feito. O que Deus uniu, o homem não separa. Firmaremos a certidão de casamento assim que retornarmos, e a questão estará resolvida.

Começou a mover-se na direção da carruagem a sua espera, mas parou, virando para me olhar feio.

— Obviamente, o casamento deve ser consumado para ter valor legal.

Ela se enrijeceu a meu lado, fitando o arcebispo com resolução — a boca retorcida, os olhos tensos. Senti uma onda de calor banhar meu corpo. Mais quente e furioso do que antes.

— Sim, Vossa Eminência.

Ele assentiu, satisfeito, e entrou no carro. Jean Luc subiu atrás dele, piscando para mim. Como se isso fosse possível, minha humilhação cresceu ainda mais.

— Muito bem. — O arcebispo fechou a porta. — Certifique-se de que seja feito depressa. Uma testemunha irá até seu quarto mais tarde para confirmá-lo.

Senti um buraco se abrir no estômago enquanto eles desapareciam pela rua.

— Como disse o Senhor — ele entrelaçou as mãos e inclinou a cabeça — melhor serem dois do que um. Porque, se um cair o outro levanta seu companheiro. Mas ai do que estiver sozinho; caindo, não haverá outro que o levante. E se alguém quiser prevalecer contra um, os dois resistirão. O cordão de três dobras não se quebra tão depressa.

Endireitou-se com um sorriso [illegible].

— E, é claro, o que Deus uniu, o homem não separa. [illegible] acordo de casamento assim que retornarmos. E a questão estará resolvida.

Começou a mover-se na direção da carruagem que o esperava, mas parou, virando para me olhar feio.

— Obviamente, o casamento deve ser consumado para ter valor legal.

Ele se [illegible] a meu lado, [illegible] com resolução — a boca retorcida, os olhos tensos. Senti uma onda de calor banhar meu rosto. [illegible] queixo e [illegible] furioso do que nunca.

— Sim, Vossa Eminência.

Ele assentiu, satisfeito, e entrou no carro. [illegible] parecendo [illegible]. Como se isso fosse possível, minha humilhação cresceu ainda mais.

— Muito bem. — [illegible] fechou a porta. — Certifique-se de que seja feito depressa. [illegible] quanto mais tarde [illegible] conquistá-lo.

Senti um buraco se abrir no estômago enquanto [illegible] pela rua.

PARTE II

Petit à petit, l'oiseau fait son nid.
Pouco a pouco, o pássaro faz seu ninho.
— Provérbio francês

A CONSUMAÇÃO

Lou

A Cathédral Saint-Cécile d'Cesarine ergueu-se diante de mim, um espectro sinistro de pináculos, torres e arcobotantes. Vitrais de cores de pedras preciosas escarneciam na luz do sol. Portas de pau-rosa — esculpidas e embutidas em pedra branca — abriram-se quando subimos os degraus e revelaram um grupo de Chasseurs.

— Comporte-se — murmurou meu marido. Dei um sorriso torto, mas não disse nada.

Um Chasseur postou-se diante de mim.

— Identificação.

— Ahm...

Meu marido abaixou a cabeça, tenso.

— Esta é minha esposa, Louise.

Fitei-o, impressionada que as palavras tivessem conseguido sair por entre os dentes trincados. Como de praxe, ele me ignorou.

O Chasseur na minha frente piscou. E piscou de novo.

— Sua... sua esposa, capitão Diggory?

Ele fez um gesto afirmativo quase imperceptível com a cabeça, e senti um medo genuíno pelo bem-estar de seus dentes. Com certeza se quebrariam se ele continuasse os trincando daquela maneira.

— Sim.

O Chasseur arriscou uma olhadela na minha direção.

— Isto é... muito fora do comum. O arcebispo está ciente...

— Ele está nos esperando.

— Certamente. — O homem se virou para o pajem que tinha acabado de aparecer. — Avise ao arcebispo que o capitão Diggory e sua... esposa estão aqui. — Lançou outro olhar furtivo na minha direção enquanto o menino se apressava em cumprir suas ordens. Pisquei para ele. Meu marido soltou um ruído impaciente e pegou meu braço, me guiando à força para a porta.

Arranquei o braço de sua mão.

— Não precisa me machucar.

— Mandei você *se comportar.*

— Ah, me poupe, só *pisquei* para ele. Não é como se tivesse tirado a roupa e começado a balançar os peitos...

Uma agitação começou atrás de nós, e nos viramos ao mesmo tempo. Mais Chasseurs marchavam rua acima, carregando entre eles o que parecia ser um corpo. Embora o tivessem envolvido em um pano, por decência, não tinha como não reconhecer a mão dependurada escapando sob o tecido.

Ou as vinhas que tinham crescido entre seus dedos. Ou os veios que salpicavam sua pele.

Eu me inclinei para ver mais de perto — embora meu marido me puxasse para trás — e inspirei a doçura familiar emanando do cadáver. Interessante.

Um dos Chasseurs se apressou em esconder a mão outra vez.

— Nós o encontramos logo depois dos limites da cidade, capitão.

Meu marido fez um movimento brusco de cabeça indicando a ruela ao lado da igreja sem dizer nada, e os homens rapidamente se afastaram.

Mesmo enquanto eu era levada para dentro, tentava esticar o pescoço para vê-los passar.

— O que foi aquilo?

— Não é da sua conta.

— Para onde vão levá-lo?

— Já disse que não é...

— Basta. — O arcebispo entrou no saguão, fitando com reprovação a lama e a água que formavam uma poça a meus pés. Claro que ele já estava usando uma túnica de coral limpa e havia lavado os salpicos de lama e areia do rosto. Resisti ao desejo de mexer no vestido rasgado ou pentear os cabelos emaranhados com os dedos. Não importava como estava minha aparência. O arcebispo podia ir para o inferno.

— A certidão de casamento está no meu escritório. Onde devo mandar buscar seus pertences?

Fingindo desinteresse, torci a água dos cabelos encharcados.

— Não tenho nada.

— Não tem... nada — repetiu ele devagar, me examinando com reprovação.

— Foi o que disse, é... A menos que você e seus lacaios queiram saquear o sótão do Soleil et Lune. Há anos pego fantasias emprestadas de lá.

Ele fez uma carranca.

— Não podia esperar mais do que isso. No entanto, devemos nos esforçar para encontrar trajes mais apresentáveis para você. Não desonrarei Reid deixando que sua esposa pareça uma herege, ainda que de fato seja uma.

— Como ousa? — Levei a mão ao decote do vestido arruinado em afronta fingida. — Sou uma cristã temente a Deus agora...

Meu marido me levou para longe antes que eu tivesse a chance terminar.

Poderia jurar que ouvi um de seus dentes rachar.

* * *

Depois de termos assinado às pressas a certidão de casamento no escritório, meu marido me levou por um corredor estreito e empoeirado, nitidamente tentando evitar a entrada tumultuada. Deus o livre de ser avistado com sua nova esposa. Rumores sobre o escândalo já deviam estar circulando pela Torre.

Uma escada em caracol ao fim do corredor me chamou a atenção. Ao contrário das escadarias de madeira espalhadas pela catedral, esta era de metal e evidentemente tinha sido construída depois da estrutura original. Havia algo ali... No cheiro dela... Puxei o braço de Reid e inspirei discretamente.

— Aonde aquela escada vai dar?

Ele se virou, seguindo meus olhos, antes de balançar a cabeça rispidamente.

— A nenhum lugar que você vá visitar. O acesso é restrito além dos dormitórios. Somente pessoal autorizado pode subir aos andares superiores.

Muito bem, estou dentro

Não falei mais nada, porém, permitindo que ele me guiasse por vários lances de escada até uma porta de madeira simples. Ele a abriu sem olhar em minha direção. Parei do lado de fora, fitando as palavras inscritas acima dela:

JAMAIS PERMITAS A SOBREVIVÊNCIA DE UMA BRUXA.

Estremeci. Então esta era a infame Torre dos Chasseurs. Embora nenhuma mudança visível marcasse o corredor à frente, havia algo de... austero naquele lugar. Não tinha calor, benevolência — a atmosfera era sombria e rígida como os homens que residiam ali.

A cabeça de meu marido espiou para fora da porta um segundo depois, olhando para a inscrição aterrorizante e depois para mim.

— O que foi?

— Nada. — Entrei apressada atrás dele, ignorando o arrepio frio de temor que correu minha espinha ao cruzar o limiar. Agora não tinha volta. Eu estava nas entranhas da fera.

E logo estaria na *cama* dela.

Nem ferrando.

Ele me guiou corredor adentro, tomando cuidado para não me tocar.

— Por aqui. — Gesticulou na direção de uma das muitas portas, e me espremi para passar por ele para entrar... e então parei de supetão.

O cômodo era uma caixinha de fósforos. Uma caixinha dolorosamente simples, miseravelmente sem graça, desprovida de qualquer personalidade. As paredes eram brancas, o piso, escuro. Apenas uma cama e escrivaninha preenchiam o espaço. Pior, não tinha nenhum objeto pessoal. Nenhuma quinquilharia. Nenhum livro. Nem mesmo uma cesta para a roupa suja. Quando notei a janela estreita — alta demais na parede para poder apreciar o pôr do sol —, morri um pouco por dentro.

Meu marido devia ser a pessoa mais insípida que já existiu.

A porta se fechou com um clique atrás de mim. Aquilo soou decisivo — como uma cela de prisão sendo cerrada.

Ele se moveu na minha visão periférica, e me girei, mas ele apenas levantou as mãos devagar, como se quisesse tranquilizar um gato selvagem.

— Só vou tirar o casaco. — Despiu a peça encharcada e a deixou sobre a mesa antes de começar a desatar a bandoleira.

— Pode parar por aí — falei. — Não... não tire nem mais uma peça de roupa.

Ele trincou o maxilar.

— Não vou forçá-la a nada — seu nariz se torceu com repulsa —, Louise.

— É Lou. — Seu rosto estremeceu com um tique ao ouvir isso. — Acha o meu nome ofensivo?

— Acho tudo a seu respeito ofensivo. — Puxou a cadeira e se sentou, suspirando fundo. — É uma criminosa.

— Não precisa ser tão moralista, Chass. Está nesta situação por *sua* culpa, não minha.

Ele fez uma carranca.

— Isto tudo é culpa sua.

Dando de ombros, fui me sentar na cama imaculadamente arrumada. Ele fez uma careta quando meu vestido molhado sujou a colcha.

— Devia ter me deixado fugir quando estávamos no teatro.

— Não sabia que você ia... que ia *armar* para mim...

— Sou uma criminosa — argumentei, não me importando em corrigi-lo. Não importava mais, de qualquer forma. — Agi criminosamente. Você devia saber que seria assim.

Ele gesticulou com raiva para meu rosto ferido e meus dedos quebrados.

— E como a vida de criminosa a está tratando?

— Estou viva, não estou?

— Está mesmo? — Arqueou uma sobrancelha ruiva. — Porque parece que alguém a deixou à beira da morte.

Abanei a mão, despreocupada, e dei um sorrisinho torto.

— Ossos do ofício.

— Não mais.

— Como é?

Seus olhos flamejaram.

— Você é minha esposa agora, gostemos disso ou não. Homem nenhum vai voltar a tocá-la dessa forma.

Uma tensão — rija e pesada — assentou-se sobre nós após suas palavras.

Inclinei a cabeça para o lado e me aproximei dele, um sorriso lento se abrindo em meu rosto. Ele me olhou feio, mas sua respiração vacilou quando me debrucei sobre ele. Seus olhos voaram para minha boca. Mesmo sentado, ainda era quase mais alto do que eu.

— Bom. — Fechei a mão ao redor do cabo de uma das facas em sua bandoleira. Levando-a ao seu pescoço antes que ele pudesse reagir, fiz força o suficiente para que a ponta lhe tirasse um pouco de sangue. Seus dedos envolveram meu pulso, quase o esmagando, mas não me forçou a me afastar. Inclinei-me mais para ele. Nossos lábios estavam a um fio de distância. — Mas é bom você saber — suspirei — que, se um homem me tocar de *qualquer* forma sem minha permissão, eu vou abri-lo ao meio. — Fiz uma pausa de efeito, levando a faca da garganta até seu umbigo e mais embaixo. Ele engoliu em seco. — Mesmo que seja meu marido.

— Temos que consumar o casamento. — A voz de Reid era baixa, rouca... furiosa. — Nem eu, nem você podemos arriscar uma anulação.

Eu me afastei com brusquidão, levantando a manga do vestido para revelar a pele na parte interna do braço. Sem desviar os olhos dos dele, enterrei ali a ponta da lâmina e cortei. Ele fez um movimento para me deter, mas era tarde. O sangue já brotava. Arranquei o lençol da cama e deixei que o sangue gotejasse.

— Pronto. — Caminhei para o banheiro, ignorando sua expressão chocada. — Casamento consumado.

Saboreei a dor em meu braço. Era real e palpável, diferente de todos os demais acontecimentos daquele dia amaldiçoado. Lavei-o devagar e deliberadamente antes de enfaixá-lo com um pano tirado do armário no canto.

Casada.

Se, pela manhã, alguém me dissesse que eu estaria casada até o fim do dia, eu teria rido. Rido e depois cuspido no pobre coitado.

O Chasseur bateu à porta.

— Está tudo bem?

— Meu Deus, me deixe em paz.

Uma frestinha se abriu.

— Está decente?

— Não — menti.

— Estou entrando. — Ele enfiou a cabeça primeiro, os olhos se estreitando quando viu todo o sangue. — Isso era mesmo necessário?

— Não podem me acusar de não ser minuciosa.

Ele afastou o curativo para examinar o corte, me obrigando a olhar em cheio para seu peito. Não tinha se trocado ainda, e a camisa estava molhada do rio. Colava-se à pele de uma maneira hipnotizante. Forcei os olhos na direção da banheira, mas meus pensamentos insistiam em voltar para ele. Era alto demais. Anormalmente alto. Grande demais para um espaço tão pequeno como aquele. Perguntei-me se teria algum tipo de doença. Meu olhar resvalou de volta para o peitoral. Era provável.

— Vão pensar que a assassinei. — Ele refez o curativo e abriu o armário outra vez, pegando mais um pano para limpar o chão e a cuba. Terminei de enrolar o braço e me juntei a ele.

— O que faremos com as evidências? — Limpei as mãos ensanguentadas na bainha da saia.

— Queimaremos tudo. Tem uma fornalha no andar de baixo.

Meus olhos se iluminaram.

— Isso! Incendiei um armazém uma vez. Um fosforozinho só, e a coisa inteira queimou como uma chaminé.

Ele me fitou com horror.

— Ateou fogo num prédio?

Essa gente tinha óbvios problemas de audição.

— Foi o que acabei de dizer, não foi?

Ele balançou a cabeça e deu um nó na toalha.

— Seu vestido — falou sem olhar para mim. Olhei para baixo.

— O que tem ele?

— Está coberto de sangue. Também precisa ser queimado.

— Ah, certo — escarneci, revirando os olhos. — Não tenho outra roupa.

— Isso é problema seu. Passa para cá.

Olhei feio para ele, que devolveu na mesma moeda.

— Não tenho outra roupa — repeti devagar. Sem dúvidas eram problemas de audição.

— Devia ter pensado nisso antes de abrir o braço desse jeito. — Ele estendeu a palma da mão com insistência.

Mais um segundo se passou.

— Está bem. — Uma risadinha leviana escapou da minha garganta. — Você venceu!

Dois podiam jogar aquele jogo. Tentei tirar o vestido por cima da cabeça, mas meus dedos, ainda rijos e doloridos, me impediram. O tecido molhado ficou preso ao redor do pescoço, me estrangulando, e quase quebrei os dedos que me restavam numa tentativa desesperada de me livrar dele.

Mãos fortes se adiantaram, oferecendo assistência. Pulei para longe por instinto, e meu vestido rasgou com a mesma facilidade que tinha feito no teatro.

Envergonhada, atirei-o no rosto dele.

Não estava nua. Roupas de baixo confortáveis e flexíveis cobriam minhas partes mais íntimas, mas era suficiente. Quando ele se desvencilhou do tecido, seu rosto estava em chamas. Desviou depressa o olhar.

— Tem uma camisa aí dentro. — Apontou com o queixo para o armário do banheiro antes de se focar na ferida em meu braço. — Vou pedir a uma das camareiras para lhe trazer uma camisola. Não deixe que veja o seu braço.

Revirei os olhos quando ele partiu e vesti uma de suas camisas absurdamente largas. A bainha batia abaixo de meus joelhos.

Quando tive certeza de que ele estava longe, voltei ao quarto. A luz dourada do pôr do sol entrava filtrada pela janela solitária. Arrastei a mesa até ela, colocando a cadeira no topo, antes de escalar. Equilibrando os cotovelos no peitoril, descansei o queixo nas mãos e suspirei.

O sol continuava sendo belo. E, apesar de tudo, continuava se pondo. Fechei os olhos e me banhei em seu calor.

Pouco depois, uma camareira entrou para verificar os lençóis ensanguentados. Satisfeita, tirou a roupa de cama sem uma palavra. Um buraco se abriu em meu estômago enquanto observava as costas rígidas da mulher. Ela nem olhou para mim.

— Tem uma camisola para mim? — perguntei com esperança, sem suportar mais um segundo de silêncio.

Ela fez uma cortesia, como manda a convenção, mas continuou evitando meus olhos.

— O mercado só abre pela manhã, madame.

Deixou o quarto sem mais palavras. Eu a observei partir com uma sensação ruim, como se fosse um presságio. Se tinha me permitido ter esperança de conseguir uma aliada nesta Torre maldita, fora otimismo demais. Até os funcionários tinham passado por uma lavagem cerebral. Mas, se achavam que quebrariam meu espírito com tratamento de silêncio — com isolamento —, teriam uma surpresa.

Descendo de minha torre de móveis, investiguei o quarto à procura de algo que pudesse usar contra meu captor. Chantagem. Uma arma. Qualquer coisa. Vasculhei meu cérebro, lembrando os truques que usara em Andre e Grue ao longo dos anos. Depois de abrir a gaveta da escrivaninha, examinei seu conteúdo com toda a cortesia que meu marido merecia. Não tinha muito o que inspecionar: um par de penas, um pote de tinta, uma Bíblia esmaecida e... um caderno de couro. Quando o peguei, folheando-o avidamente, várias folhas soltas caíram ao chão. Cartas. Eu me abaixei, um sorriso se abrindo lentamente em meu rosto.

Cartas *de amor.*

Um Chasseur ruivo muito confuso me cutucou até acordar naquela noite. Eu tinha conseguido me acomodar dentro da banheira — envolta em sua camisa ridícula —, quando ele entrou e quase perfurou minha costela com o dedo.

— O quê? — Dei um tapa contrariado em sua mão para afastá-lo, incomodada pela luz súbita em meus olhos.

— O que está fazendo? — Ele se inclinou para trás, ainda ajoelhado, e deixou a vela no chão. — Quando não a vi na cama, pensei que talvez... talvez tivesse...

— Fugido? — completei com astúcia. — Ainda está nos meus planos.

Seu rosto se endureceu.

— Seria um equívoco.

— É tudo relativo. — Bocejei, me acomodando novamente.

— Por que está dentro da banheira?

— Bom, é claro que não vou dormir na sua cama, não é? Esta me pareceu a melhor alternativa.

Uma pausa.

— Você não precisa... não precisa dormir aí — murmurou ele, enfim. — Pode ficar com a cama.

— Não, obrigada. Não é que eu não confie em você, mas... Bom, na verdade é exatamente isso.

— E acha que a banheira pode protegê-la?

— Hum, não. — Soltei um suspiro, as pálpebras estremecendo. Estavam tão pesadas. — Posso trancar a porta...

Espere.

De repente eu estava desperta.

— Eu *tranquei* a porta. Como foi que você entrou?

Ele riu, e amaldiçoei meu coração traidor por vacilar um segundo. O sorriso transformou seu rosto por completo, como... como o sol. Fiz uma carranca, cruzando os braços e me afundando mais na camisa enorme. Não queria fazer *essa* comparação, mas agora não podia tirar a imagem da cabeça. Os cabelos cor de cobre, bagunçados, como se ele também tivesse caído no sono em algum lugar indevido, não ajudavam em nada.

— E onde é que você estava? — disparei.

Seu sorriso fraquejou.

— Adormeci no presbitério. Precisava de... um pouco de espaço.

Franzi a testa, e o silêncio entre nós se alongou. Após um momento, perguntei:

— Como *foi* que conseguiu entrar, afinal?

— Você não é a única que sabe abrir fechaduras e cadeados.

— É mesmo? — Sentei na banheira, meu interesse fisgado. — E onde é que um Chasseur sagrado teria aprendido um truque assim?

— Com o arcebispo.

— É óbvio! Ele é um safado hipócrita.

A frágil camaradagem entre nós ruiu instantaneamente. Ele ficou de pé num movimento brusco.

— Nunca mais o desrespeite assim. Não na minha frente. É o melhor homem que já conheci. O mais destemido. Quando eu tinha três anos, ele...

Parei de escutar, revirando os olhos. Estava se tornando um hábito quando estava perto dele.

— Olha, Chass, você é meu marido agora, então acho que devo ser honesta com você e dizer que, na primeira oportunidade, eu mataria o seu arcebispo com o maior prazer.

— Ele a mataria antes que você levantasse um dedo. — Uma luz fanática brilhou em seus olhos, e ergui uma sobrancelha respeitosamente descrente. — Estou falando sério. Ele é o líder mais bem-sucedido da história dos Chasseurs. Abateu mais bruxas do que qualquer outro homem vivo. Sua habilidade é lendária. *Ele* é uma lenda...

— Ele é um *velho.*

— Você o subestima.

— Parece ser uma tendência comum por aqui. — Bocejei e dei as costas para ele, me remexendo para tentar encontrar algum conforto na banheira. — Olha, foi uma conversa divertida, mas está na hora do meu sono de beleza. Tenho que estar bem para amanhã.

— Amanhã?

— Vou voltar ao teatro — murmurei, os olhos se fechando. — Pelo pouco que pude ouvir do espetáculo desta manhã, me pareceu fascinante.

Houve outra pausa, muito mais longa que a anterior. Espiei por cima do ombro. Ele mexeu na vela por alguns segundos, inquieto, antes de respirar fundo.

— Agora que é minha esposa, é melhor que permaneça dentro da Torre.

Levantei o tronco abruptamente, o sono esquecido de imediato.

— Não acho que seja melhor coisa nenhuma.

— As pessoas viram seu rosto no teatro — a ansiedade rugiu em meu estômago —, e agora sabem que você é minha esposa. Tudo que fizer será monitorado. Tudo que fizer refletirá em mim... Nos Chasseurs. O arcebispo não confia em você. Acha que o mais aconselhável é que fique aqui até aprender a se comportar. — Lançou-me um olhar sério. — E eu concordo com ele.

— É uma pena. Achei que você tinha uma cabeça melhor que a do arcebispo — respondi com rispidez. — Não pode me deixar presa aqui nesta *trou à merde.*

Se não estivesse com tanta raiva, eu poderia ter rido da expressão ultrajada dele.

— Controle a língua. — Sua boca ficou tensa, e as narinas se arreganharam. — É minha esposa...

— Sim, você já mencionou isso! Sua *esposa*. Não sua escrava, nem sua *propriedade*. Assinei aquele pedaço de papel estúpido para poder *fugir* da prisão...

— Não podemos confiar em você. — Sua voz se elevou acima da minha. — É uma criminosa. É impulsiva. Deus me livre que sequer *abra* a boca fora deste quarto...

— Merda! Inferno! Fo...

— Chega! — Sangue irrigava a pele de sua garganta, e o peito subia e descia pesadamente enquanto lutava para controlar a respiração. — Por Deus, mulher! Como pode falar assim? Não tem vergonha?

— Não vou ficar presa aqui — respondi, enfurecida.

— Fará o que eu mandar. — As palavras eram secas e não davam espaço para discussão.

Nem ferrando. Abri a boca para lhe dizer isso, mas ele já tinha irrompido para fora do cômodo, batendo a porta com força o bastante para me chacoalhar.

O INTERROGATÓRIO

Reid

Acordei muito antes de minha esposa. Rijo. Moído. Dolorido após uma noite de sono inquieta no chão. Embora tivesse brigado comigo mesmo — argumentado veementemente que ela *escolhera* sofrer na banheira —, não tinha sido capaz de me forçar a subir na cama. Não quando ela estava ferida. Não quando ela poderia acordar no meio da noite e mudar de ideia.

Não. Eu havia lhe oferecido a cama. Era dela.

Mas me arrependi do ato de cavalheirismo no instante em que pisei no campo de treinamento. Boatos de minha nova circunstância tinham obviamente se espalhado pela Torre. Um depois do outro, todos os homens se levantaram para me confrontar, com um brilho determinado nos olhos, aguardando impacientemente sua vez. Atacando com beligerância incomum.

— Noite longa, hein, capitão? — escarneceu meu primeiro adversário após um golpe no meu ombro.

O seguinte conseguiu acertar minhas costelas. Ele me encarava com um olhar feio.

— Isso não é certo. Uma criminosa dormindo a três quartos do meu.

Jean Luc sorriu.

— Não acho que estejam dormindo muito.

— Ela poderia cortar nosso pescoço.

— Está mancomunada com bruxas.

— Isso não é certo.

— Não é justo.

— Ouvi dizer que é uma prostituta.

Enterrei o cabo da espada de treino na cabeça deste último, e ele se espatifou no chão. Abrindo os braços, girei num círculo lento. Desafiando quem se atrevesse a me enfrentar. Sangue escorria de um corte em minha testa.

— Alguém mais tem algum problema com minha nova situação?

Jean Luc riu, se sacudindo inteiro. Ele em especial parecia estar se divertindo com meu julgamento, sentença e execução... Até entrar no ringue.

— Faça seu pior, velhote.

Eu era três meses mais velho do que ele.

Porém, mesmo dolorido, mesmo exausto, mesmo *velho*, morreria antes de me render a Jean Luc.

A luta durou apenas alguns minutos. Embora ele fosse ágil e flexível, eu era mais forte. Depois de um golpe bem dado, ele também se dobrou, amparando as costelas. Esfreguei o sangue fresco do lábio partido antes de ajudar Jean Luc a se levantar.

— Teremos que interromper sua lua de mel para interrogá-la a respeito da mansão de Tremblay. Goste ou não, os homens têm razão. — Tocou o inchaço sob o olho com dedos cuidadosos. — Ela de fato está de conluio com bruxas. O arcebispo acredita que poderia nos levar até elas.

Quase revirei os olhos. O arcebispo já tinha me confiado suas esperanças, mas não revelei isso a Jean Luc. Ele gostava de se sentir superior.

— Eu sei.

Espadas de madeira ainda se chocavam, e corpos se encontravam enquanto nossos irmãos seguiam com seu treino ao redor de nós. Ninguém mais se aproximou, mas me lançavam olhares discretos entre as rodadas. Homens que antes me respeitavam. Que tinham rido e feito piada comigo, me chamado de amigo. Em apenas algumas horas, eu havia me tornado objeto de rejeição de minha esposa e de escárnio de meus irmãos. As duas coisas doíam mais do que eu queria admitir.

O desjejum foi ainda pior. Meus irmãos não permitiram que eu comesse nada. Metade deles estava ansiosa para ouvir a respeito de minha primeira noite de casado, e o restante cuidadosamente me ignorava.

Como foi?

Gostou?

Não conte nada ao arcebispo, mas... tive uma experiência. O nome dela era Babette.

Era nítido que não *queria* de fato consumar nosso casamento. Com *ela*. E meus irmãos... Eles acabariam mudando de opinião. Quando compreendessem que eu não iria a lugar algum. E não iria.

Atravessando o pátio, arremessei a espada na estante. Os homens abriram caminho para mim como se fossem ondas. Seus sussurros eram como punhaladas em minhas costas. Para minha irritação, Jean Luc não tinha os mesmos escrúpulos. Ele me seguiu como uma nuvem de gafanhotos.

— Tenho que confessar que estou ansioso para vê-la novamente. — Certificou-se de que sua espada cairia em cima da minha. — Depois do espetáculo no rio, acho que nossos irmãos vão ter uma bela surpresa.

Eu teria preferido os gafanhotos.

— Ela não é nenhuma "bela surpresa" — discordei em voz baixa.

Jean Luc prosseguiu como se não tivesse me escutado:

— Faz tempo que não temos uma mulher na Torre. Quem foi a última... a esposa do capitão Barre? Não era nada demais. A sua é muito mais bonita...

— Agradeceria se não falasse sobre a minha esposa. — Os murmúrios aumentaram atrás de nós quando nos aproximamos da Torre. Uma risada desimpedida correu pelo pátio quando entramos. Trinquei os dentes e fingi que não podia ouvi-los. — O que ela é ou deixa de ser não é assunto seu.

Ele ergueu as sobrancelhas.

— O que é isso? É possessividade que detecto? Sem dúvida ainda não teve tempo de esquecer o amor da sua vida assim, com tanta facilidade?

Célie. Seu nome me cortava como uma faca serrada. Na noite anterior, tinha lhe escrito uma última carta. Ela merecia saber o que tinha me acontecido. E, agora, estava tudo... terminado. De verdade desta vez. Tentei e falhei em engolir o nó na garganta.

Por favor, por favor, me esqueça.

Nunca a esquecerei.

Pois deveria.

A carta tinha saído com o correio ao nascer do dia.

— Já contou a ela? — Jean Luc seguia em meu encalço, alto o bastante para conseguir me acompanhar. — Foi vê-la ontem à noite? Um último encontro com sua amada?

Não respondi.

— Ela não vai ficar nada satisfeita, vai? Digo, você *escolheu* não se casar com ela...

— Já chega, Jean Luc.

— ...mas agora está casado com uma rata de rua imunda que o colocou numa posição comprometedora. Será que foi isso mesmo? — Seus olhos flamejaram, e ele segurou meu braço. Retesei-me, desejando quebrar sua mão. Ou o nariz. — Não dá para não se perguntar... Por que o arcebispo o obrigou a se casar com uma criminosa se você é inocente?

Soltei meu braço com brusquidão. Lutei para controlar a raiva que ameaçava explodir.

— *Sou* inocente.

Ele tocou o inchaço sob o olho outra vez, os lábios se abrindo num sorriso largo.

— Óbvio que é.

— Aí está você! — A voz ríspida do arcebispo precedeu sua entrada no saguão. Em harmonia, como se fôssemos um, levamos os punhos ao coração e nos curvamos em reverência. Quando nos endireitamos, o olhar do arcebispo recaiu sobre mim. — Jean Luc me informou que vão interrogar sua esposa hoje a respeito da bruxa na casa de Tremblay.

Assenti com rigidez.

— Venha reportar qualquer progresso diretamente a mim, claro. — Apertou meu ombro com uma camaradagem fácil que certamente deixou Jean Luc enfurecido. — Devemos ficar de olho nela, capitão Diggory, para evitar que ela se arruíne... e leve você junto. Eu iria ao interrogatório pessoalmente, mas...

Embora tenha deixado o restante no ar, o sentido estava explícito. *Mas não posso suportá-la.* Eu entendia bem o sentimento.

— Sim, senhor.

— Vá buscá-la, então. Estarei em meu escritório, preparando a missa da noite.

Ela não estava em nosso quarto.

Ou no banheiro.

Ou na Torre.

Ou em qualquer parte da catedral.

Eu a estrangularia.

Havia ordenado que ficasse ali. Tinha dado todas as justificativas — os motivos perfeitamente racionais, facilmente compreensíveis —, e, ainda assim, ela havia me desobedecido. Ainda assim saíra. E agora quem saberia dizer que tolices estaria fazendo — tolices que acabariam se refletindo em mim. Um marido incapaz de controlar a própria esposa.

Furioso, me sentei à mesa e esperei. Recitei em minha mente todos os versículos que falavam sobre paciência de que podia recordar.

Descanse no senhor e aguarde por ele com paciência; não se aborreça com o sucesso dos outros, nem com aqueles que maquinam o mal.

É óbvio que ela havia ido embora. Por que não o faria? Era uma criminosa. Um juramento não significava nada para ela. Minha *reputação* não significava nada para ela. Inclinei o corpo para a frente na cadeira. Pressionei as palmas das mãos contra os olhos para aliviar a pressão crescente em minha cabeça.

Deixa a ira e abandona a fúria; não te indignes: só leva ao mal. Pois os malfeitores serão desraigados; mas aqueles que esperam no Senhor herdarão a terra.

Mas o rosto dela. Os hematomas.

Tenho muitos inimigos.

Sem dúvida ser minha esposa não podia ser pior do que *aquilo*. Ela seria bem-cuidada aqui. Protegida. Receberia um tratamento melhor do que merecia. E ainda assim... uma vozinha sombria no fundo de minha mente sussurrou que talvez fosse bom que tivesse partido. Talvez fosse a solução de um problema. Talvez...

Não. Eu tinha feito um juramento àquela mulher. A Deus. Não o rejeitaria. Se ela não voltasse dentro de uma hora, eu iria encontrá-la — revistaria a cidade inteira, se necessário. Se não tinha minha honra intacta, não tinha nada. Ela não me tomaria isso. Eu não permitiria.

— Ora, que surpresa agradável.

Levantei a cabeça depressa ao ouvir a voz familiar. Um alívio inesperado correu por mim. Pois ali, recostada contra o batente da porta e sorrindo, estava minha esposa. Seus braços estavam cruzados contra o peito, e sob o manto vestia... ela vestia...

— O que está vestindo? — Eu me levantei da cadeira num pulo. Encarei seus olhos com determinação, e não... qualquer outro ponto de seu corpo.

Ela olhou para as coxas — muito visíveis e bem definidas — e abriu o manto ainda mais com um abano de mão. Casual. Como se não soubesse o que estava fazendo.

— Creio que sejam chamadas de ceroulas. Com toda certeza já ouviu falar delas...

— Eu... — Balançando a cabeça, me obriguei a focar, a olhar para *qualquer* outro lugar que não suas pernas. — Espere, que surpresa?

Ela entrou no quarto, deslizando um dedo pelo meu braço ao passar.

— Você é meu marido agora, *querido*. Que tipo de esposa eu seria se não soubesse falar sua língua?

— Minha língua?

— A do silêncio. Você é muito bem versado nela. — Depois de despir o manto, atirou-se na cama e levantou uma perna no ar para examiná-la. Olhei para o chão. — Aprendo rápido. Só o conheço faz alguns dias, mas já sei interpretar o seu silêncio, esse silêncio raivoso, levemente incerto e francamente *apreensivo* em que você esteve nadando a manhã toda. Estou comovida.

Deixa a ira. Relaxei o maxilar e olhei para a mesa.

— Onde você estava?

— Queria um pãozinho.

Abandona a fúria. Eu me segurei no encosto da cadeira. Com força demais. A madeira picou as pontas de meus dedos, e as articulações ficaram brancas.

— Um pãozinho?

— Isso, um pãozinho. — Ela descalçou as botas, que bateram no chão com dois ruídos abafados. — Dormi demais e perdi a matinê... Provavelmente porque *alguém* me acordou antes da merda do sol...

— Olha a boca...

— ...nascer. — Ela se espreguiçou com vontade e se recostou outra vez nos travesseiros. Uma dor aguda subiu pelos meus dedos que apertavam a cadeira. Respirei fundo e soltei. — Um pajem me trouxe um vestido bem sem graça hoje pela manhã... Era de uma das camareiras, a gola fechada ia até as minhas orelhas... Para que eu usasse até alguém poder ir comprar outro no mercado. Não estava na lista de prioridades de ninguém, então convenci o menino a me entregar as moedas que o arcebispo deixou para refazer meu guarda-roupas e tomei a liberdade de cuidar disso eu mesma. O restante será entregue à noite.

Vestidos. Para comprar *vestidos* — não aquela coisa profana. Aquele par de ceroulas não lembrava em nada o outro, sujo e largo, que ela tinha usado antes. Tinha obviamente mandado fazê-las num alfaiate com o dinheiro do arcebispo. Serviam-na como se fossem uma segunda pele.

Limpei a garganta. Mantive os olhos na escrivaninha.

— E os guardas... Eles a deixaram...

— Sair? Claro. Todos tínhamos a impressão de que isto não era uma prisão.

Deixa a ira. Virei-me devagar.

— Disse a você para ficar na Torre.

Arrisquei um olhar na direção dela. Um equívoco. Tinha dobrado os joelhos, repousando um em cima do outro. Ostentando cada uma das curvas da cintura para baixo. Engoli em seco e forcei os olhos de volta para o chão.

Ela sabia o que estava fazendo. Diaba.

— E você achou que eu fosse obedecer? — Riu. Não: foi uma risadinha apenas. — Francamente, Chass, foi até um pouco fácil demais sair. Os guardas no portão quase me imploraram para ir. Devia ter visto a cara deles quando voltei...

— Por que voltou? — As palavras escaparam antes que eu pudesse detê-las. Fiz uma careta internamente. Não é como se *me importasse.* E não fazia diferença, no fim das contas. O que importava era que tinha me desobedecido. Quanto a meus irmãos... Teria que dar uma palavrinha com eles. Ninguém abominava a presença da herege aqui mais do que eu, mas o arcebispo tinha dado suas ordens.

Ela ficaria. Na riqueza e na pobreza. Na saúde e na doença.

— Já disse, Chass. — Sua voz estava atipicamente baixa, e arrisquei uma olhadela em sua direção. Tinha virado de lado e agora me fitava nos olhos. O queixo apoiado na mão. O outro braço pendurado sobre a cintura. — Tenho muitos inimigos.

Seu olhar não vacilou. O rosto permanecia impassível. Pela primeira vez desde que a conhecera, não emanava emoção de todos os seus poros. Estava... sem expressão, indiferente. De uma maneira cautelosa e habilidosa. Diante do meu escrutínio, ela arqueou uma sobrancelha. Uma pergunta silenciosa.

Mas não havia necessidade de perguntar — para fazê-la confirmar o que eu já suspeitava. Por mais estúpido que fosse acreditar na palavra de uma ladra, não havia explicação melhor para que tivesse retornado. Eu não queria admitir, mas ela era esperta. Uma mestra na arte de escapar. Provavelmente seria impossível encontrá-la caso se escondesse.

O que significava que estava aqui porque queria. Porque precisava. Quem quer que fossem seus inimigos, deviam ser poderosos.

Quebrei o contato visual e me fixei na cabeceira da cama. *Foco.*

— Você me desobedeceu — repeti. — Disse para ficar na Torre, e você não ficou. Traiu minha confiança. — Ela revirou os olhos, a máscara rachando. Tentei ressuscitar minha raiva de antes, mas ela já não ardia tanto. — Os guardas serão mais vigilantes de agora em diante, ainda mais depois que o arcebispo ficar sabendo de suas indiscrições. Não ficará nada satisfeito...

— Um bônus inesperado...

— E você continuará confinada aos andares inferiores — terminei entredentes. — Nos dormitórios e no refeitório.

Ela sentou-se na cama, a curiosidade iluminando os olhos azul--esverdeados.

— O que tem mesmo nos andares de cima?

— Nada que seja da sua conta. — Caminhei até a porta sem olhar de volta para ela, suspirando de alívio quando uma camareira passou. — Bridgette! Será que minha esposa poderia, hum... pegar um vestido emprestado? Eu o devolverei amanhã de manhã. — Quando ela assentiu, corando e se apressando em partir, virei para Louise. — Precisa trocar de roupa. Iremos à sala do conselho, e não pode estar vestida assim diante de meus irmãos.

Ela nem se mexeu.

— Diante dos seus irmãos? O que poderiam querer de mim?

Devia ser uma impossibilidade física aquela mulher se dobrar ao marido.

— Querem fazer algumas perguntas sobre sua amiga bruxa.

Sua resposta veio de imediato:

— Não estou interessada.

— Não foi um pedido. Assim que estiver vestida de forma adequada, sairemos.

— Não.

Olhei para ela por mais um segundo — esperando que concedesse, esperando que demonstrasse a docilidade condizente com uma mulher —, antes de me dar conta de com quem estava falando.

Lou. Uma ladra com nome de homem. Girei nos calcanhares.

— Muito bem. Vamos.

Não esperei que me seguisse. Para ser honesto, não sabia o que faria se ela não viesse. A lembrança do arcebispo a golpeando no rosto me veio à cabeça, e o calor fluindo por mim queimou ainda mais. Aquilo não voltaria a acontecer. Mesmo que ela xingasse — mesmo que se recusasse a escutar uma única palavra que eu dissesse —, eu jamais levantaria a mão para ela.

Nunca.

O que significava que só me restava torcer fervorosamente para que ela me seguisse.

Alguns segundos depois, passos suaves ecoaram atrás de mim no corredor. Graças ao Senhor. Encurtei a passada para que ela pudesse me alcançar.

— Por aqui — murmurei, guiando-a escada abaixo. Com cuidado para não a tocar. — Para a masmorra.

Ela me fitou com alarme.

— Masmorra?

Quase ri. Quase.

— A sala do conselho fica lá embaixo.

Levei-a por outro corredor. Por um lance de escadas menor e mais íngreme. Vozes secas nos alcançaram enquanto descíamos. Abri a porta de madeira rústica ao pé da escada e gesticulei para que ela entrasse.

Uma dúzia de meus irmãos estava reunida ao redor de uma mesa circular no meio do cômodo, discutindo. Pergaminhos a recobriam. Recortes de jornal. Esboços em carvão. Sob tudo isso se estendia um enorme mapa de Belterra. Cada cordilheira, cada pântano, floresta e lago, desenhados a tinta com cuidado e precisão. Todas as cidades e marcos importantes.

— Ora, ora, se não é nossa ladrazinha. — Os olhos de Jean Luc correram por ela com interesse aguçado. Ele circundou a mesa para examiná-la mais de perto. — Finalmente veio nos agraciar com sua presença.

Os outros logo seguiram seu exemplo, me ignorando por completo. Pressionei os lábios com uma irritação inesperada. Não sabia quem me incomodava mais — minha esposa, por estar vestindo ceroulas, meus irmãos, por a estarem encarando, ou mesmo eu, por me importar.

— Bandeira branca, Jean Luc — Dei um passo à frente, crescendo atrás dela. — Ela está aqui para ajudar.

— Está mesmo? Achei que essa gente de rua desse valor à lealdade.

— E damos — respondeu ela, sem emoção.

Ele arqueou uma sobrancelha.

— Vai se recusar a nos ajudar, então?

Comporte-se, supliquei em silêncio. *Coopere.*

Ela não se comportou, claro. Ao contrário, foi em direção à mesa, observando os papéis espalhados sobre ela. Eu sabia, sem nem precisar olhar, quem Louise tinha visto. Um rosto esboçado uma dúzia de vezes. Em uma dúzia de maneiras diferentes. Zombando de nós.

La Dame des Sorcières. A Senhora das Bruxas.

Até o nome era irritante. Não lembrava em nada a anciã do cortejo. Tampouco a mãe de cabelos escuros. Seus cabelos nem sequer eram daquela cor em sua forma natural, mas, sim, de um tom peculiar de louro. Quase brancos. Ou prateados.

Jean Luc seguiu o olhar dela.

— Conhece Morgane le Blanc?

— Todos a conhecem. — Ela empinou o nariz e lhe lançou um olhar sombrio. — Até essa gente de rua.

— Se nos ajudasse a colocá-la na fogueira, tudo estaria perdoado — apontou Jean Luc.

— Perdoado? — Louise ergueu uma sobrancelha e se inclinou para a frente, colocando os dedos enfaixados sobre o nariz de Morgane le Blanc. — Pelo que exatamente me perdoariam?

— Pela humilhação pública de Reid. — Jean Luc imitou seu gesto, a expressão se endurecendo. — Por forçá-lo a desgraçar seu nome e sua *honra* como Chasseur.

Meus irmãos assentiram em concordância, murmurando baixinho.

— Basta — Para meu horror, minha mão desceu sobre o ombro dela. Fitei-a, tão grande e estranha no corpo esguio de Lou. Pisquei uma vez. Duas. E retirei a mão depressa, tentando ignorar a expressão peculiar no rosto de Jean Luc enquanto nos observava. Limpei a garganta. — Minha esposa está aqui para testemunhar contra a bruxa da mansão de Tremblay. Nada mais.

Jean Luc ergueu as sobrancelhas com ceticismo polido — talvez estivesse até achando divertido —, e então estendeu a mão para ela.

— Que seja. Então, madame Diggory, por favor, elucide os fatos para nós.

Madame Diggory.

Engoli em seco e me aproximei dela, ao lado da mesa. Ainda não tinha escutado o título dito em voz alta. Ouvir aquelas palavras... soavam estranhas. Reais.

Ela fez uma careta e afastou a mão estendida dele para longe.

— Meu nome é Lou.

E lá estava ela outra vez. Encarei o teto, tentando e falhando em ignorar os sussurros indignados de meus companheiros.

— O que sabe das bruxas? — indagou Jean Luc.

— Não muito. — Ela deslizou o dedo por uma série de *Xs* e círculos que marcavam a topografia do mapa. A maioria estava concentrada na Forêt des Yeux. Um círculo para cada dica que tínhamos recebido dizendo que bruxas habitavam as cavernas do lugar. Um *X* para cada missão de reconhecimento que resultara em nada.

Um sorriso sombrio repuxou os lábios de Jean Luc.

— Seria do seu interesse cooperar, madame. É apenas pela graça e intervenção do arcebispo que está aqui, ilesa, em vez de espalhada como cinzas pelo reino. Dar assistência e ser cúmplice das ações de uma bruxa é *ilegal.*

Um silêncio tenso recaiu sobre o cômodo enquanto ela olhava de rosto em rosto, nitidamente decidindo se concordava. Eu tinha acabado de abrir minha boca para guiá-la na direção certa quando suspirou:

— O que quer saber?

Pisquei, chocado com a prudência súbita, mas Jean Luc não parou para saborear o momento. Ao contrário, atacou:

— Onde estão localizadas?

— Como se ela fosse me dizer uma coisa dessas.

— Quem é *ela?*

Deu um risinho de escárnio.

— Uma bruxa.

— O *nome.*

— Alexandra.

— Sobrenome?

— Não sei. Trabalhamos em sigilo na Costa Leste, mesmo entre amigos.

Recuei com repulsa diante da palavra.

— Você... realmente considera a bruxa uma *amiga?*

— Considero.

— O que aconteceu? — continuou Jean Luc.

Ela olhou ao redor, subitamente rebelde:

— *Vocês* aconteceram.

— Explique-se.

— Quando nos cercaram na mansão, todos fugimos — respondeu com rispidez. — Não sei para onde ela foi. Não sei se voltarei a vê-la um dia.

Jean Luc e eu nos entreolhamos. Se ela estivesse dizendo a verdade, tínhamos chegado a um beco sem saída. Pelo pouco tempo que tinha passado com Lou, porém, eu sabia que ela *não* costumava dizer a verdade. Provavelmente nem sequer era capaz disso. Mas talvez houvesse outro meio de conseguir a informação de que precisávamos. Eu sabia que não levaria a nada perguntar a respeito do homem no trio — o que escapara, a quem a polícia ainda buscava —, mas aqueles tais inimigos, por outro lado...

Se conheciam minha esposa, também era possível que conhecessem a bruxa. E valeria interrogar qualquer um que tivesse tido contato com ela.

— Os seus inimigos — comecei com cautela — são inimigos dela também?

— Talvez.

— Quem são eles?

Ela fixou os olhos no mapa.

— Eles não sabem que ela é uma bruxa, se é isso que está pensando.

— Ainda gostaria de saber os nomes deles.

— Está bem. — Ela deu de ombros, agora entediada, e começou a abaixar os dedos a cada nome revelado. — Temos Andre e Grue, Madame Labelle...

— Madame Labelle? — Franzi a testa, pensando na familiaridade da mulher com Tremblay na noite do assalto. Ela havia alegado que sua presença era acidental, mas... Fiquei tenso quando uma ideia me ocorreu.

O selo na sala do arcebispo — a carta que ele atirara no fogo — tinha a forma de uma rosa. E a descrição gaguejante da informante que Ansel fizera fora inconfundível. *Tinha cabelo vermelho-vivo e era muito... muito bonita.*

Talvez a presença de Madame Labelle não tivesse sido mera coincidência, no fim das contas. Talvez ela *soubesse* que a bruxa estaria lá. E nesse caso...

Eu e Jean Luc trocamos um olhar significativo. Ele retorceu os lábios e assentiu quando também fez a conexão. Íamos ter uma conversa com Madame Labelle em breve.

— Ela mesma. — A herege fez uma pausa para arranhar os olhos de Morgane le Blanc com a unha. Fiquei surpreso que não tenha desenhado um bigode com o borrão do carvão. — Ela tenta nos cooptar para o Bellerose a cada poucas semanas. Continuamos recusando. Ela fica furiosa.

Jean Luc quebrou o silêncio chocado, a voz soando genuinamente divertida:

— Então você é mesmo uma prostituta.

Foi longe demais.

— *Não* — rosnei, a voz baixa — chame minha esposa de prostituta.

Ele levantou a mão num pedido de desculpas.

— É lógico. Que grosseria da minha parte. Continue o interrogatório, capitão... A menos que ache que vamos precisar dos anjinhos.

Ela o encarou com um sorriso duro.

— Não será necessário.

Lancei-lhe um olhar aguçado.

— Não será?

Ela me deu tapinhas na bochecha.

— Estou mais do que disposta a continuar... Basta dizer por favor.

Se eu não a conhecesse melhor do que isso, o gesto teria parecido afetuoso. Mas a conhecia. E não era afeto. Era condescendência. Mesmo aqui — cercada por meus irmãos —, ela se atrevia a me provocar e me humilhar. Minha esposa.

Não — *Lou.* Não podia mais negar que o nome lhe caía bem. Nome de homem. Curto. Forte. Ridículo.

Peguei sua mão e apertei — uma advertência enfraquecida pelas faces coradas.

— Vamos mandar homens para interrogar esses inimigos, mas, primeiro, precisamos saber tudo o que aconteceu aquela noite. — Pausei mesmo contra a minha vontade, ignorando os murmúrios furiosos de meus pares. — Por favor.

Um sorriso verdadeiramente assustador cruzou o rosto dela.

A ENFERMARIA PROIBIDA

Lou

Minha língua estava grossa e pesada de tanto falar quando meu *querido* esposo me escoltou de volta ao nosso quarto. Eu tinha lhes dado uma versão abreviada da história — como Coco e eu tínhamos entreouvido a conversa de Tremblay com Madame Labelle e como planejáramos assaltá-lo aquela noite. Como tínhamos roubado seus bens do cofre, mas Bas — não me dei ao trabalho de esconder seu nome, da mesma forma como o idiota não se dera ao trabalho de esconder o meu — levara tudo quando os Chasseurs chegaram. Como Andre e Grue tinham me encurralado naquela ruela. Como tinham quase me *matado.*

Coloquei bastante ênfase naquele ponto.

Não mencionei o Anel de Angélica. Ou o interesse de Madame Labelle nele. Ou o tráfico de Tremblay. Nem qualquer coisa que pudesse fortalecer minha conexão com as bruxas. Já estava me equilibrando no fio da navalha, e não precisava lhes dar mais motivos para quererem me jogar na fogueira.

Sabia que Madame Labelle e Tremblay não arriscariam se incriminar falando sobre o anel. Esperava que Andre e Grue fossem inteligentes o bastante para fazer o mesmo. Ainda que não fossem — ainda que revelassem que sabiam sobre o anel e não o haviam reportado —, seria nossa palavra contra a deles. A honra de Monsieur Tremblay, *vicomte* do rei, certamente valia mais do que a de uma dupla de criminosos.

Também ajudava o fato de que meu marido estava apaixonado pela filha dele.

De qualquer forma — a julgar pelo brilho furioso nos olhos do marido em questão —, Andre e Grue iam levar uma surra.

Você é minha esposa agora, queiramos ou não. Homem nenhum vai voltar a tocá-la dessa forma.

Quase gargalhei. Levando tudo em consideração, não tinha sido uma tarde ruim. Meu marido continuava sendo o babaca mais pomposo numa torre cheia de babacas pomposos, mas, de alguma forma, tinha sido fácil ignorar isso naquela masmorra. Ele chegara até... a me defender. Ou o mais próximo disso que era capaz sem sua virtude implodir.

Quando chegamos aos nossos aposentos, segui direto para a banheira, ansiando por um pouco de tempo sozinha para pensar. Planejar.

— Vou tomar um banho.

Se minhas suspeitas estivessem corretas — e em geral estavam —, o homem-árvore do dia anterior tinha desaparecido nos andares superiores proibidos. Talvez fosse uma enfermaria? Laboratório? Fornalha?

Não. Os Chasseurs jamais assassinariam pessoas inocentes assim, embora queimar mulheres e crianças inocentes na fogueira *devesse* contar. Mas eu conhecia bem o argumento já cansado dos Chasseurs: havia uma diferença entre assassinar e matar. Assassinato era injustificado. O que faziam com as bruxas... bem, nós merecíamos aquilo.

Abri a torneira e me sentei na beirada da banheira. Fanatismo à parte, nunca tinha parado para pensar onde as vítimas das bruxas iam *parar*, por que as ruas não ficavam cobertas de corpos após seus ataques. Todos aqueles ataques. Todas aquelas vítimas...

Se um lugar assim de fato existia, com certeza estava *impregnado* de magia.

Era exatamente o tipo de cobertura de que eu precisava.

— Espere — Os passos pesados do capitão pararam logo atrás de mim. — Temos assuntos a discutir.

Assuntos. A palavra nunca soou tão enfadonha. Não me virei.

— Que tipo de assuntos?

— Suas novas circunstâncias.

— Circunstâncias? — Aí, sim, me virei, com um buraco no estômago. — Quer dizer meus novos cárcere e guarda.

Ele inclinou a cabeça.

— Se quiser pensar dessa forma. Você me desobedeceu esta manhã. Disse para não sair da Torre.

Merda. Ser vigiada... isso não funcionaria para mim. Nem um pouco. Já tinha orquestrado o que faria à noite — um pequeno passeio pelos andares superiores —, e nem ferrando deixaria outro babaca pomposo ficar no meu caminho. Se eu tivesse razão, se a Torre abrigasse magia, essa era uma visita que eu precisava fazer *sozinha.*

Demorei refletindo sobre uma resposta, desatando os cadarços das botas meticulosamente e as colocando ao lado da porta do banheiro. Prendendo os cabelos no topo da cabeça. Desfazendo a atadura no braço.

Ele esperou com paciência até eu ter finalizado. Maldito. Tendo explorado todas as opções, enfim me virei para ele. Talvez pudesse... dissuadi-lo. Com certeza não *gostaria* que sua nova esposa passasse tanto tempo assim na companhia de outro homem. Eu não tinha qualquer ilusão de que ele gostasse de mim, mas homens da Igreja tendiam a ser possessivos com o que era seu.

— Pois muito bem. — Sorri agradavelmente. — Pode trazê-lo. Para o seu bem, melhor que seja atraente.

Os olhos dele se endureceram, e passou por mim para fechar a torneira.

— Por que teria que ser atraente?

Desfilei até a cama e me atirei nela, rolando para ficar de barriga para baixo e ajeitando um travesseiro sob o queixo. Dei uma piscadinha.

— Bem, nós dois *vamos* precisar passar bastante tempo juntos... sem supervisão.

Ele trincou o maxilar com tanta força que parecia que se partiria em dois.

— Ele *será* a sua supervisão.

— Certo, certo — Abanei a mão. — Vá em frente.

— O nome dele é Ansel. Tem dezesseis...

— Aaah — Meneei as sobrancelhas, sorrindo. — Um pouco jovem, não é?

— Ele é perfeitamente capaz...

— Mas gosto dos mais jovens. — Ignorei o rosto ruborizado do capitão e tamborilei um dedo nos lábios, pensativa. — É mais fácil treiná-los assim.

—... E mostra grande potencial como um possível...

— Talvez eu lhe dê seu primeiro beijo — ponderei. — Não, posso fazer melhor: serei sua primeira transa.

Meu articulado marido se engasgou com o restante das palavras, os olhos se esbugalhando.

— O... o que foi que você *disse*?

Problemas de audição. Estava começando a ficar preocupante.

— Ah, não seja tão pudico, Chass. — Levantei de um pulo e atravessei o cômodo, puxando a gaveta com força e tirando dali o caderno de couro que encontrara: um diário, repleto de cartas de amor de ninguém mais, ninguém menos que Mademoiselle Célie Tremblay. Ri da ironia. Não era de admirar que ele me abominasse. — "Dia doze de fevereiro... Deus teve muito cuidado ao criar Célie."

Os olhos do capitão arregalaram-se ainda mais, e ele partiu para cima de mim a fim de tomar o caderno. Desviei, às gargalhadas, e corri para o banheiro, trancando a porta atrás de mim. Seus punhos golpeavam a madeira.

— Me devolva isso!

Sorri e continuei a ler:

— "Anseio por ver seu rosto outra vez. Sem dúvidas não há coisa mais bela neste mundo inteiro do que seu sorriso, exceto, claro, seus olhos. Ou sua risada. Ou seus lábios." Ora, ora, Chass. Tenho certeza de que pensar na boca de uma mulher é algo ímpio, não? O que nosso estimado arcebispo diria?

— Abra. Esta. Porta. — A madeira tremia com as batidas dele. — Neste instante!

— "Mas temo estar sendo egoísta. Célie deixou explícito que meu propósito está com a irmandade."

— ABRA A PORTA...

— "Embora admire seu altruísmo, não posso concordar com ela. Qualquer solução que nos separe não é uma solução."

— ESTOU AVISANDO...

— Está me *avisando*? O que vai fazer? Quebrar a porta? — Ri ainda mais. — Na verdade, faça isso mesmo. Eu o desafio. — Voltando a atenção para o diário, continuei: — "Tenho que confessar, ela ainda assombra meus pensamentos. Os dias e as noites se fundem num borrão, e tenho dificuldades para focar em qualquer coisa que não sejam as lembranças que tenho dela. Meu treinamento sofre. Não consigo comer. Não consigo dormir. Só existe ela." Meu Deus, Chass, isto está ficando deprimente. Romântico, verdade, mas ainda um pouco melodramático demais para o meu gosto...

Algo pesado atingiu a porta, e a madeira se despedaçou. O braço lívido de meu marido entrava e saía até ter feito um buraco considerável, revelando o rosto de um escarlate brilhante. Ri, atirando o caderno pelo vão cheio de farpas antes que ele me pegasse pelo pescoço. Quicou no nariz dele e saiu deslizando pelo chão.

Se não fosse tão irritantemente virtuoso, acho que teria praguejado. Depois de destrancar a porta com um braço, ele entrou cambaleante para recuperar seu diário.

— Pode levar — Quase quebrei uma costela tentando não rir. — Já li o bastante. Foi bem comovente, na verdade. As cartas dela eram ainda piores, se é que isso é possível.

Ele rosnou e avançou para cima de mim.

— Você... você leu as minhas... isso é *particular*...

— De que outra forma ia conhecê-lo melhor? — indaguei com doçura, dançando em volta da banheira enquanto ele se aproximava. Suas narinas se dilataram, e ele parecia estar mais perto de cuspir fogo por elas do que qualquer um que jamais tenha conhecido. E eu conhecia um bom número de figuras que lembravam dragões.

— Você... você...

As palavras pareciam lhe faltar. Eu me preparei, esperando o inevitável.

— ...sua *diaba*.

E lá estava. A pior coisa que alguém como meu digníssimo esposo poderia inventar. *Diaba*. Não consegui esconder meu sorriso.

— Viu? Você conseguiu me conhecer sem nenhuma ajuda. — Pisquei enquanto circundávamos a banheira. — É muito mais esperto do que parece. — Inclinei a cabeça para o lado, fazendo bico enquanto refletia. — Mas foi descuidado o bastante para deixar suas correspondências mais íntimas jogadas por aí, onde qualquer um poderia lê-las... *E* escreve um diário. Talvez não seja tão esperto assim, no fim das contas.

Ele me olhou feio, ofegante a cada respiração. Após mais alguns segundos, seus olhos se fecharam. Assisti com fascínio enquanto seus lábios subconscientemente formavam as palavras *um*, *dois*, *três*...

Meu Deus.

Não consegui evitar. De verdade, não consegui. Caí na gargalhada.

Ele abriu os olhos, e a pressão que fazia no caderno era tanta que quase o rasgou ao meio. Dando meia-volta, ele marchou para o quarto.

— Ansel chegará a qualquer momento. Ele vai consertar a porta.

— Espera... O quê? — Meu riso cessou abruptamente, e corri atrás dele, cuidando para não tocar nas farpas. — Ainda quer me deixar aqui sozinha com um guarda? Vou corrompê-lo!

Ele pegou o casaco e enfiou o braço pela manga.

— Já disse — rosnou. — Você traiu minha confiança. Não posso vigiá-la o tempo inteiro. Ansel fará o trabalho por mim. — Abrindo a porta do corredor com força, gritou: — Ansel!

Em segundos, um jovem Chasseur espiou para dentro do cômodo. Cabelos castanhos cacheados e selvagens caíam em seus olhos, e seu corpo dava a impressão de ter sido espichado de alguma forma, como se tivesse crescido centímetros demais em um período de tempo muito curto. Desconsiderando-se isso, porém, era até bem bonito... Quase andrógino, com a pele marrom-clara macia e os longos cílios curvados. Curiosamente, vestia um casaco azul de tom mais claro do que o azul-escuro profundo típico dos Chasseurs.

— Pois não, capitão?

— Está encarregado de ser guarda agora. — O olhar de meu *exasperante* esposo me cortou como uma faca. — Não a perca de vista.

Os olhos de Ansel tornaram-se suplicantes.

— Mas e os interrogatórios?

— Sua presença é necessária aqui. — Suas palavras não admitiam contestação. Quase senti pena do garoto... ou teria sentido, se o fato de estar ali não tivesse arruinado minha noite. — Estarei de volta em algumas horas. Não dê ouvidos a uma palavra que ela disser e garanta que *não saia*.

Observamos enquanto ele partia em silêncio soturno.

Certo. Sem problemas. Eu era uma mulher flexível. Caindo na cama outra vez, grunhi de forma teatral e murmurei:

— Que divertido.

Ansel endireitou os ombros.

— Não se dirija a mim.

Bufei.

— O dia vai ser bem tedioso se eu não puder falar nada.

— Bem, não pode, então... Pare.

Encantador.

Silêncio caiu sobre nós. Chutei a cabeceira. Ele olhava para todos os cantos, menos para mim. Após alguns longos instantes, perguntei:

— Tem alguma coisa para se fazer aqui?

Sua boca estreitou-se.

— Disse para parar de falar.

— Uma biblioteca, talvez?

— Pare de falar!

— Eu adoraria dar uma volta lá fora. Um pouco de ar fresco, de sol. — Gesticulei para a pele bonita do menino. — Mas talvez seja bom você usar um chapéu.

— Como se eu fosse levá-la para passear lá fora — zombou. — Não sou bobo, sabe.

Sentei no colchão com seriedade.

— Nem eu. Olha, sei que nunca conseguiria passar por *você*. É, ahn, alto demais. Pernas longas como as suas me alcançariam num segundo. — Ele franziu a testa, mas abri um sorriso triunfante. — Se não quer me levar lá fora, então por que não faz um tour pela Torre comigo...

Mas ele já havia começado a balançar a cabeça.

— Reid me disse que você é cheia de truques.

— Pedir para conhecer o resto deste lugar dificilmente poderia ser um truque, Ansel...

— Não — respondeu com firmeza. — Não vamos a lugar nenhum. E me chame de Noviço Diggory.

Meu sorriso se desfez.

— Somos primos distantes, então?

A testa dele se franziu.

— Não.

— Acabou de me dizer que seu sobrenome é Diggory. É também o nome do meu infeliz marido. São parentes?

— Não — Ele desviou os olhos para encarar as botas. — É o sobrenome que dão a todas as crianças indesejadas.

— Indesejadas? — perguntei, curiosa, mesmo a contragosto.

Ele fez uma carranca para mim.

— Órfãs.

Por alguma razão inexplicável, senti o peito apertar.

— Ah. — Fiz uma pausa, buscando as palavras apropriadas, mas não encontrei nenhuma... exceto: — Ajuda se eu disser que minha relação com minha mãe não é das melhores?

Sua carranca só se aprofundou.

— Pelo menos *tem* mãe.

— Preferia não ter.

— Não pode falar sério.

— Mas é sério — Ninguém nunca dissera palavras tão verdadeiras. Nos últimos dois anos, passei todos os dias... cada momento, cada *segundo*... desejando que ela não existisse. Desejando ter nascido outra pessoa. Qualquer pessoa. Ofereci a ele um sorrisinho. — Trocaria de lugar com você num piscar de olhos, Ansel... Mas só a filiação, não quero essas roupas tenebrosas. Esse tom de azul não é mesmo a minha melhor cor.

Ele endireitou o casaco de forma defensiva.

— Já mandei parar de falar.

Eu me atirei na cama outra vez em resignação. Agora que tinha ouvido sua confissão, a próxima parte de meu plano — a parte *insidiosa* — deixou um gosto amargo em minha boca. Mas não importava.

Para a irritação de Ansel, comecei a cantarolar.

— Nada de canto também.

Ignorei-o.

— "Liddy Peituda não era bonita, mas seus seios eram do tamanho de um celeiro." — comecei. — "As tetas leitosas deixavam homens em polvorosa, mas ela não tinha olhos para nenhum..."

— Basta! — Seu rosto estava ruborizado de um escarlate vívido que rivalizava com o de meu marido. — O que está fazendo? Isso... isso é uma indecência!

— Claro que é. É uma canção de bar!

— Já esteve em um bar? — indagou, boquiaberto. — Mas você é uma *mulher*.

Tive que usar toda a minha força de vontade para não revirar os olhos. Quem quer que tenha ensinado a esses homens sobre o gênero feminino tinha que ser *abismalmente* desligado da realidade. Era quase como se nunca tivessem sequer conhecido uma mulher. Uma mulher *de verdade* — não uma fantasia utópica ridícula como Célie.

Eu tinha um dever para com este pobre garoto.

— Os bares estão *cheios* de mulheres, Ansel. Não somos como você pensa. Podemos fazer tudo o que você pode... E provavelmente fazer melhor. Existe um *mundo* inteiro fora das portas desta igreja, sabe. Poderia mostrá-lo a você, se quisesse.

A expressão dele se endureceu, embora suas bochechas ainda estivessem rosadas.

— Não. Chega de falar. Chega de cantarolar. Chega de cantar músicas indecentes. Só... só pare de ser quem você é por alguns minutos, que tal?

— Não posso prometer nada — respondi com seriedade. — Mas se você me levasse para fazer aquele tour...

— De jeito nenhum.

Está bem, então.

— "Willy Grandão falava que nem um bufão" — gritei —, "mas sua vara era longa que nem..."

— Para, PARA — Ansel abanava as mãos, as bochechas coradas outra vez. — Faço um passeio pela Torre com você, só, por favor, *por favor*, pare de cantar sobre... isso!

Eu me levantei, batendo palmas e abrindo um sorriso radiante.

Voilà.

Infelizmente, Ansel começou nosso tour pelos vastos corredores de Saint-Cécile. Ainda mais infeliz era o fato de que sabia uma quantidade absurda de detalhes a respeito de cada elemento arquitetural da catedral, bem como a história de cada relíquia, efígie e vitral. Após escutar sua proeza intelectual pelos primeiros quinze minutos do passeio, eu até fiquei um pouco impressionada. Era evidente que o garoto era inteligente. Depois de mais meia hora, no entanto, comecei a desejar com ardor poder quebrar o ostensório em sua cabeça. Tinha sido um alívio quando concluiu o tour para jantarmos, prometendo dar continuidade a ele no dia seguinte.

Mas sua expressão tinha quase parecido... esperançosa. Como se em algum ponto no caminho tivesse começado a se divertir. Como se não estivesse acostumado a ter a atenção de alguém só para ele, ou talvez alguém que o escutasse, pura e simplesmente. Aquela esperança em seus olhos grandes tinha apagado em mim qualquer vontade de lhe fazer mal.

Porém, não podia me distrair de meu objetivo.

Quando Ansel bateu à porta do quarto na manhã seguinte, meu marido nos deixou a sós sem uma palavra, fugindo para onde quer que fosse durante o dia. Depois de o restante de minhas roupas terem sido entregues, tínhamos passado uma noite tensa, em completo silêncio, antes de me retirar para o banheiro. Seu diário — e as cartas de Célie — tinham desaparecido misteriosamente.

Ansel virou-se para mim com hesitação.

— Ainda quer terminar o tour?

— Sobre isso — me empertiguei, determinada a *não* desperdiçar o dia aprendendo sobre um osso que poderia, talvez, ter pertencido a São Constantino —, por mais *empolgante* que tenha sido o passeio de ontem, queria mesmo era ver a Torre.

— A Torre? — Ele piscou, confuso. — Mas não tem nada aqui que já não tenha visto. Os dormitórios, masmorra, refeitório...

— Deixa disso. Com certeza ainda não conheci *tudo*.

Ignorando seu olhar, empurrei-o porta afora antes que ele pudesse protestar.

Levou mais uma hora — após fingir interesse nos estábulos, campo de treinamento e vinte e três armários para vassouras e produtos de limpeza — antes de finalmente conseguir arrastar Ansel de volta para a escada caracol de ferro.

— O que tem lá em cima? — Indaguei, plantando os pés quando tentou me levar de volta aos dormitórios.

— Nada — respondeu depressa.

— Você é um péssimo mentiroso.

Ele puxou meu braço com mais força.

— Você não tem permissão para subir lá.

— Por quê?

— Porque não tem.

— Ansel — Fiz biquinho, abraçando seu bíceps magricelo e batendo os cílios. — Vou me comportar. Prometo.

Ele me olhou de cara feia.

— Não acredito em você.

Soltei-o e franzi a testa. Eu *não* tinha desperdiçado uma hora desfilando pela Torre com um adolescente púbere (por mais adorável que fosse) para tropeçar na linha de chegada.

— Está bem. Então você não me deixa alternativa.

Ele me fitou com desconfiança.

— O que você...

Cortou a frase no meio quando girei e corri escada acima. Embora fosse mais alto do que eu, tinha adivinhado corretamente: ainda não estava acostumado àquela altura toda, e as pernas se mexiam numa confusão desengonçada. Tropeçou atrás de mim, mas não era o que se poderia chamar de perseguição. Eu já havia subido vários lances de escada antes do menino conseguir controlar as pernas.

Deslizando de leve quando alcancei o topo, olhei em desalento para o Chasseur sentado de guarda ao lado da porta — não, *dormindo* ao lado da porta. Roncava baixinho em uma cadeira bamba, o queixo pendurado contra o peito e baba umedecendo o casaco azul-claro. Circundei-o depressa, meu coração dando saltos quando a maçaneta girou. Encontrei mais portas ao longo do novo corredor, distantes umas da outras em intervalos regulares, mas não foi isso que me fez parar de supetão.

Não. Foi o ar. Rodopiava ao meu redor, fazendo meu nariz coçar. Doce e familiar... com apenas uma pontinha de algo sombrio à espreita por baixo dele. Algo podre.

Você está aqui você está aqui você está aqui, murmurava.

Sorri. Magia.

Mas meu sorriso se desfez logo em seguida. Se tinha achado os dormitórios frios, tinha me enganado. Este lugar era pior. Muito pior. Quase... agourento. O ar adocicado anormalmente estanque.

Passos desajeitados quebraram o silêncio sinistro.

— Parada! — Ansel tropeçou porta adentro atrás de mim, perdendo o equilíbrio e se espatifando contra minhas costas. O guarda, enfim desperto e muito mais novo do que eu havia pensado inicialmente, seguiu em seu encalço. Caímos todos em um amontoado de xingamentos e corpos emaranhados.

— Sai de *cima*, Ansel...

— Estou *tentando*...

— Quem é *você*? Não tem autorização para estar aqui...

— Com licença! — Olhamos juntos na direção de uma vozinha baixa. Era de um senhor idoso de aparência frágil e instável, de batina branca e óculos grossos. Tinha uma Bíblia em uma das mãos e um instrumento curioso na outra: pequeno e de metal, com uma agulha afiada na extremidade de um cilindro.

Empurrando os dois garotos para longe e me pondo de pé, busquei em desespero algo que pudesse dizer, qualquer explicação razoável para estarmos nos debatendo no meio de... o que quer que fosse aquele lugar, mas o guarda foi mais rápido.

— Perdão, Sua Reverência — O jovem nos lançou um olhar ressentido. Sua gola tinha marcado uma linha em sua bochecha durante o cochilo, e havia um pouco de baba seca no queixo. — Não faço ideia de quem seja essa mulher. *Ansel* a deixou entrar.

— Não deixei! — Ansel ruborizou com indignação, ainda sem fôlego. — *Você* é quem estava dormindo!

— Pela graça do Senhor. — O homem empurrou os óculos mais para cima no nariz e estreitou os olhos para nós. — Isto não está bom. Nada bom.

Jogando a cautela para o alto, abri a boca para explicar, mas uma voz familiar e suave interrompeu:

— Vieram me ver, padre.

Congelei, surpresa correndo por mim como um raio. Eu conhecia aquela voz. Até melhor do que a minha própria. Mas não poderia estar *aqui* — no coração da Torre dos Chasseurs —, quando deveria estar a centenas de quilômetros de distância.

Olhos escuros e ardilosos se fixaram em mim.

— Oi, Louise.

Ri em resposta, balançando a cabeça com incredulidade. *Coco.*

— Isto é absolutamente fora do comum, Mademoiselle Perrot — arfou o padre, franzindo a testa. — Cidadãos comuns não têm permissão para entrar na enfermaria sem aviso prévio.

Coco gesticulou para que eu me aproximasse.

— Mas Louise não é uma cidadã comum, padre Orville. É a esposa do Capitão Reid Diggory.

Ela se virou para o guarda, que estava parado na sua frente, boquiaberto. A expressão de Ansel era similar, os olhos comicamente grandes e o maxilar caído. Estarrecido. Resisti à tentação de empurrar sua língua para dentro da boca outra vez. Não era como se eles pudessem ver a silhueta dela sob o enorme robe branco. Na verdade, o tecido engomado de sua gola ia até o queixo, e as mangas só não escondiam as pontas dos dedos, que luvas brancas terminavam de cobrir. Um uniforme inconveniente, sem dúvidas — mas um disfarce mais do que vantajoso.

— Como pode ver — continuou ela, alfinetando o guarda com um olhar aguçado —, sua presença não é mais necessária. Posso sugerir que volte a seu posto? Não seria bom para você se os Chasseurs ficassem sabendo deste terrível mal-entendido, seria?

Ela não precisou falar duas vezes. O menino saiu apressado pela porta, parando somente após ter atravessado o limiar.

— Só... Só se certifique de que ela assine a lista. — Depois a fechou com um clique aliviado.

— Capitão Reid Diggory, é? — O padre se aproximou, inclinando a cabeça para trás a fim de me examinar através das lentes dos óculos. Magnificavam seus olhos a ponto de os deixar de um tamanho alarmante. — Ah, ouvi tudo a respeito de Reid Diggory e sua nova esposa. Devia estar envergonhada, *madame*. Enganar um homem santo e forçá-lo a se casar! É perverso...

— Padre. — Coco pousou a mão em seu braço e lhe lançou um sorriso duro. — Louise veio me ajudar hoje... como penitência.

— Penitência?

— Ah, sim — acrescentei, compreendendo e assentindo com entusiasmo. Ansel nos olhou com expressão perplexa. Pisei no pé dele. Padre Orville nem sequer piscava, aquele morcego velho e ignorante. — O senhor tem que permitir que me redima de meus pecados, Padre. Sinto muita culpa pelo meu comportamento, e já rezei muito e pensei em qual seria a melhor punição para mim.

Tirei do bolso a última moeda que restava da quantia que o arcebispo havia me concedido. Graças a Deus o padre ainda não tinha notado minhas ceroulas. Teria provavelmente tido uma síncope e caído morto. Coloquei a moeda na palma de sua mão.

— Peço que aceite esta indulgência para aliviar minha sentença.

Ele fez um ruído de desgosto, mas a guardou na batina.

— Creio que cuidar dos doentes *seja* um esforço válido...

— Fantástico. — Coco sorriu e me levou para longe antes que ele pudesse mudar de ideia. Ansel nos seguiu como se não tivesse certeza do que deveria fazer. — Leremos os Provérbios para eles.

— Não deixe de seguir o protocolo. — O padre gesticulou para a sala de banhos perto da saída, onde dois pedaços de pergaminhos tinham sido afixados à parede. O primeiro era nitidamente uma lista de nomes. Cheguei mais perto para poder ler a escrita diminuta do segundo.

REGRAS E PROCEDIMENTOS DA
ENFERMARIA — ENTRADA OESTE

Conforme decretado por VOSSA EMINÊNCIA, O ARCEBISPO DE BELTERRA, todos os visitantes da enfermaria da catedral devem apresentar seus nome e identificação à sentinela de plantão. O não cumprimento resultará na remoção das dependências e ação legal.

Representantes do Manicômio Feuillemort —

Favor comparecer ao escritório de padre Orville. Pacotes são distribuídos na Entrada Leste.

Clérigos e curadores —

Favor utilizar a lista de presença e formulário de inspeção na Entrada Leste.

Os procedimentos a seguir devem ser observados sem exceção:

1. *A enfermaria deve permanecer limpa e livre de entulho.*
2. *Linguagem e comportamento irreverente não serão tolerados.*
3. *Convidados devem ser acompanhados por um membro da equipe. Convidados desacompanhados serão escoltados para fora das dependências. Ações legais podem ser tomadas.*
4. *Convidados são obrigados a usar as vestimentas apropriadas. Ao entrarem, curadores distribuirão robes brancos que devem cobrir as roupas comuns. Os robes deverão ser devolvidos a um membro da equipe antes da partida dos convidados. Esses robes ajudam no controle do mau cheiro dentro da Cathédral Saint-Cécile d'Cesarine e da Torre dos Chasseurs. O uso é obrigatório. O não cumprimento resultará na remoção permanente das dependências.*
5. *Convidados devem se lavar minuciosamente antes de deixar estas dependências. O formulário de inspeção dos convidados está localizado na sala de banhos próxima à Entrada Oeste. Aqueles que porventura não passarem pela inspeção serão permanentemente removidos das dependências.*

Mas que inferno. Aquele lugar era uma prisão.

— É claro, padre Orville — Coco pegou minha mão e me levou para longe do papel. — Não voltaremos a perturbá-lo. O senhor nem sequer notará que estamos aqui. E você — ela olhou por cima do ombro para Ansel —, pode ir brincar. Não precisaremos de assistência a partir de agora.

— Mas Reid...

— Venha, Ansel. — O padre tentou segurar o ombro do jovem, mas acabou encontrando seu cotovelo. — Deixe que as jovens cuidem dos enfermos. Você e eu podemos nos juntar em oração até que as duas tenham terminado. Já fiz tudo o que posso por essas pobres almas esta manhã. É uma pena que duas estejam destinadas a seguir para Feuillemort pela manhã, visto que seus espíritos não respondem à minha mão curadora...

Sua voz foi se apagando enquanto guiava Ansel pelo corredor. Ele me lançou um olhar suplicante por cima do ombro antes de desaparecer numa esquina.

— Feuillemort? — perguntei com curiosidade.

— Shh... ainda não — sussurrou Coco.

Ela abriu uma porta aleatória e me empurrou para dentro. Ao ouvir nossa entrada, um homem girou a cabeça em nossa direção — e continuou girando. Assistimos horrorizadas, petrificadas, ao paciente descer da cama com braços e pernas invertidos, as articulações se dobrando e saindo de seus devidos lugares de forma antinatural. Um brilho animalesco iluminou seus olhos, e ele sibilou, correndo para nós como uma aranha.

— Mas o quê...

— Sai, sai, *sai!* — Coco me atirou para fora do cômodo e bateu a porta com força. O corpo do homem se chocou contra a porta, e o ser lá dentro soltou um estranho gemido lamurioso. Ela respirou fundo, alisando os trajes de curadora. — Está bem, vamos tentar mais uma vez.

Encarei a porta com apreensão.

— Temos mesmo?

Ela abriu uma frestinha de outro quarto e espiou lá dentro.

— Este não deve ter nada demais.

Olhei por cima de seu ombro e vi uma mulher lendo em silêncio. Quando virou o rosto para nós, dei um pulo para trás, levando o punho até a boca. Sua pele se *movia* — como se milhares de insetos minúsculos rastejassem logo abaixo da superfície.

— Não — Sacudindo a cabeça, me afastei depressa. — Inseto não dá para mim.

A mulher ergueu a mão de maneira suplicante.

— Fiquem, por favor... — Uma nuvem de gafanhotos explodiu de dentro de sua boca, a sufocando, e lágrimas de sangue escorreram pelo seu rosto.

Batemos a porta, isolando seus soluços.

— *Eu* escolho a próxima. — Inexplicavelmente ofegante, considerei minhas opções, mas as portas eram todas idênticas. Quem saberia que novos horrores escondiam? Vozes masculinas chegaram até nós de uma porta ao fim do corredor, acompanhadas do tilintar gentil de metal. Com curiosidade mórbida, me aproximei devagar, mas Coco me deteve com um gesto breve de cabeça. — Mas que *tipo* de lugar é este, afinal?

— O Inferno. — Ela me guiou ao longo de outra passagem, lançando um olhar furtivo por cima do ombro. — Você não vai querer ir lá. É onde os padres fazem seus experimentos.

— Experimentos?

— Entrei sem querer ontem à noite, quando estavam dissecando o cérebro de um paciente. — Ela abriu outro quarto, examinando-o com cuidado antes de empurrar a porta por completo. — Estão tentando entender de onde vem a magia.

Lá dentro, um cavalheiro idoso estava deitado, atado à estrutura de ferro da cama. Encarava inexpressivamente o teto.

Tique.

Pausa.

Tique.

Pausa.

Tique.

Olhei com mais atenção e prendi o fôlego. Seus dedos tinham as pontas escurecidas, as unhas alongadas e pontiagudas. Tamborilava o dedo indicador no antebraço de forma ritmada. A cada toque, uma gota de sangue escuro aflorava — escuro demais para ser natural. Venenoso. Centenas de outras marcas já descoloriam o corpo inteiro — até o rosto. Nenhuma delas tinha cicatrizado. Todas secretavam um sangue preto.

Podridão metálica se misturava ao aroma doce da magia no ar.

Tique.

Pausa.

Tique.

Bile me subiu à garganta. Lembrava menos um homem, e mais uma criatura de pesadelos e sombras.

Coco fechou a porta, e aqueles olhos opacos encontraram os meus. O pelo em minha nuca se eriçou.

— É só Monsieur Bernard — Coco cruzou o cômodo e tomou uma das algemas. — O braço deve ter escapado das correntes outra vez.

— Meu Deus. — Eu me aproximei enquanto ela recolocava com gentileza a algema na mão livre do homem. Ele continuou a me encarar com olhos vazios. Que não piscavam. — O que aconteceu com ele?

— O mesmo que aconteceu a todos que estão aqui em cima. — Ela afastou os cabelos sem viço do rosto dele. — Bruxas.

Engoli em seco e fui até a lateral da cama, onde uma Bíblia descansava sobre uma cadeira de ferro solitária. Olhando para a porta, baixei a voz.

— Talvez possamos ajudá-lo.

Coco suspirou.

— Não adianta. Os Chasseurs o trouxeram hoje cedo pela manhã. Encontraram-no vagando pelos limites da Forêt des Yeux. — Ela tocou o sangue na mão dele e o levou ao nariz, inspirando fundo. — Suas unhas têm veneno. Ele morrerá em breve. É por isso que os padres o deixaram aqui, em vez de mandá-lo para o manicômio.

Senti um peso no peito ao fitar o homem em seu leito de morte.

— E... e que instrumento de tortura era aquele na mão do padre?

Ela riu.

— A Bíblia?

— Muito engraçadinha. Não... O objeto de metal. Parecia bem... afiado.

Seu sorriso sumiu.

— E é. Se chama seringa. Os padres a usam para dar injeções.

— Injeções?

Coco recostou-se contra a parede e cruzou os braços. O branco do robe se confundia com a pedra clara, dando a ilusão de que uma cabeça flutuante me observava. Estremeci outra vez. Aquele lugar me dava arrepios.

— Foi o nome que deram. — Seus olhos ficaram sombrios. — Mas sei o que podem fazer. Os padres têm modificado veneno. Cicuta, mais especificamente. Estão testando nos pacientes para encontrar a dosagem perfeita. Minha teoria é que estão criando uma arma que possam usar contra as bruxas.

Senti o temor correr pela minha espinha.

— Mas a Igreja acredita que só o fogo pode realmente matar uma bruxa.

— Embora eles nos chamem de demônios, sabem que somos mortais. Sangramos como seres humanos comuns. Sentimos dor como eles. Mas o objetivo das injeções não é matar. Elas causam paralisia. Os Chasseurs só terão que se aproximar o suficiente para injetar o veneno e pronto, nosso destino está selado.

Um momento se passou enquanto eu tentava processar aquela nova e perturbadora informação. Olhei para Monsieur Bernard, um gosto amargo tomando minha boca. Me lembrei dos insetos rastejando sob a pele da mulher a poucas portas dali, as lágrimas de sangue no seu rosto. Talvez os padres não fossem os únicos culpados.

Paralisia — ou até mesmo a fogueira — era preferível a certos destinos.

— O que faz aqui, *Mademoiselle Perrot?* — perguntei enfim. Ao menos não usara seu nome real. A família Monvoisin tinha certa... fama. — Era para estar escondida com sua tia.

Ela teve a ousadia de fazer um bico.

— Posso lhe fazer a mesma pergunta. Como pôde não me convidar para o casamento?

Uma gargalhada borbulhante escapou de meus lábios. Soou sinistra dentro do silêncio. A unha de monsieur Bernard tamborilava contra a algema agora.

Tique.

Tique.

Tique.

Ignorei-o.

— Pode acreditar, se tivesse podido escolher a lista de convidados, você teria estado lá.

— Dama de honra?

— Certamente.

Levemente apaziguada, Coco suspirou e balançou a cabeça.

— Casada com um Chasseur... Quando fiquei sabendo, não consegui acreditar — Um sorrisinho tocou seus lábios. — Você tem colhões de ferro.

Ri mais alto desta vez.

— Que *depravada*, Coco...

— E os colhões do seu marido, que tal? — Ela mexeu as sobrancelhas, num gesto de cumplicidade divertida. — São melhores que os do Bas?

— O que você sabe dos colhões do Bas? — Minhas bochechas doíam de tanto sorrir. Sabia que era errado (ainda mais com o amaldiçoado Monsieur Bernard em seu leito de morte ali ao lado), mas o peso em meu peito foi gradualmente diminuindo diante das alfinetadas brincalhonas entre mim e Coco. Era bom ver um rosto amigo após ter tido que nadar por um mar de rostos hostis por dois dias inteiros... e também saber que ela estava bem e segura. Por ora.

Ela soltou outro suspiro dramático e ajeitou o lençol que cobria Monsieur Bernard. Ele não parava de mexer os dedos.

— Você fala dormindo. Tive que ouvir tudo com detalhes vívidos. — Seu sorriso se desfez quando olhou para mim. Fez um gesto de cabeça para os hematomas. — Foi o seu marido quem fez isso?

— Cortesia de Andre, infelizmente.

— O que será que Andre faria se *ele* ficasse sem colhões? Talvez eu lhe faça uma visitinha mais tarde.

— Não se dê ao trabalho. Coloquei os Chasseurs na cola dele... dos dois, na verdade.

— O quê? — Os olhos de Coco se alargaram com deleite enquanto eu contava o que acontecera durante o interrogatório. — Sua bruxinha safada! — exclamou ela quando terminei.

— Shhh! — Fui até a porta e pressionei a orelha contra a madeira, tentando identificar sinais de movimento lá fora. — Quer que nos peguem? Falando nisso... — Voltei-me para ela quando decidi que ninguém nos espiava. — O que está fazendo aqui?

— Vim resgatá-la, é óbvio.

Revirei os olhos.

— Claro.

— Uma das curadoras abdicou do posto semana passada para se casar. Os padres precisavam de uma substituta.

Lancei-lhe um olhar sério.

— E como você sabia disso?

— Fácil. — Sentou-se na outra ponta da cama. Monsieur Bernard continuava tamborilando livremente, embora, por sorte, agora tivesse virado o olhar perturbador para Coco. — Esperei a tal substituta aparecer ontem pela manhã e a convenci de que eu seria a melhor candidata.

— O quê? Como?

— Pedi com educação, claro. — Ela me fitou com mordacidade antes de revirar os olhos. — O que você acha? Roubei a carta de recomendação e a fiz esquecer o próprio nome com um feitiço. A *verdadeira* Brie Perrot está de férias em Amaris no momento, e ninguém nunca vai ficar sabendo da verdade.

— Coco! Que risco mais estúpido...

— Passei o dia inteiro pensando numa maneira de falar com você, mas os padres são incansáveis. Estive em *treinamento.* — Retorceu os lábios ao dizer a palavra antes de tirar um pergaminho amassado dos robes. Não reconheci a letra delgada, mas a mancha escura de sangue, sim. O odor pungente da magia de sangue. — Escrevi uma carta a minha tia, e ela concordou em protegê-la. Pode voltar comigo agora. O coven está acampado perto da cidade, mas não por muito tempo. Em quinze dias elas terão partido para o norte. Podemos escapar daqui antes que alguém note sua ausência.

Um buraco se abriu em meu estômago.

— Coco, eu... — Com um suspiro, olhei ao redor do quarto austero buscando uma explicação. Não podia dizer que não confiava em sua tia nem em qualquer outra pessoa além dela. — Acho que aqui é o lugar mais seguro para mim, por enquanto. Um Chasseur acabou de literalmente *jurar* que me protegeria.

— Não gosto nada disso. — Ela balançou a cabeça com veemência e pôs-se de pé. — Está brincando com fogo aqui, Lou. Mais cedo ou mais tarde, *vai* acabar se queimando.

Dei um sorriso pouco entusiasmado.

— Vamos torcer para que seja mais tarde, então.

Ela me encarou.

— Não tem graça. Está colocando a sua segurança, a sua *vida*, nas mãos de homens que a atirariam na fogueira se descobrirem o que você é.

O sorriso desapareceu de meu rosto.

— Não, não estou. — Quando parecia que ela ia começar a discutir, falei mais alto: — Não estou. Juro que não. Foi por isso que subi até aqui hoje... é por isso que voltarei todos os dias até ela vir me procurar. Porque *virá*, Coco. Não tenho como me esconder para sempre.

Fiz uma pausa, respirando fundo.

— E, quando vier, estarei preparada. Chega de ficar contando com truques e fantasias. Ou com trabalho de espionagem da Babette, ou a família de Bas. Ou com você. — Abri um sorriso, como se me desculpasse, e girei o Anel de Angélica em meu dedo. — Já está na hora de começar a ser proativa. Se este anel não estivesse no cofre de Tremblay aquela noite, eu estaria encrencada. Me permiti ficar fraca demais. O risco de ser descoberta fora deste corredor é enorme, mas aqui... Aqui posso praticar, e ninguém nunca vai ficar sabendo.

Ela sorriu, lenta e largamente, e entrelaçou o braço no meu.

— É isso que gosto de ouvir. Mas está errada a respeito de uma coisa. Com certeza continuará contando comigo, porque não vou a lugar nenhum. Vamos praticar juntas.

Franzi a testa, dividida entre suplicar para que ficasse e forçá-la a ir embora. Mas a decisão não era minha, e já sabia o que ela diria se tentasse obrigá-la a fazer qualquer coisa. Aprendera meus xingamentos favoritos com ela, afinal.

— Vai ser perigoso. Mesmo com o cheiro acobertando a magia, os Chasseurs ainda assim podem acabar nos descobrindo.

— E neste caso você realmente *precisaria* de mim aqui — argumentou —, porque eu secaria todo o sangue dos corpos deles.

Eu a encarei.

— Pode mesmo fazer isso?

— Não tenho certeza — Ela piscou e se despediu de Monsieur Bernard. — Talvez devêssemos descobrir.

A FUGA

Lou

Bolhas com fragrância de lavanda e água morna ondeavam ao redor de minhas costelas quando meu marido retornou naquela tarde. Sua voz ecoou nas paredes.

— Ela está aí dentro?

— Está, mas...

O *tête carrée* não parou para ouvir ou questionar por que Ansel estava no corredor e não dentro do cômodo. Sorri cheia de expectativa. Embora fosse arruinar meu banho, a expressão em seu rosto seria mais do que recompensa.

E, sem demora, ele irrompeu quarto adentro. Assisti enquanto seus olhos investigavam os aposentos a minha procura.

Ansel tinha removido a porta do banheiro para tentar consertar o buraco que meu esposo criara nela a socos, mas eu não tinha esperado que terminasse. O batente estava agora gloriosamente vazio, uma vitrine perfeita para minha ensaboada pele nua. E para a humilhação de Reid. Ele não tardou a me encontrar. Aquele mesmo ruído engasgado maravilhoso escapou de sua garganta, e seus olhos se arregalaram.

Acenei para ele, alegre.

— Olá.

— Eu... O que é que você... Ansel! — Quase colidiu com o batente na pressa para fugir. — Pedi para consertar a porta!

A voz do menino respondeu, histérica:

— Não houve tempo...

Com um rugido de impaciência, meu marido fechou o quarto com força.

Fingi que seu rosto era uma bolha e dei um peteleco nela. Depois outro. E outro.

— Você é muito grosseiro com ele, sabia?

Ele não argumentou. Provavelmente estava tentando controlar o fluxo de sangue que subia ao rosto. No entanto, eu ainda podia ver a vermelhidão em sua pele. Já havia tomado o pescoço e quase se misturava ao cobre dos cabelos. Me inclinando para a frente, cruzei os braços na beirada da banheira.

— Onde esteve?

Suas costas se enrijeceram, mas ele não se virou.

— Não conseguimos pegá-los.

— Andre e Grue?

Ele assentiu.

— E agora?

— Temos Chasseurs monitorando a Costa Leste. Com sorte, não vai demorar muito para botarmos as mãos neles, e então vão os dois passar vários anos na prisão por agressão.

— Depois de terem lhe dado todas as informações sobre a minha amiga.

— Depois de terem nos dado todas as informações sobre a bruxa.

Revirei os olhos, jogando água na parte de trás de sua cabeça. A água ensopou os cabelos ruivos e foi descendo pela gola da camisa. Ele girou, indignado, os punhos cerrados — depois parou abruptamente, fechando os olhos.

— Pode, por favor, vestir alguma coisa? — Gesticulou com uma das mãos em minha direção, enquanto a outra fazia pressão contra os olhos. — Não posso falar com você enquanto está aí... está aí...

— Nua?

Seus dentes se cerraram, fazendo um barulho.

— Isso.

— Desculpe, mas não. Ainda não terminei de lavar o cabelo. — Deslizei para baixo das bolhas outra vez com um suspiro irritado. A água batia contra minha clavícula agora. — Mas já pode olhar. Todas as minhas partes mais divertidas estão cobertas.

Ele abriu um olho. Ao notar que estava seguramente sob a espuma, relaxou — pelo menos tanto quanto era possível para alguém como ele. Parecia até que tinha engolido um cabo de vassoura, esse meu marido. Ele se aproximou com cautela e se apoiou contra o batente. Ignorei-o, entornando mais sabonete de lavanda nas mãos. Ficamos em silêncio enquanto ele me observava massagear os cabelos.

— De onde vieram essas cicatrizes? — perguntou.

Não parei o que estava fazendo. Embora não fossem nada em comparação às de Coco ou Babette, ainda eram numerosas. Um dos perigos da vida nas ruas.

— Quais delas?

— Todas.

Arrisquei um olhar na direção dele, e meu coração deu um salto quando me dei conta de que ele estava fitando meu pescoço. Direcionei-o a meu ombro, apontando para a longa marca irregular nele.

— Entrei no lado errado de uma faca. — Levantei o cotovelo para exibir outro amontoado de cicatrizes. — Me enrolei numa cerca de arame farpado. — Apontei logo abaixo da clavícula. — Outra faca. Essa doeu para diabo.

Ele ignorou meu linguajar, os olhos inescrutáveis enquanto me examinavam.

— Quem fez isso?

— Andre. — Inclinei a cabeça para trás, colocando os cabelos dentro d'água, e sorri quando ele desviou os olhos. Com os cabelos limpos, abracei as pernas dobradas e descansei o queixo nos joelhos. — Ele me pegou de surpresa quando ainda era recém-chegada na cidade.

Reid soltou um suspiro pesado, como se estivesse repentinamente cansado.

— Desculpe por não ter encontrado os dois.

— Vai encontrar.

— Ah, é?

— Não são as pessoas mais brilhantes do mundo. Provavelmente vão bater à porta da igreja pela manhã, exigindo saber por que vocês estão na cola deles.

Ele riu e esfregou o pescoço, enfatizando a curva do bíceps. Tinha arregaçado as mangas depois do interrogatório, e não pude evitar traçar com os olhos a longa linha do antebraço até sua mão. Até os dedos calejados. Os pelos ruivos finos recobrindo a pele.

Pigarreou e deixou o braço cair depressa.

— Tenho que ir. Vamos interrogar Madame Labelle em breve. Depois o outro... o ladrão na mansão. Bastien St. Pierre.

Meu coração parou, e me inclinei para a frente com brusquidão, jogando espuma e água para todos os lados.

— O Bas? — Ele assentiu, estreitando os olhos. — Mas... mas ele escapou!

— Nós o encontramos vagabundeando perto de uma entrada dos fundos do Soleil et Lune. — A reprovação irradiava dele. — Não faz diferença. A polícia teria acabado o prendendo mais cedo ou mais tarde. Ele matou um dos guardas de Tremblay.

Inferno. Voltei a me recostar, o peito apertando enquanto o pânico fincava suas garras e subia por minha garganta, e lutei para controlar minha respiração.

— O que vai acontecer com ele?

Suas sobrancelhas quase se juntaram em surpresa.

— Será enforcado.

Merda.

Merda, merda, *merda*.

Lógico que Bas tinha sido preso. *Lógico* que tinha assassinado um guarda em vez de simplesmente deixá-lo inconsciente. Por que o idiota tinha ido até o teatro, para começo de conversa? Sabia que estavam atrás dele. *Sabia* disso. Por que não fugira? Por que não estava no meio do oceano a uma hora dessas? Por que não tinha se comportado como... bem, como *Bas?*

Apesar da água morna, arrepios eriçaram minha pele. Era possível que... era possível que tivesse voltado por mim? Esperança e desespero digladiavam-se em meu peito, ambos igualmente odiosos, mas o pânico logo os sobrepujou.

— Tem que me deixar vê-lo.

— Está fora de questão.

— Por favor. — Eu odiava essa expressão, mas se ele recusasse, se súplicas não fizessem efeito, só me restaria uma opção. Magia fora da enfermaria representava um risco enorme, mas era um risco que eu teria que correr.

Pois Bas sabia sobre Coco, sim — mas também sabia sobre mim.

Eu me perguntei quanto valeria uma informação a respeito de duas bruxas. Sua vida? Sua condenação? Uma troca justa aos olhos dos Chasseurs, uma que Bas sem dúvidas aceitaria. Ainda que *tivesse* voltado por minha causa, não hesitaria caso sua vida estivesse em jogo.

Eu me amaldiçoei por ter confiado nele. Sabia qual era seu caráter. Sabia quem era, e ainda assim me permiti relaxar, abrir a boca e revelar meus segredos mais profundos. Bem... um deles, ao menos. E agora pagaria o preço, Coco também.

Tola. Tão, tão *tola*.

— Por favor — repeti.

Meu marido piscou diante da expressão, nitidamente perplexo. Mas o choque logo deu lugar à suspeita, e ele fez uma careta.

— Por que está tão preocupada com ele?

— É meu amigo. — Não me importava que minha voz soasse desesperada. — Um amigo querido.

— Claro que é. — Diante de minha expressão aflita, ele fitou o teto e acrescentou, quase com relutância: — Ele terá uma chance de se redimir.

— Como?

Embora eu já soubesse a resposta, prendi o fôlego, temendo as palavras seguintes.

— A bruxa ainda é nossa prioridade — confirmou. — Se nos der alguma informação que leve a sua captura, sua sentença será reavaliada.

Eu me amparei contra a borda da banheira, me forçando a permanecer calma. Minha outra mão foi acariciar a cicatriz em meu pescoço — um gesto instintivo, fruto da agitação.

Após um longo momento, a voz de Reid me alcançou num sussurro:

— Você está bem? Está... pálida.

Quando não respondi, ele cruzou o cômodo e se agachou ao lado da banheira. Não me importava que a espuma estivesse ficando rala. Nem a ele, ao que parecia. Estendeu a mão e tocou uma mecha de cabelo perto de minha orelha. Seus dedos voltaram ensaboados.

— Esqueceu um lugar.

Não falei nada enquanto ele juntava um pouco d'água nas mãos em concha e deixava que escorresse pelo meu cabelo, mas minha respiração parou quando os dedos pararam acima do meu pescoço.

— E como foi que arranjou esta? — murmurou ele.

Engolindo em seco, busquei uma mentira e não encontrei.

— Essa história fica para outro dia, Chass.

Ele deixou o peso recair sobre os calcanhares, os olhos azuis examinando meu rosto.

Cobri a cicatriz por instinto e encarei meu reflexo na água espumada. Depois de tudo por que tinha passado — tudo o que tinha suportado —, eu não queimaria por Bas. Não seria sacrifício de ninguém. Nunca fui, nunca seria.

Só havia uma coisa a fazer.

Eu teria que resgatá-lo.

Meu marido partiu para a sala do conselho alguns momentos depois, me deixando sozinha. Pulando para fora da banheira, me apressei em pegar a vela que tinha escondido dentro do armário de lençóis. Eu a havia afanado do presbitério durante a excursão com Ansel no dia anterior. Com movimentos rápidos e treinados, acendi a cera e a deixei sobre a escrivaninha. Fumaça herbácea invadiu o quarto de imediato, e suspirei aliviada. O cheiro não era bem uma duplicata exata, mas bastaria. Quando ele retornasse, a magia já teria se dissipado. Com um pouco de sorte.

Depois de vagar pelo quarto ao longo de vários minutos em frenesi, me forcei a sentar na cama. Esperei com impaciência que Ansel voltasse.

Ele era jovem. Fácil de convencer, talvez. Ou ao menos foi o que falei para mim mesma.

Depois de uma eternidade e um dia, ele bateu à porta.

— Pode entrar!

Entrou no quarto com desconfiança, os olhos voando para o banheiro. Evidentemente checando para ter certeza de que eu estava vestida.

Levantei-me e inspirei fundo, me preparando para o que estava por vir. Só podia torcer para que Ansel não estivesse carregando sua Balisarda.

Fingindo um sorriso tímido, meu olhar encontrou o seu quando ele se aproximou um pouco. Minha pele pinicava com expectativa.

— Senti sua falta.

Ele piscou diante de minha voz estranha, a testa se franzindo. Caminhando para ele, pousei a mão em seu antebraço. Começou a afastá-la, mas parou no último segundo. Piscou outra vez.

Colei o corpo no peito dele e inspirei sua fragrância — sua essência. Minha pele reluzia contra o azul pálido do casaco. Fitamos o brilho juntos, os lábios se abrindo.

— Tão forte — sussurrei. As palavras fluíram de minha boca, profundas e ressonantes. — Tão digno. Eles cometeram um erro ao subestimá-lo.

Uma gama de emoções cruzou seu rosto ao me ouvir — ao sentir meu toque.

Confusão. Pânico. Desejo.

Deslizei um dedo pelo seu rosto. Ele não se inclinou para se afastar do contato.

— Vejo grandeza em você, Ansel. Vai matar muitas bruxas.

Seus cílios se fecharam com suavidade e depois... nada. Era meu. Envolvi a cintura esbelta com meus braços, brilhando ainda mais intensamente.

— Vai me ajudar? — Ele fez que sim com a cabeça, os olhos enormes enquanto me fitava. Beijei a palma de sua mão e fechei os olhos, respirando fundo. — Obrigada, Ansel.

O resto foi fácil.

Deixei que me levasse até a masmorra. Em vez de seguir pela escada estreita até a sala do conselho, entretanto, viramos à direita, para as celas onde mantinham Bas. Os Chasseurs — meu marido entre eles — ainda estavam ocupados interrogando Madame Labelle, e apenas dois guardas estavam postados do lado de fora. Vestiam o mesmo casaco azul-claro que Ansel.

Viraram-se para nós com confusão quando nos aproximamos, as mãos imediatamente voando para suas armas — que não eram Balisardas. Sorri quando padrões dourados cintilantes se materializaram entre nós. Pensavam que estavam a salvo dentro de sua Torre. Tão tolos. Tão descuidados.

Capturando uma teia daqueles padrões, cerrei os punhos e suspirei quando minhas lembranças afetivas de Bas — o amor que senti um dia, o calor que ele inspirara em mim — resvalaram para o esquecimento. Os guardas caíram no chão, e os cordões se dissiparam em uma explosão de poeira brilhante. *Memória por memória*, ressoou a voz em minha cabeça. *Um preço condigno. É melhor desta forma.*

Os olhos de Bas brilhavam com triunfo ao me contemplar. Cheguei mais perto da cela, deixando a cabeça pender para o lado enquanto o examinava. Tinham raspado sua cabeça e sua barba para evitar piolhos. Não lhe caía bem.

— Lou! — Ele segurou as barras com força e pressionou o rosto entre elas. Pânico faiscava em seus olhos. — Graças a Deus você veio. Meu primo tentou pagar fiança para me tirar daqui, mas não quiseram aceitar. E vão me enforcar, Lou, se não lhes contar sobre Coco... — Ele parou de falar, medo legítimo distorcendo seus traços diante do olhar distante e sobrenatural em meu rosto. Minha pele brilhou ainda mais. Ansel caiu de joelhos atrás de mim.

— O que está fazendo? — Bas pressionou as palmas das mãos contra os olhos em uma tentativa de resistir ao encanto que emanava de mim. — Não faça isso. Eu... Me perdoe por tê-la abandonado na casa do Tremblay. Sabe que não sou uma pessoa valente, ou tão... tão inteligente quanto você e Coco. Foi errado. Devia ter ficado... devia ter a-ajudado...

Um estremecimento sacudiu seu corpo inteiro ao me aproximar ainda mais, e abri um sorriso pequeno e frio.

— Lou, por favor! — suplicou ele. Outro arrepio, mais forte desta vez. — Não abriria a boca para falar nada de você! Sabe disso! Não... por favor, não!

Seus ombros relaxaram, e quando as mãos penderam ao lado do tronco, sua expressão estava misericordiosamente vazia.

— Tão esperto, Bas. Tão astuto. Sempre soube usar palavras tão bonitas. — Pousei a mão em sua face por entre as barras na porta da prisão. — Vou lhe dar algo, Bas, e, em troca, você me dará algo. Que tal esse acordo? — Ele assentiu e sorriu. Eu me inclinei para ele e o beijei nos lábios. Senti o gosto de seu fôlego. Ele suspirou, satisfeito. — Vou libertá-lo. Tudo o que peço em troca são suas lembranças.

Segurei seu rosto com mais força — segurei também o ouro rodopiando ao redor do rosto charmoso. Ele não se debateu quando minhas unhas se fincaram em sua pele, picando a cicatriz prateada diminuta em seu maxilar. Eu me perguntei por um instante como teria aparecido ali.

Quando terminei — quando a bruma dourada já tinha roubado qualquer lembrança que ele tinha de meu rosto e do de Coco —, Bas desabou. Seu rosto sangrava das minhas unhas, mas se recuperaria. Abaixei para tirar as chaves do cinto do guarda e as atirei para Bas. Depois me virei para Ansel.

— Sua vez, amado. — Ajoelhei perto dele e envolvi seus ombros, roçando os lábios contra sua bochecha. — Pode ser que doa um pouquinho.

Concentrando meu foco na cena diante de nós, roubei a memória da cabeça de Ansel. Só se passaram alguns segundos antes de ele também tombar no chão.

Eu lutava para permanecer desperta, mas a escuridão já começava a tomar minha visão periférica enquanto eu repetia o processo nos outros dois guardas. Tinha que pagar o preço. Tinha tomado, e agora tinha que dar em troca. A natureza demandava equilíbrio.

Balançando de leve, despenquei por cima de Ansel e me entreguei à escuridão.

Despertei pouco depois. Minha cabeça pulsava, mas ignorei a dor, me pondo de pé depressa. A porta da cela estava aberta, e Bas desaparecera. Ansel, por outro lado, não dava sinais de que acordaria tão cedo.

Mordi o lábio, deliberando. Se fosse encontrado do lado de fora da cela vazia de um prisioneiro, ele seria punido, ainda mais com outros dois guardas inconscientes a seus pés. Pior, não teria lembranças de como fora parar ali, nem saberia como se defender.

Fazendo uma cara feia, massageei as têmporas e tentei formular um plano. Tinha que me apressar — tinha que lavar quaisquer vestígios de magia da pele antes que os Chasseurs me encontrassem —, mas não podia deixá-lo ali daquela maneira. Sem ver alternativa, segurei-o por debaixo dos braços e comecei a arrastá-lo. Tinha dado poucos passos quando meus joelhos começaram a fraquejar. Ele era mais pesado do que aparentava.

Vozes furiosas me alcançaram quando cheguei à escada. Embora Ansel estivesse começando a se mexer, eu não tinha a força necessária para subir todos aqueles degraus com ele. As vozes foram ficando mais altas. Xingando baixinho, eu o empurrei para dentro da primeira porta que vi e a fechei atrás de nós.

O fôlego saiu de minha boca em uma baforada aliviada quando me endireitei e olhei ao redor. Uma biblioteca. Estávamos em uma biblioteca. Era pequena e sem nenhuma decoração — como tudo naquele maldito lugar —, mas ainda assim uma biblioteca.

Passos ecoaram de um canto a outro no corredor, e mais vozes se juntaram à cacofonia.

— Desapareceu!

— Vasculhem a Torre!

Mas a porta permaneceu, milagrosamente, fechada. Rezando para que continuasse assim, levantei Ansel para uma das poltronas. Ele piscou, os olhos lutando para recuperar o foco, antes de perguntar com a voz arrastada: — Onde estamos?

— Na biblioteca. — Eu me atirei na cadeira ao lado dele e peguei um livro qualquer da estante. *Os doze tratados da exterminação do oculto.* Claro. Minhas mãos tremiam com o esforço de não arrancar as páginas hediondas do livro. — Acabamos de sair da enfermaria com padre Orville e Co... é... Mademoiselle Perrot. Você me trouxe aqui para... para... — Atirei *Os doze tratados* sobre a mesa mais próxima e peguei a Bíblia encadernada em couro a seu lado. — Para me educar. É isso.

— O q-quê?

Grunhi quando a porta se abriu com um solavanco, e meu marido e Jean Luc marcharam para dentro.

— Foi você, não foi? — Jean Luc avançou para mim com desejo assassino nos olhos.

Meu marido deu um passo à frente, mas Ansel já estava lá. Estava um pouco trôpego, mas seus olhos se aguçaram diante da investida de Jean Luc.

— Do que está falando? O que houve?

— O prisioneiro escapou — rosnou o outro. Ao lado dele, meu marido estava imóvel, as narinas bem abertas. Merda. O cheiro. Estava colado em mim e Ansel como se fosse uma segunda pele, saindo da cela vazia e apontando diretamente para nós. — A masmorra está vazia, os guardas estão inconscientes.

Eu estava condenada. Irrevogável e irreparavelmente condenada desta vez. Segurando a Bíblia com mais força para impedir que minhas mãos tremessem, encontrei os olhares dos três homens com calma forçada. Ao menos os Chasseurs me queimariam. Nem uma gota de meu sangue seria derramada. Saborearia aquela pequena vitória.

Meu marido me fitava com olhos miúdos.

— Que... cheiro é esse?

Mais passos soaram lá fora, e Coco deslizou para dentro da sala antes que eu pudesse responder. Uma nova onda de ar adocicado, enjoativo, veio com ela, e meu coração se alojou com firmeza na garganta.

— Ouvi os padres comentarem que o prisioneiro escapou! — Sua respiração saía ofegante, curta, e ela segurava a lateral do corpo. Quando seus olhos encontraram os meus, porém, fez um movimento de cabeça tranquilizador e se aprumou, certificando-se de que os robes brancos de curadora ainda escondessem cada centímetro de sua pele. — Vim saber se posso ajudar.

O nariz de Jean Luc se franziu com aversão diante do fedor que emanava dela.

— Quem é você?

— Brie Perrot. — Ela se inclinou em uma reverência, rapidamente recuperando a compostura. — Sou a nova curadora na enfermaria.

Ele franziu a testa, sem se convencer.

— Então deveria saber que curadores não têm acesso livre à Torre. Não deveria estar aqui embaixo, ainda mais com um prisioneiro à solta.

Coco o fuzilou com um olhar furioso antes de apelar para meu marido.

— Capitão Diggory, sua mulher me acompanhou mais cedo enquanto lia os Provérbios para os pacientes. Ansel a escoltou. Não é mesmo, Ansel?

Por Deus, ela era brilhante.

Ansel piscou para nós, confusão anuviando seus olhos mais uma vez.

— Eu... Sim. — Ele franziu a testa e balançou a cabeça, obviamente tentando entender por que tinha um vazio em sua memória. — Você tomou um banho, mas nós... fomos, sim, até a enfermaria. — Seus olhos se estreitaram em concentração. — Eu... fui rezar com padre Orville.

Soltei um suspiro de alívio, torcendo para que as lembranças de Ansel continuassem embaçadas.

— E o padre pode confirmar? — indagou meu marido.

— Sim, senhor.

— Encantador. Mas não explica por que a cela fedia a magia. — Irritado pela indiferença de Coco, Jean Luc olhou de cara feia para nós três. — *Nem* explica os guardas desacordados.

Coco lhe lançou um sorriso afiado.

— Infelizmente, minha presença foi requisitada para atender um paciente antes que pudesse instruir Madame Diggory em como se limpar da maneira adequada. Ela e Ansel partiram logo depois disso.

Os olhos de meu marido quase queimavam meu rosto.

— E é lógico que você desceu até aqui em vez de retornar ao nosso quarto.

Tentei me fazer de arrependida, devolvendo a Bíblia a seu lugar sobre a mesa. Com alguma sorte, conseguiríamos sobreviver àquela confusão.

— Ansel queria me ensinar alguns versículos, e eu... Fui vê-lo na cela. Bas. — Mexendo num cacho de cabelo, olhei para ele através de meus cílios, recatada. — Você me disse que poderia acabar enforcado, e queria falar com ele... antes. Uma última vez. Desculpe.

Ele não respondeu. Apenas me encarou.

— E os guardas? — insistiu Jean Luc.

Eu me levantei e gesticulei para minha forma, pequena e frágil.

— Acha mesmo que eu conseguiria derrubar dois homens adultos?

A resposta de meu marido foi instantânea.

— Acho.

Sob circunstâncias diferentes, teria tomado aquilo como um elogio. Mas, naquele instante, sua fé inabalável em minhas habilidades era condenavelmente inconveniente.

— Já estavam daquele jeito quando cheguei — menti. — E Bas também não estava mais lá.

— Por que não veio nos informar assim que soube? Por que fugir? — Os olhos claros de Jean Luc se estreitaram e ele deu alguns passos à frente, até que fui obrigada a olhar para cima para manter contato visual. Fiz uma carranca.

Certo. Se ele queria intimidar, eu também podia jogar seu jogo.

Desviei o olhar e encarei minhas mãos, o queixo tremendo.

— Confesso... confesso que às vezes sou acometida pela fraqueza de meu gênero, *monsieur.* Quando vi que Bas tinha escapado, entrei em pânico. Sei que não é desculpa.

— Senhor amado. — Revirando os olhos para minhas lágrimas, Jean Luc lançou um olhar exasperado a meu marido. — Pode explicar o acontecido à Vossa Eminência, *capitão.* Tenho certeza de que ele vai ficar encantado ao saber de mais uma falha sua. — Ele seguiu para a porta, nos dispensando. — Volte à enfermaria, Mademoiselle Perrot, e cuide de não esquecer qual é o seu lugar no futuro. Cuidadores só têm acesso a determinadas alas: a enfermaria com seus dormitórios e a escada dos fundos. Se quiser visitar qualquer outra área da Torre, o protocolo é que se lave e passe por uma inspeção. Como é recém-chegada, vou ignorar esse deslize desta vez, mas *vou* dar uma palavrinha com os padres. Eles vão se certificar de que esta pequena aventura não se repita.

Se Coco pudesse mesmo secar o sangue de alguém, tenho certeza de que o teria feito ali mesmo. Me apressei em intervir.

— Isto é tudo minha culpa. Não dela.

Jean Luc arqueou uma sobrancelha escura, inclinando a cabeça.

— Que tolice a minha. Tem razão, claro. Se não tivesse desobedecido Reid, tudo isto poderia ter sido evitado.

Embora tivesse assumido a culpa, ainda fumeguei de raiva diante da reprovação. Agora estava nítido que meu marido *não* era o maior babaca pomposo de todos, o título pertencia a Jean Luc, sem discussão. Eu havia acabado de abrir a boca para expressar exatamente isso, quando meu inoportuno marido interrompeu.

— Venha cá, Ansel.

Ansel engoliu em seco e deu um passo à frente, entrelaçando as mãos trêmulas atrás das costas. Uma inquietude me tomou.

— Por que permitiu que ela visitasse a enfermaria?

— Já disse, eu a *convidei*... — começou Coco, mas parou abruptamente diante do olhar no rosto do capitão.

As bochechas de Ansel coraram, e ele olhou para mim, a expressão suplicante.

— Eu... eu só fui com Madame Diggory lá em cima porque... porque...

— Porque temos uma obrigação para com aquelas pobres almas. Os curadores estão afogados em trabalho... Exaustos e com pouco pessoal. Mal têm tempo para cuidar das necessidades básicas dos pacientes, que dirá nutrir seu bem-estar espiritual. — Quando ele permaneceu cético, acrescentei: — E também comecei a cantar uma música indecente e me recusei a parar até que ele me levasse. — Mostrei os dentes em uma tentativa de sorriso. — Quer ouvir? É sobre uma mulher encantadora chamada Liddy Pei...

— Chega. — A fúria queimava em seus olhos: fúria real desta vez. Não humilhação. Não irritação. Fúria. Alternou o olhar entre nós três, devagar, deliberadamente. — Se descobrir que algum de vocês está mentindo, não terei misericórdia. Serão todos punidos como manda a lei.

— Capitão, juro...

— Eu lhe avisei que a enfermaria estava proibida. — Sua voz era dura e impiedosa ao encarar Ansel. — Esperava desobediência de minha esposa, mas não de você. Está dispensado.

O jovem baixou a cabeça.

— Sim, senhor.

A indignação me tomou enquanto o observava caminhar em desalento para a porta. Fiz menção de segui-lo, ansiando por lhe dar um abraço ou algum tipo de consolo, mas o cabeça-dura do meu marido segurou meu braço.

— Você fica. Quero dar uma palavra com você.

Desvencilhei o braço dele e retruquei ao mesmo tempo:

— E eu quero dar uma palavra com *você*. Como se atreve a tratar Ansel dessa forma? Como se ele tivesse culpa de qualquer coisa!

Jean Luc soltou um suspiro impaciente.

— Vou acompanhá-la de volta à enfermaria, Mademoiselle Perrot. — Estendeu o braço para ela, claramente entediado com a direção que a conversa havia tomado. O olhar feio que Coco lhe lançou em resposta foi fulminante. Fazendo uma carranca, ele se virou para partir sem ela, mas Ansel tinha parado à porta, bloqueando o caminho. Lágrimas molhavam seus cílios enquanto me fitava, os olhos arregalados: chocado que alguém tivesse falado em sua defesa. Jean Luc cutucou suas costas com impaciência, murmurando algo que não consegui ouvir. Meu sangue ferveu.

— Ele estava encarregado de vigiar você. — Os olhos de meu marido ainda ardiam, ignorando todos exceto a mim. — Falhou em cumprir com seu dever.

— Ah, *ta gueule!* — Cruzei os braços para resistir à vontade de colocar as mãos ao redor do pescoço dele e apertar. — Sou uma mulher adulta e perfeitamente capaz de fazer minhas próprias escolhas. Isso não é culpa de mais ninguém, só minha. Se quer escorraçar *alguém*, deveria ser eu, não Ansel. Parece que o menino não consegue agradá-lo nunca...

O rosto dele ficou quase roxo.

— Ele não é criança! Está em treinamento para se tornar Chasseur e, se for aprovado, terá que aprender a assumir responsabilidades...

— Ansel, saia da frente — disse Jean Luc com entonação seca, interrompendo nossa discussão. Tinha enfim conseguido empurrar o jovem para fora do cômodo. — Por mais divertido que isso seja, alguns de nós têm trabalho a fazer, prisioneiros a encontrar, bruxas a queimar... Esse tipo de coisa. Mademoiselle Perrot, aguardo sua presença na enfermaria em dez minutos. E *vou* verificar que esteja lá. — Lançou a nós duas um olhar irritado antes de sair marchando da biblioteca. Coco revirou os olhos e começou a segui-lo, mas hesitou à porta. Seus olhos faziam uma pergunta silenciosa.

— Está tudo bem — murmurei.

Ela assentiu, sendo sua vez de olhar irritada para meu marido, e fechou a porta atrás de si.

O silêncio que caiu sobre nós era abrasador. Eu até meio que esperei que os livros começassem a pegar fogo. Teria sido condizente, uma vez que todos os volumes naquele lugar infernal eram diabólicos. Fitei a capa de *Os doze tratados da exterminação do oculto* com novo interesse, levantando-o quando desenhos dourados cintilaram e tomaram forma ao meu redor. Se não estivesse tão furiosa, teria tomado um susto. Havia muito que os fios de magia não apareciam para mim de maneira espontânea. Já sentia minha magia despertando, sôfrega por liberdade após tantos anos de repressão.

Bastaria uma centelha, disse, persuasiva. *Libere sua fúria. Incendeie a página.*

Mas não queria liberar minha fúria. Queria estrangular meu marido com ela.

— Você mentiu para nós. — A voz dele cortou o silêncio como uma faca. Embora continuasse encarando o livro, eu podia visualizar com nitidez a veia em sua garganta, os músculos tensos do maxilar. — Madame Labelle nos contou que o nome da bruxa é Cosette Monvoisin, não Alexandra.

Sim, e neste exato momento ela está contemplando como drenar todo o sangue de seu corpo. Talvez devesse ajudá-la.

— Você sabia que eu era uma cobra quando me acolheu. — Atirei o livro na cabeça dele.

Ele o pegou antes que pudesse quebrar seu nariz, atirando-o de volta para mim. Desviei, e o livro foi parar estatelado no chão, onde era seu lugar.

— Isto não é um jogo! — gritou. — Somos encarregados de manter este reino *a salvo*. Você viu a enfermaria! Bruxas são um *perigo*...

Cerrei os punhos, e os padrões ao redor tremularam com ferocidade.

— Como se os Chasseurs não fossem.

— Estamos tentando *protegê-la!*

— Não me peça para pedir desculpas, porque não vou! — Um assovio agudo começou a soar em meus ouvidos quando me aproximei dele, coloquei as mãos em seu peito e empurrei. Quando não arredou pé, um rosnado saiu de minha garganta. — Vou *sempre* proteger aqueles que amo. Está entendendo? *Sempre.*

O empurrei outra vez, com mais força, mas as mãos dele seguraram as minhas, prendendo-as contra seu peito. Ele se curvou, levantando uma sobrancelha ruiva.

— É mesmo? — A voz estava baixa outra vez. Perigosa. — Foi por isso que ajudou seu amante a escapar?

Amante? Estupefata, levantei o queixo para encará-lo.

— Não sei do que está falando.

— Você nega, então? Que ele é seu amante?

— Já *disse* — repeti, olhando séria para as mãos ao redor das minhas. — Não sei do que está falando. Bas não é meu amante, nem nunca foi. Agora me *solte*.

Para minha surpresa, ele me soltou — apressadamente, como se surpreso que tivesse me tocado, para começo de conversa — e deu um passo atrás.

— Não posso protegê-la se mente para mim.

Caminhei para a porta batendo os pés, sem olhar para ele.

— *Va au diable.*

Vá para o inferno.

SENHOR, TENDE PIEDADE

Lou

Murmúrios chegavam até nós do presbitério, e a luz das velas lançava sombras nos rostos dos ícones ao redor. Bocejando, fitei o que estava mais próximo de mim — uma mulher simples, com expressão de supremo enfado. Eu podia compreendê-la.

— Ainda me lembro da minha primeira tentativa. Acertei em cheio. — O arcebispo deu uma risadinha ao terminar de falar, como os velhos com frequência fazem ao reviver histórias do passado. — Veja bem, eu tinha acabado de sair das ruas... Mal tinha completado sete anos... Sem uma *couronne* no bolso ou experiência. Nunca tinha sequer *segurado* um arco, que dirá disparado uma flecha. O bispo declarou que tinha sido obra de Deus.

Os lábios de meu marido se curvaram para cima em resposta.

— Acredito.

Bocejei outra vez. O oratório era sufocante, e o longo vestido de lã que eu usava — modesto, sem graça e deliciosamente quente — não ajudava em nada. Minhas pálpebras caíram.

Seria obra de Deus se conseguisse chegar ao fim do culto sem roncar.

Após o fiasco na biblioteca, pensei que seria, hum, *prudente* aceitar o convite de meu marido para ir à missa da noite. Embora eu ainda não soubesse se ele acreditava na história que Ansel e eu contáramos sobre estudar as escrituras, ele tinha se fixado na ideia, e então eu passara o restante de meu dia memorizando versículos. A mais diabólica das punições.

— "O gotejar contínuo em dia de grande chuva e a mulher rixosa, um e outro são semelhantes" — recitara, me fitando com impaciência e esperando que repetisse o provérbio. Ainda estava contrariado pela discussão de mais cedo.

— Chuva e homens são dois pés no saco.

Ele fez uma expressão exasperada, mas prosseguiu:

— "Aquele que a contivesse, conteria o vento; e a sua destra acomete o óleo."

— Aquele que a contivesse... depois alguma coisa sobre óleo e mão... — Levantei as sobrancelhas malandramente. — *Quel risqué!* Que tipo de livro é...

Ele interrompeu antes que eu pudesse desafiar ainda mais sua honra, a voz dura:

— "Como o ferro com o ferro se aguça, assim o homem afia o rosto de seu amigo."

— Como o ferro com o ferro se aguça, assim você está sendo um babaca, porque também eu sou um pedaço de metal.

E assim seguimos.

Para ser franca, o convite para comparecer à missa tinha sido um alívio bem-vindo.

O arcebispo bateu no ombro dele com outra risada calorosa.

— Minha segunda flecha voou longe do alvo, lógico.

— Ainda assim, saiu-se melhor do que eu. Demorei uma semana para conseguir acertar o alvo.

— Besteira! — O clérigo balançou a cabeça, ainda sorrindo com a lembrança. — Eu me lembro com nitidez do seu talento natural. De fato, era consideravelmente mais habilidoso que os outros noviços.

O badalar do sino da torre me poupou de pular dentro da lareira.

— Ah. — Parecendo lembrar seu papel, o arcebispo deixou pender a mão, empertigou-se e arrumou o colarinho. — O serviço está para começar. Se me dá licença, devo me juntar aos outros. — Parou à porta, a expressão se endurecendo ao virar. — E *lembre-se* do que discutimos esta tarde, capitão Diggory. Mais atenção é necessária.

Meu marido assentiu, as bochechas corando.

— Sim, senhor.

Interroguei-o assim que seu superior partiu.

— Mais atenção? O que diabo ele quis dizer com isso?

— Nada. — Limpando a garganta, estendeu um braço. — Vamos?

Passei direto por ele para entrar na capela.

— Mais atenção o cacete.

Iluminada por centenas de velas, a capela de Saint-Cécile parecia ter saído de um sonho — ou pesadelo. Mais da metade da cidade tinha se reunido no vasto salão para ouvir o sermão do arcebispo. Aqueles que eram ricos o bastante para possuírem assentos tinham se vestido com fineza e cores ricas como pedras preciosas: vestidos e ternos em tons de vinho, ametista e esmeralda, com detalhes em dourado e mangas de renda, protetores de ouvido de pele e lenços de pescoço de seda. Em suas orelhas, pérolas luziam, cintilantes, e diamantes brilhavam com ostentação em seus pescoços e pulsos.

Mais ao fundo ficava a parte mais humilde da congregação, de pé, os rostos solenes e sujos. Mãos entrelaçadas. Alguns Chasseurs de casacos azuis também estavam presentes, Jean Luc entre eles. Gesticulou para que nos juntássemos a ele.

Xinguei baixinho quando meu marido aceitou o convite.

— Vamos ficar *de pé* o serviço inteiro?

Ele me encarou com suspeita.

— Nunca foi à missa antes?

— Claro que já — menti, arrastando os pés enquanto ele continuava a me puxar para a frente. Queria ter escolhido um manto com capuz. Havia mais pessoas presentes do que eu jamais imaginara. Imaginava-se que bruxas não iam à missa, mas nunca se sabe... *Eu* estava ali, afinal. — Em uma ou duas ocasiões.

Diante da expressão incrédula, gesticulei para meu corpo.

— Criminosa, lembra? Me perdoe se não sei todos os provérbios de cor, ou se não aprendi todas as regras.

Revirando os olhos, ele me empurrou os poucos passos que restavam.

— Chasseurs permanecem de pé como um ato de humildade.

— Mas *eu* não sou Chasseur...

— Deus seja louvado por isso. — Jean Luc deu um passo para o lado a fim de abrir lugar para nós, e meu *dominador* esposo me forçou a ficar entre os dois. Cumprimentaram-se segurando os antebraços um do outro com sorrisos tensos. — Não sabia se viria se juntar a nós hoje, dado o fiasco desta tarde. Como foi que Vossa Eminência recebeu as notícias?

— Não nos culpou.

— E culpou a quem, então?

Os olhos de meu marido voaram para mim por um brevíssimo segundo antes de voltarem para Jean Luc.

— Os guardas a postos. Foram dispensados.

— Com toda a razão.

Sabia que corrigi-lo não seria vantajoso para mim. Felizmente, a conversa terminou quando a congregação se pôs de pé e começou a cantar. Meu marido e Jean Luc juntaram-se ao canto sem dificuldades, enquanto o arcebispo e sacristãos entraram na capela, seguiram pelo corredor e fizeram uma reverência diante do altar. Perplexa — e incapaz de compreender uma palavra sequer daquela balada monótona —, criei minha própria letra de música.

Podia ou não envolver uma garçonete chamada Liddy.

Meu marido fez cara feia e me deu uma cotovelada quando se fez silêncio outra vez. Embora não pudesse ter certeza, os lábios de Jean Luc pareciam tremer como se tentasse não rir.

O arcebispo virou-se para cumprimentar os presentes.

— Que o Senhor esteja convosco.

— Ele está no meio de nós — murmuraram em uníssono.

Assisti com fascínio mórbido quando o arcebispo estendeu os braços.

— Irmãos, reconheçamos nossos pecados, e assim nos preparemos para celebrar os mistérios sagrados.

Um padre ao lado dele levantou a voz.

— Senhor, tende piedade!

— Senhor, que viestes salvar os corações arrependidos — prosseguiu o arcebispo —, tende piedade de nós!

A congregação se juntou a ele:

— Senhor, tende piedade de nós!

— Oh, Cristo, que viestes reunir nações na paz do reino do Senhor, tende piedade de nós!

Na paz do reino do Senhor? Bufei com desdém, cruzando os braços. Meu marido me deu outra cotovelada, dizendo apenas com movimentos labiais: *pare.* Seus olhos azuis fulminavam os meus. *É sério.* Jean Luc sorria agora, sem dúvidas.

— Senhor, tende piedade!

— Senhor, que nos tornais concidadãos dos santos no reino dos céus, tende piedade de nós.

— Senhor, tende piedade!

— Senhor, que vireis um dia para nos salvar, tende piedade de nós!

— Senhor, tende piedade!

Incapaz de me segurar, murmurei:

— Hipócrita.

Meu marido parecia prestes a perder a razão. Seu rosto voltara a ficar vermelho, e uma veia pulsava no pescoço. Os Chasseurs a nossa volta olhavam feio ou riam. Os ombros de Jean Luc sacolejavam com um riso silencioso, mas eu já não achava a situação tão engraçada quanto antes. Onde estava a salvação da minha gente? Onde *estava* a *nossa* misericórdia?

— Que o Senhor todo-poderoso tenha piedade de nós, perdoe nossos pecados e nos conceda a vida eterna.

— Amém.

A congregação imediatamente iniciou outro canto, mas eu tinha parado de escutar. Em vez disso, assisti quando o arcebispo levantou os braços para o céu, fechando os olhos, absorto na canção. Quando Jean Luc sorriu, cutucando meu marido enquanto os dois cantavam a letra errada. Quando meu marido riu um pouco contrariado e o empurrou de volta.

— Cordeiro de Deus, que tirais o pecado do mundo, tende piedade de nós — cantava o menino a nossa frente. Apertava a mão do pai, balançando com a cadência de suas vozes. — Cordeiro de Deus, que tirais o pecado do mundo, tende piedade de nós. Cordeiro de Deus, que tirais o pecado do mundo, ouvi nossa prece.

Tende piedade de nós.

Ouve nossa prece.

Ao final de minha sessão de tortura com os Provérbios, tinha me deparado com um que não tinha entendido.

Como na água o rosto corresponde ao rosto, assim o coração do homem ao homem.

— O que quer dizer?

— Significa que... a água é como um espelho — explicara meu marido, franzindo a testa de leve. — Reflete nossos rostos. E a nossa vida, a forma como a levamos, as coisas que fazemos... — Fitou as mãos, com dificuldade para encontrar meus olhos. — Refletem nossos corações.

Tinha feito todo sentido, explicado daquela forma. E ainda assim... Olhei ao redor, para os crentes na capela uma vez mais — os homens e mulheres que rogavam por misericórdia e clamavam por meu sangue no mesmo fôlego. Como podiam as duas coisas viver em seus corações?

— Lou, eu... — Ele pigarreara e se obrigara a me fitar. Aqueles olhos azuis brilhavam com sinceridade. Com arrependimento. — Não deveria ter gritado, mais cedo. Na biblioteca. Eu... sinto muito.

Nossas vidas refletem nossos corações.

Sim, tinha feito todo sentido, explicado daquela forma, mas ainda assim eu não compreendia. Não compreendia meu marido. Não compreendia o arcebispo. Ou o menino em transe diante de nós. Ou seu pai. Ou Jean Luc, os Chasseurs, as bruxas, ou *ela*. Não compreendia nenhum deles.

Ciente dos olhos dos Chasseurs sobre mim, forcei um sorrisinho torto e bati no quadril do capitão com o meu, fingindo ter sido tudo uma farsa. Uma piada. Que só queria provocá-lo para causar uma reação. Que não era uma bruxa na missa, de pé em meio a meus inimigos, adorando um deus que não era meu.

Nossas vidas refletem nossos corações.

Podiam ser todos hipócritas, mas eu era a maior deles.

MADAME LABELLE

Reid

A noite seguinte trouxe a primeira neve do ano.

Levantei o tronco de onde estivera deitado no chão, penteando para trás os cabelos suados, e observei enquanto os flocos voavam do lado de fora da janela. Somente atividade física ajudava a desfazer os nós e tensão em minhas costas. Depois de ter tropeçado em mim no chão na noite anterior, Lou tinha reclamado a cama para si. Não me convidara a partilhá-la.

Não reclamei. Embora minhas costas doessem, o exercício mantinha minha irritação em cheque. Tinha aprendido depressa que contar não funcionava com Lou... Quer dizer, logo depois que ela começou a contar junto comigo.

Bateu com o livro que estivera lendo na escrivaninha.

— Isto é um disparate.

— O quê?

— O único livro que consegui encontrar naquela maldita biblioteca que não tinha as palavras *sagrado* ou *extermínio* no título. — Levantou-o para me mostrar. *Pastor.* Quase ri. Tinha sido um dos primeiros volumes que o arcebispo me permitira ler: uma coleção de poemas pastorais que falavam da proeza artística de Deus na natureza.

Ela marchou até minha cama — *sua* cama — com expressão descontente.

— Como alguém consegue escrever doze páginas só falando de grama está fora da minha compreensão. Isso, sim, é pecado.

Eu me levantei e comecei a andar até ela. Lou me olhou com desconfiança.

— O que está fazendo?

— Vou lhe mostrar um segredo.

— Não, não, não. — Ela se empurrou para trás. — Não estou interessada em nenhum *segredo* seu...

— Por favor. — Franzindo a testa e balançando a cabeça, passei direto por ela para chegar à cabeceira. — Pare de falar.

Para minha surpresa, ela obedeceu, os olhos estreitos vigiando enquanto eu empurrava a cama para afastá-la da parede. Inclinou-se para a frente, curiosa, quando revelei um buraco pequeno e sem acabamento lá atrás. Meu cofre. Aos dezesseis anos — quando eu e Jean Luc tínhamos dividido aquele mesmo quarto, quando ainda éramos mais próximos do que irmãos de sangue —, eu o havia aberto no reboco, desesperado para ter um lugar só meu, onde pudesse esconder as partes de mim que preferia que ele não encontrasse.

Talvez nunca tivéssemos sido mais próximos do que irmãos, afinal.

Lou esticou o pescoço para olhar lá dentro, mas bloqueei sua visão, vasculhando seu conteúdo até os dedos tocarem um livro familiar. Embora a lombada tivesse começado a se desfazer por conta de tanto uso, o prateado do título continuava perfeito. Imaculado. Entreguei-o a ela.

— Aqui.

Ela aceitou com suspeita, segurando-o entre dois dedos como se fosse mordê-la.

— Ora, que surpresa. *La Vie Éphémère...* — Tirou os olhos da capa e olhou pra cima, os lábios retorcidos. — *A vida efêmera*. Sobre o que é?

— É... uma história de amor.

As sobrancelhas dela se arquearam, e ela o examinou com interesse redobrado.

— Ah, é?

— Ah, é. — Assenti, mordendo o interior da bochecha para não sorrir. — É escrito com bom gosto. As personagens são de reinos inimigos, mas são obrigadas a cooperar quando descobrem um plano para destruir o mundo. Os dois se odeiam inicialmente, mas, com o tempo, conseguem colocar as diferenças de lado e...

— É um daqueles romances de época cheios de sexo, não é? — Ela agitou as sobrancelhas insinuantemente, abrindo o volume nas páginas finais. — Em geral as cenas de amor ficam mais para o fim...

— O quê? — Minha vontade de sorrir desapareceu, e puxei o livro das mãos dela. Lou puxou de volta. — Lógico que não é nada disso — retruquei com irritação, ainda puxando. — É uma história que examina o conceito social de humanidade, interpreta as nuances do bem e do mal e explora a paixão pela guerra, amor, amizade, morte...

— Morte?

— Sim. Os amantes morrem no final. — Ela se retraiu, e finalmente tomei o livro de volta. Minhas bochechas estavam coradas. Jamais deveria tê-lo compartilhado com ela. Claro que não o apreciaria. Não apreciava nada. — Isto foi um erro.

— Como você pode gostar de um livro que termina em morte?

— Não termina em morte. Os amantes morrem, sim, mas os dois reinos superam sua inimizade e forjam uma aliança. Termina com esperança.

Ela franziu a testa, ainda sem se convencer.

— Não tem nada de esperançoso na morte. Morte é morte.

Soltei um suspiro e me virei para recolocar o romance dentro do cofre.

— Está bem. Não leia. Não me importo.

— Nunca disse que não queria ler. — Ela estendeu a mão, impaciente. — Só não espere que eu desenvolva esse seu zelo ardente esquisito pela história. A trama parece um tédio, mas não pode ser pior do que *Pastor*.

Segurei *La Vie Éphémère* com ambas as mãos, hesitando.

— Não descreve grama.

— Um ponto decisivo a favor dele.

Com relutância, entreguei-o a ela. Desta vez, ela o tomou com cuidado, examinando o título com novos olhos. Uma esperança se acendeu em meu peito. Limpei a garganta e olhei para além dela, para uma deformação na cabeceira.

— E... tem, sim, uma cena de amor.

Lou gargalhou, folheando com entusiasmo.

Não pude me conter. Sorri também.

Algum tempo depois, uma batida soou à porta. Parei como estava no banheiro, prestes a passar a camisa pela cabeça. Metade da banheira cheia d'água. Lou fez um som exasperado do quarto. Reajustando a camisa, abri a porta do banheiro recém-consertada enquanto ela jogava *La Vie Éphémère* sobre a colcha e tirava as pernas de cima da cama. Mal chegavam ao chão.

— Quem é?

— Ansel.

Com um xingamento resmungado, ela pulou da cama. Cheguei primeiro e abri a porta.

— O que foi?

Lou o encarou.

— Gosto de você, Ansel, mas é melhor que seja algo bom. Emilie e Alexandre acabaram de ter *um momento*, e juro que, se não se beijarem logo, vou literalmente morrer.

Diante da confusão do jovem, balancei a cabeça, lutando contra um sorriso.

— Ignore-a.

Ele assentiu, achando graça, antes de fazer uma reverência apressada.

— Madame Labelle está lá embaixo, capitão. Ela... ela exige falar com Madame Diggory.

Lou se espremeu sob meu braço. Abri caminho antes que pisasse no meu pé. Ou me mordesse. Lição aprendida da cerimônia no rio.

— O que ela quer?

Minha esposa cruzou os braços e se recostou contra o batente da porta.

— Você a mandou ir para o inferno?

— Lou — adverti.

— Ela se recusa a ir embora — respondeu Ansel, desconfortável. — Diz que é importante.

— Muito bem. Emilie e Alexandre terão que esperar. Trágico. — Lou me deu uma cotovelada ao passar para apanhar o manto. Depois parou abruptamente, franzindo o nariz. — E, Chass... você está fedido.

Bloqueei seu caminho. Resisti à vontade de morder a isca. Ou de verificar se estava mesmo cheirando mal.

— Você não vai a lugar nenhum.

— É lógico que vou. — Ela deu um passo para o lado, fazendo careta e abanando a mão diante do nariz. Fumeguei. Com certeza não estava cheirando *tão* mal assim. — Ansel acabou de dizer que ela se recusa a partir sem me ver.

De forma deliberada, levantei a mão para pegar meu casaco, roçando a pele suada contra a face dela no processo. Lou não se moveu. Apenas virou a cabeça para me encarar com os olhos estreitados. Com nossos rostos a meros centímetros de distância, tive que lutar contra a tentação de abaixar e inspirar fundo. Não para sentir meu cheiro — mas o *dela*. Quando não estava passeando por aí na enfermaria, cheirava... bem. A canela.

Limpando a garganta, enfiei os braços nas mangas. O tecido de minha camisa, ainda úmida de suor, se arregaçou e amassou com a ação. Desconfortável.

— Ela não devia estar aqui. Terminamos nosso interrogatório ontem.

E que fracasso tinha sido. Madame Labelle era tão escorregadia quanto Lou. Após ter acidentalmente revelado o nome verdadeiro da bruxa, tinha permanecido calada e desconfiada. Cheia de suspeitas. O arcebispo ficara furioso. Foi sorte que ele não tivesse ordenado que fosse detida e atirada na fogueira — ela e Lou.

— Talvez queira fazer uma nova oferta — ponderou Lou, ignorante de sua situação precária.

— Oferta?

— Para me comprar para o Bellerose.

Franzi a testa.

— Comprar seres humanos como propriedade é ilegal.

— Não é como se ela fosse admitir que está querendo *me* comprar. Vai dizer que está comprando um contrato de aprendizagem... para me treinar, embonecar, providenciando casa e comida. É assim que pessoas como ela dão a volta na lei. A Costa Leste vive de contratos do tipo. — Ela fez uma pausa, deixando a cabeça pender para o lado. — Mas isso provavelmente seria inútil agora que estamos casados. A menos que você não se importe em compartilhar.

Abotoei o casaco em silêncio tenso.

— Ela não quer comprá-la.

Passou por mim com um sorriso malandro.

— Vamos descobrir?

Madame Labelle esperava no saguão. Dois de meus irmãos estavam postados a seu lado. Com expressões desconfiadas, não pareciam certos de que ela era bem-vinda ali àquela hora. A Torre — e o reino — impunha severos toques de recolher. Ela, porém, aguardava calmamente entre os dois. Cabeça erguida. O rosto — que talvez um dia tivesse sido de beleza excepcional, mas que agora estava envelhecido, apresentando linhas de expressão finas ao redor dos olhos e da boca — se abriu em um sorriso largo ao ver Lou.

— Louise! — A mulher estendeu os braços como se esperasse que minha esposa fosse abraçá-la. Quase ri. — Que esplêndido vê-la em tão boa saúde... Ainda que esses hematomas em seu rosto pareçam um tanto sinistros. Espero que nossos prezados anfitriões não sejam os responsáveis.

Qualquer vontade de rir secou em minha garganta.

— Jamais a maltrataríamos.

Os olhos da cortesã recaíram sobre mim, e ela bateu palmas em alegria fingida.

— Que prazer revê-lo, Capitão Diggory! Evidente, evidente. Besteira minha. Todos aqui são nobres demais para algo assim, não são? — Sorriu, revelando aqueles dentes artificialmente brancos demais. — Peço perdão pela hora avançada, mas preciso dar uma palavra com Louise com urgência. Espero que não se importe que a roube um minutinho.

Lou não se moveu.

— O que você quer?

— Tinha esperanças de podermos falar a sós, minha cara. A informação em questão é... sigilosa. Tentei procurá-la ontem após o interrogatório, mas meu acompanhante e eu descobrimos que estava ocupada na biblioteca. — Alternou o olhar entre nós dois com um sorriso cúmplice, inclinando-se para a frente e sussurrando: — Jamais interrompo brigas de casal. É uma de minhas poucas regras.

Os olhos de Lou se arregalaram.

— Aquilo *não foi* uma briga de casal.

— Não? Então talvez esteja disposta a reconsiderar minha oferta.

Resisti à vontade de me interpor entre as duas.

— A senhora deve ir embora.

— Fique tranquilo, capitão. Não tenho planos de roubar sua esposa... ainda. — Diante de minha expressão, ela piscou e riu. — Mas insisto em falar com ela em particular. Existe alguma sala que eu e Madame

Diggory pudéssemos usar? Algum lugar menos... — ela gesticulou para os Chasseurs a postos ao redor — cheio?

Naquele momento, porém, o arcebispo irrompeu no saguão com sua touca de dormir.

— De que se trata esta comoção? Não têm obrigações a cumprir... — Seus olhos se arregalaram ao notar Madame Labelle. — Helene. Que surpresa desagradável.

Ela fez uma reverência.

— Igualmente, Vossa Eminência.

Eu me apressei em me curvar, levando o punho ao coração.

— Madame Labelle veio falar com minha esposa, senhor.

— Veio? — O olhar dele não vacilou. Encarava a cortesã com intensidade fervorosa, os lábios comprimidos em uma linha rígida. — É uma pena, então, que a igreja tranque as portas em aproximadamente... — ele tirou um relógio do bolso — três minutos.

O sorriso que ela abriu em resposta foi irritadiço.

— Mas a igreja não devia trancar suas portas, devia?

— São tempos perigosos, madame. Devemos fazer o possível para sobreviver.

— Sim. — Seus olhos voaram para Lou. — Devemos.

Silêncio se fez enquanto nos entreolhávamos. Era tenso e desconfortável. Lou se remexeu, inquieta, e considerei expulsar Madame Labelle à força. Mesmo que alegasse o contrário, aquela mulher tinha deixado bem evidente seu objetivo, e eu veria o Bellerose queimar antes de permitir que Lou virasse uma cortesã. Gostasse ou não, ela tinha feito um juramento a mim primeiro.

— Dois minutos — contou o arcebispo com rispidez.

O rosto de Madame Labelle se retorceu.

— Não irei embora.

O arcebispo fez um movimento curto de cabeça para meus irmãos, que se aproximaram. Testas franzidas. Divididos entre seguir ordens e remover uma mulher das dependências da igreja. Minha consciência não sofria com tais dúvidas. Também dei um passo à frente, escondendo Lou.

— Irá, sim.

Algo tremulou nos olhos de Madame Labelle ao me fitar. Seu sorriso torto fraquejou. Antes que pudesse atirá-la para fora da Torre, Lou tocou meu braço e murmurou:

— Vamos.

Então várias coisas aconteceram ao mesmo tempo.

Um brilho obstinado tomou os olhos da cortesã ao ouvir as palavras de Lou, e ela deu uma guinada para a frente. Mais ágil do que o bote de uma serpente, envolveu Lou em um abraço esmagador. Seus lábios moviam-se depressa ao pé da orelha de minha mulher.

Furioso, arranquei Lou dali no mesmo instante em que Ansel pulava para dominar Madame Labelle. Meus irmãos juntaram-se a ele. Prenderam seus braços atrás das costas, enquanto ela lutava para se reaproximar de Lou.

— Esperem! — Minha esposa se debatia em meus braços, girando para encarar a atacante. Os olhos selvagens. Rosto pálido. — Estava me dizendo algo... *Esperem*!

Mas o cômodo tinha sido tomado por caos. Madame Labelle gritava enquanto Chasseurs tentavam arrastá-la para fora do prédio. O arcebispo gesticulou para Lou antes de correr para a saída.

— Tire-a daqui.

Obedeci, apertando os braços ao redor da cintura de Lou e a puxando para trás. Para longe da mulher descontrolada. Para longe do pânico e da confusão no saguão — e em meus pensamentos.

— Parem! — Lou dava pontapés e socos contra meus braços, mas só apertei mais. — Mudei de ideia! Me deixe ir falar com ela! Me *solta*!

Mas ela tinha feito um juramento.

E não iria a lugar algum.

GELADA ATÉ OS OSSOS

Lou

Minha garganta chora.

Não são lágrimas. É algo mais viscoso, mais escuro. Algo que banha minha pele em escarlate, escorre por meu peito e ensopa meus cabelos, vestido, mãos. Minhas mãos. Elas tateiam a fonte, os dedos tocando, procurando, sufocando — desesperados para estancar o fluxo, para fazê-lo parar, parar, *parar*.

Gritos ecoam ao redor por entre os pinheiros. Eles me desorientam. Não consigo pensar. Mas preciso pensar, *fugir*. E ela está em meu encalço, em algum lugar, à espreita. Posso ouvir sua voz, sua risada. Ela me chama, e meu nome em seus lábios ressoa mais alto do que todo o resto.

Louise... Estou a caminho, querida.

A caminho, querida

A caminho, querida... querida... querida...

Terror absoluto. Ela não pode me encontrar aqui. Não posso voltar, ou... ou algo terrível acontecerá. O dourado ainda cintila. Sua presença resiste nas árvores, no chão, no céu, fazendo meus pensamentos se dispersarem como o sangue nos pinheiros, me advertindo. *Vá embora, vá embora, vá embora. Você não pode voltar aqui. Nunca mais.*

Estou me atirando no rio agora, esfregando a pele, lavando o rastro de sangue que me segue. Frenética. Febril. O corte em minha garganta se fecha, dor aguda regredindo à medida que corro para mais longe de casa. De meus amigos. Minha família. Dela.

Nunca mais nunca mais nunca mais

Não posso voltar a vê-los.

Uma vida por uma vida.

Ou morrerei.

Despertei com um sobressalto, meus olhos voando para a janela. Ruborizada e agitada, tinha deixado o vidro aberto na noite anterior. Neve recobria o peitoril com seu pó fino, e rajadas de vento ocasionais sopravam flocos de neve para dentro do quarto. Observei-os rodopiar pelo ar, tentando ignorar o medo gélido que tinha se instalado no fundo de meu estômago. Lençóis não eram suficientes para enfrentar o frio que me deixava gelada até os ossos. Meus dentes batiam.

Embora não tivesse conseguido ouvir as palavras desesperadas de Madame Labelle em sua totalidade, o aviso tinha sido dado.

Ela está a caminho.

Sentei-me na cama, esfregando os braços para combater o frio. Quem era Madame Labelle de verdade? E como sabia a meu respeito? Tinha sido ingenuidade minha pensar que podia desaparecer por completo. Estava mentindo para mim mesma enquanto usava meus disfarces — quando me casei com um Chasseur.

Jamais estaria a salvo.

Minha mãe acabaria me encontrando.

Embora eu tivesse praticado outra vez essa manhã, não era suficiente. Precisava treinar mais. Todos os dias. Duas vezes por dia. Precisava estar mais forte quando ela chegasse — para ser capaz de lutar. Uma arma também não cairia mal. Na manhã seguinte, procuraria algo adequado. Uma faca, uma espada. Qualquer coisa.

Não suportando meus pensamentos nem mais um segundo, pulei da cama e fui me instalar no chão ao lado de meu marido. Ele respirava devagar e ritmadamente. Em paz. Pesadelos não atormentavam *seu* sono. Deslizando para dentro das cobertas, pressionei o corpo no dele. Descansei a face contra suas costas e saboreei o calor que se infiltrou em minha pele. Minhas pálpebras estremeceram e se fecharam, e minha respiração foi se abrandando para acompanhar a dele.

Pela manhã. Enfrentaria tudo pela manhã.

A respiração dele pareceu vacilar levemente enquanto eu resvalava para o sono.

BRUXINHA ESPERTA

Lou

O pequeno espelho acima da cuba foi cruel no dia seguinte. Encarei meu reflexo de cara feia. Bochechas pálidas, olhos inchados. Lábios secos. Parecia um fantasma. Também me sentia como um.

A porta do quarto se abriu, mas continuei me encarando, perdida em meus pensamentos. Pesadelos atrapalhavam meu sono desde sempre, mas o daquela noite... o daquela noite tinha sido pior. Acariciei a cicatriz na base do pescoço com suavidade, relembrando.

Era meu aniversário de 16 anos. Uma bruxa atingia a idade adulta aos 16. Minhas companheiras estavam empolgadas esperando sua vez, ansiosas para passarem pelo ritual de iniciação como Dames Blanches.

Para mim, era diferente. Sempre soubera que o dia de meu décimo sexto aniversário seria o dia da minha morte. Eu tinha aceitado isso — tinha até recebido a ideia de braços abertos enquanto minhas irmãs me enchiam de amor e elogios. Meu propósito desde o nascimento tinha sido morrer. Apenas minha morte poderia salvar minha gente.

Mas, deitada naquele altar, a lâmina cortando a carne do meu pescoço, algo mudara.

Eu mudara.

— Lou? — A voz de meu marido ecoou através da porta fechada. — Está decente?

Não respondi. A humilhação pela fraqueza da noite anterior queimava em minhas entranhas. Segurei a borda da cuba com força, olhando com reprovação para mim mesma. Tinha dormido no chão para ficar perto dele. *Fraca.*

— Lou? — Quando continuei sem responder, ele abriu uma frestinha da porta. — Vou entrar.

Ansel estava logo atrás dele, o semblante fechado e preocupado. Revirei os olhos para meu reflexo.

— O que foi? — O olhar de meu marido sondou minha expressão. — Aconteceu alguma coisa?

Forcei um sorriso.

— Estou bem, obrigada.

Os dois se entreolharam, e meu marido acenou com a cabeça para a porta. Fingi não notar quando Ansel saiu, quando um silêncio constrangedor caiu sobre nós.

— Andei pensando — começou ele, enfim.

— Passatempo perigoso.

Ele me ignorou, engolindo em seco. Tinha o ar de alguém que estava prestes a arrancar uma atadura: igualmente determinado e aterrorizado.

— Tem um espetáculo marcado para esta noite no Soleil et Lune. Talvez pudéssemos ir?

— Que espetáculo é?

— *La Vie Éphémère.*

Claro. Ri sem humor, encarando as sombras sob meus olhos. Depois da visita de Madame Labelle, eu tinha ficado acordada até tarde da noite, lendo até o fim a história de Emilie e Alexandre para me distrair. Tinham vivido, amado e morrido juntos — e para quê?

Não termina em morte. Termina com esperança.

Esperança.

Uma esperança que eles nunca veriam, nunca sentiriam, nunca tocariam. Tão fugidia quanto fumaça. Quanto chamas bruxuleantes.

A história era mais pertinente do que meu marido jamais suspeitaria. O universo — ou Deus, ou Deusa, *o que fosse* — parecia estar se divertindo a minha custa. E ainda assim... Olhei ao redor, para as paredes de pedra. Minha gaiola. Seria agradável escapar deste lugar infernal, ainda que só por alguns momentos.

— Está bem.

Fiz menção de passar por ele, mas Reid bloqueou meu caminho.

— Tem alguma coisa te incomodando?

— Nada com que valha a pena você se preocupar.

— Bom, já estou preocupado. Não está sendo você mesma.

Consegui abrir um sorriso zombeteiro, mas foi difícil demais mantê-lo. Então bocejei.

— Não finja que me conhece.

— Sei que se não está xingando ou cantando sobre garçonetes bem-dotadas, algo está errado. — Sua boca se contorceu para cima, e ele tocou meu ombro com cautela, os olhos azuis brilhando. Como o sol no oceano. Empurrei o pensamento para longe com irritação. — O que foi? Pode me contar.

Não, não posso. Eu me desvencilhei de seu toque.

— Já disse que está tudo bem.

Ele deixou a mão cair, os olhos se fechando.

— Certo. Vou deixá-la em paz, então.

Observei-o partir com uma pontada de algo estranhamente similar a arrependimento.

Coloquei a cabeça para fora do banheiro momentos depois, torcendo para que ele ainda estivesse lá, mas tinha saído. Meu humor só piorou quando avistei Ansel sentado à escrivaninha. Ele me fitou com apreensão, como se esperasse que eu fosse criar chifres e começar a cuspir fogo — o que, naquele caso, era exatamente o que gostaria de fazer.

Marchei na direção dele, que ficou de pé em um pulo. Uma espécie de satisfação brutal me percorreu diante do comportamento esquivo — e, depois, culpa. Ansel não era responsável por nada do que estava acontecendo, e ainda assim... Eu não conseguia me obrigar a melhorar minha disposição. Meu sonho ainda estava muito fresco e presente. Infelizmente, podia dizer o mesmo de Ansel.

— P-posso ajudar com algo?

Eu o ignorei, passando direto por sua silhueta espichada e abrindo a gaveta da escrivaninha com brusquidão. Diário e cartas continuavam desaparecidos, deixando apenas uma Bíblia gasta lá dentro. Nada de faca. Maldição. Sabia que as chances eram baixas, mas a irritação — o medo, talvez — me tornava irracional. Virei e fui para a cama, batendo os pés.

Ansel me seguia, confuso.

— O que está fazendo?

— Procurando uma arma. — Puxava e arranhava a cabeceira, tentando sem sucesso afastá-la da parede.

— Arma? — Ele engasgou, incrédulo. — P-para que precisa de uma arma?

Joguei todo o peso contra a maldita estrutura, mas era pesada demais.

— Para o caso de Madame Labelle, ou... er, outra pessoa voltar aqui. Me ajude com isso.

Ele não se mexeu.

— Outra pessoa?

Mordi a língua para impedir que um grunhido de impaciência escapasse. Não importava. Meu marido provavelmente não teria uma faca escondida naquele buraquinho de qualquer forma. Não depois de tê-lo revelado a mim.

Abaixando-me para ficar de bruços, serpenteei para debaixo da cama. O piso estava impecável. Quase limpo o suficiente para se comer do chão. Perguntei-me se seria obra das camareiras, ou de meu marido, com suas tendências obsessivas. Apostava no último. Era típico dele. Controlador. Bizarramente asseado.

Ansel repetiu a pergunta, soando mais próximo, mas o ignorei, testando as tábuas de madeira à procura de uma que estivesse solta. Nada. Sem me deixar abalar, comecei a bater nelas em intervalos regulares, atenta para um possível som oco.

Ansel colocou a cabeça debaixo da cama.

— Não vai encontrar armas aí embaixo.

— É exatamente o que esperaria ouvir de você.

— Madame Diggory...

— Lou.

Ele fez uma careta numa imitação perfeita de meu marido.

— Louise, então...

— *Não.* — Girei a cabeça para encará-lo no escuro, batendo no estrado e xingando com violência. — Louise, *não.* Agora chispa. Vou sair.

Ele piscou em confusão diante da repreensão, mas ainda assim obedeceu. Engatinhei para fora atrás dele.

Fez-se uma pausa constrangedora.

— Não sei por que está com tanto medo de Madame Labelle — co meçou ele, enfim —, mas eu lhe garanto...

Pfft.

— Não estou com medo dela.

— E-então é da outra pessoa? — As sobrancelhas se juntaram enquanto tentava entender meu humor ranzinza. Minha carranca se suavizou, mas apenas infinitesimalmente. Embora Ansel tenha tentado se manter distante após nosso desastre na biblioteca dois dias antes, seus esforços se provaram inúteis. Em grande parte, porque eu não o permitira. Além de Coco, ele era a única pessoa de quem eu gostava naquela maldita Torre.

Mentirosa.

Cale a boca.

— Não tem outra pessoa — menti. — Mas cuidado nunca é demais. Não que não confie nas suas *altas* habilidades de luta, Ansel, mas prefiro não deixar minha segurança totalmente nas... bom, nas suas mãos.

Sua confusão se transformou em mágoa e depois... raiva.

— Sei me virar.

— Teremos que concordar em discordar.

— Você não vai encontrar arma nenhuma.

Eu me levantei e bati a poeira inexistente da calça.

— Veremos. Aonde foi meu infeliz marido? Preciso dar uma palavrinha com ele.

— Ele também não vai te dar uma arma. Foi ele quem as escondeu, para começo de conversa.

— Arrá! — Levantei um dedo triunfante no ar, e os olhos do jovem aumentaram de tamanho quando avancei para cima dele. — Então quer dizer que ele as escondeu *mesmo!* Onde estão, Ansel? — Cutuquei seu peito com o dedo. — Me diga!

Ele afastou minha mão e tropeçou para trás.

— Não sei onde ele as colocou, então para de me *cutucar* assim... — Repeti o movimento, só porque queria. — Ai! — Ele massageou o lugar, com raiva. — Já disse que não sei! Está bem? Não sei!

Deixei a mão cair, de súbito me sentindo muito melhor. Ri, apesar de tudo.

— Está bem. Agora acredito em você. Vamos encontrar meu marido.

Sem mais palavras, dei meia-volta e marchei porta afora. Ansel soltou um suspiro de resignação antes de me seguir.

— Reid não vai gostar nada disso — resmungou. — Além do mais, nem sei onde ele está.

— Bem, o que vocês costumam fazer o dia inteiro? — Comecei a fazer um movimento para abrir a porta para as escadas, mas Ansel tomou a maçaneta e a abriu para mim. Está certo, não gostava dele apenas, eu o *adorava*. — Imagino que envolva sair por aí chutando cachorrinhos ou roubando almas de crianças.

Ansel olhou em volta, ansioso.

— Não pode *falar* coisas assim. Não é correto. É a esposa de um Chasseur agora.

— Ah, por favor. — Revirei os olhos de maneira exagerada. — Achei que eu já tivesse deixado evidente que não estou nem aí para o que é *correto* ou não. Está precisando de um refresco? Ainda tem mais dois versos de "Liddy Peituda" que não cantei.

Ele empalideceu.

— Por favor, não.

Sorri em aprovação.

— Então me diga onde posso encontrar meu marido.

Uma breve pausa se seguiu enquanto Ansel considerava se era séria minha ameaça de dar continuidade à balada de seios fartos. Deve ter decidido que sim (sabiamente), pois balançou a cabeça e resmungou:

— Deve estar na sala do conselho.

— Excelente. — Entrelacei nossos braços e bati com meu quadril no dele. Ele ficou rígido ao contato. — Pode me mostrar o caminho.

Para minha frustração, meu marido não estava lá. Em vez dele, outro Chasseur se virou para me cumprimentar. O cabelo preto cortado rente à cabeça brilhava à luz das velas, e os olhos verde-claros — espetaculares contra a pele bronzeada de sol do rosto — se estreitaram quando encontraram os meus. Lutei para não fazer uma careta.

Jean Luc.

— Bom dia, ladra. — Ele recuperou a compostura depressa, curvando--se em profunda reverência. — Em que posso ajudá-la?

Jean Luc deixava suas emoções tão evidentes quanto a barba em seu rosto, de modo que foi fácil reconhecer sua fraqueza. Embora a mascarasse com amizade fingida, eu reconhecia a inveja quando a via. Especialmente o tipo podre que se alastra pelo hospedeiro.

Infelizmente, eu não tinha tempo para joguinhos naquele momento.

— Estou procurando meu marido — falei, já no meio do caminho para sair do cômodo —, mas vejo que ele não está aqui. Se me dá licença...

— Besteira. — Ele afastou os papéis que estivera examinando e se espreguiçou sem pressa. — Fique um pouco. Também estou precisando fazer uma pausa.

— E como exatamente eu seria de alguma ajuda?

Ele se encostou contra a mesa e cruzou os braços.

— O que quer de nosso querido capitão?

— Uma faca.

Ele riu, massageando o maxilar com a mão.

— Por mais persuasiva que seja, é improvável, mesmo para alguém como *você*, que encontre uma arma por aqui. O arcebispo parece pensar que você é perigosa. E Reid, como sempre, leva a opinião de Vossa Eminência como se fosse a palavra de Deus.

Ansel deu alguns passos à frente, os olhos estreitados.

— Não deveria falar assim do capitão Diggory.

Jean Luc inclinou a cabeça para o lado com um sorriso zombeteiro.

— Falo apenas a verdade, Ansel. Reid é meu amigo mais próximo. É também o cão de guarda do arcebispo. — Ele revirou os olhos, os lábios se retorcendo como se as palavras tivessem deixado um gosto rançoso em sua boca. — O nepotismo é *espantoso*.

— Nepotismo? — Arqueei uma sobrancelha, alternando o olhar entre Ansel e Jean Luc. — Achei que meu marido fosse órfão.

— E é. — Ansel fulminava Jean Luc com os olhos. Não sabia que podia adotar uma expressão tão... antagônica. — O arcebispo o encontrou n...

— Poupe-nos da história trágica, sim? Todos temos uma. — Jean Luc deixou cair a mão e se afastou da mesa com um impulso abrupto. Olhou para mim antes de retornar aos papéis. — O arcebispo acha que vê algo de si em Reid. Ambos foram abandonados, ambos foram crianças-problema. Mas é aí que acabam as similaridades. O arcebispo conquistou tudo do zero. Seu trabalho, seu título, sua influência... teve que lutar por tudo isso. Teve que sangrar por tudo isso. — Ele fez uma careta, amassando uma das folhas e a atirando na lixeira. — E planeja entregar tudo de mão beijada a Reid.

— Jean Luc — comecei, com perspicácia —, *você* também é órfão?

Ele me devolveu um olhar afiado.

— Por quê?

— Eu... Por nada. Não importa.

E não importava. Não mesmo Eu não dava a mínima para as questões de Jean Luc. Mas para alguém ser tão completamente *absorto* e ignorante das próprias emoções... Não era de se admirar que fosse um homem amargo. Amaldiçoando minha curiosidade, redirecionei os pensamentos para meu objetivo. Encontrar uma arma era mais importante — e, para ser franca, mais interessante — do que o triângulo amoroso deturpado entre aqueles três.

— E você tem razão. — Dei de ombros como se estivesse entediada, desfilando até a mesa para traçar com o dedo o mapa sobre ela. Ele me olhou com desconfiança. — Meu marido não merece nada disso. É patético, mesmo, o jeito como rola de barriga para cima para o arcebispo. — Ansel me lançou um olhar perplexo, mas o ignorei, examinando o tantinho de sujeira que coletara na ponta do dedo. — Como um cachorrinho... Implorando pelos restos.

Jean Luc abriu um sorriso, pequeno e sombrio.

— Ah, você é malandra mesmo, não é? — Quando não respondi, ele deu uma risadinha. — Por mais que concorde, Madame Diggory, não sou tão facilmente manipulável.

— Não é? — Deixei a cabeça pender para o lado. — Tem certeza?

Ele assentiu e se debruçou sobre os cotovelos.

— Tenho, sim. Colocando de lado todas as falhas de Reid, ele tem bons motivos para ter escondido todas as armas de você. É uma criminosa.

— Certo. É claro. É só que... achei que pudesse ser vantajoso para nós dois.

Ansel tocou meu braço.

— Lou...

— Estou ouvindo. — Os olhos de Jean Luc brilhavam com divertimento. — Você quer uma faca. E eu, o que ganho?

Desvencilhei-me da mão de Ansel e devolvi o sorriso.

— É bem simples. Se me desse uma, deixaria meu marido incrivelmente irritado.

Então ele riu. Atirou a cabeça para trás e bateu na mesa, espalhando seus documentos.

— Ah, você é mesmo uma bruxinha esperta, não é?

Enrijeci, o sorriso diminuindo quase imperceptivelmente, antes de dar um risinho que veio um segundo tarde demais. Ansel não pareceu notar, mas Jean Luc, com seus olhos aguçados, parou de rir de súbito. Inclinou a cabeça para o lado para me examinar, como um cão de caça procurando os rastros de um coelho. Maldição. Forcei um sorriso antes de me virar para sair.

— Já desperdicei bastante do seu tempo, Chasseur Toussaint. Se me dá licença, preciso encontrar meu escorregadio marido.

— Reid não está. — Jean Luc ainda me encarava com uma atenção enervante. — Saiu mais cedo acompanhando o arcebispo. Houve denúncias de uma infestação de *lutins* logo após os limites da cidade. — Confundindo minha expressão com preocupação, ele acrescentou: — Ele estará de volta em algumas horas. *Lutins* dificilmente representam perigo, mas a polícia não está preparada para lidar com o sobrenatural.

Visualizei os pequenos gnominhos com quem brincava quando criança.

— Eles não representam perigo nenhum. — As palavras saíram de minha boca antes que pudesse detê-las. — Digo... O que ele fará com os gnomos?

Jean Luc arqueou uma sobrancelha.

— Vai exterminá-los, claro.

— Por quê? — Ignorei os puxões insistentes de Ansel em meu braço, rubor subindo ao rosto. Sabia que precisava me calar. Reconhecia o brilho nos olhos de Jean Luc: suspeita. Instinto. Uma ideia que logo poderia se transformar em algo maior se eu não mantivesse minha boca fechada. — São inofensivos.

— São um incômodo para os fazendeiros e são seres sobrenaturais. É nosso dever eliminá-los.

— Achei que seu dever fosse proteger os inocentes.

— E *lutins* são inocentes?

— São inofensivos — repeti.

— Não deveriam existir. São criados através de argila reanimada e bruxaria.

— E Adão não foi esculpido com terra?

Ele inclinou a cabeça para o lado devagar, me observando.

— Foi... pelas mãos de Deus. Está sugerindo que as bruxas tenham a mesma autoridade?

Hesitei, enfim me dando conta do que estava dizendo... E de onde estava. Jean Luc e Ansel me encaravam, esperando minha resposta.

— Óbvio que não. — Eu me obriguei a encontrar o olhar curioso do primeiro, sangue ribombando em meus ouvidos. — Não foi o que eu quis dizer, de maneira nenhuma.

— Ótimo. — Seu sorriso era pequeno e perturbador enquanto Ansel me puxava para a porta. — Então estamos de acordo.

Ansel me lançava olhares ansiosos enquanto caminhávamos para a enfermaria, mas eu o ignorei. Quando finalmente abriu a boca para me questionar, fiz o que fazia melhor: desconversei.

— Acho que Mademoiselle Perrot está aqui hoje.

Seu rosto se iluminou de maneira visível.

— Está?

Sorri e bati em seu braço com o ombro. Dessa vez ele não se enrijeceu.

— A probabilidade é grande.

— E... e vai me deixar visitar os pacientes com vocês hoje?

— A probabilidade é menor.

Ele ficou de cara fechada o restante do percurso escada acima. Não pude não rir.

O cheiro familiar e tranquilizador de magia nos recebeu quando entramos na enfermaria.

Venha brincar venha brincar venha brincar

Mas eu não estava ali para brincar. Um fato que Coco solidificou quando nos encontrou à porta.

— Olá, Ansel — cumprimentou com descontração, entrelaçando o braço no meu e me guiando para o quarto de Monsieur Bernard.

— Olá, Mademoiselle Perr...

— Até logo, Ansel. — Ela fechou a porta em seu nariz apaixonado.

Franzi a testa para ela.

— Ele gosta de você, sabe? Devia ser mais simpática com ele.

Ela se atirou na cadeira de ferro.

— É por isso que não o estou encorajando. O pobrezinho é bom demais para mim.

— Devia deixá-lo decidir isso por si mesmo.

— Hum... — Ela examinou uma cicatriz particularmente feia no pulso antes de reajustar a manga. — Talvez eu devesse.

Revirei os olhos e fui cumprimentar Monsieur Bernard.

Embora já tivessem se passado dois dias, o coitado ainda não tinha morrido. Não dormia. Não comia. Padre Orville e os curadores não faziam ideia de como se mantinha vivo. Qualquer que fosse a razão, me alegrava. Tinha desenvolvido certa afeição pelo olhar sinistro.

— Fiquei sabendo do que aconteceu com Madame Labelle — comentou Coco. Cumprindo sua palavra, Jean Luc tinha falado com os padres, e, cumprindo com a palavra *deles*, tinham começado a prestar mais atenção à nova curadora após sua interferência na biblioteca. Ela não se atrevera a deixar a enfermaria depois disso. — O que ela queria?

Eu me sentei no chão ao lado da cama de Bernie e cruzei as pernas. Seus olhos brancos que lembravam grandes globos me seguiram até lá, o dedo tamborilando nas correntes.

Tique.

Tique.

Tique.

— Veio me dar um aviso. Disse que minha mãe estava a caminho.

— Ela disse isso? — O olhar de Coco se aguçou, e rapidamente contei o que tinha ocorrido na noite anterior. Quando terminei, ela estava andando de um lado para outro. — Não quer dizer nada. Sabemos que ela está atrás de você. É lógico que está a caminho. Não significa que saiba que você está *aqui*...

— Tem razão. Não significa. Mas, ainda assim, quero estar preparada.

— Sim, é claro. — Ela assentiu vigorosamente, os cachos balançando. — Vamos começar, então. Lance um encantamento na porta. Um padrão que não tenha usado antes.

Eu me levantei e caminhei até a porta, esfregando as palmas das mãos contra o frio do quarto. Coco e eu tínhamos decidido fazer um feitiço que nos impedisse de ser entreouvidas durante nossas sessões de treinamento. Não seria ideal que alguém escutasse nossas conversas sussurradas a respeito de magia.

Ao me aproximar, desejei que os padrões dourados familiares surgissem. Eles se materializaram ao serem convocados, pouco nítidos e onipresentes. Contra minha pele. Dentro de minha mente. Percorri-os em busca de algo inédito. Diferente. Após uma série de tentativas sem sucesso, joguei as mãos para o alto, frustrada.

— Não tem nada novo.

Coco veio para o meu lado. Como Dame Rouge, não podia enxergar os cordões como eu, mas tentou mesmo assim.

— Não está pensando da maneira certa. Examine cada possibilidade.

Fechei os olhos, me forçando a inspirar fundo. Visualizar e manipular os padrões fora fácil um dia — tão fácil quanto respirar. Agora não mais. Fiquei escondida tempo demais. Reprimindo minha magia por tempo demais. Muitos perigos espreitavam na cidade: bruxas, Chasseurs, até cidadãos comuns reconheciam a fragrância peculiar da magia. Embora fosse impossível identificar uma bruxa apenas pela aparência, mulheres desacompanhadas sempre levantavam suspeitas. Quanto tempo demoraria até que alguém sentisse o cheiro impregnado em mim após um encantamento? Quanto tempo levaria até que alguém me visse contorcendo os dedos e me seguisse até meu esconderijo?

Tinha usado magia na mansão de Tremblay, e veja só aonde isso me levou.

Não. Parar completamente de praticar tinha sido a decisão mais segura.

Expliquei a Coco que era como exercitar um músculo. Quando usados com frequência, os padrões surgiam depressa, com nitidez, em geral até de forma espontânea. Se deixados de lado, porém, aquela parte de meu corpo — a parte conectada a meus ancestrais, a suas cinzas na terra — se enfraquecia. E cada segundo que demorasse para desembaraçar um cordão, uma bruxa poderia usá-lo para atacar.

Madame Labelle tinha deixado evidente. Minha mãe estava na cidade. Talvez já soubesse onde eu estava, talvez não. De uma forma ou de outra, não podia me permitir qualquer fraqueza.

Como se ouvisse meus pensamentos, a poeira dourada pareceu se aproximar, e as bruxas no cortejo me vieram à mente. Seus sorrisos obstinados. Os corpos flutuando, impotentes, acima delas. Reprimi um arrepio, e uma onda de desesperança me engoliu.

Não importava quanto eu praticasse — não importava quanto minhas habilidades melhorassem —, jamais seria tão poderosa quanto algumas delas. Porque bruxas como aquelas na procissão — bruxas dispostas a sacrificar tudo por sua causa — não eram apenas poderosas.

Eram perigosas.

Embora uma bruxa não pudesse enxergar os padrões de outra, feitos como afogar ou queimar uma pessoa viva demandavam oferendas monumentais para que o equilíbrio fosse mantido: talvez uma emoção específica, talvez um ano inteiro de lembranças. A cor dos olhos. A capacidade de sentir o toque de outra pessoa.

Perdas assim podiam... deformar uma pessoa. Transformá-la em algo mais sombrio e estranho do que era antes. Eu havia testemunhado isso uma vez.

Mas tinha sido há muito tempo.

Ainda que não pudesse nutrir esperanças de me tornar mais forte do que minha mãe, me recusava a esperar sem fazer *nada*.

— Se tirar a capacidade de nos escutar dos curadores e padres, eu os estarei prejudicando. Roubando deles. — Afastei o ouro que se colava a minha pele, endireitando os ombros. — Tenho que prejudicar a mim mesma também, de alguma forma. Um dos meus sentidos... A audição seria a moeda de troca óbvia, mas já fiz isso antes. *Poderia* abrir mão de outro sentido, como tato, ou visão, ou paladar.

Pausei e examinei os padrões.

— Paladar não é suficiente... A balança ainda estará pendendo a meu favor. Visão é demais, pois estaria me inutilizando. Então... tem que ser o tato. Ou talvez o olfato? — Foquei minha atenção no nariz, mas nenhum novo arranjo emergiu.

Tique.

Tique.

Tique.

Encarei Bernie, minha concentração abalada. Os desenhos no ar desapareceram.

— Amo você, Bernie, mas pode, por favor, ficar quieto? Está dificultando as coisas para mim.

Tique.

Coco me cutucou na bochecha, direcionando minha atenção de volta à porta.

— Continue. Tente uma abordagem diferente.

Dei um tapa para afastar sua mão.

— Para você é fácil falar. — Trincando os dentes, encarei a porta com tanta intensidade que temi que meus olhos pudessem explodir. Talvez assim atingisse *equilíbrio* suficiente. — Talvez... talvez não esteja tomando nada deles. Talvez eles estejam me dando algo.

— Como privacidade? — sugeriu Coco.

— Sim. O que significa... Significa...

— Talvez você pudesse tentar revelar um segredo.

— Não seja boba. Não é assim que funcio...

Um cordão dourado fino serpenteou entre minha língua e a orelha dela. Merda.

Esse era o problema com a magia. Era subjetiva. Para cada possibilidade que aventasse, outra bruxa pensaria em uma centena de possibilidades diferentes. Da mesma forma como duas mentes funcionam de maneiras completamente distintas, a magia de duas bruxas segue a mesma regra. Cada uma enxerga o mundo da sua forma.

Ainda assim, não precisava dizer isso a Coco.

Ela abriu um sorriso convencido e levantou uma sobrancelha, como se lesse meus pensamentos.

— Está me parecendo que essa sua magia não segue nenhuma norma inexorável. É intuitiva. — Tamborilou o queixo, pensativa. — Para ser franca, lembra um pouco a magia de sangue.

Passos ecoaram no corredor lá fora, e congelamos. Quando não passaram — quando pararam diante da porta —, Coco se retirou para um canto, e eu deslizei para a cadeira de ferro ao lado da cama de Bernie. Abri a Bíblia e comecei a ler um provérbio qualquer.

Padre Orville cambaleou porta adentro.

— Ah! — Agarrou o peito quando nos avistou, olhos formando círculos perfeitos por trás dos óculos. — Pela graça do Senhor! Vocês duas me deram um susto.

Sorrindo, me levantei quando Ansel entrou apressado. Migalhas de biscoito salpicavam seus lábios. Era evidente que tinha invadido a cozinha dos curadores.

— Está tudo bem aqui?

— Claro que sim. — Voltei minha atenção a padre Orville. — Perdão, Padre. Não foi minha intenção assustá-lo.

— Sem problemas, criança, sem problemas. Estou apenas um pouco estafado esta manhã. Tivemos uma noite estranha. Nossos pacientes estão atipicamente... agitados. — Ele abanou a mão, revelando uma seringa metálica, e se juntou a mim à beira da cama. Meu sorriso congelou no rosto. — Vejo que também está preocupada com nosso Monsieur Bernard. Ontem à noite um de meus ajudantes o encontrou tentando pular da janela!

— O quê? — Encontrei os olhos de Bernie, franzindo a testa, mas a face mutilada não traía nada. Nem mesmo uma piscadela. Permanecia... vazio. Balancei a cabeça. Sua dor devia ser insuportável.

Padre Orville me deu tapinhas no ombro.

— Não se aflija, criança. Não tornará a acontecer. — Levantou a mão débil para me mostrar a seringa. — Chegamos à dosagem perfeita. Estou certo desta vez. Esta injeção vai amenizar a agitação dele até que vá se juntar ao Senhor.

Tirou uma adaga fina do robe e fez uma pequena incisão no braço de Bernie. Coco deu um passo à frente, os olhos afiados, quando sangue preto começou a fluir.

— Ele piorou.

Padre Orville estava atrapalhado com a seringa. Duvidava que sequer fosse capaz de enxergar o braço de Bernie, mas finalmente conseguiu fincar a agulha no corte escuro. Estremeci quando empurrou o êmbolo, injetando o veneno, mas Bernie nem sequer se moveu. Apenas continuou me encarando.

— Pronto, pronto. — O padre retirou a agulha do braço. — Deve cair no sono em breve. Posso sugerir que o deixem por ora?

— Sim, padre — respondeu Coco, curvando a cabeça. Lançou-me um olhar sério. — Venha, Lou. Vamos ler alguns Provérbios.

LA VIE ÉPHÉMÈRE

Lou

Um grupo grande de pessoas ocupava a rua do Soleil et Lune. Aristocratas conversavam do lado de fora da bilheteria enquanto as esposas se cumprimentavam com sorrisos melosos. Carruagens elegantes iam e vinham. Lanterninhas tentavam guiar os espectadores a seus devidos assentos, mas aquele era o real entretenimento da noite. Era *por isso* que os ricos e afluentes iam ao teatro... para ostentar e discutir política em uma complexa dança social.

Sempre achei que se parecia com o ritual de acasalamento de um pavão.

Meu marido e eu estávamos vestidos a caráter. Nada de vestido ensanguentado e ceroulas para mim. Quando ele voltou aos nossos aposentos mais cedo aquele dia, trazendo um novo vestido de festa — quase explodindo de orgulho e expectativa —, eu não tinha sido capaz de recusá-lo. Da cor de ouro velho, tinha corpete ajustado e mangas afuniladas, bordadas com pequeninas flores metálicas. Reluziam ao sol poente, fazendo uma transição impecável para a seda cor champanhe. Eu até tinha usado magia para fazer desaparecer parte de meus hematomas. Pó compacto tinha dado conta de cobrir o restante.

Meu marido vestia seu melhor casaco. Embora ainda fosse o mesmo azul dos Chasseurs, filigrana de ouro decorava gola e punhos. Resisti à vontade de sorrir, imaginando a figura que fazíamos subindo os degraus do teatro. Ele tinha escolhido roupas que combinavam. Eu deveria ter ficado horrorizada, mas, com sua mão envolvendo a minha com firmeza, não podia sentir nada além de empolgação.

No entanto, eu *havia* insistido em usar o capuz do manto. E uma bela fita de seda para esconder minha cicatriz. Se ele notara, tinha sido sensato o bastante para não comentar sobre nenhum dos dois fatos.

Talvez não fosse tão ruim assim.

Os presentes abriram caminho quando entramos no saguão. Eu duvidava que qualquer deles ainda se lembrasse de nós, mas as pessoas tendiam a se comportar com apreensão — embora alguns o chamassem de *reverência* — ao redor dos Chasseurs. Ninguém era capaz de arruinar uma boa festa como um Chasseur. Especialmente se fosse tão moralista como meu marido.

Ele me guiou até nossos assentos. Pela primeira vez, não me rebelei contra a mão em minhas costas. Era até... agradável. Quente. Forte. Até tentar retirar meu manto. Quando o puxei de suas mãos, me recusando a removê-lo, ele franziu a testa, pigarreando ao constrangimento que se seguiu.

— Nunca cheguei a perguntar... Gostou do livro?

O cavalheiro na poltrona ao lado tomou minha mão antes que eu pudesse responder.

— *Enchanté*, mademoiselle — ronronou, beijando meus dedos.

Não pude conter o risinho que escapou de meus lábios. Era um homem bonito a sua maneira um pouco oleosa, com cabelos escuros penteados para trás com gel e um bigode fino.

Meu marido ficou vermelho-vivo.

— *Agradeceria* se tirasse as mãos de cima da minha esposa, monsieur.

Os olhos do homem se arregalaram e ele fitou meu dedo anelar livre. Ri ainda mais. Tinha adquirido o hábito de usar o Anel de Angélica na mão direita, só para irritar meu marido.

— Sua esposa? — Ele deixou minha mão cair como se fosse uma aranha venenosa. — Achei que Chasseurs não costumassem se casar.

— Este aqui se casou. — Ele se levantou e fez um movimento brusco de cabeça para mim. — Vamos trocar de lugar.

— Não era minha intenção ofender, *monsieur*, é claro. — O homem oleoso me lançou uma olhadela lamentosa quando deslizei para longe. — Embora o senhor seja um homem de muita sorte.

Meu marido olhou para ele de cara feia, silenciando-o com sucesso pelo restante da noite.

As luzes diminuíram, e finalmente removi meu capuz.

— Um tanto possessivo, você, não? — sussurrei, sorrindo outra vez. Era um bruto. Um bruto pomposo e um pouco adorável.

Ele se recusou a olhar para mim.

— O espetáculo já vai começar.

A orquestra começou a tocar, e homens e mulheres entraram no palco. Reconheci a narizinho arrebitado imediatamente, dando um risinho ao lembrar como tinha humilhado o arcebispo na frente de seus admiradores puxa-saco. Engenhosa. E ter lançado um encantamento bem debaixo do nariz de meu marido e seu superior daquela maneira...

Narizinho era uma Dame Blanche destemida.

Embora seu papel fosse pequeno como parte do coro, assisti avidamente enquanto dançava junto com os atores interpretando Emilie e Alexandre.

Meu entusiasmo foi diminuindo depressa, porém, à medida que a música progredia. Havia algo de familiar na maneira como ela se portava — algo que eu não tinha notado antes, ao conhecê-la. A inquietação logo se instalou em meu estômago enquanto ela rodopiava e dançava, indo desaparecer atrás da cortina.

Quando a segunda música começou, meu marido se inclinou mais para perto. Sua respiração fez cócegas na pele do meu pescoço.

— Jean Luc me disse que você estava me procurando esta manhã.

— É grosseria falar durante o espetáculo.

Ele estreitou os olhos, irredutível.

— O que queria?

Virei minha atenção para o palco. Narizinho tinha acabado de voltar à cena, os cabelos de palha de milho esvoaçando ao redor dos ombros. O movimento despertou uma lembrança, mas, quando tentei alcançá-la, resvalou para longe, como água escorrendo por entre meus dedos.

— Lou? — Ele tocou minha mão com cautela. A dele era quente, grande e calejada, e não consegui me forçar a afastar a minha.

— Uma faca — admiti, sem jamais tirar os olhos da encenação.

Ele inspirou fundo.

— O quê?

— Queria uma faca.

— Não pode estar falando sério.

Olhei para ele rapidamente.

— Estou falando muito sério. Você viu Madame Labelle ontem. Preciso de proteção.

Ele apertou mais minha mão.

— Ela não vai tocar um dedo em você. — O homem oleoso ao nosso lado tossiu incisivamente, mas o ignoramos. — Sua entrada na Torre dos Chasseurs está proibida. O arcebispo deu sua palavra.

Fiz uma carranca.

— E isso deveria me deixar mais tranquila?

Sua expressão se enrijeceu, o maxilar trincado.

— Deveria. O arcebispo é um homem poderoso, e jurou protegê-la.

— A palavra dele não significa nada para mim.

— E a minha, então? Também jurei protegê-la.

Era mesmo risível sua dedicação devotada a proteger uma bruxa. Teria uma síncope se soubesse a verdade.

Levantei ironicamente uma sobrancelha.

— Da mesma forma como jurei obedecê-lo?

Ele me fulminou com expressão sombria, mas o homem oleoso não era mais o único a nos olhar feio agora. Voltei a me recostar na poltrona, jogando o cabelo para o lado de forma arrogante. Ele era certinho demais para discutir na frente de uma plateia.

— Esta conversa não está terminada — resmungou, mas também se recostou, encarando, rabugento, os artistas no palco. Para minha surpresa (e deleite contrariado), manteve a mão sobre a minha. Após vários longos momentos, casualmente roçou o polegar em meus dedos. Eu me remexi na poltrona. Ele me ignorou, os olhos fixos no palco enquanto o espetáculo progredia. Mas o polegar continuou se movendo, traçando pequenos desenhos nas costas de minha mão, circundando as articulações, correndo até as pontas das unhas.

Encontrei dificuldades para me concentrar na encenação. Arrepios deliciosos corriam minha pele com a cada passada do dedo... Até que, devagar, de forma gradual, seu toque foi subindo, e os dedos roçaram as veias em meu pulso, a parte interior do cotovelo. Acariciou a cicatriz ali, e estremeci, pressionando as costas contra o assento e tentando manter o foco no palco. Meu manto deslizou de meus ombros.

O primeiro ato terminou depressa demais, e o intervalo começou. Permanecemos sentados, em contato, mudos — mal respirando —, enquanto o restante da plateia se movia ao redor. Quando a luz das velas voltou a diminuir, virei para ele, calor subindo da barriga às bochechas.

— Reid — murmurei.

Ele me encarou de volta, o rosto ruborizado e uma expressão apavorada refletindo a minha. Cheguei mais perto, meus olhos recaindo sobre seus lábios separados. A língua apareceu para umedecê-los, e senti a barriga se contrair.

— Sim?

— Eu...

Pela minha visão periférica, Narizinho fez uma pirueta, cabelos ao vento, selvagens. Algo se encaixou em minha memória ao ver o movimento. Uma celebração de solstício. Cabelos de palha de milho trançados com flores. A festa do mastro.

Merda.

Estelle. Seu nome era Estelle, e tínhamos sido conhecidas um dia... durante minha infância no Château le Blanc. Obviamente não tinha me reconhecido antes com meu rosto surrado, mas se voltasse a me ver, se de alguma forma recordasse...

O calor em minha barriga se transformou em gelo.

Eu tinha que ir embora dali.

— Lou? — A voz de Reid ecoou distante, como se me chamasse do fim de um túnel, não da poltrona ao lado. — Está tudo bem?

Inspirei fundo, pedindo que meu coração se acalmasse. Tinha certeza de que ele podia ouvi-lo. Ribombava pelo meu corpo todo, me condenando a cada batida traiçoeira. Sua mão parou os movimentos em meu pulso. Merda. Eu me desvencilhei, retorcendo os dedos no colo.

— Está.

Ele se recostou, confusão e mágoa cruzando o rosto. Xinguei mentalmente outra vez.

No instante em que a música final terminou, pulei do assento, reajustando o manto. Certificando-me de que o capuz cobria meus cabelos e escondia meu rosto na sombra.

— Pronto?

Reid olhou ao redor, confuso. O restante da audiência permanecia sentado — alguns dos espectadores sem fôlego, alguns aos prantos diante da trágica morte de Emilie e Alexandre — enquanto a cortina se fechava. Os aplausos não tinham começado ainda.

— Tem alguma coisa errada?

— Não! — A palavra escapou numa explosão, depressa demais para ser convincente. Limpei a garganta, forçando um sorriso, e voltei a tentar. — É só cansaço.

Não esperei uma resposta. Puxando sua mão, eu o guiei pelo corredor, passando pelas fileiras de espectadores que finalmente se levantavam e aplaudiam, até o saguão — e parei abruptamente. Os atores e atrizes já tinham formado uma fila ao lado das portas. Antes que pudesse mudar de direção, o olhar de Estelle encontrou Reid. Ela fez uma carranca antes de avistar minha forma encapuzada atrás dele, olhos se estreitando no esforço de espiar por baixo dele. Reconhecimento iluminou a face dela. Puxei a mão de Reid outra vez, desesperada para fugir dali, mas ele não se moveu quando Estelle começou a vir em nossa direção de maneira resoluta.

— Como está? — Seus olhos eram gentis, genuínos, ao retirar meu capuz a fim de avaliar meus vários ferimentos. Eu estava paralisada e não tive como detê-la. Ela sorriu. — Parece que está se recuperando bem.

Engoli o nó na garganta.

— Estou bem, obrigada. Ótima.

— Mesmo? — Arqueou uma sobrancelha, descrente, e os olhos amáveis se endureceram ao se virarem para Reid, que parecia ainda menos feliz do que ela com o encontro. Seus lábios se curvaram. — E como vai *você?* Ainda se escondendo atrás do casaco azul?

Era muito valente, provocando um Chasseur em público daquela maneira. Espectadores riam com reprovação ao redor. Reid fez uma carranca e apertou meus dedos trêmulos.

— Vamos embora, Lou.

Eu me encolhi diante da palavra, o coração se apertando, mas o estrago estava feito.

— Lou? — Todo o corpo de Estelle ficou tenso, e ela inclinou a cabeça para o lado, os olhos se arregalando devagar ao reexaminar meu rosto. — Lou de... Louise?

— Foi bom revê-la! — Antes que eu pudesse responder, arrastei Reid para a saída. Ele obedeceu sem discussão, embora pudesse sentir suas perguntas camufladas em meu pescoço.

Tivemos que lutar para conseguir passar pela multidão fora do teatro. Quando não consegui abrir caminho, ele se colocou na minha frente. Não sei se era seu tamanho monumental ou o azul-escuro do casaco, mas algo nele fazia com que as pessoas lhe dessem espaço, fazendo cumprimentos com os chapéus. Nossa carruagem esperava a vários blocos dali, na fila — sendo bloqueada pelos clientes do teatro que faziam suas rondas —, de modo que o puxei na direção oposta, me distanciando do lugar com tanta rapidez quanto o vestido me permitia.

Quando enfim conseguimos nos afastar da multidão, ele me guiou por uma rua lateral deserta.

— O que foi aquilo?

Ri nervosamente, balançando nas solas dos pés. Precisávamos seguir em frente.

— Não foi nada. Só... — Algo se moveu atrás dele, e um buraco se abriu em meu estômago quando Estelle surgiu de dentro das sombras.

— Nem acredito que é mesmo você. — Sua voz saiu como um sussurro sem força, e me fitou com espanto. — Não a reconheci antes, com todos aqueles hematomas. Você está... diferente.

Era verdade. Sem mencionar os ferimentos anteriores, meus cabelos estavam mais compridos e claros do que quando ela me conhecera, a pele mais bronzeada e sardenta dos muitos dias sob o sol.

— Vocês se conhecem? — perguntou Reid, franzindo a testa.

— Claro que não — respondi depressa. — Só... só de antes, no teatro. Vamos, Reid. — Virei para ele, que envolveu minha cintura com um braço tranquilizador, colocando o corpo quase imperceptivelmente na frente do meu.

Os olhos de Estelle se arregalaram.

— Não pode ir embora assim! Não agora que...

— Ela pode, sim — interrompeu Reid com firmeza. Embora fosse evidente que ele não fazia ideia do que estava acontecendo, seu desejo de me proteger parecia suplantar a confusão... Sem falar em sua intensa antipatia por Estelle. Sua mão era gentil em minhas costas ao começar a me levar para longe. — Boa noite, *mademoiselle*.

Estelle nem sequer piscou. Apenas fez um movimento breve de pulso, como se estivesse enxotando uma mosquinha irritante, e a placa de uma loja acima de nós foi arrancada de sua estrutura, atingindo Reid no crânio. O cheiro ácido e pungente de magia tomou a ruela quando ele caiu de joelhos, procurando com fraqueza pela Balisarda.

— Não! — Agarrei seu casaco, tentando levantá-lo, tentando blindá-lo com meu corpo de alguma maneira... Mas Estelle contorceu os dedos antes que eu ou ele pudéssemos reagir.

Quando a placa lhe atingiu novamente, Reid voou para trás. Sua cabeça encontrou a parede com um estalo de embrulhar o estômago, e ele caiu para o chão, imóvel.

Um rosnado escapou de minha garganta, e me posicionei entre os dois, levantando as mãos.

— Não dificulte as coisas, Louise. — Estelle se aproximou, um brilho fanático emanava de seus olhos. O pânico afunilou meus pensamentos. Embora dourado dançasse em minha visão periférica, não conseguia me concentrar em um padrão... Não conseguia me concentrar em coisa alguma. Era como se o mundo tivesse caído em silêncio, aguardando.

Mas...

Reid se mexeu atrás de mim.

— Não irei com você. — Fui andando para trás, levantando as mãos mais para o alto a fim de chamar sua atenção para elas. — Por favor, pare com isso.

— Você não entende? É uma *honra*...

Um borrão azul passou depressa por mim.

A reação de Estelle não foi rápida o suficiente, e Reid foi de encontro a seus braços estendidos com toda a força. Por um momento, pareceu um abraço doentio. Depois, Reid agarrou seu braço e o torceu atrás das costas, de maneira que ela ficou colada ao peito dele — esmagando braços e mãos entre os dois —, e passou o cotovelo pela frente para pressionar a garganta dela num mata-leão. Assisti horrorizada enquanto ela se debatia contra ele. Seu rosto foi lentamente tomando uma coloração arroxeada.

— Me... ajuda... — Ela se remexia, a expressão aterrorizada, olhos enlouquecidos buscando os meus. — Por favor...

Não me movi.

Em menos de um minuto, tinha acabado. Com um estremecimento final, o corpo de Estelle relaxou nos braços de Reid, que os afrouxou.

— Ela... está morta? — sussurrei.

— Não. — Seu rosto estava branco, as mãos trêmulas, ao deixar Estelle cair ao chão. Quando enfim olhou para mim, fraquejei sob a ferocidade daquele olhar. — O que esta criatura queria com você?

Incapaz de suportar aquele olhar, desviei o rosto — dele, de Estelle, daquela cena saída de pesadelos — e o voltei para as estrelas. Sua luz estava fraca aquela noite, recusando-se a brilhar para mim. Acusadoras.

Após um longo momento, me forcei a responder. Lágrimas reluziam em minhas bochechas.

— Ela me queria morta.

Ele me observou por outro longo instante antes de jogar o corpo mole de Estelle sobre o ombro.

— O que vai fazer com ela? — perguntei, amedrontada.

— É uma bruxa. — Encarava a rua diante dele, sem poupar um olhar para trás, ignorando as expressões alarmadas dos transeuntes. — Queimará na terra, e depois no Inferno.

ASSASSINA DE BRUXAS

Lou

Reid se recusou a me dirigir a palavra no caminho de volta à Torre. Lutei para acompanhá-lo, cada passo como uma facada em meu coração.

Assassina de bruxas assassina de bruxas assassina de bruxas.

Eu não conseguia olhar para Estelle, não conseguia processar a maneira como sua cabeça sacolejava contra as costas de Reid. A maneira como os cabelos cor de palha de milho ondeavam a cada passada.

Assassina de bruxas.

Quando Reid irrompeu Torre adentro, os guardas hesitaram apenas um segundo, chocados, antes de entrarem em ação. Eu os odiava. Odiava que tivessem se preparado para um momento como aquele suas vidas inteiras. Com os olhos brilhando de expectativa, entregaram a Reid uma seringa de metal.

Uma injeção.

Minha visão se estreitou. A náusea embrulhou meu estômago.

— Os padres andam ansiosos para testá-lo numa bruxa. — O Chasseur mais próximo de Reid inclinou-se para a frente, entusiasmado. — Hoje é o dia de sorte deles.

Meu marido não hesitou. Tirou Estelle do ombro, enterrando a agulha em seu pescoço com força brutal. O sangue escorreu pelo pescoço dela, manchando o branco do vestido.

Podia muito bem ter sido minha alma.

Ela despencou dos braços de Reid como pedra. Ninguém se importou em amparar a queda, e ela caiu com o rosto no chão. Imóvel. Seu peito mal subia e descia. Um segundo Chasseur soltou uma risadinha, cutucando a bochecha dela com a bota. Ainda assim, ela não se moveu.

— Acho que isso responde à pergunta. Os padres ficarão satisfeitos.

As algemas vieram em seguida — mais grossas e enferrujadas de sangue. Fecharam-nas ao redor dos pulsos e tornozelos dela antes de a arrastarem pelos cabelos para a escadaria. As correntes tiniam a cada passo, enquanto ela desaparecia lá para baixo, e mais baixo, e mais... Para dentro da boca do Inferno.

Reid nem sequer olhou para mim quando seguiu atrás deles.

Naquele momento — com apenas uma seringa vazia e o sangue de Estelle como lembretes do que fizera —, me odiei de verdade.

Assassina de bruxas.

Chorei amargamente.

Como se sentisse minha traição, o sol não raiou como de costume na manhã seguinte. Permaneceu escuro e ameaçador, o mundo inteiro coberto por uma grossa mortalha de preto e cinza. Um trovão ribombava ao longe. Eu assistia da janela do quarto, os olhos vermelhos e opacos.

O arcebispo não perdeu tempo em abrir as portas da igreja para gritar aos céus sobre os pecados de Estelle. Ele a levou para fora ainda acorrentada e a atirou no chão a seus pés. A multidão gritava obscenidades, atirando lama e pedras nela. Desesperada, ela virava a cabeça de um lado para o outro em busca de alguém.

De mim.

Como se atraída por meu olhar, levantou a cabeça de supetão, e seus olhos azul-pálidos encontraram os meus. Não precisava ouvir para entender as palavras que seus lábios formavam — para enxergar o veneno que sua alma destilava.

Assassina de bruxas.

Era a desonra máxima.

Reid estava à frente da multidão, os cabelos soprando violentamente ao vento. Uma plataforma tinha sido construída da noite para o dia. O poste de madeira rústico acima dela perfurava o céu, que derramava as primeiras gotas geladas de chuva.

Àquela estaca tinham amarrado minha irmã. Ainda vestia a fantasia do coro — um vestido branco simples que chegava aos tornozelos —, embora estivesse ensanguentado e imundo de quaisquer que tenham sido os horrores a que os Chasseurs a sujeitaram na masmorra. Poucas horas antes, à noite, ela estivera cantando e dançando no Soleil et Lune. Agora, encarava a morte.

A culpa era toda minha.

Fora covarde, amedrontada demais para encarar minha própria morte e salvar Estelle. Salvar minha gente. Centenas de bruxas... mortas. Levei a mão ao pescoço — logo acima da cicatriz — e mordi a língua para impedir um soluço.

Atrás de mim, Ansel se remexeu, desconfortável.

— É difícil ver pela primeira vez — disse com voz tensa. — Não precisa assistir.

— Preciso, sim. — Minha respiração falhou quando ele veio ficar ao lado de minha torre de móveis. Lágrimas fluíam, desimpedidas, por minhas bochechas, formando uma poça no peitoril. — É minha culpa.

— Ela é uma bruxa — respondeu Ansel baixinho.

— *Ninguém* merece morrer dessa forma.

Ele se alarmou diante de minha veemência.

— As bruxas merecem.

— Ansel, me diga. — Virei para ele com urgência repentina, desesperada para fazê-lo compreender. — Já conheceu uma bruxa?

— Claro que não.

— Já, sim. Estão em toda parte, espalhadas pela cidade inteira. A mulher que remendou seu casaco na semana passada poderia ser uma, ou a camareira lá embaixo, que cora sempre que você olha na direção dela. Sua *mãe* poderia ser uma, e você jamais saberia. — Ansel balançou a cabeça, os olhos enormes. — Não são todas cruéis, Ansel. Algumas são gentis, solidárias e boas.

— Não — insistiu ele. — São perversas.

— E não somos todos? Não é isso que ensina o seu próprio deus?

A expressão dele ruiu.

— É diferente. Elas são... uma aberração.

Aberração. Levei as palmas das mãos aos olhos para deter as lágrimas.

— Tem razão. — Gesticulei lá para baixo, onde os gritos da multidão aumentavam. Uma mulher de cabelos castanho-acinzentados mais ao fundo soluçava. — Veja como são as coisas normais.

Ansel franziu a testa quando Reid entregou a tocha ao arcebispo.

Estelle tremia. Manteve os olhos fixos no céu enquanto o arcebispo levava a tocha abaixo em um arco vasto, acendendo os pedaços de palha sob os pés dela. Os espectadores urraram com aprovação.

Recordei uma faca descendo até o meu pescoço. Senti o beijo da lâmina na pele.

Eu conhecia o terror no coração de Estelle.

O fogo se espalhou depressa. Mesmo com lágrimas embaçando minha visão, me forcei a assistir às línguas de fogo subirem pelo vestido dela. Forcei-me a ouvir seus gritos. Cada um deles abalava minha alma, e logo estava me segurando no peitoril da janela em busca de suporte.

Eu não podia mais suportar. Queria morrer. *Merecia* morrer — me retorcer e queimar em um lago infindável de fogo.

Sabia o que tinha de fazer.

Sem pensar — sem parar para pensar nas consequências —, cerrei os punhos.

O mundo estava em chamas.

Gritei, caindo ao chão. Ansel correu para mim, mas suas mãos não podiam conter meu corpo espasmódico. Convulsionei, mordendo a língua para deter os urros enquanto o fogo me engolfava, enquanto criava bolhas em minha pele e arrancava os músculos dos ossos. Eu não conseguia respirar. Não conseguia pensar. Só havia agonia.

Lá embaixo, os gritos de Estelle cessaram de forma abrupta. Seu corpo relaxou dentro das labaredas, e um sorriso contente cruzou seu rosto ao passar pacificamente para a vida após a morte.

DOR NA ALMA

Lou

Acordei com um pano frio na testa. Piscando com relutância, permiti que meus olhos se aclimatassem à semiescuridão. O luar banhava o quarto em prata, iluminando uma figura recurvada na cadeira ao lado da cama. Embora a lua branqueasse os cabelos ruivos, não tinha como confundi--lo com outra pessoa.

Reid.

Sua testa descansava contra a beirada do colchão, quase tocando meu quadril. Os dedos estavam a centímetros dos meus. Meu coração se contraiu dolorosamente. Ele devia ter segurado minha mão até cair no sono.

Eu não sabia o que sentir diante daquilo.

Tocando seus cabelos com cuidado, lutei contra o desespero em meu peito. Ele tinha queimado Estelle. Não... *eu* a havia queimado. Sabia o que ele faria se eu o esperasse acordar naquela ruela. Eu sabia que ele a mataria.

Foi o que eu quis.

Retirei a mão, enojada comigo mesma. Enojada com Reid. Por um momento apenas, tinha esquecido por que estava ali. Esquecido quem era. Quem *ele* era.

Uma bruxa e um caçador de bruxas unidos em sagrado matrimônio. Só havia um final possível para uma história assim — uma estaca de madeira e um fósforo. Amaldiçoei a mim mesma por ter sido tão estúpida — por ter me permitido me aproximar tanto dele.

Sua mão tocou meu braço. Virei-me para encontrar Reid me fitando. A barba por fazer escurecia seu maxilar, e olheiras descoloriam a pele sob os olhos, como se não tivesse dormido em muito tempo.

— Você acordou — murmurou.

— Acordei.

Soltou um suspiro de alívio e fechou os olhos, apertando minha mão.

— Graças a Deus.

Após um segundo de hesitação, retribuí o gesto.

— O que aconteceu?

— Você desmaiou. — Engoliu em seco e abriu os olhos. Havia dor neles. — Ansel correu para chamar Mademoiselle Perrot, pois não sabia o que fazer. Disse... disse que você estava aos berros. Não conseguia fazê-la parar. Mademoiselle Perrot também não conseguiu acalmá-la. — Ele acariciou a palma da minha mão de maneira distraída, encarando-a sem ver de fato.

— Quando cheguei, você estava... mal. Muito mal. Gritava quando a tocavam. Só parou quando eu... — Limpou a garganta e desviou o rosto, o pomo de adão descendo e subindo. — Depois, ficou inerte. Pensamos que podia até estar morta. Mas não estava.

Fitei sua mão na minha.

— Não, não estou.

— Passei a lhe dar lascas de gelo para chupar, e as camareiras estão trocando a roupa de cama de hora em hora para deixá-la confortável.

Ao ouvi-lo, notei que minha camisola e os lençóis estavam úmidos. Minha pele também parecia melada de suor. Minha aparência devia estar aterrorizante.

— Quanto tempo fiquei desacordada?

— Três dias.

Grunhi e sentei na cama, esfregando o rosto pegajoso.

— Merda.

— Isso já aconteceu antes? — Ele examinou meu rosto enquanto eu jogava os lençóis para o lado e estremecia no ar gelado da noite.

— Óbvio que não. — Embora estivesse tentando permanecer civilizada, as palavras saíram ríspidas, e a expressão dele se endureceu.

— Ansel acha que foi a fogueira. Disse que aconselhou você a não assistir.

A fogueira. Era banal assim para Reid. Seu mundo não tinha se acendido em chamas naquela estaca. Ele não havia traído seus irmãos. A raiva se reanimou em minha barriga. Ele provavelmente nem sabia o nome de Estelle.

Caminhei em direção ao banheiro, me recusando a encontrar seus olhos.

— Raramente faço o que os outros me dizem para fazer.

Minha fúria queimou mais forte quando Reid me seguiu.

— Por quê? Por que assistir se isso a perturba tanto?

Abri a torneira e observei a água quente encher a banheira.

— Porque nós a matamos. Assistir era o mínimo que eu podia fazer. Ela merecia ao menos isso.

— Ansel disse que estava chorando.

— Estava.

— Aquela coisa era uma *bruxa*, Lou.

— *Ela* — rosnei, girando para encará-lo. — *Ela* era uma bruxa. E uma *pessoa*. Seu nome era Estelle, e nós a atiramos na fogueira.

— Bruxas não são *pessoas* — retrucou ele, impaciente. — Isso é fantasia de criança. Também não são fadinhas que se vestem de flores e dançam sob a lua cheia. São demônios. Você viu a enfermaria. São malévolas. Vão sempre fazer *mal*, se tiverem a chance. — Passou os dedos agitados pelos cabelos, me encarando. — Merecem a fogueira.

Apertei a borda da banheira para impedir que fizesse algo de que me arrependeria. Queria — não, *precisava* — descarregar toda a minha fúria em cima dele. Precisava colocar as mãos em volta de sua garganta e sacudi-lo — fazê-lo ser razoável. Quase quis cortar o braço outra vez, para que pudesse ver o sangue que fluía lá dentro. Sangue que era da mesma cor do dele.

— E se eu fosse uma bruxa, Reid? — perguntei baixinho. — Também mereceria a fogueira?

Fechei a torneira, e silêncio absoluto encheu o cômodo. Podia sentir seus olhos em minhas costas... desconfiados, observantes.

— Sim — respondeu com cautela. — Se você fosse uma bruxa.

A pergunta não feita pairou no ar entre nós. Espiei por cima do ombro e encontrei seus olhos, o desafiando a perguntar. Rezando para que não o fizesse. Rezando para que fizesse. Incerta do que responderia se ele de fato perguntasse.

Um longo segundo se passou enquanto nos encarávamos. Enfim, quando ficou evidente que ele não perguntaria — ou que não era *capaz* de perguntar —, voltei minha atenção para a água e murmurei:

— Nós dois merecemos a fogueira pelo que fizemos a ela.

Ele pigarreou, nitidamente desconfortável com a nova direção que a conversa estava tomando.

— Lou...

— Só quero que me deixe sozinha. Preciso de um pouco de tempo.

Ele não discutiu, e não me virei para vê-lo partir. Quando a porta se fechou, entrei devagar na água quente. Vapor subia dela, quase fervente, mas ainda era uma carícia gelada em comparação à fogueira. Submergi, lembrando a agonia das chamas em minha pele.

Tinha passado anos me escondendo de La Dame des Sorcières. Minha mãe. Tinha feito coisas terríveis para me proteger, para garantir minha sobrevivência. Pois, acima de tudo, era *isso* que eu fazia: sobrevivia.

Mas a que custo?

Reagira instintivamente com Estelle. Tinha sido minha vida ou a dela. O caminho a seguir parecera nítido. Existia apenas uma escolha. Mas... Estelle era uma das minhas. Uma bruxa. Não era seu desejo me ver morta — apenas se ver livre da perseguição que assola nosso povo.

Para minha infelicidade, as duas coisas eram mutuamente excludentes agora.

Pensei em seu corpo, no vento carregando suas cinzas — e as cinzas de todas as outras que tinham sido espalhadas pelo mundo ao longo dos anos.

Pensei em Monsieur Bernard apodrecendo numa cama no andar de cima — e em todos os outros que aguardavam a morte em tormento.

Bruxas e pessoas comuns. Feitas do mesmo material. Todas inocentes. Todas culpadas.

Todas mortas.

Mas não eu.

Aos 16 anos, minha mãe tentara me sacrificar — sua única filha. Antes mesmo de minha concepção, Morgane tinha visto um padrão que nenhuma outra Dame des Sorcières vira antes, estivera disposta a *fazer* o que nenhuma de suas predecessoras jamais sonhou: matar sua linhagem. Com minha morte, a estirpe do rei também teria morrido. Todos os herdeiros, legítimos ou bastardos, teriam cessado de respirar comigo. Uma vida para pôr fim a centenas de anos de perseguição. Uma vida para pôr fim ao reino de tirania dos Lyon.

Mas minha mãe não queria apenas matar o rei. Queria *feri-lo. Destruí-lo.* Ainda podia imaginar seu padrão no altar, cintilando ao redor de meu coração e se alastrando dentro da escuridão. Em direção aos filhos dele. As bruxas tinham planejado um ataque enquanto ele chorava sua perda. Tinham planejado eviscerar o que restasse da família real... e todos que a seguiam.

Saí de dentro d'água, puxando ar com desespero.

Por todos esses anos, havia mentido para mim mesma, me convencido de que tinha fugido porque não podia tirar a vida de pessoas inocentes. E, no entanto, ali estava eu, com sangue inocente nas mãos.

Era uma covarde.

A dor daquela compreensão ia além de minha pele sensibilizada, além da agonia das chamas. Desta vez, tinha arruinado algo importante. Algo irreparável. Doía dentro de mim.

Assassina de bruxas.

Pela primeira vez na vida, me perguntei se tinha feito a escolha certa.

Coco veio ver como eu estava mais tarde naquele mesmo dia, seu rosto esgotado ao se sentar a meu lado na cama. Ansel desenvolvera um interesse monumental pelos botões do casaco.

— Como está se sentindo? — Ela levantou a mão para acariciar meus cabelos. Com seu toque, todas as minhas malditas emoções afloraram. Uma lágrima escapou e escorreu pelo meu rosto. Limpei-a depressa, fechando a cara.

— Péssima.

— Pensamos que você não voltaria.

— Quem me dera.

Sua mão parou.

— Não diga uma coisa dessas. Só está com um pouco de dor na alma, só isso. Nada que alguns rolinhos de canela não resolvam.

Meus olhos se abriram.

— Dor na alma?

— É como uma dor de cabeça ou de estômago, mas muito pior. Acontecia comigo o tempo todo quando morava com minha tia. — Ela afastou uma mecha de cabelo de meu rosto e limpou outra lágrima na minha bochecha. — Não foi culpa sua, Lou. Você fez o que precisava fazer.

Encarei as mãos por um longo momento.

— Então por que me sinto tão mal?

— Porque você é uma boa pessoa. Sei que tirar a vida de alguém nunca é bonito, mas Estelle não lhe deu alternativa. Ninguém pode culpá-la pelo que fez.

— Tenho certeza de que Estelle discordaria.

— Ela fez a escolha dela quando apostou na sua mãe. Escolheu errado. A única coisa que você pode fazer agora é seguir em frente. Não é? — Acenou com a cabeça para Ansel, que corou escarlate no canto. Desviei os olhos depressa.

Agora ele sabia, claro. Certamente tinha sentido o cheiro da magia. E ainda assim, cá estava eu... viva. Mais lágrimas encheram meus olhos. *Pare com isso*, me repreendi. *Claro que ele não a entregou. É o único homem decente nesta torre inteira. Que vergonha ter pensado algo diferente.*

Com a garganta fechada, brinquei com o Anel de Angélica, não me sentindo capaz de encarar ninguém.

— Tenho que avisá-la — continuou Coco —, o reino está aclamando Reid como um herói. Foi a primeira incineração em meses, e nas atuais circunstâncias, bem... Foi uma celebração. O Rei Auguste o convidou para jantar com ele ontem à noite, mas Reid declinou. — Diante de meu olhar questionador, ela retorceu os lábios em reprovação. — Não quis deixá-la sozinha.

Sentindo um calor repentino, atirei os lençóis para longe.

— Não teve nada de *heroico* no que ele fez.

Ela e Ansel se entreolharam.

— Como esposa dele — começou ela com cuidado —, espera-se que sua opinião seja outra.

Fitei-a.

— Escuta, Lou. — Ela se recostou, soltando um suspiro impaciente. — Só estou cuidando de você. As pessoas lá fora escutaram os seus gritos durante a execução. Muitas delas estão *muito* interessadas em saber por que a morte de uma bruxa a deixou histérica daquela maneira... o rei inclusive. Reid finalmente aceitou o convite para jantar com ele esta noite, para acalmá-lo. Você precisa ter cuidado. Vão todos começar a prestar atenção em você agora. — Seu olhar voou para Ansel. — E você sabe que a fogueira não é só para bruxas. Aqueles que simpatizam com elas podem ter o mesmo destino.

Senti meu coração afundar quando olhei para os dois.

— Meu Deus. Vocês dois...

— Nós três — murmurou Ansel. — Está se esquecendo de Reid. Ele também seria jogado na fogueira.

— Ele matou Estelle.

Ansel fitou as botas, engolindo em seco.

— Ele acredita que Estelle era um demônio. Todos eles acreditam. Ele... ele estava tentando proteger você, Lou.

Balancei a cabeça, lágrimas furiosas ameaçando jorrar outra vez.

— Mas ele está errado. Nem todas as bruxas são más.

— Sei que você acredita nisso — disse Ansel com suavidade —, mas não pode forçar Reid a acreditar também. — Enfim levantou a cabeça, e seus olhos castanhos mostravam tristeza profunda. Tristeza que alguém de sua idade jamais deveria conhecer. — Há coisas que não podem ser mudadas com palavras. Algumas coisas têm que ser vistas. Têm que ser sentidas.

Ele foi até a porta, mas hesitou, olhando para mim por cima do ombro.

— Espero que possam descobrir juntos como seguir em frente. Ele é uma boa pessoa, e... você também é.

Eu o observei partir em silêncio, querendo desesperadamente perguntar como — *como* uma bruxa e um caçador poderiam fazer isso? Como eu poderia confiar em um homem que me atiraria na fogueira sem hesitação? Como poderia amá-lo?

Ansel tinha razão sobre uma coisa, porém. Eu não podia culpar Reid por tudo o que tinha acontecido a Estelle. Ele acreditava genuinamente que bruxas eram seres malignos. Era tão parte dele quanto os cabelos cor de cobre e a altura monumental.

Não, o sangue de Estelle não estava nas mãos de Reid.

Estava nas minhas.

Antes de Reid retornar naquela noite, me arrastei para fora da cama até a escrivaninha. Minha pele coçava e queimava enquanto me recuperava — um lembrete constante das chamas —, já meus braços e pernas eram uma história diferente. Meus músculos e ossos pareciam mais rijos, mais pesados, como se fossem me afundar para dentro do chão, se pudessem. Cada passo até a mesa foi uma luta. O suor se acumulava na minha testa, colava os cabelos ao pescoço.

Coco me advertira que a febre persistiria. Torci para que passasse logo.

Caindo na cadeira, abri a gaveta com os últimos resquícios de energia que tinha. A velha Bíblia esmaecida de Reid continuava lá dentro. Com dedos trêmulos, abri-a e comecei a ler — ou tentei, ao menos. A letra miúda de meu marido preenchia cada centímetro das margens estreitas. Embora tivesse levantado as páginas finas como seda até quase tocarem o nariz, não podia me concentrar nas escrituras sem a visão se turvar.

Atirei-a de volta na gaveta com um suspiro descontente.

Provar que as bruxas não eram inerentemente más seria mais difícil do que eu imaginava.

Ainda assim, tinha formado um plano depois de Coco e Ansel partirem naquela tarde. Se tinha sido possível convencer Ansel de que não éramos malignas, talvez pudesse fazer o mesmo com Reid. Para isso, precisava entender sua ideologia. Precisava *entendê-lo.* Xingando baixinho, me levantei outra vez, tomando coragem para descer ao inferno.

Teria que visitar a biblioteca.

Quase meia hora mais tarde, abri a porta da masmorra. Um sopro de vento, muito bem-vindo, beijou minha pele pegajosa, e suspirei de alívio. O corredor estava silencioso. A maioria dos Chasseurs já tinha se recolhido aos seus aposentos, e o restante estava ocupado fazendo... o que quer que fosse que fizessem. Resguardando a família real. Protegendo pecadores. Queimando inocentes.

No momento em que alcancei a biblioteca, porém, a porta para a sala do conselho se abriu e o arcebispo saiu, lambendo o que parecia ser cobertura de açúcar dos dedos. Na outra mão, segurava um rolinho de canela parcialmente comido.

Merda. Antes que pudesse colocar o Anel de Angélica na boca e desaparecer, ele se virou e me viu. Congelamos os dois com as mãos na metade do caminho para nossas bocas — igualmente estupefatos —, mas ele se recuperou primeiro, escondendo o pãozinho depressa atrás das costas. Ainda tinha um pouco de açúcar esquecido na ponta do nariz.

— Louise! O quê... o que está fazendo aqui embaixo? — Balançou a cabeça diante de minha expressão perplexa, pigarreando antes de se empertigar para alcançar toda a altura pouco considerável. — Esta é uma área restrita. Devo pedir que vá embora imediatamente.

— Desculpe, eu... — Com um meneio de cabeça, desviei o rosto, olhando para qualquer lugar que não fosse seu nariz. — Queria pegar uma Bíblia emprestada.

Ele me encarou como se eu tivesse criado chifres na testa — uma ironia, dado meu pedido.

— Uma o quê?

— Isso aí é um... rolinho de canela? — Inspirei fundo o aroma de canela e baunilha, tirando uma mecha de cabelo suado da testa. Apesar da febre, minha boca se encheu de água. Reconheceria aquele cheiro em qualquer lugar. Era o *meu* cheiro. Que diabos o arcebispo estava fazendo com ele? Meu cheiro não pertencia àquele lugar escuro e desolador.

— Chega de perguntas impertinentes. — Ele fez uma carranca e limpou os dedos nas costas da batina, tentando ser discreto. — Se o que procura é de fato uma Bíblia... o que duvido... Vou, evidentemente, lhe entregar uma, contanto que volte direto para seus aposentos. — Com relutância, seus olhos examinaram meu rosto: a pele pálida, a testa suada, os olhos fundos. Sua expressão se suavizou. — Devia estar na cama, Louise. Seu corpo precisa de tempo para... — Balançou a cabeça mais uma vez, recuperando a compostura, como se não soubesse o que estava pensando. Eu o compreendia bem. — Não saia daí.

Passou por mim para entrar na biblioteca, retornando um momento depois.

— Aqui. — Pôs um volume antiquíssimo e empoeirado em minhas mãos. A cobertura tinha sujado a lombada e a capa. — Certifique-se de cuidar dela de maneira adequada. É a palavra de Deus.

Percorri o couro com a mão, tracejando linhas por poeira e açúcar.

— Obrigada. Devolverei quando tiver terminado.

— Não é necessário. — Ele pigarreou outra vez, franzindo a testa e entrelaçando as mãos atrás das costas. Parecia tão desconfortável quanto eu me sentia. — É sua. Um presente, se quiser pensar assim.

Um presente. As palavras fizeram o desgosto correr por mim como um raio, e me dei conta da estranheza daquela situação. O arcebispo, escondendo a cobertura de açúcar em seus dedos. Eu, segurando uma Bíblia contra o peito.

— Certo. Bem, já vou...

— Claro. Também preciso me retirar...

Seguimos nosso caminho com cumprimentos de cabeça igualmente constrangidos.

* * *

Reid abriu a porta do quarto sem fazer barulho naquela noite. Enfiei a Bíblia debaixo da cama e o recebi com um "olá!" culpado.

— Lou! — Ele quase pulou de susto. Achei até que o tinha ouvido xingar. Com olhos arregalados, atirou o casaco sobre a mesa e se aproximou com cautela. — Está tarde. O que faz acordada?

— Não consegui dormir. — Meus dentes rangiam, e me encolhi um pouco mais para dentro do lençol com que tinha criado um casulo ao meu redor.

Ele levou a mão à minha testa.

— Está pelando. Já foi à enfermaria?

— Brie me avisou que a febre duraria alguns dias.

Quando foi se sentar a meu lado, pulei para ficar de pé, abandonando o lençol. Meus músculos protestaram contra o movimento repentino, e fiz uma careta, tremendo. Ele suspirou e se levantou também.

— Me desculpe. Por favor, sente-se. Precisa descansar.

— Não, o que *preciso* é tirar esse cabelo do meu pescoço. Está me descontrolando. — Inexplicavelmente furiosa, arranquei as mechas ofensivas para longe da pele sensível. — Mas os meus braços estão tão... pesados... — Um bocejo encobriu o restante das palavras, e meus braços despencaram. Afundei na cama outra vez. — Parece que nem consigo levantá-los.

Ele soltou uma risadinha.

— Tem algo que eu possa fazer para ajudar?

— Pode trançar os meus cabelos.

A risada morreu abruptamente.

— Quer que eu... faça o quê?

— Uma trança. Por favor. — Ele me encarou. Encarei de volta. — Posso te ensinar. É fácil.

— Duvido.

— Por favor. Não vou conseguir dormir com o cabelo colado na minha pele.

Era verdade. Entre as escrituras, a febre e a falta de sono, minha mente rodopiava, delirante. Cada vez que os fios roçavam contra a pele, era uma agonia — algo entre frio e dor, irritação e sofrimento.

Ele engoliu em seco e foi para trás de mim. Sua presença fez um arrepio bem-vindo descer pela minha coluna. Sua proximidade. Seu calor. Ele deu um suspiro resignado.

— Me diga o que tenho que fazer.

Resisti à vontade de me escorar nele.

— Divida o cabelo em três partes.

Ele hesitou antes de envolver os fios com as mãos, gentilmente. Meus braços se arrepiaram quando ele penteou as mechas com os dedos.

— E agora?

— Agora você pega uma parte de fora e cruza sobre a do meio.

— O quê?

— Tenho que ficar repetindo tudo?

— Isto é impossível — resmungou, tentando e não conseguindo manter os feixes separados. Desistiu após alguns segundos mais e recomeçou. — Seu cabelo é mais grosso do que o rabo de um cavalo.

— Humm. — Bocejei outra vez. — Foi um elogio, Chass?

Depois de várias outras tentativas, ele completou o primeiro passo com sucesso.

— E depois?

— Agora a mesma coisa do outro lado. Cruzar por cima do meio. Tenha certeza de que está bem apertado.

Soltou um grunhido baixo, e uma espécie diferente de frio me percorreu.

— Está horrível.

Deixei a cabeça pender para a frente, saboreando a sensação de seus dedos em meu pescoço. Minha pele já não protestava como antes. Ao contrário, parecia se aquecer sob seu toque. Derretia-se. Minhas pálpebras foram caindo até se fecharem.

— Converse comigo.

— Sobre o quê?

— Como se tornou capitão?

— Tem certeza de que quer saber? — perguntou ele, depois de um tempo.

— Tenho.

— Alguns meses depois de me juntar aos Chasseurs, encontrei uma alcateia de *loup-garou* perto da cidade. Nós os matamos.

Embora bruxa alguma jamais pudesse alegar que tinha amizade com um lobisomem, meu coração se contraiu, doído, diante do pragmatismo dele. Seu tom não indicava remorso nem qualquer outra emoção — estava simplesmente narrando um fato. Tão frio, estéril e improvável quanto um oceano congelado. Jean Luc teria chamado isso de verdade.

Incapaz de conjurar a energia necessária para continuar a conversa, soltei um suspiro pesado, e caímos em silêncio. Ele continuou a trançar meus cabelos, os movimentos rápidos agora que tinha ganhado confiança. Seus dedos eram ágeis. Habilidosos. Porém, pareceu notar a tensão em meus ombros, pois sua voz saiu muito mais suave quando perguntou:

— Como termino?

— Tem um cordão de couro sobre a mesinha de cabeceira.

Ele enrolou o fio ao redor da trança várias vezes antes de atá-lo com um nó firme. Ou pelo menos presumi que fosse um nó firme. Todos os aspectos de Reid eram precisos, certeiros, todas as cores em seus devidos lugares. Sem deixar a indecisão diluí-lo, via o mundo preto no branco, não sofrendo com nenhum dos complexos tons cinzentos entre um e outro. As cores das cinzas e da fumaça. Do medo e da dúvida.

As minhas cores.

— Lou, eu... — Correu os dedos pela trança, e novos arrepios eriçaram minha pele. Quando finalmente me voltei para encará-lo, deixou a mão cair e deu um passo atrás, recusando-se a encontrar meus olhos. — Você perguntou.

— Eu sei.

Sem mais palavras, ele entrou no banheiro e fechou a porta.

TEMPO DE SEGUIR EM FRENTE

Reid

— Vamos sair para passear — anunciou Lou.

Tirei os olhos da Bíblia. Ela havia ido outra vez à enfermaria pela manhã. Desde que retornara daquele lugar pestilento, não fizera outra coisa senão ficar sentada na cama, olhando para o nada. Mas seus olhos não estavam parados. Não, voavam de um lado a outro como se observassem algo, os lábios se movendo imperceptivelmente. Os dedos se contorcendo.

Embora eu não dissesse nada, temia que os pacientes estivessem começando a afetá-la. Um deles em particular, um tal Monsieur Bernard, me preocupava. Dias antes, padre Orville tinha me chamado para me informar que o homem estava sendo mantido sob constante sedação — e algemado — para impedir seu suicídio. O padre parecia pensar que Lou sofreria um choque quando o inevitável acontecesse.

Talvez passar um tempo fora fosse nos fazer bem.

Coloquei o livro sagrado de lado.

— Aonde quer ir?

— Quero um rolinho de canela. Lembra a confeitaria onde nos conhecemos? Aquela na Costa Leste? Eu sempre costumava ir até lá, antes de... bem, de tudo isto. — Ela gesticulou para nós dois.

Eu a fitei com desconfiança.

— Promete que vai se comportar?

— Claro que não. Ia acabar com toda a minha diversão. — Ela pulou da cama e tirou o manto do cabideiro. — Você vem ou não?

Seus olhos se iluminaram com uma centelha que eu não via desde a noite no teatro. Desde a execução. Desde, bem... tudo. Examinei-a com atenção, procurando qualquer sinal da mulher que tomara seu lugar durante a semana anterior. Apesar de a febre ter ido embora depressa, seu mau humor permanecia. Era como se estivesse constantemente se equilibrando no fio de uma navalha — um movimento em falso, e ela queria empalar alguém. A mim, muito provavelmente.

Ou a si mesma.

Mas agora parecia diferente. Talvez tivesse superado.

— Está... se sentindo melhor? — perguntei, hesitante.

Ela parou de amarrar o manto.

— Talvez.

Contrariando o bom senso, concordei com um movimento de cabeça e fui pegar o meu próprio casaco — que ela surrupiou e afastou de mim.

— Não. — Balançou um dedo na frente de meu nariz. — É com o Reid que quero passar o dia, não com o Chasseur.

Reid.

Eu ainda não tinha me acostumado a ouvi-la me chamar pelo nome. Sempre que o fazia, um pequeno e absurdo estremecimento me percorria. Desta vez não foi diferente. Limpei a garganta e cruzei os braços, tentando em vão permanecer impassível.

— São a mesma pessoa.

Ela fez uma careta e segurou a porta aberta para mim.

— Vamos ver se são *mesmo.* Pronto?

Era um dia tempestuoso. Gélido. Implacável. Restos da última nevasca ainda se demoravam no meio-fio, onde passos tinham deixado a neve lamacenta e amarronzada. Enfiei as mãos nos bolsos da calça. Pisquei, irritado, na luz brilhante do sol da tarde.

— Está congelante.

Lou virou o rosto para o vento com um sorriso. Fechou os olhos e estendeu os braços, a ponta do nariz já vermelha.

— O frio suprime o fedor de peixe. É maravilhoso.

— Para você é fácil falar. *Você* tem um manto para protegê-la.

Ela se voltou para mim, o sorriso se alargando. Mechas de cabelo tinham escapado do capuz e dançavam ao redor de seu rosto.

— Posso afanar um para você, se quiser. Tem uma loja de roupas bem ao lado da pâtisserie...

— Nem pense nisso.

— Está bem. — Encolheu-se mais para dentro das dobras do manto. Cor de carvão. Manchado. Bainha desfiada. — Você que sabe.

Com uma carranca, a segui pela rua. Todos os músculos em meu corpo se retraíam com o frio, mas eu não me permitia tremer. Dar a Lou a satisfação de...

— Ah, pelo amor de Deus — disse ela, rindo. — Isso está doloroso de assistir. Aqui.

Ela me envolveu com um lado do manto. Mal cobria meus ombros, mas não reclamei — especialmente quando ela se aninhou sob meu braço, deixando o pano mais apertado a nosso redor. Envolvi os ombros dela com o braço, surpreso. Ela riu ainda mais alto.

— Parecemos dois ridículos.

Olhei para baixo, os lábios se curvando. Tinha razão. Era simplesmente grande demais para o tecido, e a situação nos obrigava a andar quase arrastando os pés de uma maneira esquisita a fim de permanecer encobertos. Tentamos sincronizar nossos passos, mas logo dei um em falso — e acabamos caindo, embolados, em um monte de neve. Um espetáculo. Os passantes nos olhavam com reprovação, mas pela primeira vez em muito tempo, nem lembrava quanto, não me importei.

Ri também.

Quando entramos na confeitaria, nossas bochechas e narizes estavam vermelhos. As gargantas doíam de gargalhar. Fitei-a quando deslizou o manto de meus ombros. Sorria com o rosto inteiro. Jamais vira transformação assim. Era... contagiante.

— Pan! — Lou abriu os braços. Segui seu olhar até o homem familiar atrás do balcão. Atarracado. Pesado. Olhos claros e redondos que se iluminaram com empolgação ao avistarem Lou.

— Lucida! Minha menina querida, por onde andou? — Ele contornou o balcão, bamboleante, vindo o mais depressa que suas pernas permitiam. — Estava começando a achar que tinha esquecido seu amigo Pan! E... — Seus olhos se arregalaram de maneira cômica, baixando a voz até tornar-se um sussurro: — O que você fez com seu *cabelo?*

O sorriso de Lou se desmanchou, e sua mão voou para os cabelos. Sem notá-lo, Pan a puxou para um abraço, estendendo-o por um segundo mais do que seria apropriado. Lou soltou um risinho relutante.

— Eu... estava precisando de uma mudança. Queria algo mais escuro para o inverno. Gostou?

— Lógico, lógico. Mas está magrinha demais, criança, magra demais. Aqui, vamos engordá-la com um rolinho. — Ele se voltou para o balcão outra vez, mas parou ao enfim me notar. Levantou as sobrancelhas. — E quem é esse?

Lou abriu um sorriso malandro. Eu me preparei para qualquer que fosse o esquema que tinha tramado — rezando que não fosse nada ilegal. Sabendo que provavelmente era.

— Pan. — Ela pegou meu braço e me puxou para a frente. — Quero apresentá-lo... Bas.

Bas? Olhei para ela, surpreso.

— *O* Bas? — Os olhos dele quase saíram da órbita.

Ela piscou para mim.

— O próprio.

Pan fechou a cara. Depois — incrivelmente — ficou nas pontas dos pés e colocou um dedo em meu peito. Franzi a testa, perplexo, e comecei a dar um passo atrás, mas o homem me seguiu. O dedo apontado por todo o caminho.

— Agora me escute bem, jovem... Sim, ouvi muito sobre você! Não sabe a sorte que tem por ter conquistado essa *chérie*. Ela é uma pérola, e você vai tratá-la como tal daqui em diante, entendido? Se eu ficar sabendo que você a fez sofrer, vai ter que responder a mim, e você não quer Pan como inimigo, ah, não quer mesmo!

Olhei para Lou, indignado, mas ela tremia com a risada contida. Inútil. Dei um rápido passo para trás. Rápido demais para o homem acompanhar.

— Eu... Sim, senhor.

— Muito bem. — Ele ainda me olhava com astúcia enquanto pegava rolinhos de canela atrás do balcão. Depois de oferecer um a Lou, prontamente atirou o outro em cheio no meu rosto. Eu me apressei em pegá-lo para não deixar que escorresse pela camisa. — Aí está, querida. *Você* tem que pagar — acrescentou, me fulminando com o olhar.

Limpei a cobertura de açúcar do nariz, incrédulo. O homem era um excêntrico. Assim como minha esposa.

Quando Pan voltou ao seu lugar atrás do balcão, me virei para ela.

— Quem é Lucida? E *por que* você disse a ele que meu nome era... era... *aquele?*

Ela demorou vários segundos para responder — para mastigar o enorme pedaço grudento de pão em sua boca. As bochechas estavam infladas de tão cheias. Para crédito dela, conseguiu manter a boca fechada. Para o meu, eu também.

Enfim ela engoliu. Lambeu os dedos com reverência que pertencia à missa. Não — com reverência que definitivamente *não* pertencia à missa. Olhei para qualquer lugar, menos para sua língua.

— Hum... Tão possessivo, Chass.

— Então? — insisti, incapaz de conter meu ciúme. — Por que disse a ele que eu era o ladrão?

Ela sorriu para mim e continuou lambendo o polegar.

— Se quer mesmo saber, eu o uso para deixar Pan com pena de mim e ganhar doces de graça. Mês passado mesmo, o *perverso* Bas me convenceu a fugir com ele, só para depois me abandonar no porto. Pan me consolou com rolinhos de canela durante uma semana inteira.

Eu me forcei a encará-la.

— Você é deplorável.

Os olhos dela brilharam. Sabia muito bem o que estava fazendo.

— Sim, sou. Vai comer? — Ela gesticulou para meu prato. Empurrei-o para ela, que mordeu o pãozinho com um suspiro suave. — Como maná do céu.

Fui tomado pela surpresa:

— Não sabia que você conhecia a Bíblia.

— Você provavelmente não sabe muitas coisas a meu respeito, Chass. — Ela deu de ombros, atirando metade do pão dentro da boca. — Além do mais, é o único livro que existe na Torre inteira, tirando *La Vie Éphémère, Pastor e Os doze tratados de exterminação do oculto*... que é um lixo, aliás. Não recomendo.

Mal escutei uma palavra do que ela disse.

— Não me chame assim. Meu nome é Reid.

Ela arqueou uma sobrancelha.

— Achei que fossem a mesma pessoa?

Eu me recostei, a analisando enquanto terminava meu doce. Um pouquinho de cobertura de açúcar cobria seu lábio. O nariz ainda estava vermelho do frio, os cabelos selvagens e despenteados pelo vento. Minha pequena herege.

— Você não gosta de Chasseurs.

Ela me lançou um olhar aguçado.

— E me esforcei tanto para esconder isso.

Eu a ignorei.

— Por quê?

— Não acho que esteja preparado para ouvir a resposta, Chass.

— Está bem. Por que quis sair para passear hoje?

— Porque já era hora.

Reprimi um suspiro de frustração.

— E isso significa...?

— Significa que há tempo de sofrer e ficar de luto, e tempo de seguir em frente.

Era sempre a mesma coisa com ela. Sempre se esquivava. Como se lesse meus pensamentos, ela cruzou os braços, inclinando-se para a frente sobre a mesa. A expressão inescrutável.

— Então está bem. Talvez você *esteja* preparado para ouvir algumas respostas. Que tal fazermos disso um jogo? Um jogo de perguntas para nos conhecermos melhor.

Também me debrucei para a frente. Retornando o desafio.

— Combinado.

— Muito bem. Qual é a sua cor favorita?

— Azul.

Ela revirou os olhos.

— Que tédio. A minha é dourado... ou azul-turquesa. Ou esmeralda.

— Por que isso não me surpreende?

— Porque não é tão tolo quanto parece. — Não sabia se ficava ofendido ou lisonjeado. Ela não me deu tempo para decidir. — Qual é a coisa mais vergonhosa que já fez?

— Eu... — Sangue subiu pela minha garganta ao me lembrar. Tossi e encarei o prato vazio na frente dela. — O arcebispo me surpreendeu em... er, numa posição comprometedora. Com uma moça.

— Meu Deus! — Ela bateu com as palmas na mesa, os olhos se arregalando. — Foi pego fazendo sexo com Célie?

As pessoas na mesa ao lado se viraram para nós. Baixei a cabeça, agradecido, pela primeira vez na vida, por não estar vestido com o uniforme. Olhei de cara feia para ela.

— Shhh! Claro que não. Ela me beijou, está bem? Foi só um beijo!

Lou franziu a testa.

— Só um beijo? Que sem graça. Não tem nada de vergonhoso nisso.

Mas tinha sido vergonhoso. A expressão no rosto do arcebispo... Afastei depressa a lembrança.

— E você? Tirou a roupa e dançou o *bourrée* nua?

Ela bufou.

— Você bem que ia gostar. Não... cantei num festival quando criança. Errei todas as notas. A plateia inteira riu. Sou uma cantora de merda.

Nossos vizinhos estalaram a língua em reprovação. Eu me retraí e fiz uma careta.

— Sim, eu sei.

— Certo. A coisa que mais te irrita?

— Blasfêmias.

— Os estraga-prazeres. — Ela abriu um sorriso. — Comida predileta?

— Carne de veado.

Lou apontou o prato vazio.

— Rolinhos de canela. Melhor amigo?

— Jean Luc. E você?

— Sério? — Seu sorriso se desfez, e ele me olhou com algo que parecia... *pena*. Mas não podia ser. — Que... lástima. A minha é Brie.

Ignorando a alfinetada — o *olhar* —, interrompi antes que pudesse fazer outra pergunta.

— Maior defeito?

Ela hesitou, deixando os olhos caírem para a mesa. Contornou um nó na madeira com o dedo.

— Egoísmo.

— Fúria. Maior medo?

Desta vez, ela não hesitou.

— Morrer.

Franzi a testa e tomei sua mão na minha.

— Não há por que temer a morte, Lou.

Ela me encarou, os olhos azul-esverdeados imperscrutáveis.

— Não?

— Não. Não se você sabe aonde está indo.

Ela deu uma risada sombria e tirou a mão da minha.

— É esse o problema, não é?

— Lou...

Ela se levantou e colocou um dedo contra minha boca para me silenciar. Pisquei depressa várias vezes, tentando não me fixar na doçura de sua pele.

— Chega de falar sobre isso. — Tirou o dedo. — Vamos visitar a árvore de Yule. Vi que a estavam arrumando mais cedo.

— A árvore de Natal — corrigi de forma automática.

Ela continuou como se não tivesse me ouvido.

— Mas, primeiro, o que precisamos mesmo é encontrar um casaco para você. Tem certeza de que não quer que eu roube um? Seria fácil. Até deixo você escolher a cor.

— Não vou deixá-la roubar nada. Vou *comprar* um casaco. — Aceitei a ponta de manto que me ofereceu, o envolvendo ao nosso redor outra vez. — E posso comprar um manto novo para você também.

— Foi o Bas quem me deu este!

— Exatamente. — Guiei-a pela rua em direção à loja de roupas. — Outra razão para jogá-lo no lixo, onde é seu lugar.

Uma hora mais tarde, deixamos o estabelecimento vestindo nossos novos trajes. Um casaco de lã azul-marinho com botões de prata para mim. Um manto de veludo branco para Lou. Ela protestou quando viu o preço, mas insisti. O branco fazia um contraste espetacular com sua pele reluzente, e ela deixou o capuz de lado, para variar. Os cabelos escuros sopravam na brisa. Linda.

Porém não mencionei essa última parte para ela.

Uma pomba arrulhava acima de nós no caminho para o centro da cidade, e flocos de neve caíam, grossos e velozes. Colavam-se aos cabelos de Lou, e em seus cílios. Ela piscou para mim, capturando um com a língua. Depois outro. E outro. Logo começou a girar em um círculo, tentando pegá-los todos ao mesmo tempo. Os passantes encaravam, mas ela não ligava. Eu a observava, achando divertido, mesmo que com relutância.

— Anda, Chass! Prove! São divinos!

Balancei a cabeça, um sorriso repuxando meus lábios. Quanto mais pessoas murmuravam ao redor, mais alta ficava sua voz. Mais agitados seus movimentos. Mais largo o sorriso. Lou se regozijava com a reprovação delas.

Balancei a cabeça, o sorriso desaparecendo.

— Não posso.

Ela se virou para mim e pegou minhas mãos. Seus dedos estavam congelantes — como dez estalactites diminutas.

— Viver um pouco não vai matá-lo, sabe.

— Sou um Chasseur, Lou. — Girei-a para longe de mim mais uma vez com uma pontada de arrependimento. — Nós não... brincamos assim.

Mesmo se quiséssemos.

— Já tentou alguma vez?

— Claro que não.

— Talvez devesse.

— Está ficando tarde. Vai querer ver a árvore de Natal ou não?

Lou mostrou a língua para mim.

— Você é tão sem graça, Chass. Uma brincadeirinha na neve pode ser exatamente o que você e o resto daqueles Chasseurs precisam. É uma boa maneira de se retirar o cabo de vassoura da boca... ou do rabo.

Olhei ao redor, nervoso. Dois transeuntes cheios de sacolas me fulminavam com olhares de reprovação. Peguei a mão de Lou quando ela rodopiou para mim outra vez.

— *Por favor*, se comporte.

— *Está bem.* — Ela levou a mão aos meus cabelos para tirar flocos de neve que tinham se acumulado ali, alisando as rugas de expressão entre minhas sobrancelhas no caminho. — Vou me abster de usar a palavra *rabo*. Satisfeito?

— Lou!

Ela gargalhou e depois sorriu para mim.

— O senhor, meu marido, é fácil demais. Vamos ver essa árvore de Yule.

— Árvore de Natal.

— Nuances. Vamos? — Embora já não partilhássemos um manto, ela envolveu minha cintura com os braços. Puxando-a mais para perto com um movimento exasperado de cabeça, não pude deter o sorrisinho que surgiu em meus lábios.

Mademoiselle Perrot nos recebeu no saguão aquela noite, o rosto retraído. Estava aflita. Ela me ignorou — como de costume — e seguiu direto para Lou.

— O que foi? — Lou franziu a testa e tomou as mãos enluvadas da amiga. — O que aconteceu?

— É Bernie — respondeu ela, baixinho. As sobrancelhas de Lou se juntaram enquanto examinava o rosto da outra.

Segurei o ombro de minha esposa.

— Quem é Bernie?

Mademoiselle Perrot nem sequer olhou para mim. Mas Lou, sim.

— Monsieur Bernard. — Ah. O paciente suicida. Ela voltou sua atenção para a curadora. — Ele... ele morreu?

Os olhos dela brilhavam com intensidade demais sob a luz das velas do saguão. Molhados demais. Marejados com lágrimas contidas. Eu me preparei para o inevitável.

— Não sabemos. Ele fugiu.

Aquilo chamou minha atenção. Dei um passo à frente.

— Como assim, *fugiu*?

Ela soltou o ar com rispidez, finalmente se dignando a me encarar.

— Assim, *fugindo*, capitão Diggory. Cama vazia. Correntes soltas. Nenhum sinal do corpo.

— Nenhum sinal do corpo? — Os olhos de Lou se arregalaram. — Então... então quer dizer que não foi suicídio!

Mademoiselle Perrot balançou a cabeça. Sombria.

— Não quer dizer nada. Pode ter se arrastado até um canto e feito isso. Até encontrarmos o corpo, não saberemos.

Tive que concordar.

— Meus irmãos já foram alertados?

Ela retorceu os lábios.

— Já. Estão procurando pela igreja e pela Torre neste momento. Uma unidade foi despachada para fazer uma busca pela cidade também.

Ótimo. A última coisa de que precisávamos era alguém topando com um cadáver impregnado de magia. As pessoas entrariam em pânico. Assenti e apertei o ombro de Lou.

— Vão encontrá-lo, Lou. De um jeito ou de outro. Não precisa se preocupar.

Seu rosto permaneceu rígido.

— Mas e se estiver morto?

Girei-a para que me encarasse, para a grande irritação de Mademoiselle Perrot.

— Então não está mais sofrendo. — Eu me abaixei para falar-lhe ao pé do ouvido, longe dos aguçados olhos da outra. — Ele sabia aonde estava indo, Lou. Não tinha nada a temer.

Ela se inclinou para trás para me fitar.

— Achei que suicídio fosse um pecado mortal.

Levei uma mecha de cabelo para trás da orelha dela.

— Só Deus pode nos julgar. Só Deus pode ler o que existe lá dentro das nossas almas. E acho que entende o poder das circunstâncias... do medo. — Retirei a mão e pigarreei. Forcei as palavras a saírem antes que pudesse mudar de ideia. — Acho que existem poucas verdades absolutas neste mundo. Só porque a Igreja acredita que Monsieur Bernard sofrerá eternamente por conta de sua doença mental... Isso não significa que ele de fato sofrerá.

Algo brotou nos olhos de Lou ao ouvir minhas palavras. Não reconheci à primeira vista. Não reconheci até horas mais tarde, quando resvalava para o sono no chão de nosso quarto.

Esperança. Era esperança.

O CONVIDADO DE HONRA

Lou

Rei Auguste marcou um baile para a noite anterior ao Dia de São Nicolau para dar início a um fim de semana de celebração. E também para homenagear Reid. Aparentemente o rei se sentia em dívida com Reid por ter salvado sua família quando as bruxas atacaram. Embora não tivesse ficado para assistir ao caos que se seguira, não tinha dúvidas de que meu marido agira de forma... heroica.

Ainda assim, era estranho celebrar a vitória de Reid quando seu fracasso teria resolvido meus problemas. Se o rei e seus descendentes estivessem mortos, então não haveria razão para eu ter que morrer também. Sim, de fato meu pescoço teria apreciado muito seu fracasso.

Reid balançou a cabeça em exasperação quando Coco irrompeu quarto adentro sem bater, um vestido branco delicado pendurado sobre o braço. Jogando seu melhor casaco de Chasseur sobre os ombros e soltando um suspiro, ele se abaixou para colocar alguns fios de cabelo atrás de minha orelha num gesto de despedida.

— Preciso ir me encontrar com o arcebispo. — Ele parou à porta, o canto da boca se repuxando em um sorriso torto. A empolgação dançava em seus olhos azul-turquesa. Apesar de minhas reservas, não pude resistir; retribuí o sorriso. — Voltarei logo.

Coco levantou o vestido para que eu o examinasse quando meu marido saiu.

— Isto aqui vai ficar divino em você.

— Qualquer roupa fica divina em mim.

Ela sorriu e piscou.

— É esse o espírito. — Atirando a peça em cima da cama, me forçou a sentar na cadeira, passando os dedos por entre meus cabelos. Estremeci ao me lembrar de quando Reid fizera o mesmo. — Os padres concordaram em me deixar ir ao baile, considerando que sou uma amiga *tão* próxima de Madame Diggory e seu marido. — Ela tirou uma escova do bolso com um brilho determinado nos olhos. — É hora de pentear esses cabelos.

Fechei o rosto para ela e inclinei o corpo para me afastar.

— Acho que não.

Eu nunca penteava os cabelos. Era uma de minhas regras, e certamente não via por que começar a quebrá-la. Além do mais, Reid gostava deles como eram. Desde que pedi para trançá-los, ele parecia pensar que podia tocar neles sempre que tivesse uma oportunidade.

Não o corrigi porque... Bom, porque não.

— Ah, vai, sim. — Ela me recostou à força outra vez, atacando os cabelos como se eles a tivessem ofendido pessoalmente. Quando tentei me livrar, ela me deu um tapa com a escova no topo da cabeça. — Fica quieta! Os ratos têm que sair do ninho!

Quase duas horas mais tarde, me encarei no espelho. A frente do vestido — feito de seda branca fina — era ajustada em meu torso e fluía com mais liberdade dos joelhos para baixo, suave e simples. Pétalas delicadas e cristais prateados salpicavam o tecido translúcido nas costas, e Coco tinha prendido meus cabelos em um coque baixo na nuca, para deixar as aplicações elaboradas brilharem. Também insistira que eu curasse o restante dos hematomas. Outra fita de veludo cobria minha cicatriz.

De modo geral, eu estava... bonita.

Ela estava atrás de mim agora, arrumando-se enquanto examinava seu reflexo por cima de meu ombro. Um vestido preto justo acentuava suas curvas — gola alta e mangas compridas intensificavam ainda mais seu charme —, e ela prendera os cachos volumosos em um elegante coque-banana no topo da cabeça. Fitei-a com uma pontada familiar de inveja. Não preenchia meu vestido tão bem quanto ela.

Coco suavizou o vermelho nos lábios com uma passada de dedo e os estalou.

— Parece até que saímos do Bellerose. Babette ficaria orgulhosa.

— Isso foi um insulto? — Coloquei as mãos nos seios e os empinei, trazendo os ombros para dentro e fazendo uma careta diante do resultado. — Aquelas cortesãs são tão belas que são *pagas* para entreter as pessoas.

Ansel entrou no quarto um momento mais tarde. Tinha cortado a confusão de cachos que era seu cabelo e os tirara da frente do rosto, enfatizando os malares altos e a pele perfeita. O novo estilo de penteado o fez parecer... mais velho. Estudei as longas linhas de seu corpo — o maxilar definido, a curva cheia que a boca fazia — com nova apreciação.

Seus olhos se esbugalharam ao encontrar Coco. Não dava para culpá--lo. Aquele vestido era a coisa mais distante de seus usuais robes largos de curadora que ela poderia ter escolhido.

— Mademoiselle Perrot! Você está... hum... está muito... muito bonita. — Ela ergueu as sobrancelhas com ironia, mas achando graça. — Quero dizer... hum... — Ele balançou a cabeça e voltou a tentar: — Reid... Capitão Diggory... me pediu para vir aqui dizer... não a você, a Lou... que, ah...

— Pelo amor de Deus, Ansel. — Sorri quando ele tirou os olhos de cima de Coco. Ele piscou depressa, atordoado, como se alguém lhe tivesse golpeado o crânio. — Estou um pouco ofendida.

Mas era evidente que ele não estava escutando. Os olhos já tinham gravitado de volta para Coco, que desfilava até ele com um sorriso quase felino. Ela inclinou a cabeça para o lado como se examinasse um ratinho particularmente suculento. Ele engoliu em seco.

— Você também está muito bem. — Ela o circundou de maneira apreciativa, arrastando um dedo pelo peito dele. O jovem ficou rígido. — Não fazia ideia de que era tão bonito debaixo daquela cabeleira toda.

— Você queria alguma coisa aqui, Ansel? — Gesticulei para o quarto, fazendo um grande arco com o braço, passando pelos seios impressionantes de Coco no processo. — Ou veio só admirar a decoração?

Ele pigarreou, os olhos se iluminando com determinação ao abrir a boca:

— Capitão Diggory pediu que eu a acompanhasse até o castelo. O arcebispo insistiu que os dois fossem juntos. Também posso acompanhá-la, Mademoiselle Perrot.

— Acho que gostaria disso. — Coco entrelaçou o braço no dele, e caí no riso diante da expressão alarmada no rosto do menino. Cada um dos músculos naquele corpo se tensionou, até as pálpebras. Era extraordinário. — E, por favor... me chame de Brie.

Ele tomou um cuidado hercúleo para tocar Coco o mínimo possível enquanto descíamos as escadas, mas ela fez questão de dificultar ao máximo a vida dele. Os Chasseurs que tinham sido forçados a permanecer na igreja nos encaravam sem qualquer cerimônia. Coco piscou para eles.

— Como já estamos aqui, por que não lhes dar um espetáculo? — sussurrei.

Coco sorriu com malevolência e beliscou o traseiro de Ansel em resposta. Ele berrou e deu um pulo para a frente, se virando para nós com revolta enquanto os guardas riam entredentes mais atrás.

— Isso *não teve graça.*

Eu discordava.

* * *

Antiquíssimo e de aparência simples, o castelo de Cesarine era uma fortaleza que condizia com a cidade. Não ostentava arcobotantes ou torres intrincadas, nem janelas ou arcadas. Ergueu-se, altivo, a nossa frente quando nos juntamos às várias carruagens já enfileiradas diante dele, o sol poente tingindo a pedra com luz de um vermelho-sangue. As árvores de folhas perenes no pátio — altas e esguias, como duas lanças perfurando o céu — apenas enfatizavam a aparência sombria.

Ficamos esperando o que me pareceram horas até que um lacaio com a farda de Lyon se aproximou. Ansel saiu para cumprimentá-lo, sussurrando algo em seu ouvido, e os olhos do homem se arregalaram. Ele tomou minha mão depressa.

— Madame Diggory! O capitão aguarda ansiosamente a sua chegada.

— Como deveria. — Coco não esperou que o criado a ajudasse a descer. Ansel correu para amparar seu cotovelo, mas ela o dispensou também. — Estou ansiosa para ver se esse seu Chasseur é tão zeloso em público quanto é fora de vista.

O lacaio pareceu ficar perplexo, mas não disse nada. Ansel grunhiu baixinho.

— Por favor, *mesdames*, sigam até a antecâmara — disse o homem. — O arauto se certificará de que sua presença seja devidamente anunciada.

Parei de súbito.

— Devidamente anunciada? Mas nem tenho título de nobreza.

— Sim, *madame*, mas seu marido é o convidado de honra. O rei insiste que seja tratado como realeza esta noite.

— Potencialmente problemático — murmurou Coco enquanto Ansel nos puxava adiante.

Sem dúvida problemático. E não do jeito divertido.

Eu não tinha a menor intenção de ser anunciada a um salão cheio de estranhos. Não tinha como saber quem poderia estar espreitando. Aprendera minha lição com Estelle. Não havia razão para uma reprise.

Estudei as cercanias, em busca de uma entrada discreta. Em um baile em homenagem a meu marido, porém, não fazia ideia de como poderia me *manter* discreta — ainda mais em um vestido ridiculamente translúcido como o meu. Xinguei em meus pensamentos quando todos os olhos no local se voltaram para nós, ao passarmos. A silhueta pecaminosa de Coco não ajudava em nada.

Aristocratas finamente vestidos passeavam pela antecâmara, que era tão escura e lúgubre quanto o exterior do castelo. Como uma prisão. Uma prisão com velas bruxuleantes em candelabros de ouro e guirlandas feitas com ramos de pinheiro e folhas de azevinho penduradas nas entradas. Acho que vi até visco.

Ansel esticou o pescoço para tentar encontrar o arauto.

— Ali está. — Apontou para um homenzinho atarracado de peruca empunhando um pergaminho, postado ao lado de uma grande entrada abaulada. Música e risos saíam do salão do outro lado. Um novo criado apareceu para guardar nossos mantos. Embora tenha segurado o meu por um segundo a mais do que seria usual, o homem conseguiu tomá-lo de minhas mãos. Sentindo-me nua e impotente, eu o observei desaparecer.

Entretanto, quando Ansel me puxou na direção do arauto, plantei os pés onde estava.

— Não vão anunciar minha chegada coisa nenhuma.

— Mas aquele criado disse...

Eu me desvencilhei dele.

— Não me importa o que ele disse!

— Lou, o rei insistiu...

— Amores. — Coco abriu um sorriso largo, entrelaçando os braços nos nossos. — Que tal não fazermos uma cena, hein?

Inspirando fundo, me forcei a sorrir e cumprimentar aristocratas curiosos com um meneio de cabeça.

— Vou entrar por *lá*. — Informei a Ansel entredentes, gesticulando para o outro lado do cômodo, para um par de portas secundárias por onde os criados iam e vinham.

— Lou — começou ele, mas eu já estava na metade do caminho. Coco se apressou em me seguir, deixando Ansel para trás.

O salão de baile era muito maior e mais grandioso do que a antecâmara. Lustres de ferro pendiam do teto de vigas, e o chão de madeira reluzia sob a luz de velas. Músicos tocavam uma melodia festiva em um canto, ao lado de uma enorme conífera. Alguns dos convidados já tinham começado a dançar, embora a maior parte preferisse passear ao redor do cômodo, bebendo champanhe e bajulando a família real. A julgar pelas vozes altas e arrastadas dos aristocratas mais próximos, já fazia horas que estavam entornando o espumante.

— Sim, As Velhas Irmãs, foi o que ouvi...

— Vieram lá de Amandine para se apresentar aqui! Meu primo me disse que são esplêndidas.

— Domingo, foi isso?

— Depois da missa. Não poderia haver um jeito melhor de terminar o fim de semana. O arcebispo merece a honra...

Bufando, passei por eles e entrei no salão. Qualquer pessoa que escolhesse juntar as palavras *o arcebispo merece a honra* na mesma frase não era digna de minha atenção. Esquadrinhei o oceano de casacos azuis e vestidos cintilantes à procura de Reid, avistando seus cabelos acobreados num extremo do salão. Um grupo de admiradores o cercava, mas foi a jovem agarrada a seu braço quem mais atraiu meu interesse. Meu coração se contraiu.

"Aguarda ansiosamente" uma ova.

Mesmo distante, podia ver que a mulher era linda: delicada e feminina; a pele de porcelana e os cabelos escuros luziam à luz de vela. Sacudiu-se toda com riso genuíno por conta de algo que Reid acabara de dizer. A inquietação me tomou.

Só podia ser uma pessoa.

Uma fantasia enfadonha e dócil e malditamente inconveniente.

Coco seguiu meu olhar, franzindo o nariz com reprovação quando também identificou Reid e a beleza de cabelos de ébano.

— Por favor, me diga que não é quem eu acho que é.

— Encontro você mais tarde. — Meus olhos não se desprenderam do rosto de Reid. Coco sabia que era melhor não me seguir desta vez.

Tinha acabado de descer os degraus para o salão quando outro homem se colocou em meu caminho. Embora nunca o tivesse visto tão de perto, reconheci a compleição bronzeada e os olhos caídos no mesmo instante. Com cabelos escuros penteados à perfeição, apenas sua coroa ostentava mais diamantes do que havia dentro do cofre de Tremblay.

Beauregard Lyon.

Maldição. Eu não tinha tempo para esta merda. Naquele mesmo segundo, a cadela estúpida estava fincando suas garras em meu marido — fazendo-o se lembrar de seus *belos* lábios, de seu sorriso, seus olhos e sua risada...

— É um vestido e tanto. — Os olhos dele percorreram meu corpo de maneira preguiçosa, e ele abriu um sorriso torto, arqueando uma sobrancelha.

— Sua Majestade. — Curvei-me em uma cortesia, mordendo a língua para não deixar sair um punhado de honoríficos mais apropriados. Ele espiou meus seios com apreciação quando me abaixei, então me endireitei outra vez. Maldito pervertido.

— Seu nome. — Não era uma pergunta.

— Madame Diggory, sua majestade.

Seu sorriso se alargou com deleite.

— Madame Diggory? *Reid* Diggory?

— A própria.

Ele jogou a cabeça para trás e gargalhou. Os aristocratas mais próximos pararam, me fitando com interesse renovado.

— Ah, ouvi falar tanto da senhora. — Os olhos dourados brilhavam com júbilo. — Me conte, que artifício exatamente usou para fazer nosso estimado capitão se casar com a senhora? Ouvi boatos, certamente, mas cada um tem sua própria teoria.

Teria alegremente quebrado um dos meus dedos em troca de quebrar um dos dele.

— Nenhum artifício, Sua Alteza — respondi com doçura. — Estamos apaixonados.

O sorriso dele se desfez, e os lábios se retorceram de leve.

— Que infelicidade.

Naquele instante, a multidão abriu espaço, revelando Reid e seus muitos admiradores. A moça dos cabelos escuros retirou algo dos cabelos dele. Meu sangue ferveu.

O príncipe levantou as sobrancelhas ao seguir meus olhos.

— Apaixonados, hein? — Ele se inclinou mais para perto, a respiração quente contra minha orelha. — Que tal deixá-lo com um pouco de ciúmes?

— Não, muito obrigada — falei com rispidez. — *Sua Majestade.*

— Pode me chamar de Beau. — Seu sorriso tornou-se malicioso ao dar um passo para trás. Passei por ele depressa, mas segurou minha mão e roçou um beijo contra a palma no último segundo. Resisti à tentação de quebrar seus dedos. — Venha me procurar se mudar de ideia. Sei que nos divertiríamos juntos.

Com um último olhar demorado, ele desfilou para longe, lançando uma piscadela para uma das mulheres ali perto. Fiquei encarando com uma carranca por um momento, antes de voltar a atenção para Reid.

Mas ele e Célie já não estavam mais lá.

UM JOGO PERIGOSO

Lou

Não demorei a avistá-los, uma vez que Reid era mais alto que o restante da multidão. *Connasse* que era, Célie continuava agarrada ao braço dele enquanto seguiam para uma porta parcialmente oculta por dois pinheiros.

Segui atrás deles. Para minha irritação, e talvez apreensão, os dois permaneciam completamente absortos um no outro, passando pela porta sem sequer olhar para trás. Eu estava prestes a fazer o mesmo, mas a mão de alguém segurou meu braço.

Virei e me deparei com o arcebispo.

— Eu não faria isso. — Ele soltou meu braço como se estivesse preocupado que pudesse contrair algo contagioso. — Inveja é um pecado mortal, criança.

— Adultério também.

Ele me ignorou, seu olhar recaindo sobre a porta. Seu rosto estava mais pálido do que o usual, sulcado, e parecia ter perdido peso desde a última vez que o vira.

— Roubamos um futuro dele, você e eu. Célie é tudo que uma mulher deveria ser. Reid teria sido feliz. — Voltou a me fitar, e sua boca se enrijeceu. — Agora ele paga pelos pecados de nós dois.

— Do que está falando?

— Não a culpo por sua criação hedonista, Louise, mas *é* uma herege. — Seus olhos estavam febris com convicção. — Talvez, se alguém tivesse estado presente... Se alguém tivesse intervindo... Tudo isto poderia ter sido evitado.

Fiquei imóvel, plantada no lugar como as árvores ao nosso lado, e ele começou a andar de um lado para outro.

— Agora é tarde. Deixe que Reid aproveite essa pequena felicidade longe da sua corrupção.

Minha perplexidade se endureceu e se transformou em algo reluzente e frio diante das palavras. Como se *eu* tivesse sido a responsável pela corrupção. Como se *eu* devesse me envergonhar.

Levantei o queixo, altiva, e dei alguns passos à frente até estar ofensivamente perto do rosto macilento dele.

— Não sei de que merda o senhor está falando, mas precisa se olhar no espelho. Existe um círculo especial no Inferno para mentirosos e hipócritas, Vossa Eminência. Talvez nos encontremos lá.

Ele me encarou boquiaberto, mas, quando dei meia-volta, não fez menção de me seguir. A satisfação bárbara que me tomou dissipou-se depressa quando entrei no que só poderia ter sido uma cozinha.

Estava vazia.

Logo, porém, uma brisa gélida roçou minha pele, e me dei conta de que a porta do outro lado tinha sido deixada entreaberta. O vento assoviava pela abertura estreita. Abri-a um pouco mais para ver Reid e Célie de pé em um jardim de ervas mortas. Neve recobria pedaços marrons de sálvia e alecrim.

Eu me inclinei um pouco mais para a frente, mal conseguindo discernir suas vozes com todo o uivo do vento.

— Sinto muito, Célie. — Reid aninhava as mãos da mulher dentro das suas. Os ombros dela estavam tensos, com raiva.

Não deveria estar aqui, a vozinha de reprovação dentro de minha cabeça advertiu. *É errado. Um momento privado. Você está traindo a confiança dele.*

Era ele quem estava *traindo a minha confiança.*

— Tem que haver algo que possamos fazer — respondeu Célie, amarga. — Não é correto. O arcebispo *sabe* que você é inocente. Talvez se conversarmos com ele... pedirmos uma anulação. Ele ama você como um filho. Certamente não ia querer vê-lo preso em um casamento sem amor.

Uma cratera se abriu em meu estômago.

Reid acariciava seus dedos com o polegar.

— Foi o próprio arcebispo quem sugeriu isso.

— O rei, então. Meu pai é *vicomte.* Tenho certeza de que eu poderia arranjar uma audiência...

— Célie — disse ele, com suavidade.

Ela fungou, e eu soube instintivamente que não era por conta do frio.

— Eu a *odeio.*

— Célie, você... você não me quis.

Meu peito se apertou diante da emoção na voz dele. Da mágoa.

— Eu *sempre* quis você — retrucou ela com intensidade feroz. — Não era para nada disso ter acontecido. Eu estava com raiva, de coração partido, e só... Precisava de um pouco de tempo. Queria ser *altruísta* por ela. Por Pip. — Ela envolveu o pescoço dele com os braços, e pela primeira vez pude ver seu semblante com nitidez. Tinha maçãs do rosto altas, encantadoras, olhos grandes e lábios carnudos. — Mas não me importo mais, Reid. Não quero saber se é egoísmo. Quero estar com você.

Sem dúvida não há coisa mais bela neste mundo do que seu sorriso, exceto, claro, seus olhos. Ou sua risada. Ou seus lábios.

Observei quando ela pressionou aqueles lábios na bochecha de Reid e me senti nauseada. De repente, já não achava mais suas cartas de amor engraçadas.

Ele se afastou antes que ela pudesse encontrar sua boca.

— Célie, não faça isso. Por favor. Não torne as coisas ainda mais difíceis.

Ela fez uma pausa, o lábio inferior tremendo. As palavras seguintes foram como um golpe em cheio em meu peito.

— Eu amo você, Reid. — Agarrou-se a ele, suplicante. — Me desculpe tê-lo afastado, mas ainda podemos ficar juntos. Podemos consertar isso. Não consumou seu casamento. Fale com o arcebispo, peça uma anulação. Vai mandar aquela prostituta para a prisão, onde ela merece estar...

— Ela não é uma prostituta.

Eu me aproximei mais da porta no mesmo instante em que Célie se afastou, franzindo a testa para algo que viu no rosto dele.

— Era uma ladra, Reid, e *armou* para você. Ela... ela não o merece.

Reid se desvencilhou dos braços da moça com gentileza.

— Célie, isto não pode continuar. — Sua voz era baixa, resignada. — Goste você dela ou não, não muda o fato de que fiz um juramento. Vou honrá-lo.

— E *você* gosta dela? — Célie exigiu saber, os olhos estreitados.

— Não importa.

— Para mim importa!

E para mim.

— O que quer que eu diga, Célie? Ela é minha esposa. Claro que gosto dela.

Célie tropeçou para trás como se ele a tivesse estapeado.

— O que aconteceu com você, Reid?

— Nada...

— O Reid que conheço abominaria aquela mulher. Ela representa *tudo* a que você se opõe...

— Você não a conhece.

— E obviamente também não conheço você!

— Célie, por favor...

— Você a ama?

Prendi o fôlego, as unhas cravadas no batente da porta. Uma pausa pesada se seguiu. E então...

— Não. — Ele soltou um fôlego pesaroso, olhando para baixo. — Mas acho... acho que poderia, talvez...

— Mas você disse que *me* amava. — Ela começou a se afastar devagar, os olhos arregalados de choque e mágoa. Lágrimas escorriam pelas bochechas. — Pediu para se casar comigo! *Comigo*... não com ela!

— Eu... Pedi, Célie. Mas Lou... — Ele suspirou e balançou a cabeça. — Não vou machucá-la assim.

— Não vai *machucá-la?* — Ela estava chorando de verdade agora, manchas vermelhas aflorando nas faces pálidas. — E *eu*, Reid? Nos conhecemos desde que éramos criancinhas! — As lágrimas ensopavam o corpete, arruinando a seda preta. — E *Pip?* E os seus *votos?*

As mãos de Reid estavam caídas ao lado do corpo.

— Sinto muito. Nunca foi minha intenção que isto acontecesse.

— Também sinto muito, Reid — soluçou ela. — Sinto muito por tê-lo conhecido.

Eu me afastei da porta devagar, meus braços e pernas começando a ficar entorpecidos. Não devia ter estado ali. Aquele momento não era para meus olhos.

De volta ao salão de baile, fiquei isolada dos demais convidados, minha mente ainda correndo a toda.

Reid tinha amado Célie.

Balancei a cabeça, enojada comigo mesma. É lógico que tinha. Ele mesmo o dissera com todas as palavras em seu diário idiota — que eu *jamais* deveria ter lido —, e, ainda que não fosse verdade, ele era um homem jovem e atraente. Poderia escolher qualquer mulher que quisesse, se não tivesse devotado a vida à causa dos Chasseurs. O pensamento me incomodava mais do que deveria. Da mesma forma como me incomodava pensar nos lábios de Célie — ou de *qualquer* outra — colados em sua bochecha.

Célie ressurgiu minutos mais tarde, limpando o rosto da maneira menos suspeita possível. Baixou a cabeça antes que pudessem questioná-la, seguindo direto para a antecâmara. Engoli o nó na garganta quando Reid também reapareceu. Observando-o enquanto procurava por mim, debati comigo mesma se devia seguir Célie.

Como poderia encará-lo depois do que ouvi? Depois de descobrir do que ele tinha aberto mão?

Você a ama?

Não. Mas acho... acho que poderia, talvez...

Poderia o quê? Me amar? Pânico enterrou as garras em minha garganta diante da possibilidade. No exato instante que levantei as saias para fugir na direção da carruagem, porém, Reid me avistou. Acenei de forma constrangida, amaldiçoando minha repentina insegurança, e os olhos azuis dele encontraram os meus e se arregalaram. Começou a caminhar até mim, educadamente se desvencilhando dos vários aristocratas que tentavam detê-lo e parabenizá-lo no caminho.

Eu me remexi — intensa e horrivelmente consciente das batidas estrondosas de meu coração, os membros dormentes, a pele ruborizada — quando ele enfim me alcançou.

E pegou minha mão.

— Você está linda.

Corei ainda mais sob seu olhar. Ao contrário da apreciação arrogante do príncipe, Reid era quase... reverencial. Ninguém jamais me olhara daquela maneira antes.

— Obrigada. — Meu fôlego ficou preso na garganta, e ele inclinou a cabeça, os olhos estudando os meus num questionamento silencioso. Desviei o rosto, envergonhada, mas Coco escolheu aquele momento para atacar.

Não se importou em trocar cortesias. Nunca o fazia com Reid.

— Diga-me, Chasseur Diggory, quem era a bela jovem que estava com você mais cedo? Sua irmã, talvez?

Olhei para ela de cara feia, mas Coco me ignorou. A sutileza nunca fora o seu forte.

— Ah... hum, não — respondeu Reid. — Era a filha do *vicomte*, Mademoiselle Tremblay.

— Sua amiga pessoal? — pressionou Coco. — O-pai-dela-é-amigo-do-seu, esse tipo de coisa?

— Nunca cheguei a conhecer meu pai — respondeu Reid, duro.

Mas ela nem pestanejou.

— E como se conhecem, então?

— Brie. — Forcei um sorriso e peguei a mão dela, apertando sem misericórdia. — Acho que gostaria de um tempinho a sós com meu marido. Onde está Ansel?

Ela gesticulou com a mão para algum lugar atrás de nós, sem entusiasmo.

— Provavelmente batendo no peito e desafiando aquele outro Chasseur para um duelo.

Olhei para onde ela havia indicado.

— Que outro Chasseur?

— O pomposo. O cretino. — Ela contraiu os lábios com concentração, mas nem precisava. Sabia exatamente a quem se referia. — Jean Luc.

— O que aconteceu?

— Ah, a velha disposição masculina. Ansel não queria Jean Luc brincando com seu novo brinquedinho. — Ela revirou os olhos. — Juro, minhas amantes mulheres nunca dão tanto trabalho.

Meu sorriso era genuíno agora. Pobre Ansel. Não tinha chances contra Jean Luc... Ou Coco.

— Talvez você devesse ir até lá arbitrar.

Coco estudou minha mão entrelaçada na de Reid e o rubor febril em minhas bochechas. A maneira como ele estava tão próximo. Próximo demais. Seus olhos se estreitaram.

— Talvez devesse mesmo.

Ela deu um passo à frente para me abraçar, mas Reid não soltou minha mão. Lançando um olhar feio para ele, me deu um abraço ainda assim, desajeitado, mas intenso.

— Nos vemos mais tarde — murmurou em meu ouvido. — Me avise se precisar que eu seque todo o sangue dele.

Reid a observou partir com expressão inescrutável.

— Precisamos conversar — anunciou enfim. — Em algum lugar mais reservado.

Eu o segui com apreensão silenciosa até o mesmo jardim de ervas secas da desilusão de Célie. Desta vez, me certifiquei de fechar a porta da cozinha com firmeza atrás de nós. O que quer que fosse que queria me confessar — e suspeitava de que seria doloroso —, não precisava de audiência.

Ele passou a mão pelos cabelos acobreados, agitado.

— Lou, a mulher com quem você e Mademoiselle Perrot me viram, aquela era...

— Não. — Envolvi minha cintura com os braços para não tremer. Não podia suportar. Não podia reviver aquela infeliz conversa. Ouvi-la uma vez tinha sido suficiente. — Não precisa me explicar nada. Eu entendo.

— Preciso explicar, sim — discordou ele. — Escute, sei que nos casamos em circunstâncias longe das ideais. Mas, Lou, eu... Eu quero que isto dê certo. Quero ser seu marido. Sei que não posso forçá-la a querer o mesmo, mas...

— Eu quero — murmurei.

Os olhos dele se arregalaram, e ele deu um passo um pouco inseguro para mais perto.

— Quer?

— Quero.

Ele sorriu, um sorriso verdadeiro, antes de deixá-lo se dissipar um pouco.

— Então não pode haver segredos entre nós. — Hesitou, como se estivesse buscando as palavras corretas. — A mulher que você viu era Célie. Você leu minhas cartas, então sabe que a amei. Mas... mas nada aconteceu. Eu juro. Ela me encontrou quando cheguei com o arcebispo e... se recusou a sair do meu lado. Eu a trouxe aqui alguns minutos atrás para explicar as novas circunstâncias do nosso relacionamento. Disse-lhe que não...

— Eu sei.

Respirei fundo, me preparando para a situação desagradável que se seguiria. Ele franziu o cenho.

— Como pode saber?

Porque sou uma pessoa horrível. Porque não confiei em você. Porque ela é tudo o que você merece, e eu, sua inimiga.

— Segui vocês dois até aqui — admiti baixinho. — E... ouvi tudo.

— Você nos espiou? — A descrença tingia sua voz.

Estremeci. Se de frio ou vergonha, eu não sabia.

— Hábitos antigos. É difícil desaprendê-los.

As sobrancelhas voltaram a ficar franzidas, e ele se distanciou um pouco.

— Não era assim que eu queria que você ficasse sabendo.

Dei de ombros, tentando invocar minha velha arrogância, mas não teve o impacto usual.

— É mais fácil assim.

Ele me fitou por um longo momento. Tão longo que eu não soube se ele voltaria a falar. Eu me encolhi diante da intensidade.

— Chega de segredos, Lou — declarou, enfim. — Chega de mentiras.

Eu me amaldiçoei por não ser capaz de lhe dar a resposta que ele queria. A resposta que *eu* queria. Pois lá estava — escarnecendo de mim. Não queria mais mentir para ele.

— Eu... vou tentar — murmurei.

Era o melhor que podia lhe oferecer.

Ele assentiu, devagar, compreensivo.

— Vamos voltar lá para dentro. Você está tremendo.

— Espere. — Tomei a mão dele antes que pudesse se virar, com o coração engasgado firmemente em minha garganta. — Eu... Eu quero...

Me humilhar como uma tola. Balancei a cabeça, amaldiçoando a situação em meus pensamentos. Não era boa naquilo. Honestidade, sinceridade — em geral, davam trabalho demais para que me preocupasse com elas. Mas agora... com Reid... eu lhe devia isso.

— Quero agradecer... por tudo. — Apertei seus dedos, os meus próprios rígidos e doloridos pelo frio. — Célie tinha razão. Não o mereço. Deixei sua vida caindo aos pedaços quando entrei nela.

Sua outra mão descansou sobre a minha. Quente e firme. Para minha surpresa, ele sorriu.

— Fico feliz que tenha entrado nela.

O sangue fluiu para minhas bochechas congeladas, e de repente comecei a encontrar dificuldades para encará-lo. — Certo, bem, então... Vamos entrar. Meu rabo está congelando aqui fora.

A celebração continuava a todo vapor quando retornamos ao salão de baile. Peguei uma taça de champanhe de um dos garçons e engoli seu conteúdo de uma só vez.

Reid me fitou, incrédulo.

— Você bebe como um homem.

— Talvez os homens possam aprender uma coisa ou outra com as mulheres. — Acenei para o criado e tomei mais duas taças da bandeja, entregando uma a Reid. Ele não a aceitou. — Relaxa, Chass. Aproveita. É o melhor champanhe que o dinheiro pode comprar. É um insulto a Vossa Majestade não bebê-lo. — Examinei a multidão com tédio fingido. — Onde está o Rei Auguste, aliás? Deveria estar presente, não?

— E está. Foi quem me apresentou mais cedo.

— E que tal ele?

— O que se espera.

— Um bajulador filho da mãe como o filho, então? — Agitei a taça de champanhe sob o nariz dele, mas ele se limitou a balançar a cabeça em negativa. Dei de ombros, bebendo a porção dele também e rindo da expressão em seu rosto.

Momentos depois, um calor delicioso se espalhou pelo meu corpo. A música, antes uma valsa lenta e insípida, me soava muito melhor agora. Mais animada. Entornei a terceira taça.

— Dança comigo — pedi de repente.

Reid me olhou perplexo.

— O quê?

— Dança comigo! — Fiquei na ponta dos pés e abracei seu pescoço. Ele se enrijeceu, olhando ao redor, mas o puxei para baixo com determinação. Ele aceitou, se recurvando de leve, e envolveu minha cintura com os braços. Ri.

Estávamos ridículos, curvados e fazendo um esforço monumental para nos encaixarmos, mas eu me recusava a soltá-lo.

— Esta... esta não é a maneira correta de dançar.

Levantei a cabeça e o fitei nos olhos.

— Claro que é. Você é o convidado de honra. Pode dançar como bem entender.

— Eu... eu não costumo fazer coisas assim...

— Reid, se você não dançar comigo, vou encontrar alguém que queira.

Suas mãos apertaram meus quadris.

— Não vai, não.

— Então a solução é esta. Vamos dançar.

Ele arfou e fechou os olhos.

— Está bem.

Por mais nervoso que estivesse com a ideia, dentro de alguns movimentos já tinha se provado capaz, movendo-se com graça anormal para alguém tão alto. Cheguei a tropeçar algumas vezes. Teria colocado a culpa na cauda de meu vestido estúpido, mas era mesmo só minha. Não conseguia me concentrar. As mãos de Reid eram firmes em minha cintura, e não pude evitar imaginá-las... em outros lugares. Meu sangue ferveu ao pensar nisso.

A música acabou cedo demais.

— Melhor irmos — disse ele, a voz rouca. — Está ficando tarde.

Assenti e dei um passo para trás, me afastando dele e não confiando em mim mesma para falar.

Não demoramos a encontrar Coco. Ela estava encostada contra a parede próxima à antecâmara, conversando com ninguém menos do que Beauregard Lyon. Um de seus braços estava escorado contra a parede acima da cabeça dela. Mesmo a distância, podia ver que estavam flertando desavergonhadamente.

Os olhares dos dois se voltaram para mim e Reid quando nos aproximamos.

— Ora, ora, ora... Se não é Madame Diggory. — Os olhos do príncipe reluziram com humor. — Vejo que seu marido fez a escolha certa.

Ignorei-o, embora Reid tenha se eriçado todo diante das palavras.

— Brie, já estamos prontos para partir. Você vem?

Coco olhou para o príncipe, que abriu um sorriso torto.

— Esta encantadora criatura não vai sair do meu lado pelo restante da noite. Sinto muito, amor — ele sussurrou para mim de maneira conspiratória. — Terei que adiar minha proposta... a menos que você ou seu marido queiram se juntar a nós?

Olhei feio para ele. Cretino.

Os olhos de Reid se estreitaram.

— Que proposta?

Puxei seu braço.

— Vamos encontrar Ansel.

— Ele já foi. — Coco envolveu a cintura do príncipe com os braços. Um brilho malicioso iluminou seus olhos escuros. — São só vocês dois na volta. Espero que não se importem.

Mostrei os dentes para ela numa tentativa de sorrir.

— Podemos falar com você em particular um instante, Brie?

Surpresa cruzou seu rosto, mas ela se recompôs depressa.

— É claro.

Com o sorriso se dissipando, eu a arrastei até a antecâmara.

— O que está fazendo?

Ela rebolou os quadris.

— Tentando lhe dar um tempo a sós com seu marido. A pista de dança não me pareceu suficiente.

— Com o *príncipe*.

— Ah. — Ela arqueou uma sobrancelha e sorriu. — Provavelmente a mesma coisa que você vai fazer com Reid.

— Está falando sério? Ele vai ver suas cicatrizes!

Levantou um ombro com indiferença, puxando a manga preta justa para baixo.

— Então lhe direi que sofri um acidente. Por que suspeitaria de outra coisa? Não é como se as Dames Rouges fossem de conhecimento geral, e todos aqui pensam que sou Brie Perrot, curadora e amiga pessoal do capitão Reid Diggory. Além do mais, você não acha que está sendo um pouco hipócrita? Entre mim e Beau é só sexo, mas você e

Reid... não vou dizer que sei o que diabos existe entre vocês dois, mas *alguma coisa* existe.

Bufei, mas minhas faces se ruborizaram, traiçoeiras.

— Você é mesmo louca.

— Será que sou? — Coco tomou minhas mãos, os olhos estudando meu rosto. — Não quero lhe dizer o que fazer ou não, Lou, mas, por favor... tenha cuidado. Está jogando um jogo perigoso. Reid continua sendo um Chasseur, e você, uma bruxa. Sabe que terão que se separar um dia. Não quero vê-la magoada.

Minha raiva se evaporou diante da preocupação dela, e apertei suas mãos para tranquilizá-la.

— Sei o que estou fazendo, Coco.

Mas até eu sabia que era mentira. Não fazia ideia do que estava fazendo quando se tratava de Reid.

Ela soltou minha mão, franzindo a testa.

— Certo. Vou deixá-los a sós, então, e vocês dois podem continuar com essa idiotice juntos.

Um buraco inexplicável se abriu em meu estômago ao vê-la ir embora. Não gostava de brigar com Coco, mas não havia nada que pudesse fazer para consertar as coisas desta vez.

Reid reapareceu a meu lado um momento depois, tomando meu braço e me guiando até a carruagem — a carruagem que, de repente, era pequena demais, abafada demais, com Reid sentado a meu lado. Seus dedos roçaram minha coxa em um gesto aparentemente inocente, e não pude não pensar na sensação que sentira quando estavam em minha cintura. Estremeci e fechei os olhos.

Quando os abri um momento mais tarde, Reid me encarava. Engoli em seco, e seu olhar baixou até meus lábios. Desejei com todas as forças que ele se inclinasse para a frente — eliminasse a distância entre nós —, mas suas pálpebras se fecharam no último segundo, e ele se afastou.

A decepção percorreu meu corpo, logo substituída pela pontada aguda de humilhação.

Assim é melhor. Olhei para fora da janela com uma carranca. Coco tinha razão: Reid continuava sendo um Chasseur, e eu, uma bruxa. Não importava o que acontecesse entre nós, não importava o que mudasse, aquele obstáculo insuperável permaneceria. E ainda assim... Estudei seu perfil rígido, a maneira como os olhos sempre gravitavam de volta para mim.

Seria estúpido seguir por este caminho. Só havia um desfecho possível. Reconhecer o fato, no entanto, não impedia que meu coração disparasse com sua proximidade, nem apagava aquela centelha de esperança. Esperança de que, talvez, nossa história pudesse terminar de uma maneira diferente.

Mas... Coco tinha razão.

Eu *estava* jogando um jogo perigoso.

UMA QUESTÃO DE ORGULHO

Reid

A tensão em nosso quarto aquela noite era fisicamente dolorosa.

Lou estava deitada em minha cama. Ouvi quando se remexeu na escuridão, sua respiração alta e depois silenciosa. Voltou a se mexer. Rolou para ficar de lado, devagar. Depois de costas. Depois de lado. De costas. Tentando não fazer barulho. Tentando ser discreta.

Mas não conseguiu nem um, nem outro, e a escutei. De novo, de novo e *de novo.*

Aquela mulher estava me fazendo perder a razão.

Enfim, ela se debruçou sobre a lateral da cama, os olhos azul-esverdeados encontrando os meus na escuridão. Seus cabelos se derramaram até o chão.

Levantei o tronco, apoiado nos cotovelos, depressa demais, e seu olhar caiu para onde minha camisa se abria no peito. Um calor desceu até minha barriga.

— O que foi?

— Isto é ridículo. — Ela fez uma carranca, mas eu não tinha ideia de por que *ela* estava irritada. — Você não tem que ficar dormindo no chão.

Olhei para ela desconfiado.

— Tem certeza?

— Está bem, antes de mais nada, *pare* de me olhar desse jeito. Não é nada demais. — Ela revirou os olhos antes de deslizar para o lado para me dar espaço. — Além do mais, este quarto está congelante. Preciso do calor desse seu corpo gigante para me esquentar. — Quando continuei sem me mover, deu tapinhas no lugar a seu lado na cama, me chamando. — Ah, anda logo com isso, Chass. Não mordo... muito.

Engoli em seco com dificuldade, bloqueando com violência a imagem de sua boca em minha pele. Com movimentos lentos, cautelosos — dando a ela diversas oportunidades de mudar de ideia —, subi na cama. Vários segundos de silêncio desconfortável se passaram.

— Relaxa — sussurrou ela, enfim, embora também estivesse rígida como uma tábua de madeira. — Não precisa ficar tão sem jeito.

Quase ri. Quase. Como se fosse possível relaxar quando ela estava tão... perto. A cama, padronizada como todas camas nos dormitórios, não tinha sido feita para duas pessoas. Metade de meu corpo estava para fora, a outra metade, pressionada contra ela.

Não reclamei.

Após outro momento de silêncio torturante, ela virou-se para mim, os seios roçando meu braço. Minha pulsação disparou, e trinquei os dentes, controlando meus pensamentos desenfreados.

— Me conte sobre os seus pais.

E, com isso, todo e qualquer pensamento de intimidade desapareceu.

— Não tem nada para contar.

— Sempre tem alguma coisa.

Fitei o teto, resoluto. Silêncio recaiu no quarto outra vez, mas ela continuou a me observar. Não pude resistir a virar meu olhar para ela. Para sua expressão cheia de expectativa, os olhos grandes. Balancei a cabeça e suspirei.

— Fui abandonado. Uma camareira me encontrou no lixo quando era bebê.

Ela me encarou, horrorizada.

— O arcebispo me acolheu. Fui pajem por um bom tempo. Depois, espichei. — O canto de minha boca se repuxou para cima como se por vontade própria. — Pouco depois, ele começou a me treinar para fazer parte dos Chasseurs. Tomei meu lugar aos 16. Esta é a minha realidade desde sempre.

Lou descansou a cabeça em meu ombro.

— Tomou seu lugar?

Fechando os olhos, recostei o queixo no topo de sua cabeça e inspirei. Fundo.

— Existem apenas cem Balisardas... uma gota da relíquia de São Constantino em cada. Limita as posições disponíveis. A maioria serve a vida inteira. Quando um Chasseur se aposenta ou morre, um torneio é organizado. Apenas o vencedor tem permissão para se juntar aos escalões.

— Espera aí. — Ela se sentou na cama, e meus olhos se abriram depressa. Sorriu para mim, os cabelos fazendo cócegas em meu peito. — Está me dizendo que *Ansel* venceu todos os outros concorrentes?

— Ansel não é um Chasseur.

O sorriso dela fraquejou.

— Não é?

— Não. Mas está treinando para se tornar um. Vai competir no próximo torneio, junto com todos os demais noviços.

— Ah. — Ela franziu a testa, enrolando uma mecha de cabelo no dedo. — Bom, isso explica muita coisa.

— Explica?

Ela tornou a se aconchegar em mim com um suspiro.

— Ansel é diferente dos outros. É... tolerante. Tem a cabeça aberta.

Eu me ericei diante da insinuação.

— Não é crime ter princípios, Lou.

Ela me ignorou. Seus dedos percorriam a gola de minha camisa.

— Me fala sobre o seu torneio.

Pigarreei, com dificuldade para ignorar os movimentos gentis. Mas seus dedos eram muito quentes. E minha camisa, muito fina.

— Eu devia ter a idade de Ansel. — Dei um risinho ao relembrar. O modo como meus joelhos tremiam, como tinha vomitado toda a frente do casaco minutos antes da primeira rodada. O arcebispo tinha sido obrigado a me emprestar outro. Embora tivesse sido apenas alguns anos atrás, a lembrança parecia muito distante. Uma época diferente. Uma vida diferente. Quando vivia e respirava com o propósito único de assegurar um futuro dentro do mundo de meu patriarca. — Todos os outros eram maiores do que eu. Mais fortes também. Não sei como consegui.

— Sabe, sim.

— Tem razão. — Outra risada subiu à minha garganta, espontânea. — Sei, sim. Eles não eram *tão* maiores assim, e eu treinava todos os dias para me fortalecer. Foi o próprio arcebispo quem me treinou. Nada mais importava, apenas me tornar Chasseur. — Meu sorriso se desfez quando as memórias emergiram, uma após a outra, com nitidez dolorosa. A multidão na plateia. Os gritos. O tinido do metal e o cheiro de suor no ar. E... e Célie. Seus aplausos e vivas. — Lutei contra Jean Luc no campeonato.

— E venceu.

— Sim.

— Ele se ressente disso.

— Eu sei. O que tornou vencê-lo ainda mais doce.

Ela me cutucou na barriga.

— Você é um cretino.

— Provavelmente. Mas ele é pior. As coisas... mudaram entre nós naquele ano. Ele ainda era noviço quando o arcebispo me promoveu a capitão. Teve que esperar até o torneio seguinte para ganhar sua posição. Acho que nunca me perdoou.

Ela não tornou a falar por vários minutos. Quando finalmente falou, desejei que não o tivesse feito.

— E... e Célie? Continuou a vê-la mesmo depois dos votos?

Todo resquício de humor secou e morreu em minha língua. Encarei o teto outra vez. Mesmo sem voltar a falar, ela recomeçou a brincar com minha gola. Persuasiva. Paciente. Voltei a suspirar.

— Você leu as cartas. Nós... mantivemos nosso cortejo.

— Por quê?

Enrijeci, imediatamente desconfiado.

— Como assim, *por quê*?

— Por que continuar a cortejando se jurou sua vida aos Chasseurs? Nunca ouvi falar de um Chasseur se casando antes de você. Não tem outras esposas morando na Torre.

Teria aberto mão de minha Balisarda para encerrar a conversa. Quanto de meu diálogo com Célie ela teria ouvido? Ela... Engoli em seco diante da ideia... Ela sabia que Célie tinha me rejeitado?

— Não é inédito. Há poucos anos, o capitão Barre se casou.

Não mencionei que ele havia deixado a irmandade um ano mais tarde.

Ela voltou a sentar, me perfurando com aqueles olhos enervantes.

— Você ia se casar com Célie.

— Ia. — Desviei os olhos, fitando o teto. Um floco de neve flutuou para dentro do quarto pela janela. — Crescemos juntos e... sempre fomos namorados. A bondade dela me atraía. Eu era uma criança raivosa. Ela me acalmava. Implorava que não jogasse pedras na polícia. Me forçava a confessar quando roubava o vinho litúrgico. — Um sorriso repuxou meus lábios ao pensar nas lembranças. — Eu era brigão. O arcebispo teve que me endireitar a paulada.

Os olhos dela se estreitaram, mas, sabiamente, não abriu a boca. Recostando-se outra vez contra meu peito, acariciou minha clavícula nua com o dedo, e, em seu caminho, fez o calor explodir pela minha pele — e em todos os demais lugares. Eu me mexi para afastar o quadril, xingando em silêncio.

— Quantas bruxas você matou?

Grunhi e virei a cabeça para o travesseiro. Aquela mulher seria capaz de congelar o Inferno.

— Três.

— Mesmo?

O tom de julgamento em sua voz me deixou irritado. Assenti, tentando não parecer afrontado.

— Embora capturar bruxas seja difícil, elas são vulneráveis sem sua magia. A do teatro era mais esperta do que a maioria. Não me atacou com magia. Usou a magia para me atacar. Tem uma diferença.

Ela deslizou o dedo pelo meu braço. Preguiçosamente. Reprimi um arrepio.

— Então você sabe muito sobre magia?

Limpando a garganta, me forcei a manter o foco na conversa. Em suas palavras. Não em seu toque.

— Sabemos o que o arcebispo nos ensina durante o treinamento.

— Que é...?

Desviei os olhos, meu maxilar tenso. Não entendia o fascínio de Lou pelo oculto. Tinha deixado explícito em incontáveis ocasiões que não concordava com nossa ideologia. Mas sempre tocava no assunto, como se *quisesse* brigar. Como se *quisesse* que eu perdesse a paciência.

Suspirei.

— As bruxas canalizam sua magia do Inferno.

Ela bufou.

— Isso é ridículo. É lógico que a magia delas não vem do Inferno. A magia vem dos *ancestrais*.

Fitei-a com incredulidade.

— Como é que você sabe disso?

— Minha amiga me contou.

Óbvio. A bruxa da mansão de Tremblay. A bruxa que *ainda* não tínhamos encontrado. Resisti à vontade de explodir com ela. Não importava quanto a aborrecêssemos com o assunto, nada a convencia de nos dar mais informação. Fiquei surpreso que o arcebispo não a tivesse ameaçado com a fogueira.

Mas eu nunca tinha ouvido falar em algo daquele tipo.

— Ancestrais?

Seu dedo continuou o caminho por meu braço. Roçou os pelos nos nós dos meus dedos.

— Arrã.

Aguardei que continuasse, mas ela parecia absorta em pensamentos.

— Então... uma bruxa... Aquelas coisas podem...

— *Coisas*, não. — A cabeça dela se levantou abruptamente. — Uma bruxa é sempre uma *mulher*, Reid. Não uma *coisa*.

Suspirei, quase tentado a encerrar a discussão ali mesmo. Mas não podia. Amiga bruxa ou não, Lou não podia ficar dizendo blasfêmias daquele tipo pela Torre, ou de fato *acabaria* na fogueira. E não haveria nada que eu pudesse fazer para impedir.

Tinha que dar cabo daquele fascínio já. Antes que saísse do controle.

— Sei que você acha que...

— Eu *sei*...

— ...Mas só porque uma bruxa tem a aparência de uma mulher e age como uma...

— Se parece um pato e grasna como um pato...

— ...Não quer dizer que é um pato. Digo, uma mulher.

— Bruxas *são* mulheres, Reid. Podem dar à luz. — Ela deu um peteleco em meu nariz. Pisquei, os lábios se curvando para cima em surpresa. — São *humanas*. É perfeitamente natural.

— Mas aquelas que dão à luz só têm filhas. — Sorrindo, aproximei o rosto do nariz dela em resposta. Ela se afastou com um solavanco e quase caiu da cama. Arqueei uma sobrancelha irônica, achando graça. — Não me parece uma reprodução perfeitamente natural.

Ela fez uma careta, e um rubor furioso brotou em suas bochechas. Se não a conhecesse tão bem, teria pensado que estava desconfortável. Abri ainda mais o sorriso, me perguntando o que teria causado a mudança repentina. Minha proximidade física? A palavra *reprodução?* Ambas?

— Não seja ridículo. — Socou o travesseiro para afofá-lo e se jogou nos lençóis outra vez. Agora tomando cuidado para não me tocar. — Claro que bruxas têm filhos homens.

Meu sorriso desapareceu.

— Nunca encontramos um bruxo.

— Porque a magia só é passada para as filhas. Os filhos são mandados embora depois de nascerem.

— Por quê?

Ela deu de ombros.

— Porque não possuem magia. Minha amiga me disse que homens só têm acesso ao Château como consortes, e ainda assim não têm permissão para ficar.

— Ela lhe contou tudo isso?

— Claro. — Ela levantou o queixo e me fitou de cima, com altivez, como se me desafiasse a contradizê-la. — Você devia mesmo se educar melhor, Chass. Uma ladra de rua ordinária sabe mais sobre os seus inimigos do que você. Que vergonha.

Um sentimento de humilhação me percorreu. Lou se encolheu um pouco mais sob os lençóis quando o vento começou a soprar mais forte lá fora.

— Está com frio?

— Um pouco.

Eu me aproximei, levantando o braço.

— Bandeira branca?

Ela engoliu em seco e assentiu.

Puxei-a contra meu peito, entrelaçando minhas mãos na base de suas costas. Ela voltou a se comportar como uma tábua de madeira. Pequena. Tensa. Inflexível. Com as perguntas inoportunas e galhofa ofensiva fora de cena, era quase como se ela estivesse... nervosa.

— Relaxa — murmurei contra seus cabelos. — Não mordo... muito. — Um riso silencioso agitou meu peito. Ela se enrijeceu ainda mais, como se isso fosse possível. Não tinha por que se preocupar. Com certeza já teria escutado as batidas estrondosas do meu coração e se dado conta da vantagem que tinha sobre mim.

— Isso foi uma piada, Chass?

Meus braços a apertaram um pouco.

— Talvez. — Quando não respondeu, afastei o rosto para encará-la. Outro sorriso repuxou meus lábios.

E, de repente, me lembrei de nossa primeira noite juntos.

— Não precisa ficar tensa, Lou. — Acariciei suas costas, me obrigando a permanecer parado enquanto ela se remexia contra mim. — Não tentarei nada.

Um ruído de protesto escapou dela.

— Por que não?

— Lembro que você ameaçou me esviscerar se a tocasse sem permissão. — Inclinei seu queixo para cima, ao mesmo tempo me amaldiçoando e parabenizando quando ela deixou as pálpebras se fecharem e arfou. Cheguei mais perto, lábios quase roçando os dela. — Não vou tocá-la até você pedir.

Seus olhos se abriram depressa, e ela me empurrou para longe com um rosnado.

— Não pode estar falando sério.

— Ah, mas estou. — Abri um sorrisinho torto e me recostei outra vez no travesseiro. — Está tarde. É melhor dormirmos.

Os olhos de Lou brilhavam com fúria. Com compreensão.

Com admiração relutante.

Triunfante, observei enquanto colocava os pensamentos em ordem. Assisti a cada emoção surgir em seu rosto sardento. Ela fez uma careta.

— Parece que o subestimei.

Levantei as sobrancelhas.

— É só dizer as palavras. Peça.

— Você é um cretino.

Dei de ombros.

— Como quiser. — Com um movimento fluido, levantei a bainha da camisa e a retirei por cima da cabeça. Os olhos dela se arregalaram com incredulidade.

— O que está fazendo? — Ela pegou a roupa e a atirou de volta para mim.

Peguei-a e a joguei no chão.

— Estou com calor.

— Você... você... Fora da minha cama! Fora! — Ela me empurrou, provavelmente com toda a força que tinha, mas nem me movi. Só sorri.

— A cama é minha.

— Não, aqui é onde *eu* durmo. *Você* dorme...

— Na cama. — Levei as mãos para trás da cabeça. Ela me fitou boquiaberta, os olhos se voltando para meus braços, meu peito. Meu sorriso se alargou ainda mais e resisti à vontade de flexionar os músculos. — Minhas costas não param de doer faz duas semanas. Cansei de dormir no chão. A cama é minha, e vou dormir aqui de agora em diante. Você está mais do que convidada a se juntar a mim, do contrário, a banheira continua livre.

Ela abriu a boca, furiosa. Então a fechou outra vez.

— Eu... Isto é... *Não* vou dormir na... — Seus olhos percorreram o perímetro da cama, nitidamente buscando algo com que pudesse me apunhalar. Acabaram caindo em um travesseiro.

Pá.

Eu o tomei dela antes que pudesse me acertar outra vez, abraçando-o contra o peito. Pressionando os lábios para não rir.

— Lou... deite-se. Vá dormir. Nada mudou. A menos que queira me pedir alguma coisa.

— Melhor não prender a respiração. — Ela arrancou o travesseiro de mim. — Na verdade... prenda.

Deixei escapar um risinho antes de me virar.

— Boa noite, Lou.

Ela caiu no sono muito antes de mim.

SANGUE, ÁGUA E FUMAÇA

Lou

Acordei na manhã seguinte com o rosto enterrado no peito de Reid. Seus braços envolviam minhas costelas, e as mãos descansavam nas minhas costas. Arqueei o corpo contra o dele, sonolenta, saboreando a sensação de sua pele contra a minha — e congelei. Minha camisola tinha subido até a cintura durante a noite, e minhas pernas e barriga encostavam nele, nuas.

Merda, merda, *merda*.

Eu me apressei em puxar o tecido para baixo, mas ele acordou com um sobressalto. Instantaneamente alerta, passou os olhos por mim e minha expressão de pânico, depois pelo quarto vazio. O canto dos lábios se curvou para cima, e rubor subiu pelo seu pescoço.

— Bom dia.

— É mesmo? — Eu me afastei dele, minhas bochechas traiçoeiramente quentes. Ele sorriu mais e pegou a camisa do chão antes de seguir para o banheiro. — Aonde você vai?

— Treinar.

— Mas... mas é Dia de São Nicolau. Temos que celebrar.

Ele pôs a cabeça para fora do banheiro com uma expressão divertida.

— Ah, é?

— É — afirmei, deslizando para fora da cama a fim de me juntar a ele. Reid abriu espaço quando passei, embora a mão tenha ido capturar um feixe de cabelos meus. — Vamos ao festival.

— Vamos?

— Vamos. A comida é *incrível*. Tem uns macarons de gengibre... — Parei de falar, a boca já salivando, e balancei a cabeça. —- Não sei descrevê-los como merecem. Precisam ser experimentados. Além disso, tenho que comprar um presente para você.

Ele soltou meu cabelo com relutância e foi até o armário.

— Não precisa comprar nada para mim, Lou.

— Besteira. Adoro dar presentes, quase tanto quanto gosto de recebê-los.

Uma hora mais tarde, cainhávamos de braços dados pela Costa Leste.

Embora eu tivesse ido ao festival no ano anterior, não tivera interesse em decorar os pinheiros com frutas e doces, nem em jogar lenha na fogueira no centro da cidade. Não, estivera muito mais focada nos jogos de dados e tendinhas vendendo bugigangas baratas — sem falar na comida, claro.

O cheiro das gostosuras de canela pairava no ar agora, misturando-se ao fedor onipresente de peixe e fumaça. Olhei, desejosa, na direção do carrinho de biscoitos mais próximo de nós. Amanteigados, madeleines e palmiers me encaravam de volta. Quando levantei a mão para afanar um — ou três —, Reid revirou os olhos e me puxou para seguir em frente. Meu estômago roncou indignado.

— Como é que você pode continuar faminta? — perguntou, incrédulo. — Comeu três porções no café da manhã.

Fiz uma careta.

— O café foi *atum*. Tenho um estômago secundário só para sobremesa.

As ruas fervilhavam com foliões envolvidos em xales e casacos, e uma camada fina de neve recobria tudo — as lojas, as barraquinhas, as carruagens, a rua. Guirlandas com laços vermelhos decoravam quase todas as portas. O vento soprava as fitas e as fazia dançar.

Para Cesarine, era lindo.

Não se pode dizer o mesmo dos panfletos de mau gosto colados nos prédios:

AS VELHAS IRMÃS
COMPANHIA ITINERANTE

convida a homenagear nosso patriarca
VOSSA EMINÊNCIA, FLORIN CARDINAL CLÉMENT,
ARCEBISPO DE BELTERRA

comparecendo ao espetáculo do século amanhã pela manhã,
dia sete de dezembro
na Cathédral Saint-Cécile d'Cesarine

Joyeux Noël!

Levantei um deles sob o nariz de Reid, rindo.

— Florin? Que nome *horrível!* Não é de se espantar que ele nunca o use.

Ele franziu a testa para mim.

— Florin é meu nome do meio.

Amassei o papel e o joguei dentro de uma lata de lixo.

— Uma verdadeira tragédia. — Quando ele tentou me levar para outro lugar, desvencilhei meu braço do dele, vestindo o capuz do manto. — Está bem, hora de nos separarmos.

Ainda com a testa franzida, ele estudou a praça tumultuada.

— Não acho que seja uma boa ideia.

Revirei os olhos.

— Pode confiar em mim. Não vou fugir. Além do mais, presentes têm que ser *surpresa*.

— Lou...

— Nos encontramos na confeitaria do Pan em uma hora. Escolha *bem* o meu presente.

Ignorando seus protestos, girei e serpenteei por entre os passantes em direção à forja no fim da rua. O ferreiro da casa, Abe, sempre fora um simpatizante da parte mais obscura da Costa Leste. Eu já havia comprado muitas facas dele — e roubado uma ou duas outras. Antes da mansão de Tremblay, Abe me mostrara uma bela adaga de cabo de cobre. Seu tom era idêntico ao dos cabelos de Reid. Torci para que não a tivesse vendido.

Tirando o capuz e invocando um toque de meu antigo charme, entrei na loja. Brasa ardia na forja, mas, além de um barril de água e um saco de areia, o cômodo de chão de terra batida estava vazio. Nenhuma espada. Nenhuma faca. Nenhum cliente. Franzi a testa. O ferreiro também não estava em lugar algum.

— Abe? Está aí?

Um homem grande e barbado entrou pela porta lateral, e sorri em sua direção.

— Aí está você, velhote! Achei até que tinha ficado negligente por um momento. — Meu sorriso vacilou diante da carranca furiosa dele, e olhei ao redor. — O negócio está a todo vapor?

— Você tem muita coragem de vir até aqui, Lou.

— Do que está falando?

— Os boatos dizem que você entregou Andre e Grue. A Costa Leste está cheia de policiais à espreita por sua causa. — Ele deu um passo à frente com os punhos cerrados. — Estiveram aqui duas vezes, fazendo perguntas sobre coisas das quais não deveriam nem fazer ideia. Meus fregueses estão desconfiados. Ninguém quer fazer negócio com a polícia na área.

Ai! Talvez eu não devesse ter contado tudo aos Chasseurs, afinal.

— Ah, mas vim trazendo uma oferta de paz. Está vendo? — Tirei uma bolsinha do manto com um floreio e a sacudi. As moedas lá dentro tilintaram em uma melodia alegre. Os olhos escuros permaneceram desconfiados.

— Quanto?

Atirei o saquinho para cima com indiferença deliberada.

— O suficiente para comprar uma bela adaga de cobre. Um presente para o meu marido.

Ele cuspiu no chão, enojado.

— Casar com um porco azul. Achei que nem *você* desceria tão baixo.

A raiva borbulhou em meu peito, mas não era hora nem lugar de começar uma briga pela honra de meu marido.

— Fiz o que tinha que fazer. Não espero que entenda.

— É aí que se engana. Eu entendo bem.

— Ah, é?

— Todos fazemos o que temos que fazer. — Ele fitou a bolsa em minha mão com expressão voraz. — Estou lembrado da adaga de cobre. Preferiria serrar meus dedos a vê-la nas mãos de um caçador, mas ouro é ouro. Fique parada aí. Vou trazê-la.

Eu me remexi, inquieta, no silêncio que se seguiu, correndo os dedos pela bolsinha de moedas.

Casar com um porco azul. Achei que nem você *desceria tão baixo.*

Queria mandar Abe para o inferno, mas parte de mim lembrava como era odiar os Chasseurs. Odiar Reid. Lembrava como fugia para o abrigo das sombras quando eles passavam, como me abaixava sempre que tinha um vislumbre de azul.

O medo continuava lá, mas para minha surpresa... o ódio desapa-recera.

Quase dei um pulo quando ouvi um ruído perto da porta. Com certeza um rato. Mentalmente me repreendendo, endireitei os ombros. Já não odiava os Chasseurs, mas eles *tinham* me deixado complacente. E isso era indesculpável.

Parada num lugar que costumava frequentar e me sobressaltando à toa, me dei conta de quanto havia perdido da minha sagacidade. E onde diabos estava Abe?

Sem saber por que estava tão furiosa — com Abe, Reid, com o arcebis-po e todos os malditos homens que já haviam cruzado meu caminho —, girei e segui batendo o pé até a porta lateral por onde Abe desaparecera.

Quinze minutos tinham sido mais do que suficientes. Abe podia pegar minhas *couronnes* e enfiá-las no rabo. Fui abrir a porta, determinada a lhe dizer exatamente isso, mas parei quando minha mão tocou a maçaneta. Um buraco se abriu em meu estômago.

Estava trancada.

Merda.

Respirei fundo. Depois outra vez. Talvez Abe não quisesse que eu o seguisse para seus cômodos particulares. Talvez tivesse trancado a porta para impedir que eu bisbilhotasse e saísse levando algo valioso sem pagar. Eu já tinha feito isso antes. Talvez estivesse apenas sendo cauteloso.

Ainda assim, senti um arrepio correr minha espinha quando virei para tentar a entrada principal. Embora não pudesse enxergar o que havia do outro lado da vidraça por conta de fuligem e sujeira, sabia que eram poucas as pessoas que se aventuravam por aquelas partes da rua. Girei a maçaneta.

Trancada.

Dando alguns passos para trás, tentei examinar minhas opções. A janela. Poderia quebrá-la, saltar para fora antes...

A porta lateral se abriu com um clique, e, por um único e glorioso segundo, me convenci a acreditar que era a forma agigantada de Abe no limiar.

— Olá, Lou Lou. — Grue deu um passo à frente, estalando os dedos. — Você é uma cachorra difícil de pegar.

Pânico me percorreu quando Andre apareceu atrás dele, tirando uma faca do manto. Os olhos escuros de Abe surgiram atrás dos ombros dos outros dois.

— Tinha razão, Lou. — Seus lábios se retorceram. — Todos fazemos o que temos que fazer. — Depois virou e desapareceu dentro da sala contígua, batendo a porta com violência.

— Olá novamente, Grue. Andre, seu olho se recuperou bem. — Forçando indiferença apesar da histeria crescente, busquei em minha visão periférica algo que pudesse usar como arma: o barril d'água, o saco de areia, a pinça enferrujada perto da forja. Ou... ou poderia...

Ouro cintilou ferozmente na minha visão periférica. Voltei o olhar para a água, o fole ligado à forja. Estávamos em um lugar fechado. Ninguém me veria. Ninguém saberia que eu estava ali. Teria partido muito antes de Abe retornar, e as chances de ele alertar a polícia ou os Chasseurs sobre meu envolvimento eram pequenas. Teria que arriscar incriminar a si mesmo. Teria que explicar como dois homens tinham sido assassinados em sua oficina.

Porque *com certeza* os mataria se me tocassem. De um jeito ou de outro.

— Você nos traiu — rosnou Andre. Comecei a me aproximar da forja devagar, virando minha atenção para a faca na mão dele. — Não temos para onde ir. Aqueles filhos da mãe sabem de todos os nossos esconderijos. Quase nos *mataram* ontem. E agora vamos matar você.

Um brilho desvairado iluminou os olhos dele, e eu soube que era melhor não falar nada. Suor melava as palmas das minhas mãos. Um movimento errado — um passo em falso, um errinho —, e estaria morta. O dourado flamejou com mais intensidade, mais urgência, serpenteando em direção às brasas quentes na forja.

Fogo por fogo. Já conhece essa dor. Sabe que ela passa. Queime-o, a voz sussurrava.

Eu me encolhi para longe dela instintivamente, lembrando a agonia das chamas de Estelle, e busquei outro padrão. Este cintilava, inocente, na areia, pairava próximo aos olhos de Andre — e dos meus —, me dificultando enxergar.

Olho por olho.

Mas não podia abrir mão de minha visão pela de Andre. Não quando eles eram dois.

Pense. Pense, pense, *pense*.

Continuei chegando para trás, centímetro a centímetro, padrões surgindo e se dissipando com mais rapidez do que eu era capaz de acompanhar. O Anel de Angélica esquentou a ponto de queimar quando cheguei perto da fornalha. *Lógico*. Amaldiçoando a mim mesma por não ter pensado nele antes, fui lentamente deslizando a aliança para fora do dedo. Andre notou o movimento, e seus olhos se estreitaram quando avistou a bolsinha de dinheiro ainda em minha mão. Cretino ganancioso.

Com um empurrão cuidadoso do polegar, passei o Anel pela articulação — mas ele escorregou rápido demais na pele úmida de suor e caiu no chão.

Rodopiou uma.

Duas.

Três vezes.

Vi com horror quando o pé de Grue pisou nele. Com olhos brilhantes, ele se abaixou para pegá-lo, um sorriso horrendo atravessando seu rosto. Minha boca ficou seca.

— Então este é seu anel mágico. Toda essa confusão por um pouco de ouro. — Colocou a joia dentro do bolso com um sorriso torto, se aproximando. Andre imitou seus movimentos. — Nunca gostei de você, Lou. Sempre se achou tão melhor do que nós, mais esperta do que nós, mas não é nada disso. E já nos contrariou vezes demais.

Ele investiu, mas eu fui mais rápida. Pegando a pinça — ignorando o calor intenso em minhas palmas —, dei com ela no rosto dele. O cheiro nauseante de carne cozinhando encheu o cômodo, e Grue cambaleou para trás. Andre veio atrás de mim, mas atirei a pinça em sua direção também. Ele parou no instante certo, ira contorcendo suas feições.

— Para trás! — Apunhalei o ar com o instrumento na direção dele por precaução. — Não chegue mais perto!

— Vou cortá-la em vários pedacinhos. — Grue mergulhou em minha direção outra vez, mas desviei do ataque, sacudindo a pinça descontroladamente. A faca de Andre cortou o espaço ao lado de meu rosto. Eu me afastei com uma guinada para trás, mas Grue já estava lá. A mão pegou a extremidade da pinça, e a arrancou de mim com força brutal.

Joguei a mão na direção do saco de areia, guiando os cordões com desespero para os olhos dele — e para *longe* dos meus.

Andre berrou quando a areia se ergueu como uma onda e o açoitou. Cambaleou para trás, as mãos voando para o rosto, arranhando a pele, tentando se livrar das lâminas minúsculas em seus olhos. Assisti com fascínio selvagem — meus olhos ainda perfeitamente intactos —, até Grue se mover ao meu lado. Um borrão. Girei, erguendo as mãos em defesa, mas minha mente estava preguiçosa e lenta. Ele levantou o punho. Só encarei. Sem ser capaz de compreender o que pretendia fazer com ele. Sem ser capaz de prever o movimento seguinte. Depois, ele golpeou.

Sua visão pela dele.

A dor explodiu em meu nariz, e cambaleei para trás. Ele abriu um sorriso, envolvendo minha garganta com a mão e me tirando do chão.

Resfoleguei e cravei as unhas nele, tirando sangue, mas ele não me soltou.

— Nunca matei uma bruxa antes. Devia ter desconfiado. Você sempre foi uma *aberração*. — Ele se inclinou para mim, o bafo quente e pestilento contra minha bochecha. — Depois de esquartejá-la, vou devolvê-la, cada maldito pedacinho, para o seu porco azul.

— Não a mate depressa demais. — Lágrimas e sangue escorriam dos olhos arruinados de Andre. A areia já tinha caído, misturando-se à poeira dourada a meus pés. O ouro piscou uma vez mais antes de desaparecer. Andre se abaixou para recuperar a faca. — Quero aproveitar este momento.

Grue afrouxou a mão. Tossi e arfei quando fechou o punho em meus cabelos, puxando minha cabeça para trás e expondo meu pescoço.

A faca de Andre encontrou minha cicatriz.

— Parece que alguém foi mais rápido do que nós.

Branco salpicava minha visão, e me debati contra os dois.

— Ah, ah, ah. — Grue deu outro puxão em meus cabelos, e a dor percorreu o couro cabeludo. — De novo, não, Lou Lou. — Ele fez um movimento de cabeça indicando a lâmina em meu pescoço. — Aí, não. Rápido demais. Comece pelo rosto. Vamos cortar uma orelha... não, espera. — Sorriu para mim, os olhos queimando com ódio legítimo. — Melhor do que isso, vamos arrancar o coração dela. Vai ser o primeiro pedaço que vamos mandar para o porco.

Andre arrastou a faca do pescoço até meu peito. Me concentrei em seu rosto revoltante, desejando que outro padrão emergisse. *Qualquer* um.

E um deles respondeu, brilhando mais forte do que antes. Escarnecendo de mim.

Não hesitei. Fechando os dedos, puxei o cordão com brusquidão, e as brasas na fornalha voaram em nossa direção. Eu me preparei para a dor que viria, dando uma cotovelada no estômago de Grue e girando para longe. Quando o carvão golpeou o rosto dos dois, minha própria pele queimou. Mas eu conhecia aquela dor. Podia suportá-la. *Já* a suportara.

Trincando os dentes, tomei a faca de Andre e a enterrei em seu pescoço, cortando pele e alcançando tendão e osso. Seu grito terminou em um gorgolejo. Grue lançou-se contra mim indistintamente, berrando de fúria, mas usei seu impulso para cravar a lâmina em seu peito — e estômago e ombro e pescoço. Sangue espirrou em minha bochecha.

Quando seus corpos tombaram, caí junto com eles, apalpando o corpo de Grue em busca do Anel de Angélica. O enfiei de volta no dedo no instante em que bateram à porta.

— Está tudo bem aí dentro?

Congelei ao ouvir a voz desconhecida, arfando e tremendo. A maçaneta se sacudiu, e uma nova voz se juntou à primeira.

— A chave está quebrada.

— Ouvi gritos. — Outra batida, mais alta desta vez. — Tem alguém aí?

A maçaneta voltou a ser chacoalhada.

— Olá? Tem alguém me ouvindo?

— O que está acontecendo aqui?

Aquela voz reconheci. Forte. Confiante. Malditamente inconveniente.

Levantei com um pulo, manquei até o barril d'água, rezando para que a porta resistisse contra a força de Reid. Xinguei baixinho. *Claro* que Reid estava ali, naquele exato instante, com magia pairando no ar e dois corpos queimando no chão. Deslizei um pouco no sangue deles enquanto inclinava o barril. Água cascateou por cima da dupla, diluindo a maior parte do cheiro. As brasas sibilaram com o contato, criando um pouco de fumaça, e um odor nauseante de queimado impregnou o cômodo. Fiz o mesmo comigo, me encharcando também.

As vozes lá fora cessaram quando o reservatório deslizou para fora de meus dedos e despencou para o chão. E depois...

— Tem alguém lá dentro. — Sem esperar confirmação, Reid começou a chutar a porta. Ela se envergou sob o peso dele. Quando voltou a chutar, a madeira fez um estalo ameaçador. Voei para a forja e comecei a bombear o fole freneticamente. Fumaça de carvão encheu a sala, grossa e preta. A madeira começou a rachar, mas perseverei. Continuei com os movimentos até meus olhos começarem a lacrimejar e minha garganta arder. Até não poder mais sentir o cheiro da magia. Até não conseguir mais sentir cheiro nenhum.

Larguei o fole no instante em que a porta explodiu.

A luz do sol entrou, iluminando a silhueta de Reid nas espirais de fumaça. Monumental. Tenso. Alerta. Tinha desembainhado a Balisarda, e a safira brilhava em meio à massa de vapor ondulante. Dois cidadãos preocupados estavam atrás dele. Quando a fumaça se dispersou, pude ver melhor seu rosto. Os olhos corriam depressa pela cena, estreitando-se quando avistou sangue e corpos — e aterrissando em mim. Seu rosto empalideceu.

— Lou?

Assenti, não confiando em minha voz. Meus joelhos cederam.

Ele se aproximou com rapidez, ignorando o sangue, água e fumaça, e se ajoelhou diante de mim.

— Está tudo bem? — Segurou meus ombros, me obrigando a olhar para ele. Afastou os cabelos molhados de meu rosto, levantou meu queixo, tocou as marcas em meu pescoço. Os dedos pararam na cicatriz fina. A máscara fria de ira rachou, deixando apenas o homem desesperado sob ela. — Eles... eles a machucaram?

Fiz uma careta, me retraindo, e tomei as mãos dele, interrompendo sua avaliação. Minhas mãos tremiam.

— Estou bem, Reid.

— O que aconteceu?

Narrei o pesadelo pelo qual passara com rapidez, omitindo qualquer menção à magia. Água e fumaça tinham feito seu trabalho — e a carne chamuscada. A cada palavra, o rosto de meu marido endurecia mais, e, quando terminei, tremia com fúria. Expirando pesadamente, descansou a testa contra nossas mãos entrelaçadas.

— Quero matá-los por terem tocado em você.

— Chegou tarde — respondi, fraca.

— Lou, eu... Se a tivessem machucado... — Levantou os olhos para os meus, e, mais uma vez, a vulnerabilidade que encontrei ali perfurou meu peito.

— C-como sabia que eu estava aqui?

— Não sabia. Vim comprar um dos seus presentes de Natal. — Ele fez uma pausa e um movimento de cabeça para mandar os dois cidadãos embora. Aterrorizados, saíram pela porta sem mais palavras. — Uma faca.

Fitei-o. Talvez tenha sido a adrenalina ainda bombeando por meu corpo. Ou sua desobediência às ordens do arcebispo. Ou minha própria maldita conclusão de que estava com medo. Medo de verdade, desta vez.

E precisava de ajuda.

Não. Precisava *dele*.

Qualquer que fosse a razão, não me importava.

Num segundo, estávamos ajoelhados juntos no chão ensanguentado, e, no seguinte, estava atirando meus braços ao redor de seu pescoço e o beijando. Ele se afastou por uma fração de segundo, atordoado, mas depois agarrou o tecido das costas de meu manto e me esmagou contra si, sua boca insistente e implacável.

Perdi o controle. Por mais forte que Reid me abraçasse, queria estar ainda mais perto. Queria sentir cada centímetro dele. Envolvendo seu pescoço com mais força, moldei o corpo à forma sólida dele — ao peito largo, barriga, pernas.

Com um rosnado baixo, ele passou as mãos sob minhas coxas e me levantou contra si. Envolvi sua cintura com as pernas, e ele me deitou no chão, aprofundando o beijo.

Algo quente umedeceu as costas de meu vestido, e parei o beijo abruptamente, tensa. Olhei para onde Andre e Grue estavam.

Sangue.

Eu estava deitada no sangue deles.

Reid se deu conta disso no mesmo segundo que eu e se levantou, me puxando com ele. Manchas rosadas coloriam suas bochechas, e a respiração soava irregular.

— Melhor irmos embora daqui.

Pisquei, um pouco decepcionada quando o calor entre nós esfriou e a realidade gelada se instalou. Eu havia matado. Outra vez. Encolhendo-me contra o peito dele, olhei para onde Andre e Grue estavam caídos. Forcei-me a encarar os olhos frios e sem vida. Estavam com os rostos virados para o teto, bocas e olhos abertos, sem enxergar. Sangue ainda escorria das feridas abertas.

Repulsa embrulhou meu estômago.

Vagamente consciente de que Reid estava se desvencilhando de meu abraço, olhei para meu manto. O veludo branco estava arruinado — manchado de vermelho, sem salvação.

Mais duas mortes. Mais dois corpos em minhas mãos. Quantos ainda se juntariam a eles antes de estar tudo acabado?

— Aqui. — Reid colocou algo dentro de minha mão fraca, e envolvi os dedos ao redor dela por instinto. — Um presente de Natal adiantado.

Era a faca de Andre, ainda pegajosa com o sangue de seu mestre.

DE CASA

Lou

O sol já estava se pondo quando começamos o caminho de volta para a Torre dos Chasseurs. Reid insistira em reportar a confusão toda à polícia. Fizeram pergunta atrás de pergunta, até eu finalmente explodir:

— Não estão vendo meu pescoço? — Puxei a gola para baixo para lhes mostrar os ferimentos pela centésima vez. — Acham que fui eu mesma quem fez isto aqui?

Reid tinha ficado mais do que feliz em partir depois disso.

Suponho que eu devesse ficar grata por sua reputação como Chasseur. Não fosse por isso, tenho poucas dúvidas de que a polícia teria aproveitado a oportunidade para me atirar na prisão por assassinato.

Do lado de fora, virei o rosto para o sol moribundo, respirando fundo e tentando me recompor. Andre e Grue estavam mortos. Os Chasseurs ainda não tinham encontrado Monsieur Bernard, o que significava que ele também devia estar morto. Não tinha visto ou falado com Coco desde nossa discussão no baile, e Reid e eu... Nós...

Ele parou a meu lado sem dizer nada, escorregando os dedos por entre os meus. Fechando os olhos, saboreei os calos na palma de sua mão, a aspereza de sua pele. Nem mesmo as chicotadas do vento em minhas bochechas eram insuportáveis com ele por perto. Rodopiavam ao redor e me traziam seu cheiro — vagamente amadeirado, como ar fresco e pinheiros, com uma pitada de algo mais rico, profundo, que era apenas de Reid.

— Quero lhe mostrar uma coisa, Reid.

O canto de seus lábios se repuxou para cima, formando meu sorriso torto favorito.

— O quê?

— Um segredo.

Puxei sua mão para fazê-lo andar, mas ele plantou os pés no chão, de repente desconfiado.

— Nada ilegal, não é?

— Lógico que não. — Puxei com mais força, mas Reid permaneceu plantado no lugar. Tentar arrastá-lo era como tentar mover uma montanha. Ele arqueou as sobrancelhas diante de minhas vãs tentativas, achando graça. Por fim, desisti, dando um tapa no seu peito. — Meu Deus, você é um cretino mesmo! Não é ilegal, está bem? Agora anda, ou, juro por Deus, vou tirar a roupa bem aqui e dançar o *bourrée.*

Coloquei as mãos nos quadris e o encarei com expectativa.

Ele não lançou sequer um olhar às pessoas ao redor. Nem corou. E Reid sempre corava.

Em vez disso, manteve os olhos nos meus, um sorrisinho irônico se abrindo no rosto, devagar.

— Por favor, faça isso.

Estreitei os olhos e endireitei os ombros, me empertigando até alcançar minha altura máxima — ainda que insignificante.

— Olha que faço. Não pense que não. Agora mesmo.

Ele levantou as sobrancelhas, ainda sorrindo.

— Estou esperando.

Eu o encarei, levando as mãos ao fecho do manto. Forcei-me a não olhar para os passantes que se demoravam ao redor, embora eles certamente estivessem nos olhando. Um manto branco ensanguentado dificilmente poderia ser considerado discreto.

— Não tenho medo de fazer cena. Achei que soubesse disso.

Ele deu de ombros e enfiou as mãos nos bolsos.

— A primeira vez acabou valendo a pena para mim. — Meu manto caiu ao chão, e ele o olhou com apreciação. — Acho que essa também vai.

Meu estômago, traiçoeiro como era, se revirou diante daquelas palavras e da maneira como seus olhos seguiam cada movimento meu.

— Você é um porco.

— Foi você quem se ofereceu. — Ele fez um movimento de cabeça na direção da pâtisserie de Pan quando comecei a desatar o cordão em meu vestido. — Mas acho que deve saber que temos uma plateia.

E era verdade: Pan estava parado à janela da confeitaria, assistindo com interesse. Teve um sobressalto quando virei para ele, e acenou um pouco depressa demais para ser natural. Meus dedos congelaram onde estavam.

— Você teve sorte. — Peguei o manto do chão, atirando-o outra vez sobre os ombros, virado pelo avesso a fim de esconder o grosso do sangue. Não pude resistir e olhei em volta, mas os transeuntes tinham perdido o interesse. Fui tomada de alívio.

— Concordamos em discordar.

— Você é mesmo um porco! — Girei para continuar marchando em direção à Torre, mas ele segurou minha mão.

— Pare, por favor. — Levantou a outra mão de forma apaziguadora, mas o sorriso arrogante ainda brincava no canto da boca. — Quero ver qual é o seu segredo. Me mostre.

— Que pena. Mudei de ideia. Não quero mais mostrar nada.

Ele me virou para que o encarasse, envolvendo meus braços com as mãos.

— Lou. Me mostra. Sei que você quer.

— Não sabe de nada.

— Sei que tirar a roupa em público é demais, até para você. — Ele riu. Era um som encantador e raro. — Sei que nunca vai admitir que não teria ido em frente com aquilo.

O humor em seus olhos foi lentamente se atenuando enquanto me segurava, e me dei conta, de forma quase dolorosa, de que esse era o mais próximo um do outro que estávamos desde o beijo daquela manhã. Ele olhava para seu polegar, que acariciava meu lábio inferior.

— Sei que tem uma boca suja. — Pressionou meu lábio com força para dar ênfase. — E está acostumada a sempre conseguir o que quer. Sei que é vulgar, desonesta e manipuladora...

Eu me encolhi, franzindo o nariz, mas ele só me segurou com mais força.

— ...Mas também é solidária, aventureira e destemida. — Colocou uma mecha de cabelo atrás de minha orelha. — Nunca conheci ninguém como você, Lou.

Levando em consideração seu cenho franzido, o pensamento o deixava inquieto. Eu tampouco queria examinar minhas próprias emoções com muito cuidado.

Casar com um porco azul. Achei que nem você *desceria tão baixo.*

O que quer que Reid fosse, não era um porco azul. Mas *ainda* era um Chasseur. Acreditava no que acreditava. Eu não era tola o bastante para pensar que poderia mudá-lo. Ele me veria sob uma luz diferente se soubesse quem eu era de verdade. Suas mãos — me tocando com tanta delicadeza — me tocariam de outra maneira, também.

Vislumbrei o rosto de Estelle em minha mente. As mãos de Reid envolvendo sua garganta. A *minha* garganta.

Não. Cambaleei para longe dele, os olhos arregalados. Suas sobrancelhas se juntaram em confusão.

Um silêncio constrangedor se seguiu e dei um risinho nervoso, secando as palmas das mãos na saia.

— Mudei de ideia outra vez. Quero, sim, te mostrar o segredo.

O Soleil et Lune logo entrou em nosso campo de visão.

— O teatro? — Reid fitou os degraus vazios, confuso. — É um pouco calminho para os seus padrões, não? Estava esperando uma operação de contrabando...

— Não seja ridículo, Chass. — Parei à porta que dava para os bastidores, levantando a saia e subindo em uma lata de lixo. — Jamais me pegariam andando num lugar assim.

Ele inspirou com rispidez quando se deu conta de qual era meu plano.

— Isso é invasão, Lou!

Sorri para ele por cima do ombro.

— Só se nos pegarem. — Depois me levantei por cima das calhas, pisquei e deslizei para fora de sua vista.

Ele sibilou meu nome nas sombras, mas o ignorei, limpando a gosma das botas e esperando.

Mãos apareceram um momento mais tarde, quando ele me seguiu.

Não pude não rir da expressão em seu rosto.

— Demorou. Vamos passar a noite inteira aqui se continuarmos neste passo.

— Sou um Chasseur, Lou. Isto é totalmente inapropriado!

— Sempre com o cabo de vassoura enfiada no rabo...

— Lou! — Os olhos viajaram até o telhado. — *Não* vou escalar um prédio.

— Ah, *Chass.* — Meus olhos se arregalaram quando compreendi, e bufei de uma maneira pouco digna. — *Por favor*, me diga que não tem medo de altura.

— Claro que não. — Ele estava agarrado à pedra. — É uma questão de princípio. Não vou infringir a lei.

— Entendi. — Assenti, fingindo que concordava e reprimindo um sorriso. Podia deixá-lo ganhar esta. Podia resistir à tentação de provocá-lo, só desta vez. — Bom, infelizmente, não estou nem aí para a lei. Vou subir de qualquer jeito. Sinta-se à vontade para me entregar à polícia.

— Lou! — Ele tentou pegar meu tornozelo, mas eu já estava a vários metros acima dele. — Desce daí!

— Vem me pegar! E, pelo amor de Deus, Chass, para de ficar olhando por baixo da minha saia!

— *Não* estou olhando por baixo da sua saia!

Ri para mim mesma e continuei escalando, saboreando o ar gelado em meu rosto. Depois do incidente de tirar o sono na forja, era bom poder simplesmente... me liberar. Rir. Queria que Reid fizesse o mesmo. Gostava muito de sua risada.

Olhando para baixo, me permiti admirar os ombros poderosos em ação por apenas um segundo antes de me esforçar para subir mais rápido. Não podia deixar que chegasse antes de mim.

Ele soltou um ruído surpreso quando entrei pela janela quebrada do sótão, sussurrando meu nome com alarme e urgência crescentes. No momento seguinte, deslizou para dentro atrás de mim.

— Isto é invasão de propriedade privada, Lou!

Dando de ombros, caminhei para a pilha de fantasias que fora minha cama um dia.

— Não dá para invadir sua própria casa.

Um segundo de silêncio se passou.

— Era... era aqui que morava?

Assenti, inspirando fundo. O cheiro era exatamente como me lembrava: o perfume de fantasias antigas misturado com cedro, poeira e uma pitada de fumaça das lamparinas. Traçando o dedo pelo baú que Coco e eu costumávamos dividir, enfim o encarei.

— Durante dois anos.

Estoico como sempre, ele não fez nenhum comentário. Mas sabia para onde tinha que olhar para escutá-lo — os ombros tensos, o maxilar trincado, a boca retraída. Não aprovava. Claro que não.

— Bem — falei, abrindo os braços —, este é o meu segredo. Não é nenhum romance épico, mas... bem-vindo a minha humilde residência.

— Não é mais sua residência.

Caí na cama, trazendo os joelhos para junto do peito.

— Este sótão vai ser sempre meu lar. Foi o primeiro lugar em que me senti segura. — As palavras escaparam antes que tivesse me dado conta, e me amaldiçoei em silêncio.

Seu olhar se aguçou.

— O que aconteceu dois anos atrás?

Fitando o manto de veludo azul que costumava usar como travesseiro, engoli em seco.

— Não quero falar sobre isso.

Ele se agachou a meu lado, levantando meu queixo com delicadeza. Seus olhos encontraram os meus com intensidade inesperada.

— Eu quero.

Nunca duas palavras tinham soado tão odiosas. Ou agourentas. Esmagando o veludo na mão cerrada, forcei uma risadinha e procurei algo que pudesse usar para mudar de assunto... qualquer coisa.

— Topei com o lado errado de outra faca. Uma ainda maior.

Reid soltou um suspiro pesado e liberou meu rosto, mas não se afastou.

— Você faz com que seja impossível conhecê-la.

— Ah, mas já me conhece tão bem. — Abri o que esperava que fosse um sorriso triunfante, ainda desconversando. — Desbocada, manipuladora, beija como *ninguém*...

— Não sei nada sobre o seu passado. Sua infância. Por que se tornou uma ladra. Quem era antes... de tudo isto.

Meu sorriso escorregou do rosto, mas forcei minha voz a permanecer leve.

— Não tem nada para saber.

— Sempre tem alguma coisa.

Maldito seja por usar minhas próprias palavras contra mim assim. Houve uma pausa na conversa enquanto ele me fitava com expectativa, e eu fitava o veludo azul. Uma traça tinha enchido o tecido suntuoso de buracos, e brinquei com eles, fingindo tédio.

Enfim, ele me virou para encará-lo.

— Então?

— Não quero falar sobre isso.

— Lou, por favor. Só quero saber mais sobre você. É mesmo tão terrível assim?

— É, é, sim. — As palavras saíram mais ríspidas do que eu queria, e fiz uma careta internamente diante da mágoa que cruzou o rosto dele. Se tinha que morder e latir para dissuadi-lo daquela conversa maldita, então que fosse. — Toda aquela merda está no passado por uma razão, e já disse que não quero falar sobre o assunto... Com ninguém, principalmente com você. Não basta ter mostrado minha casa? Meu segredo?

Ele se encolheu, expirando com brusquidão.

— Eu lhe contei que fui encontrado no lixo. Acha que foi fácil falar sobre isso?

— Então por que falou? — Rasguei ainda mais um dos buracos no veludo, com violência. — Não o forcei a nada.

Ele levantou meu queixo mais uma vez, os olhos lívidos.

— Porque me perguntou. Porque é minha esposa, e se tem alguém que merece conhecer as piores partes de mim, é você.

Eu me desvencilhei dele.

— Ah, não se preocupe, conheço muito bem todas elas...

— Igualmente.

— Você me pediu para não mentir para você. — Levantei o queixo e pulei da cama depressa, cruzando os braços na frente do peito. — Não me pergunte sobre meu passado, e não serei obrigada a mentir.

Ele imitou meus movimentos, me engolindo com sua altura, a expressão sombria. O maxilar ficou tenso, e depois relaxou, ao olhar para o meu pescoço.

— O que está escondendo, Lou?

Encarei-o, meu coração ribombando com violência repentina em meus ouvidos. Eu não podia contar. Ele não podia me perguntar. Estragaria tudo.

No entanto... Teria que lhe contar um dia. Este jogo não podia durar para sempre. Engolindo em seco, levantei o rosto em desafio. Talvez, depois de tudo por que tínhamos passado, ele seria capaz de enxergar além. Talvez pudesse mudar — por mim. Por nós dois. Talvez eu também pudesse.

— Não estou escondendo nada, Reid. Pode perguntar o que quiser.

Ele soltou outro suspiro pesado em resposta ao tremor em minha voz, me puxando para perto e levantando a mão para acariciar meus cabelos.

— Não vou forçá-la. Se não se sente confortável o bastante para me contar, a culpa é minha, não sua.

É lógico que pensaria assim. Claro que pensaria o pior de si em vez de enxergar a verdade — que o pior estava em mim. Enterrei o rosto em seu peito. Mesmo frustrado, Reid era mais gentil do que qualquer pessoa que eu já conhecera. Não o merecia.

— Não é você. — Segurei-o com mais força, mais perto, dentro das sombras do sótão, inspirando seu cheiro, que se misturava perfeitamente aos cheiros reconfortantes do teatro. De casa. — Sou eu. Mas... posso tentar. Posso tentar contar.

— Não. Não temos que falar sobre isso agora.

Balancei a cabeça, determinada.

— Por favor... pergunte.

A mão parou em meus cabelos, e o mundo junto com ela — semelhante à calma sinistra que antecede a magia. Até a brisa que entrava pela janela pareceu pausar, demorando-se entre as mechas do meu cabelo, entre os dedos dele. Esperando. Esqueci como se respira.

Mas a pergunta não veio.

— Você é de Cesarine? — A mão baixou de meus cabelos para as costas, e o vento seguiu seu curso, insatisfeito. Foquei no movimento suave, decepção e alívio hediondo digladiando-se em meu coração.

— Não. Cresci em uma comunidade pequena ao norte de Amandine. — Sorri com melancolia contra o peito dele ao revelar a meia-verdade. — Cercada por montanhas e mar.

— E os seus pais?

As palavras fluíam com mais facilidade agora, o aperto em meu peito relaxando com o perigo imediato tendo passado.

— Nunca conheci meu pai. Minha mãe e eu... estamos afastadas.

A mão parou outra vez.

— Ainda é viva, então?

— Sim. Muito viva.

— O que aconteceu entre vocês duas? — Ele se afastou um pouco, estudando meu rosto com interesse renovado. — Ela também está aqui em Cesarine?

— Espero sinceramente que não. Mas preferiria não falar sobre o que aconteceu. Não agora.

Ainda uma covarde.

— Justo.

Ainda um cavalheiro.

Seu olhar caiu sobre minha cicatriz, e ele se curvou devagar, roçando um beijo contra a marca. Arrepios explodiram por minha pele.

— Como é que isso foi parar aí?

— Minha mãe.

Ele deu uma guinada para trás como se a linha prateada da cicatriz o tivesse mordido, o horror nublando seus olhos.

— O quê?

— Próxima pergunta.

— Eu... Lou, isso é...

— Próxima pergunta. Por favor.

Embora sua testa continuasse franzida de preocupação, ele me puxou para si outra vez.

— Por que se tornou uma ladra? — A voz tinha ficado mais rouca, mais grave. Envolvi sua cintura e apertei com força.

— Para fugir dela.

Reid ficou tenso contra mim.

— Não vai explicar, vai?

Descansei o rosto contra o peito dele e suspirei.

— Não.

— Teve uma infância cruel.

Quase ri.

— Não, de jeito nenhum. Minha mãe me mimava um bocado, na verdade. Ela me dava tudo o que uma garotinha poderia sonhar em querer.

Sua voz veio cheia de descrença:

— Mas tentou matá-la. — Quando não respondi, balançou a cabeça, também suspirando e se distanciando. Meus braços caíram, pendendo ao lado do corpo. — Deve ser uma história dos infernos. Gostaria de ouvi-la um dia.

— Reid! — Bati em seu braço, todos os pensamentos de rituais de sangue e altares indo embora. Um sorriso incrédulo atravessou meu rosto. Ele desviou os olhos, envergonhado. — Você acabou de dizer uma palavra feia?

— *Infernos* não é palavra feia. — Recusava-se a encontrar meu olhar, fitando as araras de fantasias atrás de mim. — É um lugar.

— Claro que sim. — Caminhei até a janela, o início de um sorriso repuxando meus lábios. — Falando em lugares divertidos... Quero mostrar outro segredo.

AONDE FORES

Lou

Ele tombou no telhado minutos mais tarde, com o rosto pálido e ofegante, os olhos fechados contra o céu aberto. Cutuquei suas costelas.

— Está perdendo a vista.

Reid trincou o maxilar e engoliu como se estivesse prestes a vomitar.

— Me dá um minuto.

— Você vê a ironia nisto, não vê? O homem mais alto de Cesarine tem medo de altura!

— Que bom que está achando graça.

Abri uma de suas pálpebras e sorri para ele.

— Só abre os olhos de uma vez. Prometo que não vai se arrepender.

Sua boca ficou tensa, mas ele obedeceu mesmo a contragosto. Os olhos se arregalaram quando viu a vasta expansão de estrelas acima de nós.

Abracei os joelhos contra o peito e olhei para cima com saudosismo.

— Não são lindas?

O prédio do Soleil et Lune era o mais alto de Cesarine, e oferecia a única vista desimpedida do céu em toda a cidade. Acima da fumaça. Acima do fedor. O céu em sua completude se estendia em um enorme panorama de obsidiana e diamante. Infinito. Eterno.

Havia apenas outro lugar com vista semelhante... e jamais voltaria a visitar o Château.

— São — concordou Reid, baixinho.

Suspirei e me encolhi mais para me proteger do frio.

— Gosto de pensar que Deus pinta os céus só para mim em noites como esta.

Ele tirou os olhos das estrelas, incrédulo.

— Acredita em Deus?

Que pergunta complicada.

Apoiei o queixo nos joelhos, com o rosto ainda voltado para cima.

— Acho que sim.

Ele se sentou.

— Mas raramente vai à missa. Você... você celebra Yule, não o Natal.

Dei de ombros e mexi em uma folha morta na neve. Esfarelou-se sob meus dedos.

— Nunca disse que era o *seu* deus. Seu deus odeia as mulheres. Fomos um acessório, um detalhe que deixou para a última hora.

— Não é verdade.

Finalmente me voltei para ele:

— Não é? Li sua Bíblia. Como sua esposa, não sou considerada sua propriedade? Você não tem o direito legal de fazer o que bem entender comigo? — Fiz uma careta, a lembrança das palavras do arcebispo deixando um gosto amargo em minha boca. — Até me trancafiar dentro de um armário e nunca mais pensar em mim?

— *Nunca* a considerei minha propriedade.

— O arcebispo, sim.

— O arcebispo está... equivocado.

Levantei as sobrancelhas, surpresa.

— Meus ouvidos estão enganados ou acaba de maldizer seu querido patriarca?

Reid passou a mão pelos cabelos acobreados em frustração.

— Só... não faça isso, Lou. Apesar do que pensa, foi ele quem me deu tudo. Me deu uma vida, um propósito. — Ele hesitou, seus olhos encontrando os meus com uma sinceridade que fez meu coração titubear. — Me deu você.

Espanei a folhinha despedaçada para o lado e me virei para olhá-lo. *Realmente* olhá-lo.

Reid acreditava que seu propósito era matar bruxas. Que o arcebispo era uma boa pessoa e lhe dera um dom. Tomei sua mão.

— Não foi o arcebispo quem me entregou a você, Reid. — Virei o rosto para o céu com um sorriso pequeno. — Foi *ele*... ou ela.

Uma pausa pesada se instaurou enquanto nos entreolhávamos.

— Tenho um presente para você. — Ele se inclinou mais para perto, seus olhos azuis perfurando minha alma. Prendi o fôlego, desejando que fechasse a distância entre nossos lábios.

— Outro? Mas não é nem Yule ainda.

— Eu sei. — Olhou para nossas mãos, passando um polegar pelo meu dedo anelar. — É... é uma aliança de casamento.

Puxei o ar com um ruído de surpresa quando Reid a retirou do bolso do casaco. A aliança era de ouro, fina, com uma madrepérola oval a enfeitando. Era nitidamente muito antiga. Era também a coisa mais linda que eu já vira. Meu coração batia furioso quando ele a estendeu para mim.

— Posso?

Assenti, e Reid retirou o Anel de Angélica do meu dedo, colocando a aliança no lugar. Nós dois a fitamos por um momento. Ele engoliu em seco.

— Foi da minha mãe... ou pelo menos é o que acho. Eu estava com ela na mão quando me encontraram. — Ele hesitou, seu olhar encontrando o meu. — Me faz pensar no mar... em você. Já faz dias que quero entregá-la a você.

Abri a boca para dizer algo — dizer como aquele presente era maravilhoso, ou como ficaria honrada de usar algo tão significativo em meu dedo, de poder levar sempre comigo um pedacinho dele —, mas as palavras ficaram engasgadas em minha garganta. Ele me observava com uma atenção voraz.

— Obrigada. — Engoli em seco quando uma emoção desconhecida ameaçou me sufocar. — Eu... adorei.

E era verdade. Tinha adorado a aliança.

Mas não tanto quanto adorava Reid.

Reid abraçou minha cintura, e me recostei em seu peito, tremendo diante da recém-feita descoberta.

Eu o amava.

Merda. Eu o *amava*.

Minha respiração foi ficando mais dolorosa à medida que permanecia lá — cada fôlego me atordoava e incendiava ao mesmo tempo. Hiperventilando. Era isso que estava acontecendo comigo. Precisava me recompor. Precisava colocar os pensamentos em ordem...

Reid afastou meus cabelos para o lado com gentileza, e o pequeno gesto quase me descompôs por completo. Seus lábios roçaram a curva de meu pescoço. Sangue ribombava em meus ouvidos.

— "Não me instes para que te abandone, e deixe de seguir-te." — Percorreu meu braço com os dedos em carícias lentas e torturantes. Voltei a recostar minha cabeça em seu ombro, minhas pálpebras se fechando, enquanto seus lábios continuavam a se mover contra meu pescoço. — "Aonde quer que tu fores irei eu, e onde quer que pousares, ali pousarei eu."

Um som baixo e ofegante escapou de minha garganta — tão dissonantes das palavras reverentes que acabara de dizer. Os dedos dele pararam no mesmo instante, e seu olhar se fixou em meu peito, que subia e descia depressa.

— Não pare — sussurrei. Supliquei.

O corpo dele ficou tenso, e as mãos agarraram meus braços com força implacável.

— Peça, Lou. — A voz era baixa, urgente agora. À flor da pele. Um calor brotou em minha barriga ao ouvi-la.

Minha boca se abriu. O tempo para jogos tinha terminado. Era meu marido, e eu, sua esposa. Era tolice fingir que não queria aquele relacionamento. Fingir que não ansiava por sua atenção, sua risada, seu... toque.

Queria que me tocasse. Queria que se tornasse meu marido em todos os sentidos da palavra. Queria...

Eu *o* queria.

Por inteiro. Daríamos um jeito de fazer tudo dar certo. Podíamos escrever nosso final, bruxa e caçador que se danassem. Podíamos ser felizes.

— Reid, me toque. — Para minha surpresa, as palavras saíram firmes, apesar de minha falta de ar. — Por favor. Me toque.

Ele abriu um sorriso, lento e triunfante, contra meu pescoço.

— Não foi um pedido muito elaborado, Lou.

Abri os olhos depressa e olhei para ele de cara feia. Reid levantou uma sobrancelha em questionamento, pressionando a boca contra minha pele. Seu olhar se fixou no meu. Com os lábios abertos, salpicou beijos quentes pela lateral do meu pescoço até o ombro.

A língua se movia devagar, me idolatrando com cada carícia, e praticamente explodi em chamas.

— Está bem. — Meu pescoço traiçoeiro se esticou sob a boca dele, mas meu orgulho se recusava a sucumbir com tanta facilidade. Se queria continuar um pouco mais com o jogo, eu lhe concederia isso... e venceria. — Ó bravo e virtuoso Chasseur, poderia, por favor, enfiar a língua pela minha goela abaixo e as suas mãos por baixo da minha saia? Minha bunda precisa de alguém para apalpá-la.

Ele titubeou e se afastou, incrédulo. Arqueei o corpo contra o dele, sorrindo apesar de tudo.

— Exagerei?

Quando não respondeu, a decepção se espalhou como fogo em meu sangue. Virei para encará-lo. Seus olhos estavam arregalados, e — para minha vergonha — o rosto, pálido. Não parecia mais querer se refestelar comigo. Talvez eu tivesse me mostrado confiante demais com as cartas que tinha na mão.

— Desculpe. — Levei a mão, cautelosa, ao rosto dele. — Não quis aborrecê-lo.

Havia algo em seu olhar enquanto me fitava — algo hesitante, quase *inseguro* — que me fez parar. Suas mãos tremiam de leve onde estavam me segurando, e o peito subia e descia com rapidez. Estava nervoso. Não: apavorado.

Só demorei um segundo para cair em mim: Reid realmente *era* um Chasseur virtuoso. *Sagrado.*

Nunca tinha feito sexo antes.

Era virgem.

Toda aquela arrogância de antes tinha sido encenação. Jamais tocara uma mulher — não da maneira que importava, ao menos. Tentei não deixar a surpresa transparecer, mas sabia que podia ler meus pensamentos com facilidade pela maneira como sua expressão se retraiu.

Estudei seu rosto. Como Célie podia tê-lo abandonado à própria sorte com isto? Para que servia um primeiro amor, senão para descobertas ofegantes e mãos desajeitadas?

Ao menos o ensinara a beijar da maneira correta. Acho que deveria ficar grata por isso. Meu pescoço ainda formigava da língua de Reid. Mas havia tantas outras possibilidades além de simples beijos.

Devagar, com deliberação, me reposicionei em seu colo, tomando seu rosto com ambas as mãos.

— Deixa eu te mostrar como se faz.

Seus olhos se escureceram quando passei os joelhos por cima dos dele, uma perna de cada lado. Minha saia subiu com o movimento — o vento fazendo cócegas nas coxas nuas —, mas não senti o frio. Só havia Reid.

Observei seu pomo de adão subir e descer, ouvi a respiração ficar presa na garganta. Seus olhos voaram para os meus em questionamento quando puxei suas mãos até os cordões no vestido. Assenti, e ele os desatou com cuidado.

Apesar do frio da noite, seus dedos eram competentes. Moveram-se com firmeza até a frente de meu vestido se abrir, revelando a chemise fina sob ele. Nem eu, nem ele respirávamos quando levantou a mão e a deslizou pela pele nua de meu peito.

Fiz pressão contra a palma, e ele inspirou com brusquidão.

Mais rápido do que eu podia piscar, ele escorregou a chemise por meus ombros, fazendo o tecido se acumular ao redor de minha cintura. Os olhos percorreram meu torso descoberto, famintos.

Não pude deixar de sorrir. Talvez não fosse precisar de muito direcionamento, afinal.

Sem querer ficar para trás, puxei a bainha da camisa de Reid de dentro das calças. Ele a retirou por cima da cabeça, bagunçando os cabelos de cobre, antes dos lábios descerem com força de encontro aos meus, e então estávamos colados, pele com pele.

Tudo se deu com rapidez depois disso.

Ele me levantou com facilidade, e atirei meu vestido para longe.

Os olhos de Reid ardiam — pupilas dilatadas, o azul ao redor delas pouco visível — ao contemplar minha barriga, meus seios, minhas coxas. Os dedos apertaram meus quadris com possessividade, mas não era suficiente. Eu queria — não, precisava — que me agarrasse com mais força, me trouxesse mais para perto.

— Você é tão linda — suspirou.

— Cale a boca, Chass. — Minha voz saiu num sussurro. Entrelaçando os braços atrás de seu pescoço, movi os quadris contra os dele, que deram um pinote para cima para encontrar os meus em resposta, e ele grunhiu. Segurei seus ombros para aquietá-lo. — Assim. — Inclinando-me para trás, inclinei a cabeça para onde nossos corpos se encontravam. Observamos juntos enquanto eu rebolava no colo dele — lenta, deliberadamente, deslizando para cima e para baixo num passo agonizante.

Ele tentou aumentar minha velocidade — as mãos desesperadas, insistentes —, mas resisti, voltando a pressionar o tronco contra seu peito e mordendo o ponto sensível onde o pescoço encontrava o ombro. Ele deu outro pinote, e outro grunhido baixo escapou de seus lábios.

— É assim que se toca uma mulher. — Fiz mais força contra ele para enfatizar as palavras, tomando sua mão e a levando entre minhas pernas. — É assim que você *me* toca.

— Lou — disse, com a voz engasgada.

— Bem aqui. — Guiei seus dedos, minha respiração ficando ofegante sob seu toque. Meu peito subia e descia depressa enquanto Reid continuava o movimento que eu tinha lhe mostrado. Inclinou-se para a frente de repente, colando a boca a meu seio, e fiz um ruído de surpresa. Sua língua era quente, exigente. Uma pressão profunda e deliciosa começou a aumentar depressa demais em minha barriga. — Ah, Reid...

Ao ouvir seu nome, mordeu com delicadeza.

Eu me desmanchei, perdida na mistura de prazer e dor. Seus braços me envolveram com mais força enquanto eu atingia o ápice, lábios esmagando os meus como se quisessem devorar meus gritos.

Não era suficiente.

— Sua calça. — Lutei com os cordões nela, pressionando os lábios com violência contra os dele entre fôlegos. — Tira. Agora.

Reid obedeceu com prazer, me levantando um pouco desajeitadamente para livrar as pernas da peça de roupa. Jogando-as para o lado, ele me fitou com ansiedade, ainda pálido, enquanto eu voltava a posicionar as pernas uma de cada lado em seu colo. Sorri em resposta, percorrendo um dedo obsceno pelo comprimento do membro, saboreando a sensação de ter Reid contra mim. Ele tremeu com o contato, os olhos brilhando de desejo.

— Alguma outra hora — falei, empurrando-o com delicadeza para o chão do telhado —, vou mostrar exatamente como minha boca pode ser vulgar.

— Lou — disse ele, suplicante.

Com um movimento único e fluido, afundei, enterrando-o dentro de mim.

Os olhos dele se fecharam com força, e todo o seu corpo deu um solavanco para cima enquanto entrava ainda mais, até o fim. Eu poderia ter gritado — estava tão fundo —, mas não gritei. Não podia. Era doloroso, mas — quando relaxou e depois voltou a levantar o quadril — a dor se intensificou e se transformou em algo distinto, algo agudo, profundo e tenso. Urgente. Ele me preenchia completamente, e a maneira como se movia... Atirei a cabeça para trás e me deixei levar pela sensação. Por ele.

A pressão subiu, e não podia parar de beijá-lo, de enrolar meus dedos em seus cabelos, arranhar seus braços de cima abaixo. Doía, aquela sensação pulsante e desejosa em meu peito. Consumia, obliterava e sobrepujava tudo que eu já conhecera.

Reid abraçou minha cintura e girou, me prendendo sob ele. Arqueei o tronco para cima — desesperada, querendo estar mais perto, querendo aliviar aquela pressão crescente — e enganchei as pernas atrás de suas costas suadas. Ele levou a mão entre nossos corpos ao mesmo tempo em que aumentou a velocidade, e minhas pernas começaram a ficar rígidas. Ele me tocava da maneira como eu havia lhe ensinado, as carícias firmes e decididas, incansáveis. Um rosnado baixo escapou de sua garganta.

— Lou...

Tudo dentro de mim se contraiu, e me agarrei a ele enquanto era conduzida ao clímax. Com uma arremetida final, trêmula, ele tombou em cima de mim, sem conseguir recuperar o fôlego.

Ficamos deitados assim por vários instantes, indiferentes ao frio. Encarando um ao outro, vulneráveis. Pela primeira vez em minha vida, não tinha palavras. A sensação dolorosa e inebriante em meu peito continuava lá — mais forte agora, mais doída do que antes —, mas me vi impotente diante dela. Total e completamente impotente.

E, no entanto... Nunca me sentira mais segura.

Quando Reid saiu, fiz uma careta, sem querer.

Não passou despercebida por ele. Levou a mão depressa a meu queixo, levantando-o, e seus olhos ficaram grandes e ansiosos.

— Eu te machuquei?

Tentei me contorcer para sair de debaixo dele, mas era pesado demais. Dando-se conta de minha intenção, apoiou os cotovelos no chão e levantou o tronco para me dar espaço antes de rolar para se deitar de barriga para cima e me levou com ele, me instalando sobre seu corpo.

— Existe uma linha tênue entre prazer e dor. — Dando beijos de cima a baixo em seu peito, arranhei os dentes contra a pele dele... depois mordi abruptamente. Reid deixou escapar um chiado, e seus braços me abraçaram com força. Quando me afastei para fitá-lo, porém, não era dor que havia em seus olhos, mas desejo, ânsia. Meu próprio peito pulsou em resposta. — Essa é uma dor boa. — Sorri e lhe dei um peteleco no nariz. — Muito bom trabalho.

MONSIEUR BERNARD

Lou

O Festival de São Nicolau fervilhava ao redor de mim e Reid quando saímos da confeitaria de Pan na manhã seguinte. Ele tinha me dado outro manto — dessa vez vermelho, em vez de branco. Apropriado. Mas eu me recusava a deixar que os acontecimentos na forja envenenassem meu bom humor. Sorrindo, olhei para ele e me lembrei da sensação da neve na minha pele nua, do vento gelado em meus cabelos.

O restante da noite tinha se revelado tão memorável quanto o início. A pedido meu, Reid tinha aceitado ficar comigo no sótão, e aproveitei ao máximo a noite no teatro. Não retornaria ao Soleil et Lune depois disso

Tinha encontrado um novo lar.

E a maneira como ele estava lambendo açúcar dos dedos naquele momento... Meu estômago se contraiu deliciosamente.

Seus olhos voaram para os meus, o canto da boca se curvando para cima.

— Por que está me olhando assim?

Arqueando uma sobrancelha, levei seu dedo indicador até minha boca e lambi o restante do confeito com passadas de língua lentas e deliberadas. Tinha esperado ver seus olhos se esbugalharem e investigarem as cercanias, suas bochechas corarem e o maxilar ficar tenso, mas ele permaneceu impassível. Dessa vez teve até a ousadia de rir baixinho.

— Você é insaciável, Madame Diggory.

Encantada, subi nas pontas dos pés e dei um beijo em seu nariz — depois um peteleco, para ele não se acostumar.

— Você não sabe da missa um terço. Ainda tenho *muito* a ensiná-lo, Chass.

Ele riu do apelido, pressionando meus dedos contra os lábios antes de prender meus braços firmemente sob os seus.

— Você é mesmo uma herege.

— Uma o *quê*?

As faces se ruborizaram, e ele desviou o olhar, envergonhado.

— Eu chamava você assim. Nos meus pensamentos.

Gargalhei, ignorando as pessoas que passavam.

— Por que isso não me surpreende? *É lógico* que não teria me chamado pelo, você sabe, meu *nome*...

— Você nunca me chamava pelo meu nome!

— Porque você é um pedante! — A brisa fez voar um panfleto enlameado anunciando as Velhas Irmãs antes de fazê-lo rodopiar até a neve no chão outra vez. Pisei nele com a bota, ainda rindo. — Venha. Precisamos correr se quisermos chegar a tempo para o espetáculo especial do arcebis... — Seus olhos se fixaram em algo atrás de mim, e a palavra morreu em minha garganta. Girando, segui-os e encontrei Madame Labelle caminhando com determinação até nós.

— Merda.

Ele me lançou um olhar ofendido.

— Não.

— Sinceramente duvido que um xingamento a ofenderia. É uma cortesã. Acredite, já viu e ouviu coisa muito pior.

Ela usava outro vestido que colocava em destaque o azul magnífico de seus olhos, e os cabelos vermelhos como fogo tinham sido penteados para trás e adornados com um pente de pérola. Uma sensação incômoda e insistente reverberou em meu crânio ao avistá-la. Como uma coceira impossível de alcançar.

— Louise, querida! Que maravilha vê-la outra vez. — Ela pegou minha mão livre nas suas. — *Tinha* esperanças de que acabaríamos nos encontrando por aca...

Parou de súbito, os olhos recaindo sobre o anel de madrepérola em meu dedo. Apertei com mais força o braço de Reid. O movimento não passou despercebido.

Ela encarou o anel — depois a mim e a ele —, os olhos se arregalando e a boca se abrindo ao estudar o rosto de Reid. Ele se remexeu, nitidamente incomodado, sob seu escrutínio.

— Podemos ajudá-la, madame?

— Capitão Reid Diggory — ela pronunciou as palavras devagar, como se as estivesse experimentando pela primeira vez em sua boca. Os olhos azuis ainda luziam com estupefação. — Não creio que tenhamos sido formalmente apresentados. Meu nome é madame Helene Labelle.

Ele fez uma carranca.

— Eu me lembro da senhora, *madame.* Tentou comprar minha esposa para seu bordel.

Ela o observava com toda a atenção, não parecendo notar sua hostilidade.

— Seu sobrenome significa "desgarrado", não é?

Alternei o olhar entre os dois, a vibração dentro de minha cabeça aumentando em intensidade. Mais insistente. Era uma pergunta estranha, inesperada. Reid não parecia saber ao certo como respondê-la.

— Creio que sim — murmurou, enfim.

— O que quer conosco, *madame*? — perguntei, desconfiada. Tudo o que sabia sobre aquela mulher me advertia que ela não estava ali para ter uma conversa polida.

Seus olhos se tornaram quase desesperados ao se fixarem nos meus, contendo uma intensidade espantosamente familiar.

— Ele é um bom homem, Lou? É gentil?

Reid se enrijeceu diante da pergunta tão pessoal, mas a vibração tinha começado a tomar forma. Olhei dele para ela, notando o tom idêntico de seus olhos azuis.

Que inferno!

Uma cratera se abriu em meu estômago. Tinha fitado os olhos de Reid tempo o bastante para reconhecê-los no rosto de outra pessoa.

Madame Labelle era mãe de Reid.

— Ele é. — Meu sussurro mal era audível por cima do burburinho do mercado... por cima das sonoras batidas do meu próprio coração.

Ela suspirou, e os olhos azuis traidores se fecharam com alívio. E então se abriram outra vez, de súbito, aguçados de uma maneira alarmante.

— Mas ele a conhece, Lou? A conhece *de verdade?*

Meu sangue se transformou em gelo. Se Madame Labelle não tomasse cuidado, nós duas logo estaríamos tendo uma conversa muito diferente. Mantive um contato visual cuidadoso com ela, articulando uma advertência tácita.

— Não sei do que está falando.

Seus olhos se estreitaram.

— Entendo.

Sem poder evitar, olhei de soslaio para Reid. Sua expressão tinha mudado de confusa para irritada em questão de segundos. Com base na linha tensa de seu maxilar, ele não apreciava a ideia de estarmos conversando sobre ele como se não estivesse ali. Abriu a boca — sem dúvidas para perguntar o que diabos estava acontecendo —, mas o interrompi.

— Vamos, Reid. — Lancei um último olhar depreciativo à cortesã antes de dar meia-volta, mas sua mão agarrou a minha. A mão em que eu usava o Anel de Angélica.

— Tenha-o sempre com você, Lou, mas não deixe que ela veja. — Fiz um movimento para me desvencilhar, alarmada, mas parecia que a mulher tinha punho de ferro. — Ela está aqui, na cidade.

Reid deu um passo à frente, as mãos cerradas.

— Solte-a, *madame*.

Ela só apertou mais. Com mais rapidez do que ela podia reagir, Reid arrancou seus dedos de mim à força. Ela se retraiu de dor, mas continuou, inabalável, enquanto meu marido me puxava pela rua.

— Não fique sem ele! — O pânico em seus olhos brilhava com nitidez mesmo de longe, mesmo quando sua voz começou a ficar distante demais. — O que quer que faça, não a deixe ver!

— *O que* — rosnou Reid, sua mão apertando meu braço com mais força do que seria necessário — diabos foi aquilo?

Não respondi. Não podia. Minha mente ainda estava a toda tentando processar o ataque de Madame Labelle, mas um clarão súbito cortou o véu em meus pensamentos. Madame Labelle era uma bruxa. Tinha que ser. Seu interesse no Anel, o fato de conhecer seus poderes, de conhecer minha mãe, *a mim* — não havia outra explicação.

Mas a revelação trazia mais perguntas do que respostas. Eu não podia me focar nelas — em nada, além do medo puro e debilitante cravando suas garras em minha garganta, no suor pegajoso que brotava em minha pele. Meus olhos saltavam de um lado a outro, e um arrepio involuntário me percorreu. Reid estava dizendo alguma coisa, mas eu não podia ouvi-lo. Uma espécie de ronco monótono tomara minha audição.

Minha mãe estava na cidade.

O Festival de São Nicolau perdeu todo o seu encanto no nosso caminho de volta para a Torre. As coníferas pareciam menos bonitas. A fogueira queimava com menos intensidade. Até a comida perdera seu apelo, o fedor de peixe avassalador voltando a me sufocar.

Reid me bombardeou com perguntas o trajeto inteiro. Quando se deu conta de que eu não tinha respostas para lhe dar, ficou em silêncio. Eu não conseguia me forçar a pedir desculpas. Tudo que conseguia fazer era esconder meus dedos trêmulos, mas sei que ele os viu mesmo assim.

Ela não a encontrou.

Não vai encontrá-la.

Repeti aquele mantra várias e várias vezes, mas não foi o suficiente para me convencer.

Saint-Cécile logo surgiu diante de nós, e soltei um suspiro de alívio. O suspiro logo se transformou em grito agudo quando algo se moveu inesperadamente na ruela lateral.

Reid me agarrou contra si, mas seu rosto relaxou no segundo seguinte. Expirou, exasperado.

— Está tudo bem. É só um mendigo.

Mas não era. Dormência tomou minhas pernas e braços quando olhei com mais atenção... e reconheci o rosto que se virou para mim, os olhos opacos que me fitaram das sombras.

Monsieur Bernard.

Estava de cócoras, debruçado sobre uma lixeira, com pedaços do que parecia um animal morto pendurados em sua boca. Sua pele — antes encharcada com o próprio sangue — tinha se escurecido até se tornar preta como piche, os contornos do corpo de alguma forma pareciam estar difusos, borrados. Como se tivesse se transformado em uma sombra que anda e respira.

— Meu Deus — murmurei.

Os olhos de Reid se arregalaram. Ele me empurrou para se colocar a minha frente, desembainhando a Balisarda da bandoleira sob o casaco.

— Para trás...

— Não! — Eu me enfiei por debaixo de seu braço e me joguei na frente da faca. — Deixe-o em paz! Não está machucando ninguém!

— *Olhe* só para ele, Lou...

— É inofensivo! — Eu me debati contra seu braço. — Não toque nele!

— Não podemos simplesmente deixá-lo aqui...

— Me deixa falar com ele — supliquei. — Talvez volte para a Torre comigo. Eu... eu sempre o visitava na enfermaria. Talvez me escute.

Reid alternou o olhar entre nós dois com nervosismo. Após um longo segundo, sua expressão se endureceu.

— Fique perto. Se ele fizer qualquer movimento para machucá-la, corra para trás de mim. Entendeu?

Teria revirado os olhos se não estivesse tão aterrorizada

— Sei me cuidar, Reid.

Ele pegou minha mão e a apertou contra o peito.

— *Tenho uma lâmina que consegue cortar magia. Entendeu?*

Engoli em seco e assenti.

Bernie observou com olhos absolutamente ocos enquanto nos aproximávamos.

— Bernie? — Sorri, amigável, consciente da faca de Andre dentro de minha bota. — Bernie, você se lembra de mim?

Nada.

Estendi a mão para ele, e algo se acendeu atrás dos olhos vazios quando meus dedos roçaram sua pele. Sem aviso, deu uma investida por cima da lixeira na minha direção. Soltei um berro e cambaleei para trás, mas ele segurou minha mão com um punho de ferro. Um sorriso torto apavorante cruzou seu rosto.

— Estou chegando, amada.

Medo, puro medo, correu pela minha espinha, me paralisando.

Estou chegando, amada... amada... amada...

Reid me puxou para trás com um rosnado, torcendo o pulso de Bernie com força brutal. Os dedos escurecidos se estenderam e separaram, e consegui tirar minha mão do caminho. Assim que nosso contato foi interrompido, Bernie caiu, flácido, outra vez — como uma marionete com os fios cortados.

Reid o apunhalou ainda assim.

Quando a Balisarda perfurou o peito, as sombras que envolviam sua pele se dissiparam, revelando o verdadeiro monsieur Bernard pela primeira vez.

Senti bile subir à garganta quando estudei a pele fina como papel, o branco de seus cabelos, as linhas de expressão ao redor da boca. Apenas os olhos opacos permaneciam os mesmos. Cegos. Tentava puxar o ar e gorgolejava enquanto sangue — vermelho desta vez, limpo e imaculado — brotava de seu peito. Tombei de joelhos ao lado dele, tomando suas mãos nas minhas. Lágrimas corriam desimpedidas por meu rosto.

— Sinto muito, Bernie.

Seus olhos voltaram-se para mim uma última vez. E depois se fecharam.

As carretas recobertas das Velhas Irmãs estavam reunidas do lado de fora da igreja, mas mal as notei. Movendo-me como se estivesse no corpo de outra pessoa, eu flutuava silenciosamente acima da multidão.

Bernie estava morto. Pior — tinha sido enfeitiçado por minha mãe.

Estou chegando, amada.

As palavras ecoavam em meus pensamentos. De novo e de novo e de novo. Inconfundíveis.

Estremeci, relembrando a maneira como Bernie tinha se reanimado com meu toque. A maneira como me vigiava com tanta atenção na enfermaria. Eu havia tolamente acreditado que ele quisera acabar com seu sofrimento quando pulou daquela janela na enfermaria. Mas sua fuga... A advertência de Madame Labelle.

Não podia ter sido coincidência. Ele estivera tentando encontrar minha mãe.

Reid não abriu a boca enquanto seguíamos para o quarto. A morte de Bernie parecia tê-lo abalado também. Sua pele reluzente tinha empalidecido, e suas mãos tremiam de leve quando abriu a porta. Morte. Isso me seguia aonde quer que eu fosse, tocando tudo e todos que me eram caros. Parecia que eu nunca conseguiria fugir. Nem me esconder. Aquele pesadelo jamais teria fim.

Quando fechou a porta com firmeza atrás de nós, arranquei meu novo manto e vestido ensanguentado, atirando a faca de Andre dentro da gaveta da escrivaninha. Desesperada para poder lavar toda memória de sangue em minha pele. A faca não me protegeria, de qualquer forma. Não dela. Colocando um novo vestido por cima da cabeça, tentei e não consegui esconder os dedos trêmulos. A boca de Reid se contraiu em uma linha fina enquanto me observava, e sabia, pelo silêncio tenso que se estendia entre nós, que ele não me daria descanso.

— O quê? — Afundei na cama, o cansaço vencendo quaisquer vestígios de orgulho.

O olhar dele não se suavizou. Não desta vez.

— Está escondendo algo de mim.

Mas eu não tinha forças para aquela conversa naquele momento. Não depois de Madame Labelle e Bernie. Depois da revelação incapacitante de que minha mãe sabia onde eu estava.

Caí com a cabeça no travesseiro, as pálpebras pesadas.

— Claro que estou. Já lhe disse isso no Soleil et Lune.

— O que Madame Labelle quis dizer quando perguntou se eu a conhecia *de verdade?*

— Vai saber? — Eu me sentei, oferecendo-lhe um sorriso fraco. — A mulher está completamente caduca.

Os olhos de Reid se estreitaram. Ele gesticulou para o Anel de Angélica em meu dedo.

— Estava falando do seu anel. Foi presente dela?

— Não sei — murmurei.

Ele penteou os cabelos com os dedos, ficando cada vez mais agitado.

— *Quem* está chegando, quem está atrás de você?

— Reid, por favor...

— Está em perigo?

— Não quero falar so...

Ele golpeou a escrivaninha com o punho, e uma das pernas do móvel se lascou.

— Me conta, Lou!

Eu me encolhi para longe dele por instinto. Sua fúria se fraturou diante do pequeno movimento, e ele veio se ajoelhar diante de mim, olhos acesos com emoção calada — com medo. Segurou minhas mãos como se fossem sua única salvação.

— Não posso protegê-la se você não deixar — suplicou. — O que quer que seja, o que quer que a tenha assustado assim, pode me contar. É sua mãe? Está procurando você?

Não pude parar as lágrimas frescas que escorreram pelas minhas bochechas. Um medo maior do que qualquer outro que já tivesse conhecido me arrebatou ao encará-lo. Tinha que lhe contar a verdade. Aqui. Agora.

Era hora.

Se minha mãe sabia onde eu estava escondida, Reid também corria perigo.

Morgane não hesitaria em matar um Chasseur, especialmente se ele se colocasse entre ela e seu prêmio. Ele não podia entrar naquilo inadvertido, desavisado. Tinha que estar preparado.

Devagar... assenti.

Seu rosto ficou sombrio diante da confissão. Colocou as palmas das mãos contra meu rosto, limpando as lágrimas com uma ternura que destoava da ferocidade de seu olhar.

— Não vou deixar que ela a machuque, Lou. Vou protegê-la. Tudo vai ficar bem.

Balancei a cabeça. As lágrimas caíam mais depressa agora.

— Tenho que lhe contar uma coisa. — Minha garganta se fechou, como se meu corpo se rebelasse contra o que eu estava prestes a fazer. Como se soubesse o destino que me aguardava se as palavras escapassem. Engoli em seco, forçando-as para fora antes que pudesse mudar de ideia. — A verdade é que...

A porta se abriu de repente, e, para meu choque, o arcebispo entrou.

Reid se levantou e fez uma reverência ao mesmo tempo, sua expressão registrando surpresa idêntica à minha... e apreensão.

— Senhor?

Os olhos do arcebispo correram para nós, intensos e determinados.

— Acabamos de receber notícias da guarda real, Reid. Dezenas de mulheres se aglomeraram do lado de fora do castelo, e Rei Auguste está nervoso. Vá dispersá-las depressa. Leve quantos Chasseurs puder.

Reid hesitou.

— Confirmaram o uso de magia, senhor?

As narinas do clérigo se alargaram.

— Está sugerindo que esperemos para descobrir?

Reid me olhou de relance, dividido, mas engoli em seco e fiz um movimento positivo de cabeça. As palavras que não cheguei a dizer tinham congelado na garganta, me sufocando.

— Vá.

Ele se curvou para apertar minha mão.

— Sinto muito. Vou mandar Ansel vir ficar com você até retornar...

— Não é necessário — interrompeu o arcebispo com secura. — Eu mesmo ficarei com ela.

Nós nos viramos ao mesmo tempo para encará-lo, boquiabertos.

— O... o senhor?

— Tenho um assunto urgente a tratar com ela.

A mão de Reid se demorou em meu joelho trêmulo.

— Senhor, se me permite pedir... Seria possível adiar essa conversa? Ela teve um dia muito difícil, ainda está se recuperando de...

O arcebispo o fulminou com um olhar feio.

— Não, não é possível. E enquanto fica aí ajoelhado discutindo comigo, pessoas podem estar morrendo. Seu *rei* pode estar morrendo.

A expressão de Reid se endureceu.

— Sim, senhor. — Com o maxilar tenso, soltou minha mão e deu um beijo leve em minha testa. — *Vamos* continuar nossa conversar mais tarde. Prometo.

Com uma sensação ruim, como se fosse um presságio, eu o observei seguir para a porta. Parou no limiar e virou-se para mim.

— Eu te amo, Lou.

E, depois, partiu.

AS VELHAS IRMÃS

Lou

Encarei o corredor por um longo momento antes de conseguir processar suas palavras.

Eu te amo, Lou.

O calor foi se espalhando das pontinhas de meus dedos da mão até as dos pés, levando para longe o medo entorpecente que me atormentava. Ele me amava. Ele me *amava.*

Aquilo mudava tudo. Se era verdade, não teria importância que eu fosse uma bruxa. Continuaria me amando da mesma forma. Ele compreenderia. Ia *mesmo* me proteger.

Se me amava.

Tinha quase me esquecido do arcebispo, até ele começar a falar:

— Você o enganou.

Virei-me para ele, atordoada.

— O senhor já pode ir. — As palavras saíram sem a rispidez que intencionara. Algumas lágrimas ainda escorriam pelo meu rosto, mas as sequei com impaciência. Tudo que queria era relaxar naquele calor inebriante que me avassalava. — Não precisa mesmo ficar. O espetáculo já deve estar para começar.

Ele não se mexeu e continuou, como se não tivesse me ouvido:

— É muito boa atriz. Claro, eu devia ter esperado... Mas não devo me envergonhar por ter sido enganado duas vezes.

Minha bolha de felicidade desinflou levemente.

— Do que está falando?

Continuou me ignorando:

— É quase como se realmente se importasse com ele. — Caminhando até a porta, ele a fechou com um clique nefasto. Fiquei de pé em um pulo, olhando de relance para a gaveta da escrivaninha onde tinha guardado a faca de Andre. A boca do arcebispo se retorceu. — Mas ambos sabemos que isso é impossível.

Fui me aproximando devagar da mesa. Embora Reid confiasse em seu patriarca sem questionamentos, eu não era tão tola. Aquela centelha furtiva ainda brilhava em seus olhos, e de jeito nenhum eu seria encurralada numa cama.

Como se lesse meus pensamentos, ele fez uma pausa; e então se moveu de maneira a se colocar na frente da gaveta. Minha boca ficou seca.

— Eu me importo com ele, *sim*. É meu marido.

— "E foi precipitado o grande dragão, a antiga serpente, chamada o diabo e Satanás, que engana todo o mundo." — Seus olhos reluziram. — *Você* é aquela serpente, Louise. Uma víbora. E não vou permitir que arruíne Reid por mais um segundo sequer. Não posso mais ficar assistindo sem...

Uma batida soou à porta. Com as sobrancelhas franzidas de raiva, o arcebispo girou em uma tempestade de carmim e amarelo.

— Entre!

Um pajem colocou a cabeça para dentro do quarto.

— Perdão, Vossa Eminência, mas todos aguardam a vossa presença lá fora.

— Estou *ciente* — respondeu o clérigo com rispidez —, e já sairei para assistir àquele hedonismo. Tenho assuntos a tratar aqui primeiro.

Ignorando a reprimenda, o menino se remexeu com uma expectativa que mal conseguia conter. Seus olhos brilhavam com empolgação.

— Mas o espetáculo está para começar, senhor. Me... me disseram para vir buscar Vossa Eminência. A multidão está ficando inquieta.

Um músculo nervoso estremeceu no maxilar do arcebispo. Quando os olhos de aço finalmente se fixaram em mim, gesticulei para a porta, agradecendo aos céus em silêncio.

— Não vai querer deixá-los esperando.

Ele mostrou os dentes em um sorriso.

— Você me acompanhará, evidentemente.

— Não acho que seja necessário...

— Tolice. — Ele estendeu a mão e agarrou meu braço, prendendo-o com firmeza sob o seu. Eu me retraí e tentei me desvencilhar do contato por instinto, mas era em vão. Em questão de segundos ele já havia me arrastado para o corredor. — Prometi a Reid que lhe faria companhia, e é exatamente o que farei.

Os presentes vagavam pela área ao redor das carretas, comendo doces e segurando pacotes de papel marrom, seus narizes vermelhos de um dia de compras no frio. O arcebispo acenou quando os viu — depois parou de súbito ao notar o grupo eclético de artistas nos degraus da catedral.

Não foi o único. Aqueles que não se deliciavam com macarons e avelãs murmuravam em reprovação, escondidos atrás das mãos em concha. Uma palavra se elevou acima das restantes, um sibilo baixo repetido uma e outra vez no vento.

Mulheres.

Eram todas atrizes naquela trupe.

E não eram mulheres quaisquer: embora fossem de idades variadas, de anciãs a donzelas, todas se portavam com a graça típica dos artistas. Orgulhosas e altivas, mas também fluidas. Observavam a plateia murmurar com sorrisos travessos. Já eram um espetáculo antes mesmo da apresentação começar. A mais nova não podia ter mais do que 13 anos e lançou uma piscadela a um homem com o dobro de sua idade. Ele quase se engasgou com a pipoca que comia.

Eu não sabia o que aqueles idiotas estavam esperando. O nome da trupe era Velhas *Irmãs*.

— Abominável. — O arcebispo estava parado no topo dos degraus, os lábios retorcidos. — Uma mulher jamais deveria se rebaixar escolhendo uma profissão desonrosa assim.

Dei um sorrisinho torto e retirei o braço do dele. Ele não me impediu.

— Ouvi falar que são muito talentosas.

Ao me ouvir, a moça mais nova voltou sua atenção para nós. Seus olhos encontraram os meus, e ela me dirigiu um sorriso malandro. Jogando os cabelos cor de trigo para o lado de maneira imperiosa, levantou as mãos para a multidão.

— *Joyeux Noël à tous!* Nosso convidado de honra chegou! Silêncio, agora, para que possamos dar início à nossa apresentação especial!

A plateia se aquietou de imediato, e olhos em toda a área se viraram para ela com expectativa. A menina pausou, os braços ainda estendidos para os lados, para se deliciar com toda a atenção. Para alguém tão jovem, tinha uma autoconfiança incomum. Até o próprio arcebispo estava atordoado por ela. Com um movimento de cabeça da artista, as demais atrizes pularam para dentro de um dos carros.

— Todos conhecemos a história de São Nicolau, aquele que traz presentes e protege as crianças. — A menina girou em um círculo lento, os braços ainda estendidos. — Sabemos que o maléfico açougueiro, Père Fouettard, atraiu os tolos irmãos para seu açougue e os *esquartejou* em pedacinhos. — Cortou o ar com a mão para imitar uma faca. Aqueles que estavam mais perto dela se afastaram com olhares de reprovação. — Sabemos que São Nicolau chegou e derrotou Père Fouettard. Que ressuscitou as crianças e as devolveu, sãs e inteiras, a seus pais. — Inclinou a cabeça para o lado. — Conhecemos essa história. Nós a estimamos. É por isso que nos reunimos todos os anos para celebrar São Nicolau.

Ela fez uma pausa, outro sorriso malicioso tocando seus lábios.

— Mas hoje... hoje lhes trago uma história diferente. Menos conhecida e de natureza mais sombria, mas ainda assim o conto de um homem sagrado. Diremos que se trata de um arcebispo.

O arcebispo se enrijeceu a meu lado quando uma mulher saiu da carreta vestindo uma batina inquietantemente similar à dele. Até os tons de carmesim e ouro eram idênticos. Ela fechou o rosto em uma expressão severa. Cenho franzido, boca tensa.

— Era uma vez, em um lugar muito distante — recomeçou a jovem narradora, a voz tomando qualidade musical —, ou nem tão distante assim, a bem da verdade... Vivia um menino órfão, amargo e ignorado, que encontrou sua vocação na obra do Senhor.

A cada palavra, a mulher representando o arcebispo se aproximava, levantando o queixo para olhar feio de cima para nós. O clérigo real permanecia tão imóvel quanto pedra. Arrisquei um olhar de soslaio para ele. Seus olhos estavam fixos na narradora, o rosto notavelmente mais pálido do que momentos antes. Franzi a testa.

O arcebispo de mentirinha riscou um fósforo e o segurou diante dos olhos, assistindo-o fazer fumaça e queimar com fervor inquietante. A narradora abaixou a voz até se transformar em um sussurro dramático:

— Com fé e fogo em seu coração, caçou demônios e os atirou para queimar na fogueira pelo mal cometido... pois a palavra do Senhor não permitia magia.

Aquele pressentimento retornou a mim com força multiplicada. Havia algo de errado ali.

Uma comoção na rua distraiu a audiência, e os Chasseurs surgiram. Reid cavalgava à frente, com Jean Luc em seu encalço. Suas expressões de alarme idênticas ficavam mais aparentes à medida que se aproximavam, mas os carros da trupe — e a plateia — bloqueavam o caminho. Apressaram-se a desmontar. Comecei a caminhar para eles, mas o arcebispo segurou meu braço.

— Fique.

— Como é?

Ele balançou a cabeça, os olhos ainda fixos no rosto da locutora.

— Fique perto de mim. — A urgência em sua voz fez o movimento de meus pés parar, e minha inquietação se aprofundou. Não soltou meu braço, a pele pegajosa e fria de suor na minha. — O que quer que aconteça, não saia do meu lado. Entendido?

Havia algo de *muito* errado ali.

O arcebispo da história ergueu um punho.

— Jamais permitas a sobrevivência de uma bruxa!

A narradora se inclinou para a frente com um brilho perverso nos olhos e levou a mão à boca, como se revelasse um segredo:

— Mas ele se esqueceu da súplica de Deus para que as pessoas perdoem umas às outras. De modo que a Fortuna, uma senhora cruel e astuta, planejou outro fim para este homem sedento de sangue.

Uma mulher alta e elegante, de pele marrom, pulou da carreta em seguida. Seus trajes pretos ondeavam no ar enquanto circundava o arcebispo da história, mas ele não a enxergava. A mão do arcebispo real apertou meu braço com mais força.

— Uma linda bruxa, usando o disfarce de uma donzela, logo atraiu o homem para o caminho do Inferno. — Uma terceira mulher saiu, vestindo deslumbrantes trajes brancos. Ela gritou, e o arcebispo da história correu em sua direção.

— O que está acontecendo? — murmurei, mas fui ignorada.

O "arcebispo" e a mulher de branco moviam-se em um círculo sensual ao redor um do outro. Ela levou a mão ao rosto dele, e ele a envolveu em seus braços. A Fortuna assistia com um sorriso sinistro. A plateia murmurava, olhares se alternando entre as atrizes e o clérigo. Reid tinha parado de tentar abrir caminho pela multidão. Estava plantado no lugar, assistindo ao espetáculo com os olhos estreitados. Um zumbido começou em meu ouvido.

— Para a cama ele a levou, abandonando seus votos, reverenciando o corpo dela... a curva de seu pescoço. — Ao dizer isso, a locutora olhou para cima, para o arcebispo, e piscou. O sangue se esvaiu de meu rosto, e minha visão se fixou em sua pele pálida como marfim, no esplendor de juventude que irradiava dela. Nos olhos verdes sinistramente familiares. Como esmeraldas.

O zumbido ficou mais alto, e minha mente se esvaziou de todo pensamento coerente. Meus joelhos perderam a força.

O "arcebispo" e a mulher de branco se abraçaram, e a plateia fez um ruído de surpresa, escandalizada. A narradora gargalhou.

— Ela esperou até o clímax do pecado do homem para revelar a si mesma e a magia que guardava dentro de si. Depois, pulou de sua cama para escapar dentro da noite. Ah, como ele amaldiçoou os cabelos de luar e a pele clara de sua amante!

A mulher de branco também riu e rodopiou para longe dos braços do "arcebispo". Ele caiu de joelhos, punhos erguidos aos céus, e ela fugiu para dentro do carro outra vez.

Cabelos de luar. Pele alva.

Virei para ele devagar, meu coração percutindo um ritmo violento em meus ouvidos, para encarar o arcebispo. Era dolorosa a maneira como apertava minha mão agora.

— Me escute, Louise...

Eu me desvencilhei com um rosnado.

— Não me *toque*.

A voz da locutora elevou-se:

— Daquela noite em diante, ele se esmerou para tentar esquecer, mas, que lástima! A Fortuna não tinha se cansado dele ainda.

A mulher de branco reapareceu, a barriga redonda com um filho ainda não nascido. Fez uma pirueta graciosa, as saias se abrindo como um leque ao redor dela, e, das dobras do tecido, retirou um bebê. Não tinha mais do que um ano, e a criança balbuciava e ria, olhos azuis estreitando-se com deleite. Uma constelação de sardas já salpicava seu nariz. O "arcebispo" caiu de joelhos quando a viu, cravando as unhas com desespero no rosto e na batina. Seu corpo se agitava com gritos mudos. A multidão aguardava, prendendo a respiração.

A narradora se curvou ao lado dele e acariciou suas costas, arrulhando suavemente em seu ouvido:

— Uma visita da bruxa que ele mais abominava logo veio, trazendo a pior das notícias! — Fez uma pausa e olhou para a audiência, abrindo um sorriso indecente. — Ela havia dado à luz sua filha.

Reid saiu do meio da multidão quando os sussurros aumentaram de volume, quando os espectadores viraram para fitar o arcebispo, a incredulidade em seus olhos transformando-se em suspeita. Os Chasseurs vieram em seguida, as mãos firmes nos cabos das Balisardas. Alguém gritou algo, mas as palavras se perderam dentro do tumulto.

A narradora levantou-se devagar — o rosto jovem sereno em meio ao caos — e virou-se para nós. Para *mim.*

O rosto dos meus pesadelos.

O rosto da morte.

— E não era com qualquer uma que ele partilhava uma filha. — Ela sorriu e estendeu as mãos para mim, o rosto envelhecendo, cabelos clareando até se tornarem uma cor brilhante de prata. Berros explodiram atrás dela. Reid estava correndo agora, gritando algo ininteligível. — Mas com *a* Bruxa, a Rainha... La Dame des Sorcières.

PARTE III

C'est cela lamour, tout donner, tout sacrifier sans espoir de retour.
É assim o amor, dar tudo, sacrificar tudo,
sem esperar nada em troca.
— Albert Camus

SEGREDOS REVELADOS

Lou

Gritos rasgavam o ar, e a multidão começou a se dispersar em pânico e confusão. Perdi Reid de vista. Perdi de vista tudo que não fosse minha mãe. Ela estava parada no meio da multidão — um farol de branco dentro das sombras iminentes. Sorrindo. Mãos estendidas em súplica.

O arcebispo me puxou para trás dele quando as bruxas começaram a se reunir. Eu me retraí, incapaz de processar as emoções que me percorriam — incredulidade avassaladora, medo debilitante, *fúria* violenta. A bruxa de preto, Fortuna, nos alcançou primeiro, mas o arcebispo arrancou a Balisarda de dentro da batina e a golpeou com um corte profundo no seio. Ela cambaleou para trás nos degraus, para dentro dos braços de uma irmã. Uma segunda berrou e investiu.

Com um lampejo de azul, uma faca dilacerou seu peito por trás. Ela puxou ar, levando inutilmente as mãos à ferida, antes de ser empurrada para a frente. Ela escorregou pelo fio da lâmina lentamente até liberá--la, e desmoronou.

E lá estava Reid.

Sua Balisarda pingava com o sangue da atacante, e os olhos ardiam com ódio primevo. Jean Luc e Ansel lutavam atrás dele. Com um movimento rápido de cabeça, ele me chamou. Não hesitei, abandonando o arcebispo e correndo para seus braços abertos.

Mas as bruxas continuavam vindo. Mais e mais pareciam se materializar do nada. E, pior — eu tinha perdido minha mãe de vista.

Um homem enfeitiçado, com olhos vazios, partiu na direção do arcebispo, braços e pernas desengonçados. Uma bruxa o seguia de perto, contorcendo os dedos com um rosnado feroz. Magia explodia no ar.

— Leve-a para dentro! — gritou o arcebispo. — Façam uma barricada dentro da Torre!

— Não! — Eu me afastei de Reid com um empurrão. — Me dê uma arma! Posso lutar!

Três pares de mãos me agarraram, todas me arrastando de volta para a igreja. Outros Chasseurs abriam caminho pelo caos agora. Assisti com horror quando retiraram seringas prateadas dos casacos.

Reid fechou as portas da catedral com força no momento em que os gritos começaram.

Movendo-se depressa, começou a levantar a enorme viga de madeira para atravessá-la nas portas. Jean Luc correu para ajudar enquanto Ansel permanecia a meu lado, com o rosto pálido.

— Era mesmo tudo verdade... o que as bruxas disseram? O... o arcebispo tem... ele tem mesmo uma filha com Morgane le Blanc?

— Talvez. — Os ombros de Jean Luc tremiam com esforço sob o peso da viga. — Mas talvez tenha... sido tudo... uma distração. — Com um último ímpeto, colocaram a barreira no lugar. Ele me olhou de cima a baixo, ofegante. — Como as bruxas no castelo. Tinham quase conseguido invadir quando chegamos. Depois disso, sumiram.

Vidro se estilhaçou, e olhamos para o alto para ver uma bruxa entrando pela rosácea centenas de metros acima de nós.

— Meu Deus — sussurrou Ansel, seu rosto se retorcendo com horror. Jean Luc me empurrou para a frente.

— Levem-na para cima! Eu cuido da bruxa!

Reid agarrou minha mão, e juntos corremos para as escadas. Ansel seguia em nosso encalço.

Quando chegamos ao quarto, Reid fechou a porta com força e cravou a Balisarda na maçaneta. No momento seguinte, cruzou o cômodo para espiar pela janela, enfiando a mão no casaco para pegar uma bolsinha. Sal. Entornou os cristais brancos na extensão do peitoril, alvoroçado.

— Não vai ajudar em nada. — Minha voz saiu baixa e fervorosa. Culpada.

Reid parou os movimentos e virou-se devagar para me encarar.

— Por que as bruxas estão atrás de você, Lou?

Abri a boca, buscando em desespero uma explicação razoável, mas não encontrei. Ele tomou minha mão e se reclinou, abaixando a voz.

— A verdade agora. Não posso protegê-la sem saber a verdade.

Respirei fundo, me preparando. Cada risada, cada olhar, cada toque... tudo dependia daquele momento.

Ansel soltou um ruído sufocado atrás de nós.

— Cuidado!

Viramos ao mesmo tempo para encontrar outra bruxa pairando do lado de fora da janela, os cabelos castanho-acinzentados soprando violentamente ao redor da cabeça. Meu coração parou. Ela colocou um pé no peitoril, bem em cima da camada de sal.

Reid e eu nos movemos ao mesmo tempo para ficar à frente. O pé dele pisou no meu, e caí de joelhos. A bruxa inclinou a cabeça para o lado quando ele mergulhou em minha direção — na *minha*, não da Balisarda.

Ansel não cometeu o mesmo erro. Saltou para ela, mas a bruxa foi mais rápida. Com um meneio abrupto do pulso, o cheiro pungente de magia queimou meu nariz, e Ansel voou para a parede. Antes que pudesse detê-lo — antes que pudesse fazer qualquer coisa —, Reid se lançou contra a invasora.

Com outro meneio, o corpo dele foi atirado para cima, sua cabeça batendo com força no teto. O quarto inteiro tremeu. Mais um floreio de pulso, e ele tombou no chão a meus pés, tão inerte que me alarmou.

— Não! — Com o coração na garganta e dedos trêmulos, rolei de barriga para cima. Suas pálpebras tremiam. Vivo. Minha cabeça virou-se para a bruxa. — Sua *vaca*.

Seu rosto se contorceu em um rosnado feroz.

— Você queimou minha irmã.

Uma lembrança surgiu: uma mulher de cabelos castanhos ao fundo, mais distante do restante da multidão, aos soluços enquanto Estelle ardia. Eu a afastei para longe.

— Ela queria me levar. — Levantando os braços com cuidado, vasculhei o cérebro em busca de um padrão. Faíscas de ouro cintilavam depressa ao redor da invasora. Instei-os a se solidificarem quando ela flutuou para deixar o peitoril.

Semicírculos profundos marcavam os olhos vermelhos, e suas mãos tremiam de raiva.

— Você desonra sua mãe. Desonra as Dames Blanches.

— As Dames Blanches podem ir queimar no Inferno.

— Você não é digna da honra que Morgane lhe concede. Nunca foi.

Cordões de ouro serpenteavam entre seu corpo e o meu. Capturei um deles de maneira aleatória e o segui, mas se dividia em centenas de outros, enroscando-se em nossos ossos. Soltei-os com urgência, seu custo — e risco — era grande demais.

Ela mostrou os dentes e levantou as mãos em resposta, os olhos vivos com ódio. Eu me preparei para receber o ataque, mas ele nunca veio. Embora movesse as mãos em minha direção várias e várias vezes, cada golpe passava direto por mim e se dissipava.

O Anel de Angélica ardia em meu dedo — desfazendo os padrões lançados.

Ela olhou para as mãos, incrédula. Levantei as minhas mais alto com um sorriso, os olhos fixos em um padrão promissor. Dando passos para trás, ela avistou a Balisarda, mas cerrei meus punhos antes que pudesse alcançá-la.

Ela colidiu com o teto em um arco idêntico ao que Reid fizera, e pedaços de madeira e reboco choveram em minha cabeça. O ritmo de meu coração ficou mais lento em resposta, a visão rodopiando, e ela também aterrissou no chão com uma pancada. Comecei a levantar as mãos outra vez — tateando em busca de um segundo fio, algo que a fizesse perder a consciência —, mas ela correu de encontro a mim, agarrando minha cintura e caindo comigo contra a mesa.

A mesa.

Abri a gaveta, meu punho se fechando ao redor do cabo da faca, mas ela segurou meu pulso e torceu com força. Com um grito feroz, esmagou a cabeça em meu nariz. Cambaleei para o lado — sangue escorrendo pelo queixo — enquanto ela arrancava a arma de mim.

A Balisarda de Reid brilhava da porta. Mergulhei para ela, mas a bruxa cortou o ar na frente de meu nariz com a faca, bloqueando o caminho. Ouro se inflamou brevemente, mas eu não conseguia me concentrar, não conseguia pensar. Enfiei o cotovelo nas costelas dela como alternativa. Quando se desvencilhou, dobrada sobre si mesma e tentando recuperar o fôlego, enfim vi minha oportunidade.

Meu joelho encontrou o rosto dela, e deixou cair minha faca. Eu a recuperei, triunfante.

— Vá em frente. — Ela tinha as mãos na lateral do corpo, sangue gotejando do nariz até o chão. — Me mate, como matou Estelle. *Assassina de bruxas.*

As palavras eram uma arma pior do que a lâmina jamais poderia ser.

— Eu... fiz o que tinha que fazer...

— Assassinou sua família. Casou-se com um caçador. *Você* é a única Dame Blanche que vai queimar no Inferno, Louise le Blanc. — Ela se empertigou, cuspindo sangue no chão e fazendo um movimento de cabeça. — Venha comigo agora... aceite o seu direito inato... E a Deusa talvez poupe sua alma.

A dúvida se enroscou em meu coração ao ouvir suas palavras.

Talvez de fato fosse arder no Inferno pelo que fiz para sobreviver. Tinha mentido, roubado e matado sem hesitar em minha missão incansável de permanecer *viva*. Mas quando uma vida assim passara a valer a pena? Quando foi que me tornara tão cruel, tão acostumada ao sangue em minhas mãos?

Quando me tornara um *deles* — mas pior do que ambos? Ao menos as Dames Blanches e os Chasseurs tinham escolhido um lado. Cada facção representava e defendia *algo*, mas eu, não. Uma covarde.

Tudo que queria era sentir o sol em meu rosto uma última vez. Não queria morrer naquele altar. Se isso me tornava uma covarde... então que fosse assim.

— Com o seu sacrifício, poderemos reclamar nossa terra. — Ela deu um passo à frente como se sentisse minha hesitação, retorcendo as mãos ensanguentadas. — Não entende? Vamos *governar* Belterra outra vez...

— Não — refutei —, *vocês* vão governar Belterra. *Eu* estarei morta.

O peito dela subia e descia com ardor.

— Pense em todas as vidas das bruxas que vai salvar com isso!

— Não posso deixar que vocês dizimem pessoas inocentes. — Minha voz ficou baixa com resolução. — *Tem* que haver outro jeito...

Minhas palavras vacilaram quando, pelo canto do olho, vi Reid se levantar para ficar de joelhos. O rosto da bruxa nem parecia inteiramente humano quando se virou para ele — quando levantou a mão. Senti a energia antinatural reluzindo entre os dois, e pressenti o golpe fatal antes que ela o lançasse.

Joguei a mão na direção dele, desesperada.

— Não!

Reid voou para um lado — olhos se arregalando quando minha magia o levantou —, e a energia sombria da bruxa abriu um buraco na parede. Antes que pudesse alcançá-lo, ela mergulhou até ele e pressionou a faca contra seu pescoço, levando a mão para dentro do casaco dele e retirando de lá algo pequeno. Prateado.

Encarei o objeto com horror. Um sorriso cruel cruzou o rosto dela enquanto ele se debatia.

— Venha aqui, ou corto a garganta dele.

Meus pés se moveram sem hesitação. Por instinto. Embora estivessem pesados como chumbo, repentinamente desengonçados e duros, sabiam aonde tinham que me levar. Aonde sempre estivera destinada a ir. Desde meu nascimento. Desde minha concepção. Se aquilo significava que Reid continuaria vivo, eu morreria com prazer.

Ofegante, Reid encarava o chão de maneira obstinada enquanto eu me aproximava. Não fugiu quando a bruxa o liberou, não fez qualquer movimento para detê-la quando fincou a agulha em minha garganta.

Eu a senti perfurar a pele como se estivesse em outro corpo — a dor parecia desconectada enquanto o líquido denso ia congelando em minhas veias. Era frio. Os dedos gélidos desciam com firmeza por minha coluna — paralisando meu corpo —, mas não eram nada em comparação ao gelo no olhar de Reid quando finalmente se virou para mim.

Foi aquele gelo que apunhalou meu coração.

Caí para a frente, mole, meus olhos nunca deixando seu rosto. *Por favor*, implorei em silêncio. *Entenda.*

Mas não havia compreensão nos olhos dele enquanto me via tombar ao chão, enquanto meus braços e pernas convulsionavam e tremiam. Só havia choque, raiva e... nojo. Já não era mais o homem que tinha se ajoelhado diante de mim e secado minhas lágrimas com gentileza. Já não era mais o homem que me abraçara naquele telhado, que rira de minhas piadas, defendera minha honra e me beijara sob as estrelas.

Já não era mais o homem que tinha afirmado que me amava.

Agora restava apenas o Chasseur.

E ele me odiava.

Lágrimas escorreram entre o sangue em meu rosto até caírem no chão. Era o único sinal externo de que meu coração tinha se partido em dois. Ainda assim, Reid não se moveu.

A bruxa levantou meu queixo, perfurando minha pele com as unhas. Pontos pretos flutuavam em minha visão periférica, e lutei para me manter consciente. A droga rodopiava em minha mente, me tentando com esquecimento. Ela se abaixou até minha orelha.

— Achou que ele a protegeria, mas ele mesmo teria amarrado você à estaca. Olhe para ele, Louise. Para o seu ódio.

Com esforço tremendo, levantei a cabeça. Os dedos dela afrouxaram em sua surpresa.

Encarei Reid.

— Eu te amo.

Depois, desmaiei.

ESQUECIMENTO

Lou

Quando despertei, tive uma vaga consciência do chão se movendo sob meu corpo — e um par de braços longos e esguios que envolviam minha cintura, me abraçando contra si. Depois veio a dor pulsante no pescoço. Pressionei a mão contra ela, sentindo sangue fresco.

— Lou — chamou uma voz familiar e ansiosa. — Está me ouvindo?

Ansel.

— Acorde, Lou. — O chão ainda se mexia. Algo caiu lá fora, perto de onde estávamos, seguido de um *bum* tonitruante. Uma mulher gargalhou. — Por favor, acorde!

Minhas pálpebras estremeceram e se abriram.

Eu estava estirada no chão atrás da cama, com a cabeça no colo de Ansel, uma seringa descartada ao lado.

— É o antídoto — sussurrou ele com desespero. — Não tinha o suficiente para uma dose completa. Ele está perdendo, Lou. A bruxa... ela explodiu a porta. A Balisarda saiu voando para o corredor. Tem que ajudá-lo, Lou! Por favor!

Ele está perdendo.

Reid.

Adrenalina disparou por mim, e levantei o tronco depressa, tossindo com a poeira que impregnava o ar. O mundo rodopiava a meu redor. Reid e a bruxa tinham destruído o quarto; havia buracos no chão e nas paredes, e da escrivaninha e cabeceira da cama restavam apenas lascas de madeira. Ansel me arrastou para fora do caminho quando um pedaço de reboco explodiu no chão onde minhas pernas tinham estado segundos antes.

Reid e a bruxa se encaravam, girando em círculos no centro do cômodo, mas Reid parecia estar com dificuldades para se mover. Trincava os dentes, forçando os músculos a obedecerem enquanto golpeava o ar com minha faca na direção da bruxa. Ela desviou com facilidade antes de mexer os dedos mais uma vez. Reid inspirou com força, como se ela o tivesse atingido.

Eu me levantei com esforço. Pontos pretos ainda rodopiavam em minha visão, e minhas pernas e braços pareciam tão desajeitados e pesados quanto os de Reid. Mas não importava. Tinha que dar um fim àquilo.

Nenhum dos dois prestou atenção em mim. A bruxa lançou a mão à frente, e Reid mergulhou para fora do caminho. O golpe acertou a parede em seu lugar. Um sorriso sádico brincava nos lábios dela. Estava jogando com ele. Com o homem que queimara sua irmã.

Ansel acompanhava todos os movimentos da invasora.

— Ainda estão todos lá fora.

Eu balançava, trôpega, e minha visão ficou embaçada quando levantei as mãos. Mas não havia nada. Não conseguia me concentrar. O quarto girava.

O olhar da bruxa voou para nós. Reid moveu-se para atacar, mas ela fez um meneio de pulso, atirando-o contra a parede mais uma vez. Dei um passo à frente enquanto ele desmoronava.

— Você é uma tola — disse a mulher. — Viu o ódio dele e ainda assim corre para ajudá-lo...

Um cordão veio à tona, indo enterrar-se na laringe dela. Fechei a mão, e as palavras morreram em sua garganta. Meu sangue começou a escorrer mais denso das feridas da agulha enquanto ela lutava para respirar.

Cambaleei outra vez, perdendo o foco, mas Ansel me segurou antes que pudesse cair. A bruxa puxou ar e agarrou o pescoço, recuperando o fôlego.

Eu estava fraca demais para continuar lutando. Mal conseguia me manter de pé, que dirá batalhar contra uma bruxa e esperar vencer. Não tinha mais força física, e minha mente estava saturada demais com a droga para distinguir meus padrões.

— Vocês dois se merecem. — Ela me atirou para fora dos braços de Ansel, e voei pelo ar, colidindo contra o peito de Reid. Ele tropeçou para trás com o impacto, mas seus braços me envolveram, suavizando o golpe. Estrelas dançavam em minha visão.

O grito de guerra de Ansel me reanimou, mas também foi cortado prematuramente. Outro baque soou atrás de nós, e ele deslizou até nossos joelhos.

— Não vou conseguir... vencê-la. — Embora o sangramento tivesse sido estancado, ainda me sentia desfalecente. Com a cabeça zonza. Não conseguia manter os olhos abertos. — Fraca... demais.

A escuridão me chamava, e minha cabeça pesada começou a pender para um lado.

Mas os braços de Reid em volta de mim eram quase dolorosos. Meus olhos se abriram para vê-lo me encarando com determinação.

— Me use.

Balancei a cabeça com toda a força que consegui reunir. Pontinhos ainda salpicavam minha visão.

— Pode ser que dê certo. — Ansel assentia de maneira frenética, e Reid me liberou. Cambaleei um pouco. — Bruxas usam outras pessoas o tempo todo!

Abri a boca para dizer que *não* — que não o machucaria, não brandiria seu corpo como as outras faziam —, mas outra mão me puxou para trás pelos cabelos. Aterrissei nos braços da bruxa, as costas contra seu peito.

— Estou ficando cansada disto, e sua mãe está esperando. Quem vai matá-los, você ou eu?

Eu não podia responder. Cada gota de meu foco se concentrou no cordão fino e mortal que emergiu no ar entre a mulher e Reid.

Um padrão.

Eu estava fraca, mas Reid... ele ainda era forte. E, apesar de tudo, eu o amava. Eu o amava tanto que a natureza o tinha reconhecido como uma troca justa. Não era apenas outro corpo. Outro escudo de carne. Ele era... eu.

Podia funcionar.

Com um fôlego rascante, cerrei meu punho. O padrão se desfez com uma explosão de ouro.

Os olhos de Reid se arregalaram quando o pescoço ficou tenso, e suas costas se arquearam para longe da parede. Sua espinha dorsal se esforçava para permanecer intacta enquanto a magia o puxava para cima como se tivesse uma corda em volta do pescoço. A bruxa gritou, me libertando, e eu soube, sem precisar olhar, que ela estava em uma posição semelhante. Antes que pudesse contra-atacar, movi meu pulso, e os braços de Reid foram forçados a ficar colados contra seu corpo, presos, os dedos juntos. Sua cabeça voou para trás de maneira antinatural, estendendo o pescoço. Expondo a garganta.

Ansel mergulhou para o corredor no momento em que os gritos da bruxa começaram a soar sufocados — desesperados.

— Ansel — chamei com rispidez. — Uma espada.

Ele correu para mim, me entregando a Balisarda de Reid. A bruxa se debateu com mais força contra o encantamento a cingindo — medo finalmente aflorando, incontido, naqueles olhos cheios de ódio —, mas me mantive firme.

Levantando a faca para o pescoço dela, inspirei fundo. Seus olhos voavam para todos os lados.

— Vejo você no Inferno — sussurrei.

Flexionei a mão, e os corpos da mulher e de Reid tombaram ao mesmo tempo, o padrão se dissolvendo. A lâmina cortou o pescoço dela durante a queda, e seu sangue fluiu, quente e viscoso, por meu braço. O corpo dela desmoronou no chão. Parou de convulsionar em segundos.

Assassina de bruxas.

O silêncio no quarto era ensurdecedor.

Encarei o corpo de minha inimiga — Balisarda pendendo de minha mão, frouxa — e observei o sangue se empoçar aos meus pés. Recobriu minhas botas e manchou a bainha do vestido. Os sons da batalha lá fora tinham cessado. Eu não sabia quem vencera. Não me importava.

— Ansel — chamou Reid com calma mortal. Eu me retraí ao som de sua voz. *Por favor. Se pode me ouvir, Deus, faça com que ele entenda.* Mas os olhos de Ansel se arregalaram diante do que quer que tenha visto no rosto de seu superior, e não me atrevi a virar para descobrir. — Saia.

Ansel voltou-se para mim, e supliquei sem palavras que não fosse. Ele concordou com a cabeça, se empertigando e dando um passo na direção de Reid.

— Acho que devo ficar.

— Saia. Agora.

— Reid...

— PARA FORA!

Girei, lágrimas escorrendo livremente pelas bochechas.

— Não fale com ele dessa maneira!

Os olhos de meu marido brilhavam com fúria, e suas mãos se fecharam em punhos.

— Parece que você esqueceu quem eu sou, Louise. Sou um capitão dos Chasseurs. Falo com ele como quiser.

Ansel saiu depressa para o corredor.

— Vou ficar bem aqui fora, Lou. Prometo.

Uma onda de desesperança me consumiu assim que ele saiu. Sentia os olhos de Reid queimando minha pele, mas não conseguia me forçar a olhar em sua direção outra vez. Não conseguia me forçar a reconhecer o ódio que encontraria lá... porque uma vez que o fizesse, se tornaria realidade. E não podia ser. Não podia.

Ele me amava.

O silêncio se estendeu entre nós. Incapaz de suportá-lo mais um segundo, olhei para cima. Os olhos azuis — que eram tão lindos, como o oceano — eram agora chamas vivas.

— Por favor, diga alguma coisa — murmurei.

O maxilar de Reid se flexionou.

— Não tenho nada a dizer a você.

— Continuo sendo *a mesma*, Reid...

Ele balançou a cabeça em uma rejeição rápida.

— Não, não continua. É uma bruxa.

Mais lágrimas escorreram pelo meu rosto enquanto lutava para pôr os pensamentos em ordem. Havia tanta coisa que eu queria lhe dizer — tanto que *precisava* dizer —, mas não conseguia me concentrar em nada além do desprezo naqueles olhos, a maneira como os lábios se retorciam, como se eu fosse algo repulsivo e estranho. Fechei os olhos contra a imagem, o queixo trêmulo outra vez.

— Queria ter contado — comecei, baixinho.

— E por que não contou?

— Porque... não queria perdê-lo. — Com os olhos ainda cerrados, estendi a Balisarda com uma ponta de hesitação para ele. Uma bandeira branca. — Eu te amo, Reid.

Ele bufou, zombeteiro, e arrancou o cabo de meus dedos.

— Você me *ama*. Como se alguém como você fosse sequer *capaz* de amar. O arcebispo nos advertiu que as bruxas eram ardilosas. Que eram cruéis. Mas caí nas armadilhas, da mesma forma que ele. — Um som raivoso e antinatural saiu de sua garganta. — A bruxa disse que sua mãe a estava esperando. É ela, não é? Morgane le Blanc. Você... você é a filha da Dame des Sorcières. O que significa... — Um ruído angustiado desta vez, de pura incredulidade, como se tivesse sido apunhalado no coração sem aviso. Não abri os olhos para ver sua conclusão sendo feita. Não podia suportar ver a última peça do quebra-cabeça se encaixar. — A história das bruxas era verdade, não era? O espetáculo. O arcebispo...

Ele parou abruptamente e mais uma vez se fez silêncio. Senti seu olhar em meu rosto como se estivesse me marcando com ferro em brasa, mas não abri os olhos.

— Não sei como não vi antes. — Sua voz estava mais fria agora. Congelante. — O interesse atípico que ele tinha no seu bem-estar, a maneira como se recusava a puni-la por mau comportamento. A maneira como me *forçou* a me casar com você. Tudo faz sentido. Vocês até *se parecem*.

Eu não queria que fosse verdade. Desejava que não fosse, com cada fragmento de meu coração partido. As lágrimas caíam mais densas e rápidas agora, uma torrente de sofrimento que Reid ignorou.

— E eu aqui... entregando meu tolo coração em suas mãos. — A voz ficava mais alta a cada nova palavra. — Caí direitinho na sua armadilha. Tudo não passou disso, não é? Precisava de um lugar para se esconder. Achou que os Chasseurs a protegeriam. Achou que *eu* a protegeria. Você... — Sua respiração tornou-se forte e irregular. — Você me usou.

A verdade em suas palavras era um punhal atravessado em meu coração. Meus olhos se abriram depressa. Por uma fração de segundo, vi uma centelha de tristeza e mágoa sob toda a fúria, mas logo desapareceu, soterrada embaixo de uma vida inteira de ódio.

Um ódio que se provava mais forte que o amor.

— Não é verdade — sussurrei. — Num primeiro momento... talvez... mas as coisas *mudaram*, Reid. Por favor, tem que acreditar...

— O que devo *fazer*, Lou? — Lançou as mãos para o ar, voz se transformando em um rugido. — Sou um Chasseur! Fiz um juramento para caçar bruxas... caçar *você!* Como pôde fazer isso comigo?

Eu me retraí outra vez e fui dando passos para trás até minhas pernas toparem com a estrutura da cama.

— Você... Reid, você também fez um juramento a *mim*. É meu marido, e eu, sua esposa.

Suas mãos caíram, flácidas, para as laterais do corpo. Derrotado. Uma faísca de esperança se acendeu em meu peito. Mas então ele fechou os olhos — parecendo desmoronar por dentro —, e, quando voltou a abri-los, estavam vazios de emoção. Ocos. Mortos.

— Não é minha esposa.

O que ainda restava de meu coração se despedaçou completamente. Apertei a mão contra a boca num esforço de deter os soluços. Lágrimas embaçavam minha visão. Reid não se moveu quando passei correndo por ele, não levantou um dedo para me segurar quando tropecei no limiar. Caí de joelhos do lado de fora da porta.

Os braços de Ansel me envolveram.

— Você está ferida?

Eu o empurrei para longe em desespero, me pondo de pé.

— Me desculpe, Ansel. Sinto muito.

Depois, estava correndo — tão depressa quanto meu corpo quebrantado permitia. Ansel me chamou, mas o ignorei, me lançando escada abaixo. Desesperada para criar tanta distância entre mim e Reid quanto possível.

Não me instes para que te abandone, e deixe de seguir-te. As palavras me apunhalavam a cada passo. *Aonde quer que tu fores irei eu, e onde quer que pousares, ali pousarei eu.*

Não vou deixar que a machuque, Lou. Vou protegê-la. Tudo vai ficar bem. Eu te amo, Lou.

Não é minha esposa.

Virei e entrei no saguão, ofegante. Passei pela rosácea destruída. Pelos corpos de bruxas. Pelos Chasseurs a esmo.

Deus — se realmente existia, se estivesse nos vigiando — teve piedade de mim quando ninguém fez menção de bloquear meu caminho. O arcebispo não estava em lugar algum.

Não é minha esposa.

Não é minha esposa.

Não é minha esposa.

Fugindo pelas portas escancaradas, disparei indistintamente em direção à rua. O pôr do sol brilhava forte demais em meus olhos ardidos. Tropecei pelos degraus da igreja, olhando ao redor com cansaço, antes de seguir pela rua que daria no Soleil et Lune.

Podia fazê-lo. Podia procurar abrigo lá uma última vez.

Dedos pálidos surgiram atrás de mim e envolveram meu pescoço. Tentei me virar, mas uma terceira agulha perfurou meu pescoço. Lutei debilmente — pateticamente — contra minha captora, mas o frio familiar já começava a descer pela minha espinha. A escuridão me envolveu depressa. Minhas pálpebras se fecharam enquanto eu caía para a frente, mas braços pálidos e esguios me mantiveram de pé.

— Olá, amada — arrulhou uma voz familiar em meu ouvido. Cabelos brancos como o luar caíam por cima de meus ombros. Ouro cintilou por trás de meus olhos, e a cicatriz em meu pescoço se abriu numa explosão de dor. O começo do fim. O padrão de vida se revertendo.

Nunca mais nunca mais nunca mais.

— É hora de voltar para casa.

Desta vez, recebi o esquecimento de braços abertos.

CHUTANDO BRUXA MORTA

Reid

— O que foi que você fez?

A voz de Ansel ecoou alta demais no silêncio do quarto — ou do que restava dele. Havia diversos buracos nas paredes, e o fedor de magia estava impregnado em minha mobília. Meus lençóis. Minha pele. Uma poça de sangue se esparramava da garganta da bruxa. Fitei o corpo, odiando-o. Desejando um fósforo para colocar fogo nele. Para queimá-lo — junto com este quarto, este momento — de minha memória para sempre.

Me virei, não querendo encarar os olhos opacos. Olhos sem vida. Aquela criatura não se parecia em nada com o restante das atrizes graciosas que queimaríamos na fornalha à noite. Nada com a bela Morgane le Blanc de cabelos brancos.

Nada com a filha dela.

Parei o pensamento antes que tomasse um rumo perigoso.

Lou era uma bruxa. Uma víbora. E eu, um tolo.

— O que foi que você fez? — repetiu Ansel, desta vez mais alto.

— Deixei que ela fosse embora. — Com as pernas duras como dois pedaços de pau que não queriam cooperar, enfiei a Balisarda na bandoleira e me ajoelhei ao lado do cadáver. Embora meu corpo ainda estivesse dolorido pelo ataque de Lou, a bruxa tinha que ser queimada, para não arriscar que voltasse à vida. Parei perto do sangue. Relutante em tocá-lo. Relutante em me aproximar desta coisa que tentara matar Lou.

Pois, por mais que odiasse admiti-lo — por mais que *amaldiçoasse* seu nome —, um mundo sem Lou era, de alguma forma, errado. Vazio.

Quando levantei o cadáver, a cabeça pendeu para trás de maneira grotesca, a garganta aberta onde Lou a havia cortado. Sangue ensopou a lã azul de meu casaco.

Nunca odiei tanto a cor.

— Por quê? — Ansel exigiu saber. Eu o ignorei, me focando no peso morto em meus braços. Outra vez, minha mente traiçoeira retornou a Lou. À noite anterior, quando a tinha abraçado sob as estrelas. Era tão leve. E vulnerável. E engraçada e linda e quente...

Pare.

— Ela estava grogue por conta do antídoto e nitidamente machucada — insistiu o jovem. Levantei o corpo mais alto, continuando a ignorá-lo, e chutei a porta quebrada para abri-la. A exaustão vinha em ondas, me esmagando. Mas ele se recusava a desistir. — Por que a deixou ir?

Porque não podia matá-la.

Eu o encarei. Continuava a defendendo, mesmo depois de ela ter revelado sua verdadeira natureza. Mesmo depois de ter se provado uma mentirosa e uma cobra — uma Judas. E isso significava que os Chasseurs não tinham espaço para Ansel.

— Não importa.

— Importa, *sim.* A mãe de Lou é *Morgane le Blanc.* Não ouviu o que aquela bruxa disse sobre reclamar a terra delas?

Com o seu sacrifício, poderemos reclamar nossa terra. Vamos governar *Belterra outra vez.*

Não posso deixar que vocês dizimem pessoas inocentes.

Sim. Eu tinha ouvido.

— Lou sabe se cuidar.

Ansel passou por mim e se postou no meio do corredor.

— Morgane está à solta na cidade hoje, e Lou também. Isto... isto é maior do que nós. Ela precisa da nossa ajuda. — Voltei a andar, mas ele se colocou no meu caminho outra vez e empurrou meu peito. — Me escute! Mesmo que não se importe mais com a Lou... mesmo que a odeie... as bruxas estão planejando algo, e envolve Lou. Acho... Reid, acho que vão matá-la.

Afastei as mãos dele, me recusando a dar ouvidos a suas palavras. Me recusando a admitir que faziam minha cabeça girar, meu peito apertar.

— Não, me escute *você*, Ansel. Só vou falar uma vez. — Abaixei o rosto devagar, de maneira deliberada, até nossos olhos estarem nivelados. — *Bruxas. Mentem.* Não podemos acreditar em nada do que ouvimos hoje. Não podemos confiar que esta bruxa tenha falado a verdade.

Ele fez uma careta.

— Sei o que o meu instinto me diz, e ele diz que Lou está em perigo. Temos que encontrá-la.

Meu estômago se contraiu, mas o ignorei. Minhas emoções tinham me traído uma vez. Não mais. Nunca mais. Precisava me concentrar no presente — no que eu *sabia* —, que era me livrar daquela bruxa. A fornalha na masmorra. Meus irmãos lá embaixo.

Eu me forcei a continuar, pé ante pé.

— Lou não é mais responsabilidade nossa.

— Pensei que os Chasseurs tivessem jurado *proteger* os inocentes e indefesos.

Meus dedos apertaram ainda mais o cadáver.

— Lou dificilmente poderia ser considerada inocente *ou* indefesa.

— Ela não está bem! — Ele me seguiu escada abaixo, quase tropeçando e nos fazendo cair. — Está drogada e fraca!

Bufei. Mesmo drogada, até ferida, Lou tinha empalado aquela bruxa como Jael fizera com Sísera.

— Você a viu, Reid. — Sua voz ficou baixa, até virar um sussurro rouco. — Não teria chances se Morgane aparecesse.

Amaldiçoei Ansel e seu coração puro.

Pois eu a *tinha* visto. Era esse o problema. Estava tentando meu melhor para *des*-ver, mas a lembrança tinha sido marcada a fogo em minhas pálpebras. Sangue recobria seu lindo rosto. Manchava seu pescoço. As mãos. O vestido. Hematomas já tinham se formado dos ataques da bruxa... mas não era isso que me assombrava. Não foi isso que cortou através do véu de minha fúria.

Não: foram seus olhos.

A luz que havia neles tinha se apagado.

A droga, me tranquilizei. *Foi a droga que os esmaeceu.*

Mas, no fundo, sabia que não era isso. Lou tinha se alquebrado naquele momento. Minha herege de coração selvagem, boca vulgar e espírito de aço tinha ruído. *Eu* a destruíra.

Não é minha esposa.

Eu me odiava pelo que tinha feito a ela. E me odiava mais ainda pelo que ainda sentia por ela. Era uma bruxa. Uma das esposas de Lúcifer. Então o que isso me tornava?

— Você é um covarde — cuspiu Ansel.

Parei de súbito, e ele topou comigo. Sua raiva se apagou um pouco diante de minha expressão — da ira que fluía em meu sangue, esquentando meu rosto.

— Por favor, *vá* — rosnei. — Vá atrás dela. Proteja-a de Morgane le Blanc. Talvez as bruxas até permitam que você vá morar com elas no Château. Pode queimar junto com elas também.

Ele se afastou, perplexo. Magoado.

Ótimo. Virei com brusquidão e continuei até o saguão. Ansel estava caminhando no fio da navalha. Se os outros descobrissem que simpatizava com uma bruxa...

Jean Luc entrou pelas portas abertas, carregando uma bruxa por cima do ombro. Sangue escorria pelo pescoço da diaba, por causa de uma injeção. Atrás dele, uma pomba jazia ente os mortos nos degraus da catedral. Penas manchadas de sangue e alvoroçadas. Olhos vazios. Sem ver.

Desviei o rosto, ignorando a pressão ardente atrás dos meus próprios olhos.

Meus irmãos moviam-se com propósito nas cercanias. Alguns traziam cadáveres da rua. Embora a maioria das bruxas tivesse escapado, um punhado foi se juntar à pilha de corpos no saguão — separadas dos demais. Intocáveis. A execução delas não seria pública. Não depois das Velhas Irmãs. Não depois daquele espetáculo. Ainda que o arcebispo conseguisse controlar os danos, rumores se espalhariam. Mesmo que negasse a acusação — mesmo que alguns acreditassem nele —, a semente tinha sido plantada.

O arcebispo concebera uma filha com La Dame des Sorcières.

Embora não estivesse em lugar algum, seu nome preenchia o lugar. Meus irmãos mantinham as vozes baixas, mas eu ainda podia ouvi-los. Ainda via os olhares de soslaio. A suspeita. A dúvida.

Jean Luc deu uma cotovelada em Ansel para afastá-lo e poder me encarar.

— Se está procurando sua esposa, ela não está mais aqui. Eu a vi sair correndo por aqui não tem nem quinze minutos... aos prantos.

Aos prantos.

— O que aconteceu lá em cima, Reid? — Ele inclinou a cabeça para o lado, me contemplando e arqueando uma sobrancelha. — Por que ela fugiria assim? Se teme as bruxas, a Torre com certeza seria o lugar mais seguro para ela. — Ele parou e um sorriso verdadeiramente amedrontador cruzou seu rosto. — A menos, claro, que agora tema mais a nós?

Atirei o cadáver no topo da pilha de bruxas. Ignorei a apreensão se alojando em meu estômago como chumbo.

— Acho que sua esposa guarda um segredo, Reid. E acho que você sabe o que é. — Jean Luc se aproximou, me observando com olhos aguçados demais. — Acho que *eu* sei o que é.

A apreensão transformou-se em pânico legítimo, mas forcei meu rosto a permanecer calmo. Impassível. Desprovido de toda emoção. Não lhes contaria sobre Lou. Eles a caçariam. E a ideia de suas mãos nela... a tocando, *ferindo*, atando seu corpo à estaca — eu não permitiria.

Encarei Jean Luc.

— Não sei do que está falando.

— Onde ela está, então? — Ele elevou a voz e gesticulou ao redor, atraindo os olhos de nossos irmãos. Meus dedos se fecharam em punhos. — Por que aquela bruxinha fugiu?

Minha visão foi lentamente ficando vermelha, borrando a presença dos mais próximos: aqueles que tinham parado, com as cabeças viradas, atentos às acusações de Jean Luc.

— Cuidado com o que vai dizer em seguida, Chasseur Toussaint.

O sorriso dele vacilou.

— Então é mesmo verdade. — Esfregou o rosto com a mão e soltou um suspiro pesaroso. — Não queria acreditar... mas olhe só para você. Ainda a defende, mesmo *sabendo* que é uma...

Investi contra ele com um rosnado. Tentou desviar, mas não era rápido o bastante. Meu punho acertou seu maxilar com um estalo audível, quebrando o osso. Ansel pulou para a frente antes que eu pudesse golpear outra vez. Apesar de seus puxões em meus braços, passei por ele, mal sentindo seu peso. Jean Luc cambaleou para trás, gritando de dor e indignação, enquanto me preparava para socá-lo outra vez.

— Basta — disse o arcebispo com rispidez atrás de nós.

Congelei, o punho no ar.

Alguns de meus irmãos fizeram reverências, punhos aos corações, mas a maioria permaneceu ereta. Resoluta. Desconfiada. O arcebispo os fitou com fúria crescente, e uns poucos mais baixaram as cabeças. Ansel liberou meus braços e seguiu seu exemplo. Para minha surpresa, Jean Luc fez o mesmo — embora a mão esquerda continuasse pressionando o maxilar que já começava a inchar. Olhava para o chão com olhos sedentos de sangue.

Um segundo tenso se passou enquanto todos esperavam que eu, seu capitão, honrasse nosso superior.

Não o fiz.

Os olhos do arcebispo brilharam diante de minha insolência, mas ele se aproximou depressa ainda assim.

— Onde está Louise?

— Foi embora.

A incredulidade deformou o rosto dele.

— Como assim, *foi embora?*

Não respondi, e Ansel deu um passo à frente em meu lugar.

— Ela... ela fugiu, Vossa Eminência. Depois que aquela bruxa a atacou. — Gesticulou para o corpo no topo da pilha.

O arcebispo caminhou até lá para inspecioná-la.

— Foi você quem matou esta bruxa, capitão Diggory?

— Não. — Minha mão pulsava do soco no maxilar de Jean Luc. Recebi a dor de braços abertos. — Foi Lou.

Ele pousou a mão em meu ombro numa demonstração de camaradagem para meus irmãos, mas ouvi a súplica muda. Vi a vulnerabilidade em seus olhos. Naquele segundo, eu soube. Qualquer dúvida se dissipou, substituída por uma repulsa mais profunda do que jamais sentira antes. Este homem — que eu enxergara como um pai — era um mentiroso. Uma fraude.

— Temos que encontrá-la, Reid.

Eu me retesei e desvencilhei o ombro de sua mão.

— Não.

Sua expressão se enrijeceu, e ele gesticulou para que um de meus irmãos viesse à frente. Um corpo mutilado pendia do ombro do homem. Queimaduras vermelhas vivas marcavam o rosto e o pescoço da diaba, desaparecendo sob a gola do vestido.

— Tive o prazer de conversar com esta criatura pela última meia hora. Com um pouco de persuasão, tornou-se um poço de informação. — O arcebispo tomou o cadáver e o atirou na pilha. Os corpos deslizaram, e sangue molhou minhas botas. Bile me subiu à garganta. — Não sabe o que as bruxas planejam para o reino, Capitão Diggory. Não podemos permitir que sejam bem-sucedidas.

Jean Luc se empertigou, instantaneamente alerta.

— O que planejam?

— Revolução. — Os olhos do arcebispo permaneciam fixos nos meus. — Morte.

Silêncio se instalou no cômodo depois do pronunciamento nefasto. Pés se remexeram. Olhos se inquietaram. Ninguém ousava perguntar o que queria dizer com aquilo — nem mesmo Jean Luc. Da mesma forma como ninguém ousava fazer a única outra pergunta que importava. A mesma que dependia de toda a nossa crença.

Olhei de relance para meus irmãos, observando enquanto alternavam olhares entre seu superior e a bruxa torturada e mutilada. Vi quando a convicção retornou a seus rostos. Quando a suspeita se transformou em desculpas, pavimentando o caminho de volta para o mundo confortável que conheciam. Para as mentiras cômodas.

Foi tudo uma distração.

Sim... uma distração.

As bruxas são astuciosas.

Claro que o enquadrariam.

Com exceção de Jean Luc. Seus olhos afiados não eram tão facilmente enganados. Pior: um sorriso ofuscante se abriu em seu rosto. Distorcido pelo inchaço no maxilar.

— Precisamos encontrar Louise antes das bruxas — urgiu o arcebispo. Suplicou. — Ela é a chave, Reid. Com sua morte, o rei e sua linhagem sucumbirão. *Todos* sucumbiremos. Você deve colocar de lado suas desavenças com ela e proteger este reino. Honre seus votos.

Meus votos. Fúria legítima me percorreu ao ouvir suas palavras. Este homem que se deitara com La Dame des Sorcières — este homem que *enganara*, *traíra* e *quebrara* seus votos de todas as maneiras possíveis — não podia estar falando de *honra* para mim. Soltei o ar devagar pelo nariz. Minhas mãos ainda tremiam de raiva e adrenalina. — Vamos, Ansel.

O arcebispo mostrou os dentes diante de meu indeferimento, e, inesperadamente, voltou-se para Jean Luc.

— Chasseur Toussaint, reúna uma equipe. Quero todos na rua em menos de uma hora. Alerte a polícia. Ela *será* encontrada até o raiar do dia. Entendido?

Jean Luc se curvou, me lançando um sorriso triunfante. Eu o encarei em resposta, buscando seu rosto por uma centelha de hesitação, arrependimento, mas não havia nada disso. Sua hora enfim chegara.

— Sim, Vossa Eminência. Não o decepcionarei.

Ansel me seguiu apressado quando parti. Subimos as escadas, três degraus de cada vez.

— O que faremos?

— Não *faremos* nada. Não quero você no meio desta confusão.

— Lou é minha amiga!

Amiga.

Ao ouvir essas palavras, minha paciência, que já estava no limite, se acabou por completo. Com rapidez, antes que o jovem pudesse sequer tomar fôlego, agarrei seu braço e o empurrei contra a parede.

— Ela é uma *bruxa*, Ansel. Precisa entender isso. Não é sua amiga. Não é minha mulher.

As bochechas dele coraram de raiva, e me deu um empurrão no peito.

— Continue tentando se convencer disso. Seu orgulho vai acabar a matando. Ela está em perigo... — E me deu outro empurrão para enfatizar o que queria dizer, mas tomei seu braço e o torci atrás das costas, batendo com seu peito na parede. Ele sequer se retraiu. — Quem se importa se o arcebispo mentiu? Você é melhor do que ele, melhor do que isto.

Grunhi, prestes a perder a cabeça.

Lou, Ansel, Morgane le Blanc, o arcebispo... era demais. Repentino demais. Minha mente não conseguia racionalizar as emoções me consumindo — cada uma delas rápida demais para nomear, cada uma mais dolorosa do que a anterior —, mas a hora de fazer uma escolha se aproximava com rapidez.

Eu era um caçador.

Era um homem.

Mas não podia ser ambos. Não mais.

Soltei Ansel e me afastei, minha respiração irregular.

— Não, não sou.

— Não acredito nisso.

Cerrei os punhos, resistindo à vontade de usá-los para criar um buraco na parede — ou no rosto de Ansel.

— Tudo que ela fez foi mentir para mim, Ansel! Ela me olhou nos olhos e disse que me amava! Como vou saber se não foi mais uma de suas mentiras?

— Não foi. Você sabe que não. — Fez uma pausa, levantando o queixo de uma forma que se assemelhava tanto a Lou que quase chorei. — Você... você a chamou de *ela*. Não de "*coisa*" ou "*criatura*".

Desta vez acertei a parede. A dor explodiu nas articulações dos dedos. Eu a acolhi com prazer — receberia de bom grado qualquer coisa que me distraísse da agonia que partia meu peito em dois, as lágrimas ardendo em meus olhos. Apoiei a testa contra a parede e lutei para recuperar o fôlego. Não, Lou não era uma *coisa* Mas ainda mentira para mim. Tinha me traído.

— O que ela devia ter feito, então? — indagou Ansel. — Confessado que era uma bruxa e se atirado na fogueira ela mesma?

Minha voz falhou.

— Devia ter confiado em mim.

Ansel tocou minhas costas, a voz se suavizando.

— Ela morrerá, Reid. Você ouviu o arcebispo. Se não fizer nada, ela morrerá.

E, num piscar de olhos, minha fúria se esvaiu. Minhas mãos penderam, moles, ao lado do corpo. Meus ombros caíram... derrotados.

Nunca existira uma escolha. Não para mim. Desde o primeiro momento em que a vi naquele cortejo — vestindo aquele terno e bigode ridículos —, meu destino tinha sido selado.

Eu a amava. Apesar de tudo. Apesar das mentiras, da traição, da mágoa. Apesar do arcebispo e de Morgane le Blanc. Apesar de meus próprios irmãos. Não sabia se ela retribuía esse amor, e não me importava.

Se estava destinada a queimar no Inferno, então eu queimaria com ela.

— Não. — Um resolução letal pulsava por minhas veias quando me afastei da parede. — Lou não vai morrer, Ansel. Vamos encontrá-la.

NEM O INFERNO CONHECE FÚRIA IGUAL

Reid

Alguns poucos noviços estavam do lado de fora do meu quarto destruído quando Ansel e eu retornamos. Ao me verem, baixaram a cabeça e se dispersaram. Olhando feio para eles, entrei para refletir. Para planejar.

Lou sobrevivera pelos dois anos anteriores como ladra, de modo que era melhor do que a maioria das pessoas na arte de desaparecer. Poderia estar em qualquer lugar. Eu não era tolo o bastante para pensar que conhecia todos os seus esconderijos, mas tinha melhores chances de encontrá-la do que Jean Luc. Ainda assim, os Chasseurs vagando pela cidade complicavam as coisas.

Fechando os olhos, me forcei a respirar fundo e *pensar*. Aonde Lou iria? Onde poderia se esconder? Mas a magia no ar queimava minha garganta, me distraindo. Permanecia na roupa de cama, na escrivaninha destruída. Nas páginas ensanguentadas de minha Bíblia. Na minha pele, nos meus cabelos. Abri os olhos e resisti à vontade de rugir de frustração. Não tinha tempo para isso. Precisava encontrá-la. Rápido. Cada momento que se passava podia ser seu último.

Ela morrerá, Reid. Se não fizer nada, ela morrerá.

Não. Isso não podia acontecer. *Pense.*

O teatro me parecia a escolha mais provável como esconderijo. Mas ela voltaria lá depois de tê-lo compartilhado comigo? Provavelmente não.

Talvez pudéssemos fazer tocaia na loja de Pan. Era apenas questão de tempo até ela visitar a pâtisserie — a menos que tivesse deixado Cesarine de vez. Meu coração se apertou.

Ansel foi até a janela e observou enquanto meus irmãos marchavam para as ruas. Sabia que era melhor não sugerir que nos juntássemos a eles. Embora partilhássemos o objetivo de encontrar Lou, o arcebispo mentira para mim — tinha traído minha confiança, minha fé. Mais importante: não sabia o que planejavam para Lou, quando fosse encontrada. Embora o arcebispo pudesse tentar protegê-la, Jean Luc sabia que era uma bruxa. Quanto tempo até revelá-lo aos outros? Quanto tempo até alguém sugerir que a matassem?

Eu tinha que chegar até ela primeiro. Antes deles. Antes das bruxas.

Ansel pigarreou.

— O quê? — vociferei.

— Acho... acho que devíamos ir falar com Mademoiselle Perrot. As duas são... próximas. Pode ser que saiba de algo.

Mademoiselle Perrot. Claro.

Antes que pudéssemos nos mover, porém, o que ainda restava da porta se escancarou com uma pancada. Parada no limiar — arfando e com rosto fechado — estava Mademoiselle Perrot em pessoa.

— Onde ela está? — Avançou para mim com uma promessa de violência nos olhos. Tinha abandonado os trajes brancos da enfermaria, vestindo agora uma calça de couro e uma camisa salpicada de sangue. — Onde está Lou?

Franzi a testa ao notar as teias de cicatrizes nos antebraços e clavícula expostos.

Alarmado, Ansel tropeçou à frente para explicar, mas balancei a cabeça e me coloquei diante dele. Forçando as palavras a saírem antes que pudesse engoli-las outra vez.

— Não está mais aqui.

— Como assim, *não está mais aqui?* Tem trinta segundos para me contar antes de sangue começar a jorrar, *Chasseur.* — Ela cuspiu o termo, como se fosse um insulto. Fiz uma carranca e me obriguei a respirar fundo. E de novo.

Espere — sangue jorrar?

— Tic-tac — rugiu ela.

Embora detestasse a ideia de lhe contar o que acontecera entre mim e Lou, mentir não serviria de nada. Não se quisesse sua ajuda. Se nem ela soubesse onde Lou estava, eu não teria nada para usar como ponto de partida. E poucas chances de encontrá-la. Isso não podia acontecer.

— As bruxas atacaram o castelo como distração e vieram para cá...

— Eu *sei.* — Ela abanou a mão, impaciente. — Estava no castelo com Beau quando desapareceram. Quero saber o que aconteceu com a *Lou.*

— Fugiu — repeti entredentes. — Uma bruxa... ela nos seguiu até aqui e nos atacou. Lou salvou minha vida. — Parei de falar, o peito apertado, e contemplei como lhe dar a notícia. Ela precisava saber. — Mademoiselle Perrot... Lou é uma bruxa.

Para minha surpresa, ela sequer piscou. A única indicação de ter me ouvido foi sua boca ter ficado um pouco mais tensa.

— É óbvio que é.

— O quê? — A incredulidade tingia minha voz. — Você... você *sabia?* Ela me lançou um olhar mordaz.

— Teria que ser uma idiota completa para não perceber.

Como você. As palavras não ditas ecoaram pelo cômodo. Ignorei-as, a pontada de mais uma traição me deixando momentaneamente mudo.

— Ela... ela lhe contou?

A moça bufou, revirando os olhos até o teto.

— Não precisa fazer essa cara de magoado. Não, não me disse nada. Não disse nada para Ansel tampouco, e, no entanto, ele também sabia.

Os olhos de Ansel se alternavam entre nós dois depressa. Engoliu em seco.

— Eu... eu não *sabia* de nada...

— Ah, por favor. — Ela o encarou. — Está só insultando a nós dois mentindo.

Os ombros dele desmoronaram, e fitou o chão. Recusando-se a me encarar.

— Sim. Já sabia.

Todo o ar me deixou com um sopro. Três palavras. Três socos perfeitos.

Raiva amarga retornou com meu fôlego.

— Por que não disse nada?

Se Ansel tivesse me contado — se Ansel tivesse sido um *verdadeiro* Chasseur —, nada disto teria acontecido. Não teria sido surpreendido. Poderia ter *lidado* com tudo antes... antes de...

— Já falei. — Ansel ainda fitava as botas, chutando um pedacinho de reboco. — Lou é minha amiga.

— Quando? — indaguei, a voz impassível. — Quando foi que você ficou sabendo?

— Durante a execução da bruxa. Quando... quando Lou teve aquele ataque. Estava chorando, e a bruxa estava gritando... e, depois, as duas trocaram. Todos acharam que Lou estava tendo convulsões, mas eu a vi. Senti o cheiro de magia. — Olhou para cima, seu pomo de adão subindo e descendo. Os olhos brilhando. — Estava queimando, Reid. Não sei como, mas ela retirou a dor daquela bruxa. Trouxe-a para si, no lugar da outra. — Expirou pesadamente. — Foi por isso que não disse nada. Porque, mesmo sabendo que Lou era uma bruxa, sabia que não era má. Ela queimou na fogueira uma vez. Não merece queimar uma segunda.

Silêncio se seguiu a seu pronunciamento. Fitei os dois com os olhos ardendo.

— Eu jamais a teria machucado.

Quando a afirmação deixou minha boca, me dei conta de que era verdade. Ainda que Ansel *tivesse* me contado, não teria mudado nada. Não teria sido capaz de atá-la a uma estaca. Enterrei o rosto nas mãos. Derrotado.

— Chega — disse Mademoiselle Perrot, rascante. — Há quanto tempo ela está desaparecida?

— Há cerca de uma hora.

Ansel se remexeu em óbvio desconforto antes de murmurar:

— A bruxa mencionou Morgane.

Minhas mãos caíram quando medo genuíno contorceu o rosto da mulher. Seus olhos, antes odiosos e acusadores, encontraram os meus com urgência repentina e inquietante.

— Temos que ir. — Abrindo a porta com outra pancada, saiu depressa para o corredor. — Não podemos falar sobre isso aqui.

A apreensão criou nós em meu estômago.

— Aonde podemos ir?

— Ao Bellerose. — Ela sequer se deu ao trabalho de olhar para trás. Não vendo alternativa, Ansel e eu corremos atrás dela. — Disse a Beau que o encontraria... e tem alguém lá que talvez saiba onde Lou está.

O interior do Bellerose era mal-iluminado. Nunca tinha entrado em um bordel, mas supus que o piso de mármore e os detalhes folheados a ouro nas paredes tonavam aquele um prostíbulo mais glamoroso do que outros. Uma harpista estava sentada a um canto. Dedilhava seu instrumento e cantava uma balada triste com a voz rouca. Mulheres vestidas em roupas brancas translúcidas dançavam lentamente. Um punhado de homens bêbados as assistiam com olhos famintos. Uma fonte borbulhava no centro do salão.

Era a coisa mais ostensiva que já vira. Combinava perfeitamente com Madame Labelle.

— Estamos perdendo tempo. Devíamos estar lá fora procurando Lou... — comecei, com raiva, mas Mademoiselle Perrot me lançou um olhar fulminante por cima do ombro antes de seguir para uma mesa parcialmente escondida nos fundos.

Beauregard Lyon levantou-se quando nos aproximamos, os olhos se estreitando.

— O que diabos eles estão fazendo aqui?

Ela se atirou em uma cadeira com um suspiro pesado, abanando a mão entre nós três.

— Escute, Beau, tenho assuntos mais importantes a tratar hoje do que dar atenção a você e seu ataque de ciúmes.

Ele se sentou em outra cadeira, cruzando os braços e fazendo bico.

— O que pode ser mais importante do que eu?

Ela fez um movimento de cabeça para mim.

— Esse idiota perdeu a Lou, e preciso fazer um feitiço de rastreamento para encontrá-la.

Feitiço de rastreamento?

Assisti, confuso, quando tirou um frasco pequenino de dentro do manto. Puxando a rolha, derramou o pó escuro sobre a mesa. Beau a observava como se estivesse entediado, equilibrando-se apenas com os pés traseiros da cadeira no chão. Olhei de relance para Ansel — buscando confirmação de que a mulher diante de nós tinha perdido a razão —, mas ele se recusava a me encarar. Quando ela pegou uma faca e levantou a mão oposta, um buraco se abriu em meu estômago assim que compreendi tudo.

A mansão de Tremblay. Três cachorros envenenados. Sangue escorrendo de seus focinhos. O fedor de magia perfurando o ar — escuro e pungente, mais acre do que a magia na enfermaria. Diferente.

Os olhos de Perrot encontraram os meus enquanto fazia um corte na palma aberta, deixando que o sangue gotejasse sobre a mesa.

— Eu provavelmente deveria lhe contar agora, Chass, que meu nome não é Brie Perrot. É Cosette, mas meus amigos me chamam de Coco.

Cosette Monvoisin. Estivera escondida na Torre aquele tempo todo. Bem debaixo de nosso nariz.

Procurei minha Balisarda por instinto, mas a mão de Ansel segurou meu braço.

— Reid, não. Ela está nos ajudando a encontrar Lou.

Eu me desvencilhei dele — horrorizado, furioso —, mas parei meu movimento. Ela piscou para mim antes de retornar a atenção ao que estava fazendo. O pó escuro coagulou sob seu sangue... depois começou a se mover. Bile me subiu à garganta, e meu nariz começou a arder.

— O que é isso?

— Sangue seco de um cão de caça. — Ela assistia atentamente enquanto símbolos estranhos se formavam. — Vai nos dizer onde Lou está.

Beau debruçou-se para a frente, apoiando o queixo no cotovelo sobre o tampo da mesa.

— E onde exatamente você acha que ela está?

Pequenas rugas surgiram entre as sobrancelhas de Coco.

— Com Morgane le Blanc.

— Morgane le Blanc? — Ele se empertigou e olhou para nós, incrédulo, como se esperasse que alguém começasse a rir. — Por que a bruxa rainha das cadelas estaria interessada na Lou?

— Porque é mãe dela. — As formas pararam de repente, e os olhos de Coco voaram para os meus. Arregalados. Em pânico. — O rastro dela desaparece ao norte, dentro de La Forêt des Yeux. Não consigo ver além. — Encarei-a, e ela assentiu quase de maneira imperceptível em resposta a minha pergunta não formulada. Seu queixo tremia. — Se Morgane pegou Lou, já podemos considerá-la morta.

— Não. — Balancei a cabeça com veemência, sem conseguir aceitar. — Tudo que temos que fazer é encontrar o Château. Você é uma bruxa. Pode nos levar até...

Lágrimas de raiva subiram aos olhos dela.

— Não sei onde *fica* o Château. Só uma *Dame Blanche* é capaz de encontrá-lo, e você perdeu a única que conheço!

— Você... você não é uma Dame Blanche?

Sacudiu a palma ensanguentada debaixo de meu nariz como se aquilo significasse algo.

— Claro que não! Os Chasseurs são mesmo tão ignorantes assim?

Fitei o sangue em sua mão com histeria crescente. O mesmo cheiro acre de antes me assaltou.

— Não entendo.

— Sou uma Dame Rouge, seu idiota. Uma Dama Vermelha. *Bruxa de sangue.* — Bateu com a mão na mesa, espalhando as formas escuras. — Não posso encontrar o Château porque nunca nem *estive* lá.

Um zumbido começou em meus ouvidos.

— Não. — Balancei a cabeça. — Não pode ser verdade. Tem que haver outra maneira.

— Não há. — Lágrimas escorriam por suas bochechas quando se colocou de pé, mas as secou depressa. O cheiro a nossa volta ficou mais forte. — A menos que você conheça outra Dame Blanche... outra Dame Blanche disposta a trair suas irmãs e levar um *Chasseur* até sua casa... Lou *está perdida.*

Não.

— Conhece alguma bruxa assim, Chass? — Ela enfiou um dedo em meu peito, lágrimas ainda correndo. Faziam chiado e viravam fumaça ao alcançarem a camisa dela. Beau se levantou, pousando uma palma da mão incerta em suas costas. — Conhece uma bruxa disposta a sacrificar *tudo* por você da maneira como Lou fez? *Conhece?*

Não.

— Na verdade — respondeu uma voz calma e familiar —, conhece, sim.

Giramos todos ao mesmo tempo para encarar nossa salvadora. Quase me engasguei ao avistar os cabelos vermelhos como fogo.

Por Deus, não.

Madame Labelle abanou a mão para os homens mais próximos de nós, que pareciam muito interessados em nosso diálogo.

— Esta é uma conversa particular, meus caros. Espero que compreendam.

Magia — o tipo normal, enjoativo — explodiu pelo ar, e os olhos vermelhos dos fregueses curiosos ficaram opacos. Viraram a atenção para as dançarinas, que agora tinham expressões igualmente vazias.

Coco pulou para a frente, apontando para ela em acusação.

— Você sabia sobre Morgane. Avisou a Lou. É uma bruxa.

Madame Labelle piscou.

Olhei para as duas alternadamente, confuso e com as narinas ardendo. Cabeça a mil. Bruxa? Mas Madame Labelle não era uma...

Tive uma revelação, e sangue quente me subiu ao rosto.

Merda.

Era tão estúpido. Tão *desatento.* Cerrei os punhos e me levantei. O sorriso zombeteiro da cortesã vacilou, e até Coco se encolheu um pouco diante da fúria em meus olhos.

Lógico que Madame Labelle era uma bruxa.

E Mademoiselle Perrot era Coco.

E Coco também era bruxa. Mas não uma qualquer — era uma Dame Rouge. Uma espécie inteiramente nova, que praticava magia usando *sangue.*

E minha esposa — a porra do *amor da minha vida* — era filha da Dame des Sorcières. A herdeira do Château le Blanc. A maldita *princesa* das bruxas.

E todos sabiam. Todos, exceto eu. Até o infeliz do Ansel.

Era demais.

Algo arrebentou dentro de mim. Algo permanente. Naquele segundo, não era mais um Chasseur — se é que um dia tinha sido um.

Desembainhando a Balisarda, assisti com prazer vingativo aos outros me fitarem. Cautelosos. Amedrontados. A harpista no canto parara de tocar. Encarava o chão sem expressão, a boca aberta. O silêncio tornou-se sinistro... aguardando.

— Sentem-se — falei baixinho, lançando olhares a Madame Labelle e Coco. Quando nenhuma das duas se moveu, dei um passo à frente. A mão de Beau se fechou ao redor do pulso da amante e a puxou para baixo, para se sentar na cadeira ao seu lado.

Mas a cortesã permaneceu de pé. Virei a adaga para ela.

— Lou está desaparecida. — Movi a lâmina de maneira lenta e deliberada de seu rosto até uma das cadeiras vazias. — Morgane le Blanc a levou. Por quê?

Seus olhos se estreitaram, parando rapidamente nos símbolos escuros e disformes sobre a mesa.

— Se é verdade que Morgane a levou...

— *Por quê?*

Aproximei a lâmina do nariz dela, e sua testa se franziu.

— Por favor, capitão, isto não é jeito de se comportar. Vou lhe contar tudo o que quiser saber.

Com relutância, abaixei a faca quando ela se sentou. Meu sangue ficava mais quente a cada tremor de meu maxilar.

— Que acontecimentos lastimáveis. — Ela olhou feio para mim, alisando as saias com agitação. — Suponho que as bruxas tenham revelado a verdadeira identidade da sua esposa. Louise le Blanc. Filha única de La Dame des Sorcières.

Assenti, rígido.

Ansel limpou a garganta antes que a cortesã pudesse prosseguir.

— Perdão, *madame*, mas por que nunca ouvimos falar de Louise le Blanc antes?

Ela lhe lançou um olhar de avaliação.

— Meu caro jovem, Louise era o segredo mais bem guardado de Morgane. Até mesmo parte das bruxas não sabia de sua existência.

— Então por que você sabia? — contra-atacou Coco.

— Tenho muitas espiãs no Château.

— Você mesma não é bem-vinda lá?

— Tanto quanto você, minha cara.

— Por quê? — perguntei.

Ela me ignorou. Seus olhos recaíram sobre Beau.

— O que sabe a respeito de seu pai, Sua Majestade?

O homem se recostou e arqueou uma sobrancelha escura. Até então, tinha se limitado a observar os acontecimentos com desprendimento tranquilo, mas a pergunta de Madame Labelle pareceu pegá-lo de surpresa. — O mesmo que todo o resto do mundo, imagino.

— Que seria?

Ele deu de ombros. Revirou os olhos.

— É um notório devasso. Despreza a esposa. Financia a cruzada daquele salafrário do arcebispo contra estas criaturas magníficas. — Acariciou as costas de Coco com admiração. — É diabolicamente atraente, um merda na política e uma desgraça como pai. Devo prosseguir...? Não consigo ver como nada disso seria relevante.

— Não deveria falar dessa maneira. — Os lábios dela estavam franzidos de raiva. — É seu pai... e um bom homem.

Beau bufou, zombeteiro.

— Você seria a primeira a pensar assim.

Ela fungou e voltou a alisar as saias. Evidentemente ainda desagradada.

— Não importa. Isto é maior do que seu pai... embora com certeza vá terminar com ele, se Morgane conseguir o que quer.

— Explique-se — grunhi.

A cortesã me lançou um olhar irritado, mas continuou da mesma forma:

— Esta guerra já está para eclodir há centenas de anos. É mais antiga do que todos vocês. Do que eu. Mais até do que Morgane. Teve início com uma bruxa chamada Angélica e um homem santo chamado Constantino.

Um homem santo chamado Constantino. Não podia estar se referindo ao mesmo homem que forjara a Espada de Balisarda. São Constantino.

— Lou me contou essa história! — Coco inclinou-se para a frente, seus olhos brilhando. — Angélica se apaixonou por ele, mas Constantino acabou morrendo, e as lágrimas dela formaram L'Eau Mélancolique.

— Está apenas em parte correta, receio. Devo lhes contar a história verdadeira? — Ela fez uma pausa, olhando para mim. Em expectativa. — Asseguro-lhe que temos tempo.

Com um rosnado de impaciência, me sentei.

— Você tem dois minutos.

Madame Labelle assentiu, aprovando.

— Não é um conto muito bonito. Angélica de fato se apaixonou por Constantino, um cavalheiro de uma terra vizinha, mas não ousou revelar a ele o que era de verdade. Sua gente vivia em harmonia com a dele, e ela não queria arruinar o equilíbrio delicado que havia entre os dois reinos. Como acontece com tanta frequência, porém, logo ela começou a desejar que ele a conhecesse por inteiro. Contou-lhe a respeito da magia de seu povo, de sua conexão com a terra, e, num primeiro momento, Constantino e seu reino a aceitaram. Eles a estimavam, e a sua gente... Les Dames Blanches, as denominaram. As Damas Brancas. Puras e reluzentes. E como a mais pura e brilhante de todas, Angélica tornou-se a primeira Dame des Sorcières.

Seus olhos ficaram sombrios.

— Mas, com o passar do tempo, Constantino começou a se ressentir dos poderes mágicos da amante. Tinha inveja e ataques de fúria por não os possuir. Tentou tirar a magia dela. Quando não foi capaz, tirou sua terra. Os soldados dele marcharam para Belterra e dizimaram sua gente. Mas a magia não funcionava para ele e seus irmãos. Por mais que tentasse, não tinham como possuí-la... não da forma como as bruxas podiam. Enraivecido pelo desejo, acabou morrendo pela própria mão.

O olhar da cortesã encontrou o de Coco, e ela abriu um sorriso pequeno e triste.

— Angélica chorou seu mar de lágrimas e seguiu o mesmo destino que ele. Mas os irmãos de Constantino continuaram vivendo. Forçaram as bruxas a se esconderem e tomaram sua terra, com sua magia, para si.

"Você sabe o restante da história. A rixa de sangue grassa ainda nos dias de hoje. Ambos os lados amargos... ambos justificados. Os descendentes de Constantino continuam no controle do reino, apesar de terem renunciado à magia em favor da religião há anos. Com cada nova Dame des Sorcières, as bruxas tentam reunir suas forças, e, a cada tentativa, falham. Além de estarem em número muito menor, infelizmente, minhas irmãs não têm como aspirar a vencer a monarquia e a Igreja em combate ao mesmo tempo... não com suas Balisardas. Mas Morgane é diferente daquelas que a antecederam. É mais inteligente. Astuta.

— Parece até a Lou — comentou Coco.

— Lou não se parece em *nada* com aquela mulher — vociferei.

Beau inclinou-se para a frente e olhou feio para nós ao redor da mesa.

— Mil perdões a todos, mas não dou a mínima para Lou... Nem para Morgane, Angélica ou Constantino. Me fale do meu pai.

As articulações de meus dedos esbranquiçaram segurando a adaga.

Com um suspiro, Madame Labelle me deu tapinhas no braço em uma advertência silenciosa. Quando me afastei de seu toque, revirou os olhos.

— Estou chegando lá. Como ia dizendo... Sim, Morgane é diferente. Ainda criança, reconheceu o poder duplo deste reino. — Olhou para Beau. — Quando seu pai foi coroado rei, uma ideia tomou forma: uma maneira de atacar tanto a coroa quanto a Igreja. Ela assistiu a seu casamento com uma princesa estrangeira, sua mãe, e ao seu nascimento. Alegrou-se ao vê-lo deixar bastardo após bastardo em seu rastro.

Fez uma pausa, demonstrando leve desânimo. Até eu ouvia com total atenção enquanto ela parecia perder-se em suas lembranças.

— Ela procurou conhecer bem seus nomes, seus rostos... até mesmo aqueles dos quais o próprio Auguste não sabia. — Os olhos distantes encontraram os meus, e meu estômago se contraiu inexplicavelmente. — Com cada criança, o contentamento dela, sua *obsessão*, só crescia, embora ela tenha aguardado para revelar seu objetivo a nós.

— Quantos? — interrompeu Beau, a voz ríspida. — Quantos filhos?

A cortesã hesitou antes de responder.

— Ninguém sabe ao certo. Creio que, até a última contagem, fossem vinte e seis.

— *Vinte e seis?*

Ela se apressou em prosseguir antes que ele pudesse fazê-lo:

— Logo depois de seu nascimento, Sua Majestade, Morgane anunciou a nossas irmãs que estava grávida. E não era qualquer criança... mas a filha do arcebispo.

— Lou — falei, me sentindo vagamente enjoado.

— Sim. Morgane falou de um padrão que libertaria as bruxas da perseguição, de um bebê que daria fim à tirania dos Lyon. Auguste Lyon morreria... e, com ele, todos os seus descendentes. A filha em seu ventre era o preço... uma *dádiva*, dissera ela... enviada pela Deusa. O golpe final contra o reino e a Igreja.

— Por que Morgane esperou tanto para matar Lou? — perguntei com amargura. — Por que não o fez assim que nasceu?

— Uma bruxa faz seu rito de passagem em seu décimo sexto aniversário. É o dia em que se torna mulher. Embora as bruxas ansiassem por libertação, a maioria não se sentia confortável com a ideia de assassinar uma criança. Morgane não se importou em aguardar.

— Então Morgane... ela só concebeu Lou por vingança. — Meu coração se contraiu. Quando jovem, tinha sentido pena de minha própria entrada miserável neste mundo, mas Lou... sua sorte tinha sido muito pior. Tinha literalmente nascido para morrer.

— A natureza exige equilíbrio — murmurou Coco, traçando o corte na palma da mão. Absorta em pensamentos. — Para acabar com a linhagem do rei, Morgane também precisaria acabar com a sua própria.

Madame Labelle assentiu, cansada.

— Meu Deus — exclamou Beau. — Nem o inferno conhece fúria igual a de uma mulher.

— Mas... — Franzi a testa. — Não faz sentido. Uma vida em troca de vinte e seis outras? Não é equilibrado.

O olhar de Madame Labelle ficou sério.

— Percepção é algo poderoso. Matando Louise, Morgane estará pondo um fim na linhagem das le Blanc para sempre. A magia da Dame des Sorcières passará para outra família quando Morgane morrer. Sem dúvidas, destruir seu legado é um sacrifício digno para destruir o de outra pessoa?

As linhas de expressão em minha testa só se aprofundaram.

— Mas os números ainda não coincidem.

— Sua percepção é muito literal, Reid. A magia é cheia de nuances. Todos os filhos dela morrerão. Todos os filhos dele morrerão. — Começou a brincar com um pontinho de sujeira inexistente na saia. — Claro, esse tipo de especulação não adianta de nada. Ninguém mais consegue enxergar o padrão, de modo que temos que confiar na interpretação de Morgane.

Coco virou o rosto para cima de repente, os olhos estreitos.

— Qual é o seu papel nisso tudo, madame? Tentou *aliciar* Lou.

— Para protegê-la. — A cortesã abanou a mão, impaciente. Franzi a testa diante do movimento. Alianças de ouro recobriam todos os dedos, mas ali... no dedo anelar esquerdo...

Um anel de madrepérola. Quase idêntico ao que eu dera a Lou.

— Sabia que Morgane acabaria a encontrando, mas fiz tudo em meu poder para impedir que acontecesse. Então, sim, tentei *aliciar* Lou, como você muito grosseiramente expressou, mas apenas para sua proteção. Embora não fosse ideal, poderia tê-la vigiado aqui no Bellerose. Poderia tê-la mantido a salvo até outros preparativos terem sido feitos. Mas uma e outra vez, ela recusou minha proposta.

Levantou o queixo, encontrando os olhos de Coco.

— Ano passado, minhas espiãs me informaram que o Anel de Angélica tinha sido roubado. Fiz contato com todos os traficantes conhecidos na cidade... todos eles tinham tido membros da família assassinados por bruxas.

Eu me inclinei para a frente ao ouvir aquela nova informação. Filippa. *Filippa* tinha sido assassinada por bruxas. O que significava...

— Quando fiquei sabendo que Monsieur Tremblay estava em posse do anel, finalmente vi minha chance.

Fechei os olhos. Balancei a cabeça com incredulidade. Pesar. Monsieur Tremblay. Durante todos aqueles meses, tinha colocado meu foco em vingar a família, em punir as bruxas que tinham lhe feito mal. Mas as bruxas estavam apenas procurando fazer o mesmo.

Meu potencial sogro. Um traficante de objetos mágicos. *Ele* tinha sido a verdadeira causa da morte de Filippa — da dor de Célie. Mas me forcei a voltar ao presente. A abrir os olhos.

Há tempo de sofrer e ficar de luto, e tempo de seguir adiante.

— Sabia que Lou estava desesperada para encontrá-lo — continuou madame Labelle. — Instruí Babette a entrar em contato com ela, a ajudá-la a ouvir minha conversa com Tremblay. Para facilitar, até perguntei onde o tinha escondido. E depois... Quando Babette confirmou que vocês duas planejavam furtá-lo... Alertei o arcebispo do paradeiro de sua filha aquela noite.

— Você *o quê?* — exclamou Coco.

A cortesã deu de ombros, delicadamente.

— Ouvi rumores que ele a vinha procurando havia anos... Muitas bruxas acreditam que ela era a razão pela qual ele ficou tão obcecado em nos caçar. Queria encontrá-la. Prefiro pensar que ele nos abatia como algum tipo de penitência macabra por seu pecado, mas pouco importa. Fiz isso de forma calculada, acreditando que ele não ia machucá-la. É pai dela, afinal, e não poderia negar o fato depois de tê-la visto. São quase idênticos. E que lugar melhor para escondê-la do que na Torre dos Chasseurs?

Coco balançou a cabeça, incrédula.

— Um pouquinho de honestidade teria funcionado bem também!

Labelle entrelaçou as mãos sobre o joelho, sorrindo com satisfação.

— Quando ela escapou da mansão, pensei que estava tudo perdido, mas a cena no teatro forçou a mão do arcebispo de uma maneira permanente. Ela não apenas recebeu a proteção *dele*, mas também de um marido. E não um marido qualquer... um capitão dos Chasseurs. — O sorriso se alargou ao gesticular para mim. — Acabou tudo dando mais certo do que eu jamais poderia ter...

— Por quê? — Fitei o anel de madrepérola no dedo dela. — Por que se dar todo esse trabalho? Que diferença faz para você se Auguste Lyon morrer? É uma bruxa. Apenas se beneficiaria com a morte dele.

Meu olhar subiu lentamente até o rosto dela. Os cabelos ruivos. Os olhos azuis que agora se arregalavam.

Uma memória ressurgiu. A voz de Lou ecoou em minha cabeça.

Não seja ridículo. Claro que bruxas têm filhos homens.

Fui aos poucos caindo em mim.

O sorriso dela se dissipou.

— Eu... eu jamais poderia ficar olhando enquanto pessoas inocentes morrem...

— O rei dificilmente poderia ser considerado inocente.

— O rei não será o único afetado. *Dezenas* de pessoas morrerão...

— Como os filhos dele?

— Sim. Os filhos dele. — Hesitou, alternando o olhar entre mim e o príncipe. Condenando-se. — Não sobrará herdeiro vivo. A aristocracia se dividirá, lutando pela sucessão. A credibilidade do arcebispo já está abalada... e sua autoridade, se sua presença aqui serve de qualquer indício. Ficaria surpresa se o rei ainda não tiver exigido uma audiência. Os Chasseurs logo estarão sem líder. No caos que se seguirá, Morgane vai atacar.

Mal escutei o que ela disse. A conclusão que vinha se solidificando aos poucos me atingiu como uma parede de tijolos. Desmoronou sobre mim, alimentando ainda mais a fúria ardente em minhas veias.

— Você se apaixonou por ele, não foi?

A voz dela ficou mais aguda.

— Bem... meu caro, é um pouco mais complicado do que... — Meu punho bateu no tampo da mesa, e ela se encolheu. Vergonha se misturou a minha raiva quando a expressão dela ruiu com derrota. — Sim, me apaixonei.

Fez-se silêncio. As palavras dela eram como um balde de água fria. As sobrancelhas de Beau traíam sua incredulidade.

— Não contou a ele que era uma bruxa. — Minhas palavras eram duras, rascantes, mas não fiz esforço para suavizá-las. Aquela mulher não merecia minha compaixão.

— Não. — Encarava as mãos, lábios franzidos. — Não contei. Nunca revelei o que sou. Não... não queria perdê-lo.

— Por Deus — disse Beau entredentes.

— E Morgane... Ela descobriu que vocês estavam juntos? — indagou Coco.

— Não. Mas... logo engravidei, e... e cometi o erro de confidenciar tudo a ela. Fomos amigas, um dia. Melhores amigas. Mais próximas do que irmãs. Achei que entenderia. — Ela engoliu em seco e fechou os olhos. Seu queixo tremia. — Fui uma tola. Ela o arrancou de meus braços assim que nasceu... meu menininho lindo. Nunca disse nada a Auguste.

O rosto de Beau se contorceu com nojo.

— Você deu à luz um irmão meu?

Coco o acotovelou com força.

— O que aconteceu com ele?

Os olhos da cortesã permaneceram fechados. Como se não suportasse nos encarar... me encarar.

— Nunca descobri. A maioria dos bebês de sexo masculino é levada para casas onde eles serão bem-cuidados... ou para orfanatos, se a criança não tiver sorte... Mas sabia que Morgane jamais concederia tal gentileza a um filho meu. Sabia que o puniria pelo que fiz... pelo que Auguste fizera. — Expirou, trêmula. Quando seus olhos se abriram, me fitou diretamente. — Procurei por ele anos a fio, mas estava perdido.

Perdido. Meu rosto se contorceu. Era um jeito de se olhar para a situação.

Outro seria: *jogado numa lixeira para morrer.*

Ela se retraiu diante do rancor em meu rosto.

— Talvez permaneça sempre perdido para mim.

— Sim. — Ódio ardia em meu âmago. — Está perdido para sempre.

Fiquei de pé, ignorando os olhares curiosos dos outros.

— Já desperdiçamos tempo demais aqui. Lou já pode estar no meio do caminho para o Château. Você — apontei a adaga para Labelle — vai me levar até lá.

— *Nos* levar — retificou Ansel. — Irei junto.

Coco se levantou também.

— E eu.

Beau fez uma careta enquanto também se punha de pé.

— Suponho que isso significa que também irei. Se Lou morrer, *também* morro, aparentemente.

— Está bem — respondi com rispidez. — Mas partimos agora. Lou já está quilômetros à frente de nós. Temos que compensar o tempo perdido, ou estará morta antes mesmo de chegarmos ao Château.

— Não, não estará. — Madame Labelle levantou-se por último, limpando as lágrimas das bochechas. Endireitando os ombros. — Morgane vai esperar para fazer o sacrifício. No mínimo mais quinze dias.

— Por quê? — Embora tudo o que quisesse fosse nunca mais dirigir a palavra àquela mulher, era meu único caminho até Lou. Um mal necessário. — Como sabe disso?

— Conheço Morgane. Seu orgulho sofreu um golpe terrível quando Lou escapou a primeira vez, de modo que se certificará de que o maior número de bruxas possível esteja presente para testemunhar seu triunfo. Para minha gente, a noite antes do Natal é Modraniht. Neste instante mesmo, bruxas de todo o reino estão a caminho do Château para a celebração. — Ela me perfurou com um olhar mordaz. — Modraniht é uma noite para honrar suas mães. Morgane se deliciará com a ironia.

— Que felicidade eu não ter uma. — Ignorando a expressão ferida da mulher, dei meia-volta e passei pelas dançarinas e bêbados de olhos vazios para chegar à saída. — Nos reencontramos aqui dentro de uma hora. Certifiquem-se de que não estão sendo seguidos.

A ALMA LEMBRA

Lou

O piso de madeira sob mim deu um solavanco abrupto, e caí no colo de alguém. Braços macios me envolveram, junto com a fragrância refrescante de eucalipto. Congelei. Aquele cheiro assombrara meus pesadelos pelos dois anos anteriores.

Meus olhos se abriram depressa enquanto tentava me afastar, mas — para meu horror — meu corpo não respondia. Paralisada, não tinha escolha senão encarar os olhos verdes vívidos de minha mãe. Ela sorriu e deu um beijo em minha testa. Minha pele se eriçou.

— Senti sua falta, amada.

— O que fez comigo?

Ela parou, rindo suavemente.

— São extraordinárias aquelas injeçõezinhas. Quando Monsieur Bernard me trouxe uma delas, aperfeiçoei o medicamento. Gosto de pensar que minha versão é mais humana. Apenas seu corpo é afetado, não sua mente. — Seu sorriso se alargou. — Achei que você gostaria de experimentar o fruto do trabalho dos seus amigos. Eles se dedicaram tanto para criar isso para você.

O chão voltou a tremer, e olhei em torno, enfim registrando meus arredores. A carreta coberta da trupe. Luz não conseguia penetrar pela lona grossa, de modo que não tinha como discernir quanto tempo fazia que estávamos viajando. Forcei a audição, mas o galope regular dos cascos dos cavalos era o único som. Tínhamos saído da cidade.

Não importava. Ajuda não estava a caminho. Reid o deixara muito evidente.

O pesar me percorreu em uma onda debilitante quando me lembrei de suas últimas palavras. Embora tenha tentado escondê-lo, uma lágrima solitária ainda assim conseguiu escapar e rolar bochecha abaixo. O dedo de Morgane a limpou, levando-a a sua boca para experimentá-la.

— Minha menina linda e querida. Nunca mais permitirei que ele a machuque assim. Seria adequado vê-lo queimar pelo que lhe fez, não? Talvez possa fazer preparativos para que você mesma ateie fogo na pira. Isso a deixaria feliz?

Todo sangue deixou meu rosto.

— Não toque nele.

Ela arqueou uma sobrancelha branca.

— Você esquece que ele é seu inimigo, Louise. Mas não se aflija... tudo será perdoado durante Modraniht. Vamos providenciar a execução de seu marido antes da nossa pequena celebração. — Fez uma pausa, me oferecendo a chance de ladrar e morder à menção de Reid. Eu me recusei. Não lhe daria a satisfação.

— Você se lembra desse dia, não? Pensei em torná-lo ainda mais especial este ano.

Uma faísca de medo me percorreu. Sim, eu me lembrava de Modraniht.

A Noite das Mães. Dames Blanches de toda Belterra se reuniriam no Château para festejar e honrar suas ancestrais com sacrifícios. Não tinha dúvidas a respeito de qual seria meu papel.

Como se lesse meus pensamentos, ela tocou meu pescoço carinhosamente. Puxei o ar em surpresa, lembrando a explosão de dor na cicatriz antes de desmaiar. Ela deu um risinho.

— Não se preocupe. Curei o ferimento. Não podia desperdiçar nem uma gota daquele sangue precioso antes de chegarmos ao Château. — Seus cabelos fizeram cócegas em meu rosto quando se inclinou para a frente, a boca ao pé de minha orelha: — Foi um encantamento engenhoso, e difícil de desfazer, mas não a salvará desta vez. Estamos quase em casa.

— Aquele lugar não é minha casa.

— Você sempre foi tão dramática. — Ainda rindo, me deu um peteleco no nariz, e meu coração parou ao notar o anel de ouro em seu dedo. Seguiu meu olhar com um sorriso sagaz. — Ah, sim. E levada também.

— Como foi que... — Eu me engasguei com as palavras e lutei com a injeção que me atava, mas meus braços e pernas continuavam cruelmente inertes.

Morgane não podia pegar o Anel de Angélica. *Não podia.* Eu precisava dele para neutralizar seu feitiço. Se o estivesse usando quando drenasse meu sangue, seria inutilizado. A magia teria sido quebrada. Eu morreria, sim, mas os Lyon continuariam vivos. Aquelas *crianças inocentes* continuariam vivas.

Eu me debati mais, as veias em meu pescoço quase se rompendo com o esforço. No entanto, quanto mais lutava, mais difícil ficava falar — e respirar — com o peso de meu corpo. Tinha a impressão de que meus membros poderiam quebrar o piso da carreta e afundar dentro dele a qualquer momento. Em pânico, me concentrei em invocar um padrão — *qualquer* um —, mas o ouro entrava e saia de foco, difuso e desconexo graças à droga.

Xinguei com amargura, minha determinação se deteriorando depressa e se transformando em desespero.

— Achou mesmo que não reconheceria meu próprio anel? — Morgane sorriu com ternura e colocou uma mecha de cabelo atrás de minha orelha. — Mas você precisa me contar, como foi que o encontrou? Ou foi *você* quem o roubou? — Quando não respondi, soltou um pesado suspiro. — Que decepção, amada. Fugindo, se escondendo, este anel... Você tem que se dar conta de que é tudo tolice.

Seu sorriso desapareceu quando levantou meu queixo, e seus olhos perfuraram os meus com foco repentino e predatório.

— Para cada semente que espalhou, Louise, espalhei milhares mais. Você é minha filha. Eu a conheço melhor do que você mesma. Não pode me enganar nem escapar de mim, e com certeza não pode esperar triunfar sobre mim.

Parou como se esperasse uma resposta, mas não lhe dei essa satisfação. Com toda a minha concentração, me foquei em mexer a mão, movimentar o pulso, levantar ao menos um dedo. Escuridão dominou minha visão com o esforço. Ela observou a minha luta por vários segundos, a intensidade em seus olhos esmaecendo até uma estranha espécie de melancolia, antes de voltar a acariciar meus cabelos.

— Todas vamos acabar morrendo um dia, Louise. Eu lhe suplico que faça as pazes com esse fato. Durante Modraniht, sua vida terá enfim cumprido seu propósito, e sua morte libertará nossa gente. Deveria estar orgulhosa. Não são muitas as pessoas que recebem um destino tão glorioso.

Com um último fôlego desesperado, tentei avançar nela — golpeá-la, *feri-la*, arrancar o anel de seu dedo de alguma forma —, mas meu corpo permaneceu frio e sem vida.

Morto antes da hora.

Meus dias se passaram em tormento. Embora a droga paralisasse meu corpo, não fazia nada para diminuir a dor em meus ossos. Meu rosto e pulso continuavam palpitando do ataque da bruxa, e um calombo duro se formara em meu pescoço de todas as agulhadas que sofrera.

E pensar que, um dia, Andre e Grue tinham sido o pior de meus problemas.

Os dedos pálidos de Morgane traçaram o calombo, indo até os hematomas em forma de dedos sob minha orelha.

— Amigos seus, amada?

Fiz uma carranca e me concentrei na sensação ardente em minhas mãos e pés: a primeira indicação de que a droga estava esmorecendo. Se fosse rápida, poderia arrancar o Anel de Angélica dela e rolar para fora da carreta, desaparecendo antes que Morgane pudesse reagir.

— Foram, um dia.

— E agora?

Tentei sacudir os dedos. Permaneceram moles e inúteis.

— Mortos.

Como se pudesse sentir o que estava pensando, Morgane retirou uma seringa de aço familiar da bolsa. Fechei os olhos, tentando e não conseguindo impedir que meu queixo tremesse.

— Suas irmãs vão curar seu corpo quando chegarmos ao Château. Esses hematomas horríveis precisam ter desaparecido antes de Modraniht. Você voltará a ser sadia e pura. — Massageou o inchaço em minha garganta, preparando-o para a agulha. — Bela tal qual a Donzela.

Meus olhos se abriram.

— Não sou nenhuma Donzela.

Seu sorriso meloso se desfez.

— Você não chegou a realmente *se deitar* com aquele caçador imundo, chegou? — Fungando com delicadeza, franziu o nariz com repulsa. — Ah, Louise. Que decepção. Posso sentir o cheiro dele em você toda. — Seus olhos voaram para meu abdômen, e ela inclinou a cabeça para o lado, inspirando mais fundo. — *Espero* que você tenha tomado precauções, amada. A Mãe tem seus atrativos, mas não é o seu caminho.

Meus dedos tremeram com apreensão.

— Não finja que você está acima de matar um neto.

Ela mergulhou a agulha em meu pescoço como resposta. Mordi o interior da bochecha para não gritar quando meus dedos voltaram a ficar pesados.

— *Seu sangue é o preço.* — Ela acariciou minha garganta com melancolia. — Seu ventre está vazio, Louise. *Você* é a última da minha linhagem. É quase uma pena... — Debruçou-se, roçando os lábios contra a cicatriz. Déjà vu revirou meu estômago quando me recordei do beijo que Reid dera ali mesmo apenas dias antes. — Acho que teria gostado de matar o filho daquele caçador.

— Acorde, amada.

Despertei, piscando, com o sussurro de Morgane em minha orelha. Embora não tivesse como saber quanto tempo se passara — se minutos, horas ou dias —, a cobertura de lona da carreta tinha finalmente sido descartada, e a noite já tinha caído. Não me dei ao trabalho de tentar sentar.

Morgane apontou para algo a distância ainda assim.

— Estamos quase em casa.

Só conseguia enxergar as estrelas acima de mim, mas o som familiar das ondas rebentando nas rochas me dava indicação suficiente. O próprio *ar* bastava. Era diferente do ar de peixe com que era obrigada a sofrer em Cesarine: fresco e pungente, impregnado com pinheiros, sal e terra... e uma pitada apenas de magia. Inspirei fundo, fechando os olhos. Apesar de tudo, meu estômago ainda deu um salto por estar tão perto. Por estar tornando à casa, finalmente.

Em questão de minutos, as rodas da carreta começaram a estalar contra as tábuas de madeira de uma ponte.

A ponte.

A lendária entrada para o Château le Blanc.

Forcei minha audição. Risadas suaves, quase indiscerníveis, logo ecoaram ao redor de nós, e o vento soprou mais forte, fazendo neve rodopiar no ar frio da noite. Teria sido sinistro se não soubesse que era tudo uma produção elaborada. Morgane tinha uma forte inclinação para a dramaticidade.

Não precisava ter se dado ao trabalho. Apenas uma bruxa podia localizar o Château. Magia antiquíssima e poderosa cercava o castelo — uma magia para a qual cada Dame des Sorcières contribuíra ao longo de milhares de anos. Teria sido de se esperar que eu a fortalecesse um dia, se as circunstâncias tivessem sido diferentes.

Olhei para Morgane, que sorriu e acenou para as mulheres de branco correndo descalças ao lado do carro. Não deixavam pegadas na neve. Espectros silenciosos.

— Minhas irmãs — cumprimentou, calorosa.

Fiz uma careta. Eram as infames guardiãs da ponte. Atrizes na grande produção de Morgane — embora *de fato* gostassem de atrair um ocasional homem incauto até a ponte durante a noite.

E depois afogá-lo nas águas turvas lá embaixo.

— Amada, olhe só. — Morgane me levantou um pouco. — É Manon. Você se lembra dela, não? Eram inseparáveis quando bruxinhas.

Minhas bochechas arderam quando minha cabeça pendeu para o lado, sobre meu ombro. Pior, Manon realmente estava lá para testemunhar minha humilhação, seus olhos escuros iluminados pela empolgação enquanto corria, cheia de alegria, e banhava a carreta com uma chuva de jasmins-amarelos.

Jasmim. Um símbolo que representava o amor.

Lágrimas ardiam atrás de meus olhos. Queria chorar — chorar e liberar minha fúria e incendiar o Château junto com todas as suas habitantes até não sobrar nada. Tinham alegado me amar, um dia. Como também Reid alegara.

Amor.

Amaldiçoei a palavra.

Manon se inclinou para dentro do carro. Uma coroa de azevinho descansava sobre sua cabeça; as frutinhas silvestres vermelhas lembravam gotas de sangue em contraste com os cabelos e pele negros.

— Louise! Finalmente está de volta! — Envolveu meu pescoço com os braços, e meu corpo caiu, mole e sem vida, contra o dela. — Temi que jamais voltasse a vê-la.

— Manon se ofereceu para acompanhá-la até o Château — explicou Morgane. — Não é ótimo? As duas vão se divertir tanto juntas.

— Sinceramente duvido disso — resmunguei.

A expressão alegre no rosto negro de Manon se desfez.

— Não sentiu minha falta? Fomos irmãs um dia.

— Você tem o costume de tentar assassinar as suas irmãs? — respondi, ríspida.

Manon teve a decência de se retrair, mas Morgane limitou-se a beliscar minha bochecha.

— Louise, deixe de ser mal-educada. É terrivelmente enfadonho. — Levantou a mão para a outra moça, que hesitou, me olhando de relance, antes de se apressar a beijá-la. — Agora vá, criança, e prepare um banho no quarto de Louise. Temos que livrá-la de todo este sangue e fedor.

— Sim, minha Senhora. — Manon deu um beijo em minhas mãos flácidas, me transferiu para o colo de Morgane outra vez e saltou. Esperei até ter desaparecido dentro das sombras para falar:

— Pare com esse fingimento. Não quero companhia... nem a dela, nem a de ninguém. Basta colocar guardas na minha porta e pronto.

Morgane recolheu as flores de jasmim do chão e as entrelaçou em meus cabelos.

— Que grosseria imensa. É sua irmã, Louise, e deseja passar um tempo com você. Que maneira de retribuir o amor que tem por você.

Lá estava a palavra outra vez.

— Então, de acordo com a sua opinião, foi *amor* que a fez ficar parada, assistindo, enquanto eu era acorrentada a um altar?

— Você se ressente dela. Que interessante. — Seus dedos penteavam meus cabelos emaranhados, trançando-os para afastá-los de meu rosto. — Talvez se tivesse sido uma estaca na fogueira, quem sabe, você teria se casado com ela.

Meu estômago se revirou.

— Reid jamais me machucaria.

Mesmo com todas as suas falhas, todos os preconceitos, não levantara um dedo para mim após o ataque. Poderia tê-lo feito, mas não. Eu me perguntava agora o que teria acontecido se eu tivesse ficado. Será que *teria* me levado para a fogueira? Talvez tivesse sido mais benevolente e me apunhalado no coração com uma espada, em vez disso.

Mas ele já tinha feito isso.

— O amor torna insensatos todos nós, amada.

Embora soubesse que era provocação, não pude manter a boca fechada.

— O que você sabe sobre amor? Já amou alguém que não fosse a si mesma?

— Cuidado — advertiu com voz de seda, dedos parando seu movimento em meus cabelos. — Não esqueça com quem está falando.

Mas eu não queria ter cuidado. Não com a monumental silhueta branca do Château tomando forma acima de mim — e o Anel de Angélica reluzindo no dedo de minha mãe. Eu só queria o *oposto* de ter cuidado.

— Sou sua filha — exclamei, cheia de raiva, imprudente. — E você me sacrificaria como uma vaca premiada qualquer...

Ela puxou minha cabeça para trás pelos cabelos.

— Uma vaca muito barulhenta e desrespeitosa.

— Sei que acredita que esta é a única solução. — Minha voz estava desesperada agora, sufocada com emoções que não queria examinar.

Emoções que tinha reprimido assim que cresci e compreendi qual eram os planos que minha mãe tinha para mim. — Mas não é. Morei com os Chasseurs. São capazes de mudar... são capazes de tolerância. Eu vi. Podemos mostrar outro caminho a eles. Podemos mostrar que não somos o que creem que...

— Você foi corrompida, *filha*. — Enunciou a última palavra com um puxão bruto em meus cabelos. Dor irradiou por meu couro cabeludo, mas eu não me importava. Morgane tinha que enxergar. Tinha que *entender*. — Temi que isso pudesse acontecer. Envenenaram a sua mente da mesma forma como fizeram com nossa terra. — Levantou meu queixo com brusquidão. — Olhe só para elas, Louise... Olhe para a sua gente.

Não tive escolha senão fitar as bruxas ainda dançando ao redor. Reconhecia alguns de seus rostos. Outros, não. Todas me encaravam com a mais pura alegria. Morgane apontou para uma dupla de irmãs de pele marrom, de tranças.

— Rosemund e Sacha... a mãe delas foi queimada após ajudar no parto de um bebê na posição pélvica, filho de um aristocrata. As duas tinham seis e quatro anos.

Depois gesticulou para uma mulher pequena de pele marrom-clara, com marcas prateadas que desfiguravam metade do rosto.

— Viera Beauchêne escapou depois de tentarem queimá-la junto com sua esposa... foi ácido em vez de fogo. — Levou a mão na direção de outra. — Genevieve deixou nossa terra natal com três filhas para se casar com um clérigo, cortando sua conexão com nossas ancestrais. A filha do meio logo caiu de cama. Quando implorou ao marido que as deixasse retornar para curá-la, ele se recusou. A menina morreu. Agora as filhas mais velha e mais nova a desprezam.

Seus dedos seguravam meu queixo com força o suficiente para machucar.

— Me conte mais sobre a tolerância deles, Louise. Sobre esses monstros a quem chama de amigos. Sobre o tempo que passou com eles... e como você cuspiu no sofrimento das suas irmãs.

— *Maman*, por favor. — Lágrimas escorriam por meu rosto. — Sei que nos fizeram mal... e sei que você os odeia... e *entendo*. Mas não pode fazer isto. Não podemos mudar o passado, mas *podemos* seguir adiante e curar a ferida... juntos. Podemos partilhar esta terra. Ninguém mais precisa morrer.

Ela apenas apertou meu queixo com mais força, levando a boca à minha orelha.

— Você é *fraca*, Louise, mas não tema. Não vou fraquejar. Não vou hesitar. Eu os farei sofrer como nós sofremos.

Ela me soltou e se endireitou com um fôlego profundo, e rolei para o chão.

— Os Lyon vão lamentar o dia que roubaram nossa terra. Seu povo vai se debater e retorcer na fogueira, e o rei e seus filhos vão sufocar no seu sangue, Louise. Seu *marido* vai sufocar no seu sangue.

Confusão me percorreu brevemente antes de desespero abominável me consumir, eliminando todo pensamento racional. Aquela era minha mãe — minha *mãe* —, e aquelas pessoas, sua gente. E na oposição, meu marido e sua gente. Cada lado tão desprezível quanto o outro — uma perversão deturpada do que deveria ter sido. Cada lado sofrendo. Cada lado capaz de um mal terrível.

E eu.

O sal de minhas lágrimas se misturava ao jasmim em meus cabelos, dois lados da mesma maldita moeda.

— E eu, *Maman*? Você algum dia me amou?

Ela franziu o a testa, olhos mais pretos do que verdes na escuridão.

— Não importa.

— Importa para mim!

— Então é uma tola — respondeu ela com frieza. — O amor não passa de uma doença. Esse desespero que você sente desejando ser amada... é uma enfermidade. Posso ver em seus olhos como a consome, a enfraquece. Já corrompeu seu espírito. Você anseia pelo amor dele como anseia pelo meu, mas não terá nenhum dos dois. Escolheu o seu caminho. — O lábio dela se franziu. — É claro que não a amo, Louise. Você é filha do meu inimigo. Foi concebida pensando em um propósito maior, e não envenenarei esse propósito com *amor*. Com seu nascimento, ataquei a Igreja. Com sua morte, atacarei a coroa. Ambos logo estarão arruinados.

— *Maman*...

— *Basta*. — A palavra foi baixa, mortal. Uma advertência. — Estaremos no Château em breve.

Incapaz de suportar a indiferença cruel no rosto de minha mãe, fechei os olhos em derrota. Logo desejei não ter feito isso. Outro rosto me assombrava atrás de minhas pálpebras, zombando de mim.

Não é minha esposa.

Se esta agonia era amor, talvez Morgane tivesse razão. Talvez fosse melhor me ver livre dele.

O Château le Blanc estava situado em um penhasco com vista para o mar. Condizente com seu nome, o castelo tinha sido construído em pedra branca que reluzia sob o luar como um farol. Fitei-o com melancolia, olhos traçando as torres escuras que se afunilavam no topo e se misturavam às estrelas. Lá em cima, na torre mais alta a oeste, olhando para a praia de pedrinhas... ficava meu quarto de infância. Meu coração deu um salto para minha boca.

Quando a carreta se aproximou do portão, suas rodas rangendo, abaixei o olhar. O brasão da família le Blanc tinha sido entalhado nas portas seculares: um corvo com três olhos. Um para a Donzela, um para a Mãe e um para a Anciã.

Sempre odiei aquele pássaro velho imundo.

Terror me percorreu quando as portas se fecharam atrás de nós com finalidade ressonante. Silêncio encobria o pátio nevado, mas sabia que bruxas espreitavam fora de vista. Podia sentir seus olhos em mim — sondando, avaliando. O ar formigava com sua presença.

— Manon a acompanhará dia e noite até Modraniht. Se tentar escapar — advertiu Morgane, olhos frios e cruéis —, vou cortar seu caçador em pedacinhos e lhe dar o coração dele de comer. Está entendido?

O medo congelou a resposta rascante em minha língua.

Ela assentiu com um sorriso gracioso.

— Seu silêncio é de ouro, amada. Eu o prezo muito em nossas conversas. — Virando a atenção para uma alcova fora de meu campo de visão, gritou algo. Em segundos, duas mulheres corcundas que reconheci vagamente surgiram. Minhas velhas amas-secas. — Acompanhem-na até o quarto, por favor, e deem assistência a Manon enquanto cuida dos ferimentos de Louise.

As duas assentiram de maneira fervorosa. Uma delas veio à frente e tomou meu rosto nas mãos enrugadas.

— Enfim retornou, *maîtresse*. Esperamos tanto tempo.

— Só restam mais três dias — acrescentou a outra com voz rouquenha, beijando minha mão — até poder ir se juntar à Deusa na Terra do Verão.

— Três? — Olhei para Morgane, alarmada.

— Sim, amada. Três. Logo você terá cumprido seu destino. Nossas irmãs vão festejar e dançar em sua honra para todo o sempre.

Destino. Honra.

Tudo soava tão charmoso dito daquela maneira, como se estivesse recebendo um prêmio fabuloso com um laço vermelho reluzente. Uma risada histérica borbulhou de meus lábios. O sangue seria vermelho, ao menos.

Uma das amas inclinou a cabeça para o lado, preocupada.

— Está bem?

Eu ainda tinha lucidez o bastante para pelo menos saber que com certeza *não* estava nada bem.

Três dias. Era tudo que me restava. Ri mais alto.

— Louise. — Morgane estalou os dedos diante de meu nariz. — Tem algo de engraçado aqui?

Pisquei, a risada morrendo de forma tão abrupta quanto começara. Em três dias, estaria morta. *Morta.* O ritmo constante das batidas de meu coração, o ar frio em meu rosto — tudo deixaria de existir. *Eu* deixaria de existir — pelo menos da maneira como me entendia. Com pele sardenta, olhos azul-esverdeados e esta dor terrível na barriga.

— Não. — Meus olhos se levantaram até o céu noturno sem nuvens acima de nós, onde as estrelas se estendiam pela eternidade. E pensar que um dia considerara esta vista mais bela do que a do Soleil et Lune. — Não tem nada de engraçado.

Nunca mais voltaria a rir com Coco. Ou a importunar Ansel. Ou a comer rolinhos de canela na confeitaria de Pan, ou a escalar o Soleil et Lune para apreciar o nascer do sol. O sol também nascia na vida após a morte? Eu teria olhos para vê-lo?

Não sabia, e aquilo me amedrontava. Desviei o olhar das estrelas, lágrimas se acumulando em meus cílios.

Em três dias, estaria separada de Reid para sempre. No momento em que minha alma deixasse meu corpo, estaríamos permanentemente separados... Pois aonde estava indo, tinha certeza de que Reid não poderia me seguir. Era o que me aterrorizava mais.

Aonde quer que tu fores irei eu, e onde quer que pousares, ali pousarei eu.

Mas não havia lugar para um caçador de bruxas na Terra do Verão, e não havia lugar para uma bruxa no Paraíso. Se é que tais lugares sequer existiam

Minha alma se recordaria dele? Uma pequena parte de mim orava para que não, mas o restante era mais sábio. Eu o amava. Profundamente. Amor assim não era algo que vivesse apenas no coração e na mente. Não era algo que se sentia e no fim se esquecia, que se tocava sem ser tocado em resposta. Não... amor assim era algo distinto. Irrevogável. Era da alma.

Sabia que me lembraria dele. Sentiria sua ausência mesmo após a morte, sofreria querendo tê-lo perto de uma maneira que jamais estaria outra vez. *Este* era meu destino: tormento eterno. Por mais que doesse pensar nele, aguentaria a dor de bom grado para manter mesmo uma partezinha dele comigo. A dor significava que nosso amor tinha sido real.

A morte não poderia tirá-lo de mim. Ele *era* eu. Nossas almas estavam ligadas. Mesmo que não me quisesse, mesmo que eu amaldiçoasse seu nome, éramos um.

Estava vagamente ciente de dois pares de braços a meu redor, me carregando para longe. Para onde me levavam, não me interessava. Reid não estaria lá.

E, no entanto... estaria.

AUGÚRIO

Reid

— Estou congelando — gemeu Beau com amargura.

Tínhamos acampado dentro de um bosque de pinheiros antigos e nodosos na Forêt des Yeux. Nuvens obscureciam o pouco de luz que a lua e as estrelas poderiam ter nos oferecido. A névoa se agarrava em nossos casacos e cobertores. Pesada. Sobrenatural.

A neve no chão tinha ensopado minha calça. Estremeci, olhando ao redor para meus companheiros. Também estavam sentindo os efeitos do frio: os dentes de Beau rangiam com violência, os lábios de Ansel tinham lentamente tomado uma coloração azulada, e a boca de Coco estava manchada com sangue de coelho. Tentei não encarar a carcaça aos seus pés. E falhei.

Notando meu olhar, ela deu de ombros e disse:

— O sangue deles é mais quente do que o nosso.

Sem conseguir permanecer quieto, Ansel aproximou-se dela.

— Você... você costuma usar sangue animal para magia com frequência?

Ela o sondou por um momento antes de responder:

— Nem sempre. Encantos diferentes requerem aditivos diferentes. Da mesma forma que cada Dame Blanche enxerga padrões únicos, cada Dame Rouge utiliza aditivos únicos. Pétalas de lavanda podem induzir o sono, mas sangue de morcego, cerejas ou um milhão de outras coisas podem funcionar também. Depende da bruxa.

— Então... — Ansel piscou, confuso, seu rosto se contorcendo ao olhar para a carcaça de coelho. — Então só *comer* as cerejas já basta? Ou...?

Coco riu, levantando a manga da camisa para mostrar a malha de cicatrizes cruzando sua pele.

— Minha magia reside dentro do meu sangue, Ansel. Sem ele, cerejas são apenas cerejas. — Então ela franziu a testa, como se temesse ter falado demais. Ansel não era o único ouvindo com atenção. Tanto Madame Labelle quanto Beau olhavam para ela com avidez, e, para minha vergonha, eu também tinha me aproximado. — Por que o interesse repentino?

Ansel desviou os olhos, as bochechas corando.

— Só queria saber mais sobre você. — Sem poder resistir, seu olhar retornou ao rosto dela segundos mais tarde. — Todas... todas as bruxas de sangue são como você?

Ela arqueou uma sobrancelha irônica, achando graça.

— Se são todas bonitas de tirar o fôlego como eu, quer dizer? — Ele assentiu, olhos grandes e sinceros, e ela deu uma risadinha. — Claro que não. Existem bruxas de todo tipo, de todos os tipos físicos e cores, igual às Dames Blanches... e Chasseurs.

Seus olhos voaram até mim, de relance, e virei o rosto para longe depressa.

Beau voltou a gemer:

— Não consigo sentir os dedos dos pés.

— Sim, você já mencionou isso — respondeu Madame Labelle, irritada, deslizando um pouco mais para perto de mim no tronco de árvore caído. Para minha grande irritação, tinha se fixado a meu lado a jornada inteira. Parecia decidida a me deixar o mais incomodado possível. — Várias vezes, aliás, mas estamos *todos* com frio. Ficar choramingando não ajuda em nada.

— Uma fogueira ajudaria — resmungou ele.

— Não — repetiu ela com firmeza. — Nada de fogueiras.

Por mais que eu detestasse admitir isso, concordava com ela. Fogo atrairia atenção indesejada. Todo tipo de criatura malevolente passeava por aquelas matas. Um gato preto disforme já tinha começado a nos seguir — um augúrio de má sorte. Embora mantivesse uma larga distância entre nós, tinha se esgueirado para dentro de nossas bolsas na primeira noite e comido quase todos os mantimentos.

Como se em resposta, o estômago de Ansel deu um ronco poderoso. Resignado, tirei o último pedaço de queijo da bolsa e atirei para ele. Abriu a boca para protestar, mas o interrompi:

— Coma de uma vez.

Um silêncio taciturno caiu sobre nós enquanto ele obedecia. Embora fosse muito tarde, ninguém dormia. Estava frio demais. Coco moveu-se mais para perto de Ansel, lhe oferecendo um pedaço do cobertor. O jovem escondeu as mãos dentro dele com um grunhido. Beau fechou o rosto.

— Estamos muito próximos — disse Madame Labelle para ninguém em especial. — Mais alguns dias apenas.

— Modraniht é daqui a três — comentou Beau. — Se não morrermos de fome ou de frio antes.

— Nossa chegada será quase em cima da hora — admitiu a cortesã.

— Estamos perdendo tempo — falei. — Devíamos continuar. Ninguém está conseguindo dormir mesmo.

Apenas algumas horas depois de termos começado nossa viagem, Madame Labelle descobrira duas bruxas nos seguindo. Olheiros. Coco e eu as despachamos com facilidade, mas Labelle insistiu que fizéssemos outro caminho.

— A estrada está sendo vigiada — disse ela, sombria. — Morgane não quer surpresas.

Não vendo alternativa que não envolvesse abater o povo de Lou, fui forçado a concordar.

Madame Labelle olhou para o local onde o gato preto tinha reaparecido. Serpenteava pelos galhos baixos do pinheiro mais próximo dela.

— Não. Ficaremos aqui. É desaconselhável viajar pela floresta à noite.

Beau seguiu nossos olhares. Seus olhos se estreitaram, e se pôs de pé em um pulo.

— Vou matar aquele gato.

— Eu não faria isso — advertiu Labelle. Ele hesitou, sua carranca ficando mais fechada. — As coisas nem sempre são o que parecem nestas matas, Sua Majestade.

Ele voltou a se sentar, bufando.

— Pare de me chamar assim. Estou congelando aqui, igualzinho a vocês. Não tem nada de *majestoso* nisso...

Parou abruptamente quando a cabeça de Coco se levantou de súbito. Seus olhos fixaram-se em algo atrás de mim.

— O que foi? — sussurrou Ansel.

Ela o ignorou, afastando o cobertor e movendo-se para o meu lado. Olhou para mim em uma advertência silenciosa.

Devagar, me levantei.

A floresta estava quieta. Quieta demais. Espirais de neblina rodopiavam ao redor de nós no silêncio... espreitando, aguardando. Cada nervo em meu corpo formigava. Avisando que já não estávamos mais sozinhos. Um galho estalou em algum lugar mais à frente, e me abaixei para ficar de cócoras, me aproximando do som e afastando um ramo de pinheiro para espiar na escuridão. Coco imitou meus movimentos.

Ali marchava um esquadrão de vinte Chasseurs — bastaria atirar uma pedrinha para acertá-los. Moviam-se silenciosamente pela névoa, Balisardas empunhadas. Olhos aguçados. Músculos tensos. O reconhecimento me percorreu ao identificar os cabelos escuros curtos do homem que liderava. Jean Luc.

O maldito.

Como se pudesse sentir meu olhar, seu rosto virou-se na nossa direção, e nos encolhemos depressa.

— Parados — murmurou ele, sua voz sendo levada até meus irmãos com clareza no silêncio sinistro. Os homens obedeceram de imediato, e ele se aproximou, apontando a Balisarda para onde estávamos escondidos. — Tem algo ali.

Ao seu comando, três Chasseurs se adiantaram para investigar. Desembainhei minha própria Balisarda, devagar, sem fazer barulho e sem saber bem o que fazer com ela. Jean Luc não podia ficar sabendo que estávamos ali. Tentaria nos deter, ou pior — nos seguir. Apertei o cabo da adaga com mais força. Teria coragem de ferir meus irmãos? Desarmá-los era uma coisa, mas... havia muitos deles. Desarmar não bastaria. Talvez pudesse distraí-los por tempo o suficiente para os demais escaparem.

Antes que pudesse decidir, o gato preto passou, roçando em mim e miando alto.

Merda. Coco e eu tentamos segurá-lo, mas ele saltou para fora de nosso alcance, correndo na direção dos Chasseurs. Os três na dianteira quase pularam de susto antes de rirem e se abaixarem para coçar a cabeça do animal.

— É apenas um gato, Chasseur Toussaint.

Jean Luc observou com suspeita enquanto o felino ondeava por entre os tornozelos do trio.

— Nada é *apenas* uma coisa na Forêt des Yeux. — Soltando um suspiro de insatisfação, gesticulou para que seguissem adiante. — Pode ser que já estejamos perto do Château. Mantenham o olhar bem afiado, homens, e as facas ainda mais.

Esperei vários minutos até ousar voltar a respirar. Muito depois do barulho de seus passos ter cessado. Até a neblina recomeçar a rodopiar sem outras perturbações.

— Essa foi por pouco.

Madame Labelle entrelaçou os dedos e se inclinou para a frente no tronco onde estava sentada. O gato, nosso inesperado salvador, roçava a cabeça nos pés dela, e a cortesã se abaixou para acariciá-lo, agradecida.

— Eu diria que nem tão por pouco assim.

— O que quer dizer com isso?

— Não sabemos o que nos aguarda no Château, Capitão Diggory. Sem dúvida há alguma força em sermos mais...

— Não. — Balancei a cabeça, sem querer continuar ouvindo, e voltei para meu posto contra uma árvore. — Eles vão matar Lou.

Passado o perigo, Ansel se encolheu mais para dentro do cobertor.

— Não acho que o arcebispo permitiria. Ela é filha dele.

— E os outros? — Recordei o sorriso amedrontador de Jean Luc, a maneira como seus olhos tinham brilhado com conhecimento secreto. Teria contado aos nossos irmãos, ou guardado o segredo para si, satisfeito em sua nova posição de poder? Esperando para revelar a informação até o momento que melhor lhe conviesse? — Se qualquer um deles suspeitar que ela é uma bruxa, não hesitarão. Você pode garantir a segurança dela?

— Mas o arcebispo os advertiu — argumentou Ansel. — Disse que, se ela morresse, todos morreríamos. Ninguém arriscaria feri-la depois disso.

— A menos que saibam a verdade. — Esfregando os braços para se resguardar do frio, Coco sentou-se ao lado dele. Ansel ofereceu a metade do cobertor, e a moça cobriu os ombros com ele. — Se Lou morresse antes da cerimônia, não *haveria* cerimônia. Não haveria perigo. A família real estaria a salvo, e uma bruxa, morta. Eles a matariam só para se livrarem de seu sangue.

Madame Labelle bufou.

— Como se o arcebispo fosse se incriminar contando a verdade. Apostaria minha beleza que não contou a ninguém o que ela é de verdade. Não depois das Velhas Irmãs. As implicações o condenariam... Não que tenha importância. Auguste será obrigado a repreendê-lo de qualquer forma, o que provavelmente explica por que ele e seu bando de fanáticos chegaram à floresta tão depressa. Está adiando o inevitável.

Mal escutei o que ela dizia. O sorriso de Jean Luc escarnecia de mim em meus pensamentos. Estava perto. Perto demais.

Mantenham o olhar afiado, homens, e as facas ainda mais.

Fechando a cara, me levantei e comecei a andar. Toquei cada faca na bandoleira, a Balisarda contra meu coração.

— Jean Luc sabe.

— Ele não é o seu melhor amigo? — Coco franziu a testa. — Mataria a mulher que você ama?

— Sim. Não. — Balancei a cabeça, esfregando a mão congelada no pescoço. Inquieto. — Não sei. Eu não arriscaria.

Madame Labelle suspirou com impaciência.

— Não seja obstinado, meu caro. Estaremos em enorme desvantagem sem eles. Tenho certeza de que nós cinco conseguiremos levar Lou antes que esse Jean Luc toque em...

— Não. — Eu a silenciei com um movimento ríspido de mão. — Já disse que não vou arriscar. Esta conversa está encerrada.

Os olhos da mulher se estreitaram, mas ela não contra-argumentou. Sabiamente. Abaixando-se para coçar atrás da orelha do gato, resmungou algo entredentes. A criatura parou — quase como se estivesse escutando o que ela dizia — antes de desaparecer na névoa.

RESVALANDO

Lou

Despertei com Manon passando as mãos por meus cabelos.

— Olá, Louise.

Embora tenha tentado me afastar, meu corpo sequer estremeceu. Pior — estrelas salpicavam minha visão, e o mundo girava a meu redor. Obrigando-me a respirar profundamente, me concentrei numa folha dourada logo acima de minha cabeça. Era uma das muitas flores metálicas que subiam por meu teto e se agitavam na brisa. Apesar da janela aberta, o cômodo permanecia aconchegante e quente, os flocos de neve se transformando em pontinhos reluzentes de prata ao atravessarem o limite do peitoril.

Eu os chamara de poeira da lua um dia. Morgane tinha me presenteado com o encanto em um Samhain especialmente frio.

— Cuidado. — Manon pressionou um pano frio contra minha testa. — Seu corpo ainda está fraco. Morgane disse que você não come direito há dias.

Suas palavras alfinetavam minha cabeça latejante, acompanhadas por outra onda de náusea que me deixou tonta. Teria ficado sem comer o resto da vida se isso a fizesse calar a boca. Com uma carranca, fixei a atenção na luz dourada que entrava no quarto. Então já era manhã. Só me restavam mais dois dias.

— Algo errado? — perguntou Manon.

— Se pudesse me mexer, estaria vomitando no seu colo agora.

Ela deu uma risadinha de comiseração.

— Morgane disse que poderia ter uma reação adversa ao medicamento. Não foi formulado para uso tão prolongado.

— É assim que vocês chamam? Medicamento? Um termo interessante para veneno.

Ela não respondeu, mas, no instante seguinte, sacudiu um muffin de mirtilo e aveia abaixo de meu nariz. Fechei os olhos e reprimi a ânsia de vômito.

— Vá embora.

— Precisa comer, Lou. — Ignorando meus protestos, ela se acomodou na beira de minha cama e me ofereceu um sorriso cauteloso. — Fiz até um creme de avelã e cacau, com açúcar desta vez, não aquela monstruosidade que eu costumava fazer usando sal.

Quando éramos crianças, Manon e eu adorávamos pregar peças, que em geral envolviam comida. Biscoitos feitos com sal no lugar de açúcar. Cebolas carameladas no lugar de maçãs. Pasta de menta em vez de açúcar.

Não retribuí seu sorriso.

Ela suspirou e levou a mão à minha testa. Embora lutasse para afastar o corpo, o esforço era inútil, e minha cabeça ficou zonza a ponto de me deixar enjoada. Voltei a me concentrar na folha, em inspirar pelo nariz e expirar pela boca; como Reid fazia quando precisava recuperar o controle.

Reid.

Fechei os olhos com tristeza. Sem o Anel de Angélica, eu não podia proteger ninguém. Os Lyon morreriam. A Igreja desmoronaria. As bruxas acabariam com o reino. Só podia esperar que Reid e Ansel escapassem do pior. Talvez Coco pudesse ajudá-los — podiam navegar para longe de Belterra, cruzar o oceano até Amaris ou Lustere...

Mas eu ainda morreria. De uma maneira estranha, eu tinha feito as pazes com meu destino durante a noite, enquanto o castelo dormia. Ainda que Morgane não tivesse me envenenado — ou postado guardas à minha porta —, não tinha dúvidas de que ela cumpriria sua promessa se, de alguma forma, eu escapasse. Bile me subiu à garganta ao pensar em sentir o gosto do sangue de Reid. Em me engasgar com seu coração na boca. Fechei os olhos e desejei que a sensação de calma que conjurara na noite anterior retornasse.

Estava cansada de fugir. Cansada de me esconder. Estava simplesmente... *cansada*.

Como se sentisse minha angústia crescente, Manon levantou as mãos em um convite.

— Talvez eu consiga ajudar com a dor.

Com o estômago revirado, olhei feio para ela apenas por um breve momento antes de concordar. Manon tratou de examinar os vários ferimentos com dedos gentis, e fechei os olhos. Após um instante, perguntou:

— Para onde você foi? Depois que fugiu do Château?

Abri os olhos com relutância.

— Cesarine.

Com um abano de dedos, a dor pulsante em minha cabeça e o incômodo corrosivo na barriga se aliviaram infinitesimalmente.

— E como permaneceu escondida? Dos Chasseurs... de nós?

— Vendi minha alma.

Ela fez um ruído de surpresa, levando a mão à boca em horror.

— O quê?

Revirei os olhos e justifiquei:

— Eu me tornei uma ladra, Manon. Me entocava em teatros sujos e furtava comida de padeiros inocentes. Fiz coisas ruins a pessoas boas. Matei. Menti, enganei, fumei, bebi e até dormi com uma prostituta uma vez. Então dá no mesmo. Vou queimar no inferno da mesma maneira.

Diante de sua expressão perplexa, a raiva inflamou-se, quente e insistente, em meu peito. Para o inferno ela e seus julgamentos. Para o inferno ela e suas *perguntas*.

Não queria falar sobre isso. Não queria lembrar. Aquela vida — as coisas que fizera para sobreviver, as pessoas que amei e perdi no processo — tinha ficado para trás. Bem como minha vida no Château. Reduzidas a nada além de cinzas e lembranças ainda mais sombrias.

— Algo mais? — indaguei com amargura. — Por favor, vamos continuar a colocar a conversa em dia. Somos tão amigas, afinal. Ainda está transando com a Madeleine? Como anda a sua irmã? Suponho que ainda seja mais bonita que você?

Assim que as palavras saíram de minha boca, soube que tinha sido a escolha errada. A expressão da moça se endureceu, e ela abaixou as mãos, inspirando fundo como se eu a tivesse apunhalado. A culpa me alfinetou, apesar da raiva. Maldição. *Maldição.*

— Não me entenda mal — acrescentei a contragosto —, ela é mais bonita do que eu também...

— Ela morreu.

Minha raiva congelou e se transformou em algo mais sombrio e premonitório ao ouvir as palavras. Algo gélido.

— Os Chasseurs a encontraram no ano passado. — Manon começou a passar a unha em algo na colcha, dor cintilando, dura e intensa, em seus olhos. — O arcebispo estava visitando Amandine. Fleur sabia tomar cuidado, mas... um amigo que morava no povoado tinha quebrado o braço. Ela o curou. Não demorou para os Chasseurs notarem o cheiro. Fleur entrou em pânico e fugiu.

Não conseguia respirar.

— Eles a queimaram. Tinha 11 anos. — Balançou a cabeça, fechando os olhos como se estivesse batalhando um ataque de imagens terríveis. — Não consegui alcançá-la a tempo, nem nossa mãe. Choramos enquanto o vento carregava suas cinzas para longe.

Onze anos. Queimada viva.

Ela apertou minha mão de repente, os olhos brilhando com lágrimas ferozes que se recusavam a cair.

— Você tem a chance de consertar os erros deste mundo, Lou. Como pôde virar as costas para uma oportunidade assim?

— Então você ainda me veria morrer sem remorso. — As palavras deixaram meus lábios sem agressividade, tão vazias e sem emoção quanto o abismo dentro de meu peito.

— Eu morreria mil mortes para ter minha irmã de volta — respondeu Manon, rascante. Soltando minha mão, soltou também a respiração irregular, e, quando voltou a falar, a voz era muito mais suave: — Tomaria o seu lugar se pudesse, *ma sœur*... qualquer uma de nós o faria. Mas não podemos. Tem que ser você.

As lágrimas escorriam pelas bochechas dela agora.

— Sei que é pedir muito. Sei que não tenho o direito... mas, por favor, Lou. *Por favor*, não fuja outra vez. É a única que pode parar isto. É a única que pode nos salvar. Me prometa que não vai tentar escapar.

Observei suas lágrimas como se estivesse no corpo de outra pessoa. Um peso que não tinha nada a ver com as injeções caiu sobre mim. Fez pressão contra meu peito, meu nariz, minha boca — me sufocando, me puxando para baixo, me tentando com esquecimento. Com rendição. Com descanso.

Deus, como estava cansada.

As palavras escaparam por vontade própria.

— Eu prometo.

— Você... você promete?

— Prometo. — Apesar da pressão suave, da escuridão que me chamava, me forcei a encontrar seus olhos. Brilhavam com esperança tão nítida e aguçada que poderia ter me cortado. — Me desculpe, Manon. Nunca foi minha intenção que pessoas morressem. Quando... depois que tudo acontecer... Eu... eu prometo procurar Fleur na vida após a morte... onde quer que seja. E, se a encontrar, lhe direi como você sente falta dela. Como a ama.

As lágrimas dela caíam mais depressa agora, e ela tomou minhas mãos nas suas, apertando.

— Obrigada, Lou. *Obrigada.* Nunca vou esquecer o que fez por mim. Por nós. Todo este sofrimento vai acabar em breve.

Todo este sofrimento vai acabar em breve.

Eu ansiava poder dormir.

Tive pouco o que fazer nos dias seguintes, a não ser resvalar para a escuridão.

Tinha sido polida e lustrada à perfeição, cada marca e lembrança dos dois anos anteriores apagadas de meu corpo. Um cadáver imaculado. Minhas amas-secas chegavam todos os dias ao amanhecer para ajudar Manon a me banhar e vestir, mas, a cada nascer do sol, falavam menos.

— Está morrendo diante de nossos olhos — murmurou uma delas, incapaz de ignorar o vazio que só aumentava em meus olhos, a palidez doente de minha pele. Manon a afugentara do quarto.

Era verdade. Eu me sentia mais conectada a Estelle e Fleur do que a Manon e as amas. Já tinha um pé fincado no outro lado. Até as dores de cabeça e estômago tinham abrandado — continuavam lá, ainda restritivas, mas de alguma forma... distantes. Como se eu existisse separada delas.

— Hora de se vestir, Lou. — Manon acariciava meus cabelos, seus olhos profundamente aflitos. Não tentei me afastar do contato. Nem sequer pisquei. Só continuei fitando o teto, sem parar. — Hoje é a noite.

Ela retirou a camisola por cima de minha cabeça e me banhou com rapidez, mas evitou me encarar. Uma quinzena passada na estrada sem comer direito tinha feito meus olhos ficarem protuberantes. Estava magérrima. Um esqueleto vivo.

O silêncio se estendeu enquanto ela enfiava meus braços e pernas dentro dos trajes cerimoniais brancos que Morgane escolhera. O vestido era idêntico ao que eu usara em meu décimo sexto aniversário.

— Sempre me perguntei... — Manon engoliu em seco, olhando de relance para minha garganta — Como foi que você conseguiu escapar da última vez?

— Abri mão desta vida.

Uma pausa.

— Mas... não abriu. Continuou vivendo.

— Abri mão desta vida — repeti, a voz lenta e letárgica. — Não tinha intenção de retornar a este lugar. — Pisquei para ela antes de voltar os olhos para a poeira da lua no peitoril da janela. — De rever você, minha mãe ou qualquer outra pessoa aqui.

— Encontrou uma brecha no encantamento. — Ela expirou com um risinho. — Brilhante. Sua vida simbólica pela física.

— Não se preocupe. — Forcei as palavras para fora dos lábios com esforço extremo. Rolaram, grossas, pesadas e tóxicas, de minha língua, me deixando exausta. Ela voltou a me recostar no travesseiro, e fechei os olhos. — Não vai funcionar outra vez.

— Por que não?

Abri uma pálpebra para espiá-la.

— Não posso abrir mão dele.

Seu olhar caiu para meu anel de madrepérola em uma pergunta silenciosa, mas não expliquei, fechando as pálpebras outra vez. Estava vagamente ciente de alguém batendo à porta, mas o som era distante.

Passos. Uma porta se abrindo. E se fechando.

— Louise? — chamou Manon com hesitação. Meus olhos se abriram... se tinham se passado segundos ou horas depois, não saberia dizer. — Nossa Senhora requisitou sua presença nos aposentos dela.

Quando não respondi, ela levantou meu braço por sobre seu ombro e me tirou da cama.

— Só posso acompanhá-la até a antecâmara — sussurrou. Minhas irmãs se afastavam, surpresas, ao caminharmos pelo corredor. As mais novas esticavam os pescoços para poderem dar uma boa olhada em mim. — Parece que você tem um visitante.

Um visitante? Minha mente logo conjurou imagens embaçadas de Reid acorrentado e amordaçado. O horror em meu peito parecia morto, porém. Não era nem de longe tão doloroso quanto teria sido um dia. Já estava desconectada demais desta vida.

Ou foi o que pensei.

Pois quando Manon me deixou, mole, na antecâmara de Morgane — quando as portas para o quarto se abriram —, meu coração voltou a bater diante do que vi.

De *quem* vi.

Não era Reid acorrentado e amordaçado no sofá de minha mãe.

Era o arcebispo.

A porta se fechou com um baque atrás de mim.

— Olá, amada. — Morgane estava sentada ao lado dele, percorrendo um dedo por sua face. — Como está se sentindo esta tarde?

Encarei-o, incapaz de ouvir qualquer coisa além de meu próprio coração ribombando, selvagem. Seus olhos — azuis como os meus, só que mais escuros — estavam arregalados e desesperados. Sangue de um corte na bochecha gotejava na mordaça, ensopando o pano.

Olhei com mais atenção. O tecido era da manga rasgada de sua batina. Morgane tinha literalmente o silenciado com seus trajes sagrados.

Em outro tempo, em outra vida, eu até poderia ter rido da situação infeliz em que o arcebispo tinha se metido. Teria rido e rido até meu peito doer e minha cabeça girar. Mas isso foi antes. Agora, minha cabeça girava por outra razão. Não havia nada de engraçado ali. Duvidava que qualquer coisa voltasse a ter graça.

— Venha, Louise. — Morgane se levantou e me envolveu com os braços, me carregando mais para dentro do cômodo. — Você parece uma morta, parada aí. Venha se sentar e esquentar perto do fogo.

Ela me pôs ao lado do clérigo no sofá de cor esmaecida, depois se acomodou do meu outro lado. O móvel não era grande o bastante para nós três, porém, e nossas pernas ficaram espremidas umas contra as outras de uma maneira íntima terrível. Ignorante de meu desconforto, ela envolveu meus ombros com um braço e puxou meu rosto para a curva de seu pescoço. Eucalipto sufocou meus sentidos.

— Manon me contou que você se recusa a comer. Que malcriada.

Não consegui forçar minha cabeça a se levantar.

— Não vou morrer de fome até a noite.

— Não, suponho que tenha razão. Mas detesto vê-la nesse estado, amada. Todas nós detestamos.

Não respondi. Embora tentasse com desespero retornar à doce escuridão, a perna do arcebispo era pesada demais contra a minha. Real demais. Uma âncora me segurando ali.

— Encontramos este homem desprezível hoje cedo pela manhã. — Morgane o fitou com deleite evidente e descarado. — Estava vagando pela Forêt des Yeux. Foi sorte dele não ter se afogado em L'Eau Mélancolique. Tenho que admitir que estou um pouquinho decepcionada.

— Eu... não entendo.

— Mesmo? Deveria ser óbvio. Ele estava procurando por você, claro. Mas se desgarrou um pouco demais de seu bando de caçadores vira-latas. — Embora não me permitisse ter muita esperança, ainda assim meu coração deu um salto diante da revelação. Ela sorriu com crueldade. — O seu não estava junto com eles, Louise. Parece que lavou as mãos.

Doeu menos do que o esperado — talvez porque já *estivesse* esperando aquilo. Óbvio que Reid não os estava acompanhando. Com sorte, ele, Coco e Ansel estavam seguros no meio do oceano — em algum lugar muito, muito distante da morte que espreitava por aqui.

Morgane observou minha reação com atenção. Insatisfeita com a expressão vazia, gesticulou para o arcebispo.

— Devo matá-lo? Isso a deixaria feliz?

Os olhos do homem viraram para encontrar os meus, mas, de resto, seu corpo permaneceu imóvel. À espera.

Encarei-o. Um dia eu havia desejado a este homem todo tipo de morte incendiária e sofrida. Por todas as bruxas que queimara, ele merecia. Por Fleur. Por Vivienne. Por Rosemund, Sacha, Viera e Genevieve.

Agora, Morgane o estava entregando em minhas mãos, mas...

— Não.

Os olhos do clérigo se arregalaram, e um sorriso lento e malevolente se abriu no rosto de minha mãe. Como se tivesse esperado aquela resposta. Como se fosse um gato examinando um rato especialmente suculento.

— Que interessante. Alguns dias atrás, você falou de tolerância, Louise. Por favor... me mostre. — Com um floreio de mão, removeu a mordaça da boca do arcebispo, que puxou o ar com voracidade. Morgane nos fitou com olhos ardentes. — Pergunte o que quiser a ele.

Pergunte o que quiser a ele.

Quando não abri a boca, ela me deu tapinhas no joelho, como se me encorajasse.

— Ande. Você tem perguntas, não tem? Seria uma tola se não tivesse. Agora é sua chance. Não terá outra. Embora eu prometa honrar seu pedido de não o matar, outras não farão o mesmo. Será o primeiro a queimar quando reclamarmos Belterra outra vez.

Seu sorriso terminou de dizer o que as palavras não tinham. *Mas você já estará morta.*

Devagar, virei o rosto para ele.

Nunca tínhamos nos sentado tão perto assim. Jamais vira os pontinhos de verde em suas íris, as sardas quase indiscerníveis no nariz. Meus olhos. Minhas sardas. Centenas de perguntas inundavam meus pensamentos. *Por que não me contou? Por que não me matou? Como pôde ter feito todas aquelas coisas terríveis... como pôde ter assassinado crianças inocentes? Mães, irmãs e filhas?* Mas já sabia as respostas para todas aquelas indagações, de modo que outra subiu aos meus lábios, sem convite.

— Você me odeia?

Morgane gargalhou, batendo palmas em êxtase.

— Ah, *Louise!* Não está preparada para ouvir a resposta, amada. Mas vai ouvir. — Enterrou o dedo no corte na bochecha do arcebispo. Ele se retraiu. — Responda.

Próxima o bastante para ver cada emoção cruzar seu rosto, esperei que falasse. Disse a mim mesma que não me importava de um jeito ou de outro, e talvez fosse verdade — pois a guerra que se desenrolava atrás de seus olhos era idêntica à minha. Precisava que se redimisse dos crimes hediondos que cometera — seu ódio, sua *crueldade* —, mas, ainda assim, uma parte de mim não podia desejar-lhe mal.

A boca do clérigo começou a se mover, mas nenhum som saiu. Eu me inclinei para mais perto, mesmo sabendo que não seria aconselhável, e sua voz se levantou para um sussurro, a cadência mudando como se recitasse algo. Um versículo da Bíblia. Senti meu coração afundar.

— "Quando entrares na terra que te dá o Senhor teu Deus, não aprenderás a fazer conforme as abominações daquelas nações." — murmurou. — "Entre ti não se achará quem faça passar pelo fogo a seu filho ou sua filha, nem adivinhador, nem prognosticador, nem agoureiro, nem... nem feiticeiro."

Seus olhos se levantaram para encontrar os meus, vergonha e arrependimento ardendo, ferozes, por trás deles.

— "Pois todo aquele que faz tal coisa é abominação para o Senhor; e por estas abominações o Senhor teu Deus os lança fora de diante de ti."

Um nó se formou em minha garganta. Eu o engoli, vagamente consciente das gargalhadas de Morgane outra vez.

É claro que não a amo, Louise. Você é filha do meu inimigo. Foi concebida pensando em um propósito maior, e não envenenarei esse propósito com amor.

Abominação. O Senhor teu Deus a lança fora de diante de mim.

Não é minha esposa.

— "Mas," — continuou o arcebispo, sua voz se endurecendo com determinação — "se alguém não tem cuidado dos seus, e principalmente dos da sua família, negou a fé e é pior do que o infiel."

Uma lágrima rolou por minha bochecha. Ao notá-la, Morgane riu mais alto.

— Que tocante. Parece que toda a laia deles é feita de infiéis, não é, Louise? Primeiro seu marido, agora seu pai. Ambos não lhe ofereceram nada senão sofrimento. Onde está essa tolerância da qual você me falava?

Fez uma pausa, claramente esperando que um de nós respondesse. Quando não o fizemos, levantou-se, o sorriso deslizando do rosto com decepção.

— Você me surpreende, Louise. Esperava um pouco mais de luta de você.

— Não vou implorar nem pela afeição nem pela vida dele.

Ela bufou.

— Não é *dele* que estou falando. É do seu precioso caçador

Franzi a testa para ela. Algo vagamente urgente tamborilava no fundo de meu crânio. Algo que não estava enxergando. Alguma informação crucial que não conseguia recordar.

— Eu... eu não estava contando com que ele viesse atrás de mim, se é disso que está falando.

Os olhos dela brilharam com perversidade.

— Não é isso.

Aquela coisa vaga transformou-se em pancadas mais insistentes.

— Então o quê...?

Sangue deixou meu rosto. Reid.

As palavras esquecidas de Morgane voltaram a mim, penetrando a neblina pesada em minha mente. No auge de meu sofrimento — de minha fúria, desilusão e *desespero* —, não tinha parado para considerar seu significado.

Os Lyon vão lamentar o dia que roubaram nossa terra. Seu povo vai se debater e retorcer na fogueira, e o rei e seus filhos vão sufocar no seu sangue. Seu marido *vai sufocar no seu sangue.*

Mas então...

— Sei que lhe prometi a chance de colocar fogo na pira dele. — A voz rouca de Morgane dispersou meus pensamentos. — Mas receio que não terá a oportunidade, no fim das contas. O sangue do rei corre nas veias do seu caçador.

Não. Fechei os olhos, me concentrando em respirar, mas os abri depressa quando a escuridão atrás de minhas pálpebras começou a rodopiar. Com muita força de vontade — não, com *desespero* —, forcei meus braços e pernas a responderem. Tremeram e convulsionaram em protesto quando tombei, caindo para os braços estendidos de Morgane, para a promessa do Anel de Angélica...

Ela suavizou minha queda com o peito, me envolvendo em um abraço doentio.

— Não se aflija, amada. Voltará a vê-lo em breve.

Com um meneio da mão, tudo ficou preto.

NA CAMA COM O INIMIGO

Reid

No meio da tarde, Madame Labelle apontou acima de nossas cabeças.

— O Château le Blanc fica ali. — Seguimos seu dedo até uma montanha avultando a distância, talvez a duas horas de onde estávamos. — Devemos chegar a tempo para os festejos.

Tínhamos que acreditar em sua palavra. Ninguém mais conseguia enxergar nada exceto árvores. Quando Beau resmungou exatamente isso, a cortesã deu de ombros e se abaixou, cheia de graça, para sentar-se em seu tronco, entrelaçando as mãos no colo.

— É a magia do Château, receio. Apenas uma Dame Blanche é capaz de vê-lo até termos cruzado os limites do encantamento. — Diante do olhar confuso do príncipe, ela acrescentou: — A ponte, claro.

Beau abriu a boca para responder, mas eu já havia parado de escutar, caminhando até o extremo de nosso acampamento escondido. Na floresta, o cheiro sutil de magia tocava tudo. Mas de alguma forma ardia menos onde estávamos, misturado com o sal e as árvores. Como se pertencesse. Fechei os olhos e respirei fundo. Ondas rebentavam a distância. Embora nunca tivesse colocado os pés neste lugar, parecia familiar... Como Lou.

Sua essência permeava tudo — a luz do sol passando por entre os pinheiros, o córrego fluindo ao nosso lado apesar do frio. Mesmo o vento parecia dançar. Fazia a fragrância dela rodopiar a meu redor, apaziguando meus nervos esgotados como um bálsamo.

Aí está você, parecia dizer. *Não achei que viria.*

Prometi amar e protegê-la.

E eu prometi amar e obedecê-lo. Somos dois belos mentirosos...

Abri os olhos, o peito apertado, para ver Coco a meu lado. Fitava as árvores como se também participasse de uma conversa silenciosa.

— Posso senti-la aqui. — Balançou a cabeça, melancólica. — Eu a conheço desde criança, e no entanto... às vezes... fico me perguntando se a *conheço* de verdade.

Pisquei, surpreso.

— Você e Lou se conheceram quando eram crianças?

Seus olhos voaram para os meus, sondando meu rosto como se considerasse como responder. Enfim, suspirou e se voltou para as árvores outra vez.

— Nos conhecemos quando tínhamos seis anos. Eu tinha... me desgarrado do meu coven. Minha tia e eu... não nos dávamos muito bem, e ela... bem. — Parou abruptamente. — Não importa. Lou me encontrou. Tentou me fazer rir, prendeu flores nos meus cabelos para me fazer me sentir melhor. Quando parei de chorar, jogou um bocado de lama no meu rosto. — Ela abriu um sorriso, que logo se desfez. — Mantivemos nossa amizade em segredo. Não contei nem à minha tia. Ela não teria aprovado. Despreza Morgane e as Dames Blanches.

— Parece que Lou tem o hábito de se infiltrar no coração dos inimigos.

Coco não pareceu escutar. Embora ainda encarasse as árvores, estava nítido que já não as enxergava.

— Eu não sabia o que as Dames Blanches estavam planejando. Lou nunca me contou. Nunca disse uma palavra... nem uma sequer... todos aqueles anos. E aí, um dia, ela só... desapareceu. — Seu pescoço se retesou furiosamente, e ela baixou a cabeça para olhar para os pés. — Se eu soubesse, teria... teria impedido, de alguma forma. Mas não sabia. Achei que estivesse morta.

Uma urgência inexplicável de reconfortá-la me dominou, mas resisti. Não era hora de reconfortar. Era hora de escutar.

— Mas você a encontrou.

Ela deu um risinho sem humor, levantando o queixo.

— Não. Ela me encontrou. Em Cesarine. Sem Lou, decidi que precisava de um tempo longe do... do meu coven... Então tentei a vida como ladra na Costa Oeste. Era uma merda naquilo — acrescentou. — A polícia me prendeu no segundo dia. Lou caiu do céu para me salvar. — Ela fez uma pausa, balançando a cabeça. — Foi como ver um fantasma. Um fantasma com o pescoço desfigurado. A casquinha tinha acabado de cair, mas ainda era horripilante olhar para ela. — Coco arregaçou a manga, revelando suas próprias cicatrizes. — Até para mim.

Desviei os olhos. Podia imaginá-lo com extrema nitidez. A cicatriz prateada emergiu em meus pensamentos — seguida depressa pela imagem da ferida aberta no pescoço da bruxa morta. Forcei a lembrança para longe, bile subindo à minha boca.

— Queria matá-la — continuou Coco com amargura. — Ou beijá-la.

Dei um risinho pesaroso.

— Entendo bem.

— E mesmo depois... depois de tudo... ela *ainda* se negava a falar sobre o que tinha acontecido. Até hoje, *dois* anos depois, não sei o que aconteceu naquela noite. Não sei como escapou. Não... não sei de nada. — Uma lágrima solitária escorreu por sua face, mas ela a secou com raiva. — Ela manteve tudo guardado a sete chaves.

Seus olhos enfim viraram-se para mim, suplicantes. Eu não sabia bem o que estava pedindo.

— Temos que salvá-la. — A brisa se intensificou, despenteando seus cabelos. Ela fechou os olhos e levantou o rosto para recebê-la melhor. Seu queixo tremia. — Tenho que pedir desculpas a ela.

Franzi a testa.

— Por quê?

Lou não tinha mencionado que brigara com Coco. Mas agora me dava conta de que não mencionava muitas coisas. Era uma pessoa incrivelmente fechada. Os sorrisos largos, a risada fácil, os truques, o linguajar vulgar e o sarcasmo... eram todos mecanismos de defesa. Distrações. Pensados para desviar a atenção de qualquer um que quisesse examiná-la muito de perto. Até mesmo Coco.

Até mesmo eu.

— Devia ter estado lá quando Morgane atacou. Devia ter ajudado... protegido. Mas não estava. Outra vez. — Seus olhos se abriram, e dirigiu a repentina veemência a mim. — Nós discutimos no seu baile. Eu lhe disse para não se apaixonar por você.

Não pude impedir a carranca que contorceu meu rosto.

— Por quê?

— Não é segredo nenhum que Chasseurs matam bruxas. Não gosto de você, Diggory, e não vou pedir perdão por isso. — Ela parou, parecendo lutar consigo mesma por um momento, antes de soltar um suspiro pesado. — Mas até eu posso ver que você está tentando. Nós dois somos a melhor chance que Lou tem de sobreviver agora. Não acho que nem mesmo ela seria capaz de fugir daquele lugar sozinha duas vezes.

— Não a subestime.

— Não estou — respondeu, ríspida. — Estou sendo realista. Você não conhece as Dames Blanches como eu. São fanáticas. Não há como saber a que tipos de tortura Morgane já a submeteu.

Apreensão se instalou em meu estômago como chumbo.

— Aconteça o que acontecer — continuou ela com voz dura —, saia de lá com ela. Deixe os outros por minha conta. — Olhou por cima do ombro para onde Madame Labelle estava sentada, ao lado de Ansel e Beau. — Madame Labelle não deve precisar de muita ajuda, mas os outros dois são vulneráveis.

— Ansel é treinado em combate. — Mas não havia muita convicção em minha voz, até para meus próprios ouvidos. Aos 16 anos, o jovem nunca sequer lutara fora do campo de treinamento.

— Beau também. — Ela revirou os olhos. — Mas será o primeiro a molhar as calças quando colocado cara a cara com a magia de uma bruxa. Nenhum dos dois tem a proteção da sua Balisarda, e essas mulheres não são como Lou. Ela estava fora de forma, escondendo a magia por anos. Essas bruxas serão extremamente capazes e sedentas por sangue. Não vão hesitar em nos matar.

Todos diziam a mesma coisa. Todos diziam que Lou era fraca. Minha apreensão aumentou. Não me parecera fraca quando me atara àquela bruxa — quando quase partiu minha coluna vertebral em dois e colou meus braços e pernas contra o corpo como se fosse uma boneca de pano. Se *aquilo* era fraqueza, as outras tinham que possuir os poderes de um Deus.

Madame Labelle chegou marchando atrás de nós.

— O que estão sussurrando às escondidas aí?

Sem querer reviver uma conversa dolorosa como aquela, segui o exemplo de Lou e desconversei.

— Como vamos pensar em uma estratégia se não conseguimos enxergar os muros que temos que invadir?

Ela jogou os cabelos por cima do ombro.

— Meu caro rapaz, já respondi a essa pergunta pelo menos uma dúzia de vezes. Não vamos *invadir* coisa alguma. Vamos entrar pela porta da frente.

— E eu já *lhe* disse que não vai mudar nossa fisionomia.

A cortesã deu de ombros e olhou para Ansel e Beau com despreocupação fingida.

— Tarde demais.

Suspirando com irritação — ou talvez resignação —, segui seu olhar. Dois jovens estavam sentados atrás de nós, mas pareciam dois estranhos.

Quando o mais alto me lançou um sorriso envergonhado, porém, reconheci Ansel. Ainda tinha seu nariz reto e cabelos cacheados — agora pretos em vez de castanhos —, mas as similaridades acabavam ali. Beau também tinha mudado completamente. Apenas o sorriso zombeteiro e desdenhoso permanecia.

Levantando sobrancelhas grossas e escuras diante de minha avaliação, gritou:

— Gostou do que está vendo?

— Cale a boca — chiou Ansel. — Quer que as bruxas nos escutem?

— Não se aflija, meu caro — interveio Madame Labelle. — Lancei um feitiço criando uma bolha protetora por ora. Neste momento, deixamos de existir.

Ela voltou sua atenção para mim. Encarei-a como se tivesse criado uma segunda cabeça.

— Agora, *querido*, deixe-me explicar uma última vez: não temos a menor chance de entrar no Château como você quer. Escalar muros ou qualquer que seja a tolice que está contemplando simplesmente não vai funcionar. O castelo inteiro é protegido por um encantamento milenar que impede que esforços assim sejam bem-sucedidos. Além do mais, é *precisamente* o que Morgane esperaria de vocês, *têtes carrées*. Força bruta. Uma amostra de seu poderio. Estaríamos caindo direto nas garras dela.

Beau se aproximou.

— São garras de verdade? — Uma satisfação bárbara me percorreu quando notei que a cortesã havia lhe dado um nariz bulboso e uma verruga no queixo.

— Como é que mudar nossos rostos vai facilitar a nossa entrada? — indagou Coco, o ignorando.

— Nossa aparência é facilmente reconhecível como somos. — Madame Labelle gesticulou para mim e Beau. — Principalmente vocês dois.

— Por que ele? — perguntou Beau, duvidoso.

— Ele tem mais do que dois metros de altura e cabelos ruivos — explicou a mulher. — *E* ganhou uma certa notoriedade por ter matado Estelle... assim como por ter maculado a preciosa princesa delas. As bruxas terão ouvido falar nele.

Maculado a preciosa princesa delas. Cada palavra era como uma punhalada no peito, mas me forcei a me concentrar.

— Homens não têm permissão para entrar no Château, então a menos que planeje transformar a todos nós em mulheres...

— Não a provoque — resmungou Beau.

Madame Labelle riu e me deu tapinhas no cotovelo.

— Por mais divertido que isso soe, Reid, querido, homens têm permissão para entrar no Château como consortes... especialmente durante festivais como Modraniht. Todas as bruxas que vierem certamente vão trazer alguém especial. Não se preocupe — acrescentou para Coco. — Muitas bruxas preferem companhia feminina. Para ser sincera, vai ser muito mais fácil colocá-la para dentro do que a esses brutos.

— Eu sei. *Também* sou uma bruxa, caso tenha se esquecido. — Coco cruzou os braços, fulminando a cortesã com um olhar feio. — Mas você espera que vamos desfilando até as portas do castelo, perguntando se alguma bruxa está disponível?

— Claro que não. Há uma variedade de bruxas viajando por estas florestas neste exato instante. — Apontou para as árvores, onde um trio de bruxas acabara de aparecer. Jovens, esbeltas. Com feições de boneca, cabelos escuros e pele marrom-clara. Rindo sem cerimônia, sem ideia de que estavam sendo observadas. — Mas precisamos nos apressar. Não somos os únicos passando por esta vertente da montanha à procura de companhia hoje.

Como se em resposta, um jovem magrelo se aproximou das bruxas, tropeçando, e revelou um buquê de folhas verdes. As mulheres riram — deliciadas e cruéis — antes de se afastarem cheias de confiança.

— Ai, ai. — Madame Labelle assistiu ao jovem atirar o buquê no chão. — Quase sinto pena do pobre coitado. Terá que se esforçar mais do que isso para capturar o interesse de uma bruxa. Temos um gosto impecável.

Beau soltou um ruído de ultraje.

— Então como é que vou capturar o interesse de uma com esta cara de sapo?

— Tendo amigos diabolicamente atraentes, claro.

Madame Labelle deu uma piscadela, e, com agilidade maior do que teria acreditado ser possível, retirou a Balisarda de minha bandoleira. Levantou um dedo para mim quando comecei a me lançar para ela, e uma sensação peculiar se espalhou do centro de meu rosto até as bordas — como se um ovo tivesse sido quebrado em meu nariz. Estupefato, parei o movimento enquanto a sensação escorria por minhas bochechas. Meus olhos. Minha boca. Mas quando começou a deslizar garganta abaixo, investi outra vez, fechando os lábios com força contra a magia.

— Quase lá — declarou a mulher com alegria, dançando para fora de meu alcance. Os outros assistiam à transformação com atenção voraz. Até Beau se esqueceu de parecer desagradável.

Após ter recoberto as pontas de meus cabelos, a magia enfim se dissipou. Silêncio caiu, e soltei a respiração que nao percebi que estava prendendo.

— Então?

— Está de sacanagem — exclamou Beau.

Meus cabelos tinham escurecido até se tornarem pretos. Barba crescia em meu rosto. Embora não pudesse ver as outras mudanças, o ângulo pelo qual enxergava o mundo parecia diferente. Como se eu tivesse... encolhido. Trincando os dentes, arranquei a Balisarda de Madame Labelle, a embainhei e marchei na direção das bruxas.

— Espere, espere! — gritou ela. Virei com relutância, e ela estendeu a palma aberta outra vez. — Devolva.

Eu a encarei com incredulidade.

— Acho que não.

Ela balançou a mão, insistente.

— Você pode acreditar que essas faquinhas de vocês foram forjadas em água benta, mas sei que não é o caso. A Espada de Balisarda foi criada na mesma água que o Anel de Angélica. — Apontou com o polegar por cima do ombro. — Em L'Eau Mélancolique. Por uma bruxa.

— Não. Foi forjada por São Constantino...

— Foi forjada pela amante de São Constantino, Angélica — corrigiu a cortesã, impaciente. — Aceite isso de uma vez e siga em frente.

Meus olhos se estreitaram.

— Como você sabe?

Ela deu de ombros.

— A magia sempre deixa rastros. Só porque não podemos sentir o cheiro nas suas Balisardas ou no Anel, não quer dizer que uma bruxa astuta não vá detectá-lo. E Morgane é uma bruxa esperta. Quer mesmo arriscar que ela nos descubra?

Minha mão gravitou de volta para a bandoleira, e os dedos envolveram o cabo com a safira incrustada sobre meu coração. Apreciei a superfície lisa... seu peso reconfortante. Nossas Balisardas não podiam ser mágicas. Elas nos *protegiam* da magia. Mas tudo mais em minha vida amaldiçoada tinha sido uma mentira. Por que isso também não seria?

Desembainhando a lâmina, fiz uma carranca para o céu.

— Você espera que entremos no Château le Blanc completamente desarmados? — perguntou Beau, incrédulo.

— Claro que não. Podem levar quaisquer armas não mágicas que quiserem. Mas deixem a Balisarda no acampamento. — Ela abriu um sorriso doce. — Podemos pegá-la depois de resgatarmos Louise.

— Você está sendo inconsequente... — Mas ele parou de falar, perplexo, quando coloquei a faca na mão estendida de Madame Labelle.

Sem mais palavras, virei e segui na direção do trio de bruxas.

Elas deram uma olhada em mim e explodiram em gritinhos ininteligíveis.

— Daria para cortar vidro com o maxilar dele! — vibrou uma delas. Alto. Como se eu não estivesse bem ali. Não: como se não passasse de uma vaca premiada, incapaz de compreender uma palavra do que diziam. Tentei não fazer cara feia, mas falhei miseravelmente.

— Oh, olha só para os cílios dele — suspirou a segunda. Teve o atrevimento de tocar meu rosto. Eu me forcei a permanecer quieto, a me segurar para não quebrar o pulso daquela coisa... não, *mulher*. — Você teria uma irmã, por acaso, bonitão?

— Ele é meu — disse a terceira depressa, afastando a mão da segunda com um sopapo. — Não toca nele!

— *Eu* sou a mais velha — interrompeu a primeira. — Então tenho o direito de escolher primeiro!

Atrás de mim, Ansel e Beau quase se engasgavam com riso silencioso. Desejei poder esmagar as cabeças dos dois, amaldiçoando Madame Labelle por tê-los feito me acompanhar.

Adotei o tom de voz mais agradável que consegui.

— Mademoiselles, permitam-me apresentar-lhes meus irmãos. — Atirei os dois à frente pela nuca, e seus sorrisos desapareceram. — Este aqui é Antoine. — Empurrei Ansel na direção de uma delas, aleatoriamente. Em seguida, segurei Beau. — E este, Burke.

A bruxa que escolhi para Beau franziu o nariz. Embora Madame Labelle tivesse ficado com pena e removido a verruga, sem dúvidas continuava sendo o menos atraente de nós três. Inabalável — ou quem sabe apenas burro —, abriu um sorriso charmoso para a bruxa, revelando um espaço entre os dois dentes da frente. Ela deu um passo para longe, enojada.

A primeira envolveu meu braço com a mão, tentando me puxar para perto.

— E o *seu* nome, bonitão?

— Raoul.

Seus dedos exploraram meu bíceps.

— É um prazer conhecê-lo, Raoul. Sou Elaina. Já esteve no Château alguma vez?

Eu me esforcei para manter a expressão polida. Interessada.

— Não, mas ouvi falar que é belíssimo.

— Assim como suas habitantes. — Beau lhes lançou uma piscadela malandra. Todos o ignoramos.

— Você vai ter uma surpresa e *tanto!* — A mulher ao lado de Ansel empurrou a irmã para o lado para se agarrar a meu outro braço. — Sou Elodie, aliás. Tem *certeza* de que não tem mesmo uma irmã? — Espiou por trás de mim, esperançosa.

— Ei! — protestou a terceira quando se deu conta de que eu não tinha mais braços a oferecer.

— Aquela é Elinor — apresentou Elaina, indiferente. — Mas Elodie tem razão: não poderia ter escolhido uma noite melhor para oferecer seus serviços. Hoje é Modraniht, e amanhã, Yule. Nossa Senhora planejou um grande festival para este ano...

— Viemos de longe, de Sully, para celebrar... — continuou Elodie.

— ...Porque Louise finalmente retornou! — terminou Elinor. Tomou o braço de Ansel e nos seguiu pelas árvores.

Meu coração parou, e tropecei. Dois pares de mãos se apressaram a me equilibrar, ansiosos.

— Está tudo bem? — indagou Elaina.

— Está pálido — explicou Elodie.

— Quem é Louise? — interrompeu Beau, me lançando um olhar mordaz.

O nariz de Elinor se franziu ao olhar para ele.

— Louise le Blanc. Filha e herdeira da Dame des Sorcières. Você é mesmo tão imbecil assim?

— Parece que sim. — Beau as fitou com uma expressão divertida. — Então, *mademoiselles*... quais são os planos da nossa graciosa Senhora para esta noite? Um banquete? Dança? Vamos poder *conhecer* esta encantadora Louise de que falam?

— *Você*, não — respondeu Elinor. — Não virá conosco.

Parei de andar de repente.

— Ele vai aonde eu for.

Elaine fez bico.

— Mas nenhuma de nós o *quer*.

— Se vocês me *querem*, ele vem junto. — Eu me desvencilhei dela, e seus lábios se franziram um pouco mais. Mentalmente me repreendi. — Por favor. — Coloquei um cacho de cabelos escuros atrás da orelha dela e tentei sorrir. — É meu irmão.

Ela se inclinou para aumentar o contato com minha mão, a carranca se derretendo em um suspiro.

— Bem, se você insiste.

Voltamos a caminhar. Ansel pigarreou.

— Então... o que *podemos* esperar desta noite?

Elinor abriu um sorriso tímido.

— Não precisa ficar nervoso, Antoine. Cuidarei bem de você.

O rosto dele ficou escarlate.

— Não, não foi isso que... Quero dizer...

A irmã riu e se aconchegou mais a ele.

— Teremos as oferendas e sacrifícios menores de sempre. Nossa mãe faleceu há alguns anos, de modo que homenagearemos nossa Senhora em seu lugar.

— E a Deusa, claro — acrescentou Elodie.

— E então — continuou Elaina, empolgada —, depois das festividades e da dança, Morgane fará seu sacrifício para a Deusa à meia-noite.

Meia-noite. Minhas pernas e braços começaram a ficar entorpecidos.

— Sacrifício?

Elaine se inclinou para mim e explicou em tom conspiratório:

— Sua filha. É terrivelmente perverso, mas é o que é. Vamos testemunhar a história sendo feita hoje, eu e você.

Elodie e Elinor bufaram em protestos por terem sido excluídas, mas não as escutei. Um zumbido insistente tinha começado em meus ouvidos, e meus punhos se cerraram. Beau pisou em meu calcanhar num gesto aparentemente inocente. Tropecei outra vez, libertando os braços das bruxas, antes de virar para ele.

— Perdão, Raoul. — Deu de ombros e abriu um sorriso fácil, mas seus olhos continham uma advertência. — Era de se esperar que eu fosse capaz de controlar meus próprios pés, hum?

Inspirei para me controlar. E outra vez. Forcei as mãos a se abrirem.

Um.

Dois.

Três...

— Ah, olhem lá! — Elinor apontou para a esquerda. Um pequeno grupo de pessoas emergiu entre as árvores. — São Ivette e Sabine! Oooh, não as vemos desde que éramos bruxinhas!

Elaine e Elodie deram gritinhos deliciados e puxaram a mim e Ansel até as recém-chegadas. Beau nos seguiu arrastando os pés.

Examinando melhor o grupo, reconheci Coco com o braço entrelaçado ao de uma das novatas. Restava apenas Madame Labelle, portanto. Quando Coco me lançou um olhar furtivo de agitação, assenti, compreendendo.

"Mantenham as bocas fechadas e os olhos abertos", advertira a cortesã. "Eu os encontrarei lá dentro."

Instruções vagas e insatisfatórias. Sem mais explicações. Nenhum plano alternativo. Éramos um Chasseur, um noviço, um príncipe Lyon e uma bruxa de sangue entrando às cegas no Château le Blanc. Lou não seria a única a morrer se as coisas não dessem certo.

Elaina me apresentou às amigas antes de fechar os dedos nos meus e descansar a cabeça em meu braço. Mostrei os dentes em um sorriso, imaginando que era Lou em seu lugar.

Lou, tão viva e vibrante. Dando um peteleco em meu nariz e me xingando à sua maneira afetuosa. Imaginei seu rosto e me agarrei à imagem. Era o único jeito que poderia continuar sem estrangular ninguém.

Elodie fitou uma das mulheres ao lado de Coco com interesse evidente antes de me dar tapinhas na bochecha.

— Desculpe, amorzinho, se tivesse uma irmã...

Afastou-se sem olhar para trás, e Ansel veio caminhar a meu lado. Acobertado pela tagarelice das moças, cutucou meu braço, apontando com a cabeça para a frente, onde as árvores começavam a rarear.

— Olhe.

Uma ponte se estendia diante de nós. Impossivelmente longa. De madeira. Lendária. Acima dela, assomando ao pico da montanha, encontrava-se o Château le Blanc.

Tínhamos chegado.

MODRANIHT

Reid

Havia bruxas em todos os cantos.

Perdi o fôlego quando me puxaram para dentro do pátio nevado. Estava quase lotado demais para podermos andar. Para onde quer que virasse, acabava topando com alguém. Havia velhotas, bebês e mulheres de todas as idades, corpos e cores — todas com olhos brilhantes de empolgação. Todas coradas. Todas rindo. Todas louvando a deusa pagã.

Uma mulher de cabelos escuros veio correndo até mim por entre a multidão, levantando-se nas pontas dos pés para dar um beijo em minha bochecha.

— Que feliz encontro! — Riu e desapareceu no mar de gente outra vez.

Uma bruxa decrépita com uma cesta de folhas perenes veio em seguida. Eu a fitei com suspeita, lembrando a velha no mercado, mas ela apenas colocou uma guirlanda de zimbro em minha cabeça e grasnou uma bênção da deusa. Menininhas corriam, aos berros, por entre minhas pernas em um jogo de pega-pega feroz. Pés descalços e rostos sujos. Fitas nos cabelos.

Era um tumulto.

Elaina e Elinor — que tinha abandonado Ansel depois de se dar conta de que Elodie encontrara outra companhia — me puxavam em direções opostas, cada uma determinada a me apresentar a todas as pessoas que conheciam. Não me preocupei em guardar seus nomes. Um mês antes, teria querido vê-las todas na fogueira. Agora, uma espécie de buraco oco tinha se aberto em meu estômago enquanto as cumprimentava. Essas mulheres — com seus belos sorrisos e rostos exuberantes — queriam ver Lou morta. Estavam ali para *celebrar* a morte de Lou.

Os festejos logo se tornaram insuportáveis. Bem como o fedor cristalino de magia, mais forte aqui do que em qualquer lugar onde já estivera.

Puxei o braço para me livrar de Elaina com um sorriso forçado.

— Preciso ir ao banheiro.

Embora meus olhos corressem o local em busca de Madame Labelle, eu não tinha ideia de que rosto adotara — ou se tinha sequer conseguido entrar.

— Não pode! — Elaina me agarrou com mais força. O sol tinha mergulhado para baixo do castelo, alongando as sombras no pátio. — A festa está para começar!

De fato, as bruxas começavam a se mover em direção às portas como se respondessem a um chamado silencioso. Talvez estivessem mesmo. Se me concentrasse o suficiente, podia quase sentir os sussurros fracos contra minha pele. Estremeci.

— Claro — falei entredentes enquanto ela me puxava adiante. — Posso esperar.

Ansel e Beau seguiam em meu encalço. Coco tinha sido arrastada para longe assim que atravessamos a ponte, e não a vira desde então. Sua ausência me deixava inquieto.

Beau deu uma cotovelada numa bruxa gorda para conseguir acompanhar nosso passo.

— A Senhora do castelo vai comparecer à festa?

— *Com licença.* — A desconhecida quase o derrubou em retaliação, e o príncipe topou comigo antes de se aprumar.

— Deus do Céu. — Encarou as costas largas da mulher enquanto passava por um par de portas de pedra. Acima delas, uma elaborada ilustração das luas crescente, cheia e minguante tinha sido entalhada.

— Acho que você errou de deidade — resmunguei.

— Você vem ou não? — Elinor me puxou para passar pela imagem, e não tive escolha senão segui-la.

O salão era vasto e antiquíssimo — maior até do que o presbitério em Saint-Cécile —, com teto abobadado e vigas gigantes recobertas com neve e folhagem, como se o pátio tivesse de alguma forma transbordado para dentro do lugar. Videiras escalavam as janelas em arco e entravam no cômodo. Gelo cintilava nas paredes. Longas mesas de madeira percorriam todo o comprimento do salão, cobertas por uma abundância de musgo e velas bruxuleantes. Lançavam um brilho suave nas bruxas que se demoravam perto delas. Ninguém tinha se sentado ainda. Todas observavam o lado mais distante do salão com atenção absoluta. Segui seus olhares. O ar ao redor pareceu se estagnar.

Lá, num trono de brotos e plantas jovens, estava Morgane le Blanc.

E ao lado dela — de olhos fechados e corpo mole, sem vida — flutuava Lou.

Meu fôlego escapou com um ruído dolorido ao fitá-la. Apenas uma quinzena se passara, mas sua aparência já era esquelética e doentia. Os cabelos selvagens tinham sido aparados e trançados com esmero, e as sardas haviam desaparecido. Sua pele — antes reluzente — estava agora pálida. Acinzentada.

Morgane a suspendera no ar pelas costas, com seu corpo quase dobrado em dois. Os dedos dos pés e mãos roçavam o piso do palanque. Sua cabeça estava atirada para trás, forçando o longo e esguio pescoço a se estender para o salão inteiro poder ver. Exibindo proeminentemente a cicatriz.

Uma fúria sem igual explodiu dentro de mim.

Estavam fazendo dela motivo de escárnio.

Minha esposa.

Dois pares de mãos agarraram as costas de meu casaco, mas não era necessário. Fiquei parado ali com uma imobilidade sobrenatural, os olhos fixos na forma inerte de Lou.

Elinor se colocou nas pontas dos pés para poder ver melhor. Soltou um risinho por trás da mão.

— Não é mais tão bonita como me lembrava.

Elaina suspirou.

— Mas olha como está esbelta.

Virei para encará-las. Devagar. As mãos em minhas costas apertaram mais.

— Calma — sussurrou Beau perto de meu ombro. — Ainda não.

Forcei uma respiração profunda. *Ainda não*, repeti para mim mesmo. *Ainda não ainda não ainda não.*

— O que há com vocês três? — A voz de Elaina ressoou bizarramente alta na quietude do salão. Aguda e desagradável.

Antes que pudéssemos responder, Morgane se levantou. O burburinho cessou de imediato. Ela sorriu para nós com ares de uma mãe contemplando seu filho favorito.

— Irmãs! — Levantou os braços, suplicante. — Benditas sejam!

— Benditas sejam! — saudaram as bruxas em uníssono. Uma alegria arrebatadora iluminava seus rostos. A apreensão esfriou minha fúria. Onde estava Madame Labelle?

Morgane desceu um degrau do estrado. Assisti, impotente, quando Lou flutuou atrás dela.

— Benditos sejam vossos pés — continuou Morgane —, que vos trouxeram aqui!

— Benditos sejam! — As bruxas batiam palmas e pés com abandono bárbaro. Temor serpenteou por minha coluna enquanto as observava.

Morgane deu outro passo.

— Benditos sejam vossos joelhos, que se ajoelharão diante do altar sagrado!

— Benditos sejam! — Lágrimas escorriam pelo rosto da bruxa gorda de antes. Beau a estudava com fascínio, mas ela não notou. Ninguém notou.

Outro degrau.

— Benditos sejam vossos ventres, sem os quais não existiríamos!

— Benditos sejam!

Morgane tinha acabado sua descida agora.

— Benditos sejam vossos seios, formados em beleza!

— Benditos sejam!

Abriu os braços e deixou a cabeça desabar para trás, o peito subindo e descendo com sua respiração ofegante.

— E benditos sejam vossos lábios, que gritarão os Sagrados Nomes dos deuses!

Os gritos das bruxas aumentaram até tudo se transformar em tumulto.

— Benditos sejam!

Morgane abaixou os braços, ainda respirando pesadamente, e, pouco a pouco, as bruxas foram se aquietando.

— Bem-vindas, irmãs, e feliz Modraniht! — O sorriso indulgente retornou ao chegar à cabeceira da mesa do meio. — Aproximem-se, por favor, e comam e bebam até se fartarem! Pois, hoje, celebramos!

As convidadas vibraram outra vez, e se apressaram a tomar as cadeiras mais próximas da anfitriã.

— Os consortes não podem se sentar à mesa — disse Elaina depressa por cima do ombro. Correu atrás da irmã. — *Va-t'en!* Vão ficar perto da parede com os outros!

Alívio me percorreu. Não demoramos a nos juntar aos demais consortes encostados na parede ao fundo.

Beau nos guiou até uma das janelas.

— Aqui. Estou ficando com dor de cabeça por causa de todo esse incenso.

A posição nos oferecia visão desimpedida de Morgane. Com um abano lânguido de mão, ela mandou a comida ser servida. O tinido de talheres batendo logo juntou-se às risadas ecoando pelo salão. Uma consorte ao nosso lado virou-se e disse, maravilhada:

— É quase bonita demais para se contemplar, La Dame des Sorcières.

— Então não contemple — respondi, rascante.

A moça piscou, estarrecida, antes de se afastar.

Voltei minha atenção para Morgane. Não se parecia em nada com os desenhos que tínhamos na Torre dos Chasseurs. A mulher era belíssima, sim, mas também fria e cruel — como gelo. Não tinha nada do calor que Lou irradiava. Não tinha nada de Lou nela, ponto final. As duas eram como dia e noite — inverno e verão —, e ainda assim... Havia algo similar em suas expressões. Na linha tensa do maxilar. Algo determinado. Ambas confiavam em sua capacidade de curvar o mundo a sua vontade.

Mas essa era a aparência antiga de Lou. Agora, pairava no ar perto da mãe como se dormisse. Uma bruxa estava parada ao lado dela. Alta e de pele negra. Azevinho trançado por seus cabelos.

— Uma Cosette meia-boca — murmurou uma voz a meu lado. Coco. Fitava Lou e a bruxa de pele negra com uma expressão inescrutável.

Uma mão pequenina tocou meu braço através da janela. Girei depressa.

— Não vire!

Parei o movimento de forma abrupta, mas não antes de ter um vislumbre dos cabelos louro-acobreados e dos olhos azuis alarmantemente familiares de Madame Labelle.

— Você está igual. — Tentei mover os lábios o mínimo possível. Coco e eu demos passos discretos para trás até estarmos espremidos contra o peitoril. Ansel e Beau se juntaram a nós, cada um de um lado, bloqueando por completo a cortesã da vista alheia. — Por que não está disfarçada? Onde esteve esse tempo todo?

Ela bufou, irritada.

— Até os *meus* poderes têm limites. Entre lançar o encantamento de proteção sobre nosso acampamento e transformar todos os seus rostos... sem falar em *manter* essas transformações... Estou exausta. Mal consegui clarear os cabelos, o que significa que não posso entrar. Seria facilmente reconhecida.

— Do que está falando? — sibilou Coco. — Lou nunca teve que *manter* padrões na enfermaria. Ela só... sei lá... os *criava*.

— Queria que alterasse seu rosto permanentemente, então? — Labelle a fulminou com um olhar. — Ora, muito bem, seria *muito* mais fácil para mim acabar com isto e deixá-los com essas caras de cretinos lascivos para todo o sem...

Calor subiu por minha garganta.

— Lou praticava *magia* dentro da *igreja?*

— Então, qual é o plano? — murmurou Ansel depressa.

Eu me forcei a voltar a atenção para as mesas. A refeição ia terminar a qualquer instante. Música soava de algum lugar lá fora. Algumas das bruxas já tinham se levantado dos lugares para recuperar seus consortes. Logo Elaina e Elinor viriam me abocanhar.

— O plano é esperar o meu sinal — respondeu Madame Labelle secamente. — Fiz preparativos.

— O quê? — Resisti à vontade de girar e a estrangular. Não era hora nem lugar para instruções vagas e inúteis. Era hora de foco. Ação. — Que preparativos? Que sinal?

— Não há tempo para explicar, mas você saberá quando o vir. Estão esperando lá fora...

— *Quem?*

Parei de falar de repente quando Elinor se aproximou.

— Ah! — exclamou em triunfo. Seu hálito era doce pelo vinho consumido. As bochechas estavam rosadas. — Cheguei primeiro! O que significa que tenho direito à primeira dança!

Plantei os pés quando ela me puxou, mas, ao olhar para trás por cima do ombro, vi que Madame Labelle já desaparecera.

Eu rodopiava Elinor pela clareira sem de fato enxergá-la. Tínhamos levado quinze minutos para chegar a este lugar sobrenatural, bem escondido nas sombras da montanha. A mesma neblina densa de La Forêt de Yeux permeava o chão aqui. Ondeava por entre nossas pernas enquanto dançávamos, acompanhando a melodia cadenciada. Podia quase ver os espíritos de bruxas mortas havia muito tempo dançando dentro dela.

As ruínas de um templo — pálidas, esfarelentas — abriam-se para o céu da noite no meio da clareira. Morgane estava sentada lá com uma Lou ainda inconsciente, supervisionando os sacrifícios menores. Um altar de pedra se elevava do solo ao lado das duas. Reluzia, imaculado, sob o luar.

Minha mente e meu corpo se digladiavam. A primeira me urgia a esperar por Madame Labelle. O segundo estava se coçando para atirar--se entre Lou e Morgane. Não suportava mais olhar para seu corpo sem vida. Assistir enquanto flutuava pelo espaço como se já fosse um espírito das brumas.

E Morgane — nunca desejara tanto matar uma bruxa quanto agora, afundar uma faca em sua garganta e separar a cabeça pálida do corpo. Não precisava de minha Balisarda para matá-la. Sangraria sem ela.

Ainda não. Espere pelo sinal.

Se ao menos Madame Labelle nos tivesse dito *qual* era o sinal.

A música tocava sem pausa, mas não havia músicos visíveis. Elinor me passou a contragosto para Elaina, e perdi a noção do tempo. Perdi a noção de tudo, exceto as batidas apavoradas de meu coração e o ar frio da noite em minha pele. Quanto tempo mais Madame Labelle queria que eu esperasse? Onde estava? *Quem* ela estava aguardando?

Muitas perguntas para poucas respostas. E nada da cortesã.

Pânico rapidamente deu lugar ao desespero quando a última ovelha foi abatida, e as bruxas começaram a apresentar outras oferendas a Morgane. Entalhes em madeira. Buquês de ervas. Joias de hematita.

Morgane assistia enquanto deixavam cada presente a seus pés sem uma palavra. Acariciava os cabelos de Lou sem prestar atenção ao que fazia quando a bruxa de pele negra se aproximou, vinda de dentro do templo. Não pude entreouvir a conversa murmurada, mas o rosto de Morgane iluminou-se ao ouvir o que quer que a outra tivesse a dizer. Observei a jovem retornar ao templo com sensação de que fora um presságio.

Se tinha deixado Morgane feliz, não podia ser boa notícia para nós.

Elaine e Elinor me deixaram de lado para acrescentar suas oferendas à pilha. Estiquei o pescoço em busca de algo errado ou fora do lugar, qualquer coisa que pudesse ser considerada um sinal, mas não havia nada.

Ansel e Coco juntaram-se a mim, sua angústia quase palpável.

— Não podemos esperar muito mais — sussurrou Ansel. — Já é quase meia-noite.

Assenti, lembrando o sorriso perverso de Morgane. Algo estava a caminho. Não podíamos esperar mais. Madame Labelle dando seu sinal ou não, a hora de agir chegara. Olhei para Coco.

— Precisamos de uma distração. Algo que tire a atenção de Morgane de Lou.

— Algo como uma bruxa de sangue? — perguntou ela, sombria.

Ansel abriu a boca para protestar, mas o interrompi.

— Será perigoso.

Ela cortou o pulso com um movimento do polegar. Sangue preto fluiu, e um fedor pungente e amargo perfurou o ar adocicado.

— Não se preocupe comigo. — Ela deu meia-volta e desapareceu por entre as brumas.

Verifiquei a bandoleira sob meu casaco, tão discretamente quanto era possível.

— Ansel... antes de continuarmos... Eu... só quero dizer que... — Fiz uma pausa, engolindo em seco. — Sinto muito. Pelo que aconteceu antes. Na Torre. Não devia ter encostado a mão em você.

Ele piscou, surpreso.

— Não foi nada, Reid. Você estava abalado...

— Não, não foi "nada". — Tossi, constrangido, incapaz de encontrar seus olhos. — É... o que você tem de armas à mão?

Antes que pudesse responder, a música parou de forma abrupta, e um silêncio mergulhou sobre a clareira. Todos os olhos voltaram-se para o templo. Assisti horrorizado quando Morgane se levantou, a íris brilhando com más intenções.

Era hora. Nosso tempo tinha chegado ao fim.

Segui as bruxas enquanto se aproximavam, mariposas atraídas pela chama. Segurando o cabo de uma faca com firmeza sob o casaco, me movi até a frente da multidão. Ansel imitava meus movimentos, e Beau logo se juntou a ele.

Ótimo. Nós protegeríamos uns aos outros. Se eu falhasse, porém, os dois estariam mortos.

Morgane era o alvo.

Um punhal enterrado em seu peito a distrairia tão bem quanto Coco. Se tivesse sorte, a mataria. Se não, ao menos me daria tempo suficiente para pegar Lou e correr. Rezei para que os outros fossem capazes de se esgueirar para fora dali sem serem detectados.

— Muitas de vocês vieram de longe para prestar homenagem neste Modraniht. — A voz de Morgane era suave, mas ecoava com nitidez pelo silêncio da clareira. As bruxas aguardavam prendendo a respiração. —

Estou honrada pela sua presença. Comovida pelas suas oferendas. Sua alegria esta noite restaurou meu espírito.

Ela estudou cada rosto com atenção, seus olhos parecendo demorar-se nos meus antes de seguirem caminho. Soltei uma expiração lenta.

— Mas vocês sabem que esta noite é mais do que uma celebração — continuou, a voz ainda mais branda. — Esta é uma noite para honrar nossas matriarcas. Uma noite para louvar e pagar tributo à Deusa... Ela que traz a luz e a escuridão, que dá vida e morte. Ela que é a verdadeira Mãe de todas nós. — Outra pausa, mais longa e enfática. — Nossa Mãe está furiosa. — A angústia em seu rosto quase me convenceu. — Sofrimento persegue suas filhas como uma praga, pela mão do homem. Fomos caçadas. — Sua voz foi se elevando gradualmente. — Fomos queimadas. Perdemos irmã, mãe e filha para o *ódio* e o *medo* desses homens.

As bruxas se remexiam, inquietas. Apertei a faca com mais força.

— Esta noite — gritou, fervorosa, levantando os braços aos céus —, a Deusa responderá às nossas preces.

Em seguida, os abaixou com força, e Lou, ainda flutuando e inconsciente, inclinou-se um pouco para a frente. Seus pés pendiam, inúteis, acima do piso do templo.

— Com o sacrifício de minha filha, a Deusa dará fim a nossa opressão! — As mãos dela se fecharam, e a cabeça de Lou levantou-se com brusquidão. Náusea embrulhou meu estômago. — Na morte dela, forjaremos uma nova vida!

As bruxas bateram pés e gritaram.

— Mas, primeiro — ronronou, quase inaudível —, um presente para minha filha.

Com um último floreio de mão, as pálpebras de Lou enfim se abriram.

Hesitei apenas tempo o suficiente para ver aqueles olhos azul-esverdeados — lindos, *vivos* — se arregalarem com choque. Depois, avancei.

Ansel segurou meus braços com uma força surpreendente.

— Reid.

Vacilei ao ouvir seu tom. No segundo seguinte, compreendi: a bruxa de pele negra reaparecera, e agora carregava uma segunda mulher — flácida e imóvel — para fora do templo. Uma mulher de cabelos louro-acobreados e olhos azuis penetrantes que sondavam a multidão em desespero.

Parei na mesma hora, abalado. Incapaz de me mover.

Minha mãe.

— Olhem para esta mulher! — gritou Morgane por cima do repentino alvoroço de vozes. — Olhem para a traiçoeira Helene! — Agarrou Madame Labelle pelos cabelos e a atirou nos degraus do templo. — Esta mulher... que foi nossa irmã um dia, que foi meu *coração*... conspira com o rei humano. Deu à luz um filho bastardo dele. — Berros de ultraje cortaram o ar. — Hoje, foi encontrada tentando forçar sua entrada no Château. Planeja roubar nosso precioso presente à Mãe, tirando a vida de minha filha com as próprias mãos. Quer ver a todas nós queimando sob o rei tirano!

Os gritos alcançaram um tom agudo ensurdecedor, e os olhos de Morgane brilharam com triunfo ao descer os degraus. Ao tirar uma adaga diabolicamente afiada do cinto.

— Louise le Blanc, filha e herdeira da Dame des Sorcières, vou honrá-la com a morte desta traidora.

— Não! — O corpo de Lou convulsionava enquanto lutava para mover-se com todo o seu espírito. Lágrimas rolavam pelas bochechas de Madame Labelle.

Furioso, me desvencilhei de Ansel e investi para a frente, mergulhando para os degraus do templo — desesperado para alcançá-las, desesperado para salvar as duas mulheres de que mais necessitava — no instante em que Morgane enterrou a adaga no peito de minha mãe.

O PADRÃO

Reid

— NÃO! — Caí de joelhos diante do corpo dela, arrancando a faca de seu peito, os dedos movendo-se para estancar o sangramento. Mas já sabia que era tarde. *Eu* agira tarde. Havia sangue demais para a ferida ser qualquer coisa senão fatal. Parei os movimentos frenéticos e segurei as mãos dela. Seus olhos nunca deixaram meu rosto. Nos encaramos, famintos — como se, naquele breve momento, milhares de outros pudessem ter se passado.

Ela segurando um dedinho gordo. Cuidando de um joelho arranhado. Rindo quando beijei Célie pela primeira vez, dizendo que não o fizera da maneira correta.

Então, o momento terminou. As cócegas geladas de sua magia deixaram meu rosto. Sua respiração falhou, e os olhos se fecharam.

Uma lâmina tocou minha garganta.

— Levante-se — ordenou Morgane.

Obedeci com uma explosão, capturando seu pulso e o esmagando com facilidade — com prazer selvagem. Ela urrou, deixando cair a adaga, mas não parei. Fui para cima dela. Minha mão livre envolveu seu pescoço — apertando até sentir a traqueia ceder, chutando a arma na direção de Ansel...

A outra mão dela socou meu estômago — me atordoando —, e laços invisíveis espremeram meu corpo, colando meus braços aos flancos.

Minhas pernas ficaram rígidas. Ela golpeou outra vez e caí, me debatendo contra as amarras. Quanto mais me remexia, mais apertadas ficavam, se enterravam em minha pele, arrancando sangue...

— Mãe, para! — Lou convulsionou outra vez, estremecendo com o esforço de querer me alcançar, mas seu corpo permanecia suspenso. — Não o machuque!

Morgane não a ouviu. Parecia estar procurando algo no ar vazio. Seus olhos voaram para o lado quando rastreou o que quer que fosse dentro da multidão. Com um puxão feroz de seu braço, duas pessoas familiares tropeçaram à frente. Meu coração saltou para a boca. Morgane puxou mais forte, e Ansel e Beau tombaram nos degraus do templo, debatendo--se contra suas próprias amarras invisíveis. Seus rostos tinham voltado ao normal.

— Seus cúmplices! — Um brilho fanático tomou os olhos de Morgane, e as bruxas se exaltaram com desejo de sangue, batendo os pés e berrando, enquanto se acotovelavam umas às outras para se aproximarem do templo. Magia passou rente a meu rosto. Ansel gritou quando um feitiço cortou sua bochecha. — Os filhos do rei e caçadores! Serão testemunhas do nosso triunfo! Assistirão enquanto livramos este mundo da Casa de Lyon!

Ela mexeu a mão que não tinha sido ferida, e Lou bateu no altar com uma pancada. As bruxas urravam sua aprovação. Eu me joguei para a frente. Rolei, me arrastei e me retorci na direção de Lou com toda a força que me restava. As amarras se tensionaram.

— A natureza exige equilíbrio! — Morgane se abaixou para recuperar a adaga caída nos degraus. Quando voltou a falar, sua voz tinha se aprofundado, assumindo um timbre sobrenatural, multiplicada, como se milhares de bruxas falassem através dela. — Louise le Blanc, teu sangue é o preço. — Magia inundou o templo, fazendo arder meu nariz e anuviando minha mente. Trinquei os dentes e me forcei a enxergar através dela... através de Morgane.

O corpo de Beau se amoleceu de imediato. Seus olhos ficaram turvos enquanto a pele de Morgane começava a reluzir. Ansel continuou a se debater, mas sua determinação logo fraquejou.

— Deixe que encha o copo de Lyon, pois quem beber dele deverá morrer. — Morgane caminhou devagar até Lou, cabelos ondeando ao redor dela no vento inexistente. — E assim dizia a profecia: o carneiro devorará o leão.

Forçou Lou a se deitar de barriga para baixo. Puxou a trança para trás a fim de estender o pescoço por sobre o reservatório no altar. Os olhos de Lou procuraram os meus.

— Eu amo você — sussurrou ela. Lágrimas não manchavam seu belo rosto. — Sempre me lembrarei de você.

— Lou... — Foi um som desesperado, sufocado. Uma súplica e uma oração. Eu me debati com violência contra as amarras. Uma dor lancinante percorreu meu corpo quando soltei um braço. Lancei-o para a frente, a meros centímetros do altar, mas não foi o suficiente. Assisti, como se estivéssemos em câmera lenta, enquanto Morgane levantava a adaga. Ainda brilhava com o sangue de minha mãe.

Lou fechou os olhos.

Não.

Um urro terrível ressoou, e Coco pulou no pescoço de Morgane. Sua faca se cravou na carne macia entre o pescoço e o ombro da bruxa. Morgane gritou, tentando afastá-la, mas Coco continuou a segurando, enterrando a lâmina ainda mais fundo. Lutou para levar o sangue de Morgane aos lábios. Os olhos da Dame des Sorcières se arregalaram, em pânico, ao se dar conta de quem era Coco.

Um segundo se passou antes de eu perceber que as amarras que me cingiam tinham se desfeito com o ataque. Levantei de um pulo e cobri a distância entre mim e Lou com um único passo.

— Não! — gritou ela quando fiz menção de levantá-la da pedra. — Vá ajudar Coco! *Ajude-a!*

Aconteça o que acontecer, saia de lá com ela.

— Lou... — comecei entredentes, mas um grito agudo silenciou minha argumentação. Girei no instante em que Coco tombou ao chão. Não se levantou.

— Coco! — berrou Lou.

Caos explodiu. As bruxas lançaram-se à frente, mas Ansel se levantou para encará-las — uma figura solitária contra centenas. Para meu desespero, Beau o imitou — mas não brandia uma arma. Em vez disso, tirou o casaco e as botas, sondando a multidão freneticamente. Quando seus olhos pousaram na bruxa roliça do salão, apontou e vociferou:

— LIDDY PEITUDA!

Os olhos da mulher se esbugalharam quando ele chutou a calça para longe e começou a cantar a plenos pulmões:

— "LIDDY PEITUDA NÃO ERA BONITA, MAS SEUS SEIOS ERAM DO TAMANHO DE UM CELEIRO."

As bruxas que estavam mais perto dele — Elinor e Elaina entre elas — pararam na mesma hora. A confusão abrandou sua fúria enquanto Beau tirava a camisa por cima da cabeça e continuava:

— "AS TETAS LEITOSAS DEIXAVAM HOMENS EM POLVOROSA, MAS ELA NÃO TINHA OLHOS PARA NENHUM CAVALHEIRO."

Morgane mostrou os dentes e girou para ele, o sangue fluindo, livre, pelo ombro abaixo. Era toda a distração de que precisava. Antes que pudesse levantar as mãos, eu já estava a seu lado. Pressionei a faca contra seu pescoço.

— Reid! — Foi a voz que menos esperava ouvir, a única voz no mundo inteiro que poderia ter me feito hesitar naquele momento. E eu hesitei.

Era a voz do arcebispo.

Morgane começou a se virar, mas apertei a faca com mais força.

— Tente mexer as mãos. Eu a desafio.

— Devia tê-lo afogado no mar — rosnou ela, mas as mãos não se mexeram.

Devagar, cautelosamente, me virei. A bruxa de pele negra tinha retornado, e um arcebispo incapacitado flutuava à sua frente. Seus olhos estavam vidrados — de pânico e algo mais. Algo urgente.

— Reid. — Ele arfava. — Não dê ouvido a elas. Aconteça o que acontecer, digam o que disserem...

A bruxa rosnou, e suas palavras terminaram em um grito.

Minha mão escorregou, e Morgane chiou quando mais sangue escorreu pelo seu pescoço. A outra mulher se aproximou.

— Solte-a, ou ele morre.

— Manon — suplicou Lou. — Não faça isso. Por favor...

— Quieta, Lou. — Seus olhos brilhavam, obstinados e perturbados, incapazes de qualquer razoabilidade. O arcebispo continuava a gritar. As veias sob sua pele tinham escurecido, bem como as unhas e a língua. Fitei-o com horror.

Não notei que as mãos de Morgane tinham se mexido até senti-la agarrar meus pulsos. Calor incandescente derreteu minha pele, e a faca caiu no chão com um som metálico.

Mais ágil do que eu podia reagir, ela a pegou e mergulhou para Lou.

— NÃO! — O gritou saiu rasgando minha garganta, feroz e desesperado, mas ela já havia levado a lâmina para o alto e cortado, abrindo completamente o pescoço de Lou.

Parei de respirar. Um som estrondoso enchia meus ouvidos, e eu estava caindo — um grande e sombrio abismo se abrindo enquanto Lou lutava para puxar o ar e sufocava, seu sangue jorrando para dentro da bacia. Ela se debatia, enfim livre de qualquer que fosse o encantamento que a atava — ainda lutando, mesmo com dificuldade para respirar —, mas seu corpo logo se aquietou. As pálpebras estremeceram uma vez... e se fecharam.

O chão se abriu sob mim. Gritos e passos ressoavam a distância, mas eu não conseguia realmente ouvi-los. Não conseguia nem enxergar. Só havia escuridão — o espaço vazio e amargo no mundo onde Lou deveria ter estado e agora não estava mais. Encarei-o, desejando que me consumisse.

E consumiu. Despenquei e rolei, rolei, rolei para dentro daquela escuridão com ela, e, no entanto... não estava lá. Ela se fora. Restavam apenas uma casca quebrada e um mar de sangue.

E eu... eu estava só.

Da escuridão, um único cordão dourado se manifestou, cintilante. Flutuou do peito de Lou na direção do arcebispo — pulsante como se ecoasse um coração. A cada pulsação, sua luz diminuía. Fitei-o pela duração de um segundo apenas. Reconheci o que era da mesma maneira como reconhecia o som de minha própria voz, meu reflexo no espelho. Familiar, porém estranho. Esperado, porém estarrecedor. Algo que sempre fora parte de mim, mas nunca de fato tive consciência de sua existência.

Naquela escuridão, algo despertou dentro de mim.

Não hesitei. Não pensei. Movendo-me depressa, deslizei uma segunda faca para fora da bandoleira e passei por Morgane. Ela levantou as mãos — fogo irrompendo das pontas dos dedos —, mas não senti as línguas de fogo. A luz dourada envolvera toda a minha pele, me protegendo. Mas meus pensamentos estavam dispersos. De onde quer que tivesse surgido a força que meu corpo reclamara, minha mente agora a abandonava. Tropecei, mas o cordão de ouro mostrava meu caminho. Corri para o altar atrás dele.

Os olhos do arcebispo se arregalaram quando se deu conta de qual era a minha intenção. Um pequeno ruído de súplica lhe escapou, mas não pôde fazer mais do que isso antes de eu investir contra ele.

Antes de eu enterrar minha faca em seu coração.

Uma vida por uma vida. Um amor por outro amor.

Os olhos do arcebispo permaneceram abertos — confusos —, mesmo quando ele caiu para a frente, nos meus braços.

A luz dourada se dispersou, e o mundo voltou a entrar em foco. Os gritos estavam mais altos agora. Olhei, entorpecido, para o corpo sem vida do arcebispo, mas o berro de fúria de Morgane me fez virar... e ter esperança. Lágrimas de alívio brotaram em meus olhos diante do que vi.

Embora Lou continuasse pálida, ainda imóvel, o corte na garganta começara a se fechar. Seu peito subia e descia.

Estava viva.

Com um grito brutal, Morgane levantou a faca para reabrir a ferida, mas uma flecha cortou o ar e se fincou em seu peito. Ela voltou a urrar, girando, furiosa, mas reconheci a haste de ponta azulada imediatamente.

Chasseurs.

Liderados por Jean Luc, uma onda deles invadiu a clareira. As bruxas berraram em pânico — dispersando-se em todas as direções —, porém mais de meus irmãos aguardavam nas árvores. Não mostraram misericórdia, golpeando mulheres e crianças sem distinção ou hesitação. Corpos em todos os cantos caíam para dentro das brumas e desapareciam. Uma lamúria sobrenatural subiu do chão como se em resposta, e logo Chasseurs também começaram a desaparecer.

A ira distorcia as feições de Jean Luc enquanto preparava outra flecha e corria na direção do templo. Seus olhos já não estavam mais fixos em Morgane, entretanto — estavam fixos em mim. Tarde demais, me dei conta de que minha mão ainda segurava a faca projetando-se para fora do peito do arcebispo. Larguei-a depressa — o corpo caindo com ela —, mas o dano já estava feito.

Jean Luc mirou e atirou.

LA FORÊT DES YEUX

Reid

Peguei Lou e me abaixei atrás do altar. Ansel e Beau cambalearam atrás de mim, abraçando uma Coco quase inconsciente entre eles. Flechas choviam por cima de nossas cabeças. Morgane explodia a maioria delas, transformando-as em cinzas, com um movimento de mão, mas uma cravou-se em sua perna. Ela gritou de fúria.

— Por ali. — Com a voz fraca, Coco apontou para as profundezas do templo. — Existe... outra saída.

Hesitei por um segundo apenas. Outra rajada de flechas distraía Morgane — era agora ou nunca.

— Levem-nas para fora. — Deslizei Lou para os braços de Beau. — Encontro vocês mais tarde.

Antes que ele pudesse protestar, saí do abrigo do altar, mergulhando na direção do corpo de Madame Labelle. Nenhuma flecha tinha perfurado seu corpo ainda, mas nossa sorte não duraria. À medida que se aproximavam, o ataque dos Chasseurs se tornava mortal. Uma flecha passou zunindo por minha orelha. Agarrando o pulso de Madame Labelle, a levantei. Fiz tudo o que pude para proteger seu corpo com o meu.

Fogo e flechas me perseguiam enquanto corria para o templo. Uma dor lancinante explodiu em meu ombro, mas não me atrevi a parar.

O som da batalha morreu quando adentrei o silêncio sobrenatural do interior das ruínas. À minha frente, Ansel, Coco e Beau se dirigiam depressa à saída. Segui atrás deles, tentando ignorar a substância quente e molhada que ensopava meu braço. Os gemidos de dor escapavam baixinhos da garganta de Madame Labelle.

Está viva. Viva.

Não olhei para trás para ver se Morgane ou Jean Luc nos seguiam. Em vez disso, me foquei no pequeno retângulo de luar ao fim do templo, nos cabelos ondeantes de Coco ao passar por ele.

Coco.

Coco poderia curá-la.

Alcancei-os quando entraram nas sombras da floresta. Não diminuíram o passo. Com uma guinada para a frente, segurei o braço de Coco. A luz em seus olhos estava fraca, opaca, ao virar-se para mim. Estendi o corpo quebrantado de Madame Labelle para ela.

— Ajude-a. Por favor. — Minha voz tremia, meus olhos ardiam, mas não me importava. Pressionei minha mãe contra os braços dela. — Por favor.

Ansel olhou para trás de nós, ofegante.

— Reid, não há tempo...

— Por favor. — Meu olhar não se desviou do rosto dela. — Ela está morrendo.

Coco piscou devagar.

— Vou tentar.

— Coco, você está fraca demais! — Beau ajeitou Lou em seus braços, com o rosto vermelho, arfando. — Mal consegue se manter de pé!

Ela respondeu levando o pulso à boca e rasgando a pele fina ali. O mesmo cheiro acre queimou o ar quando Coco se afastou. Sangue cobria seus lábios.

— Isto vai apenas nos dar um pouco de tempo até chegarmos ao acampamento. — Levantou o pulso no nível do peito de Madame Labelle. Observamos, hipnotizados, seu sangue gotejar, chiando e virando fumaça ao tocar a pele da cortesã.

Beau assistiu, incrédulo, à ferida fechar-se outra vez.

— Como...?

— Agora não. — Coco flexionou o pulso e balançou a cabeça, os olhos se aguçando, quando o grito de um homem ressoou para além do templo. As bruxas deviam ter reorganizado suas forças, recuperadas do pânico inicial. Embora eu já não pudesse enxergar a clareira, conseguia imaginá-las usando a única arma que tinham a seu dispor: os consortes. Escudos humanos contra as Balisardas de meus irmãos.

Coco olhou para o corpo pálido de Madame Labelle.

— Precisamos chegar ao acampamento depressa ou ela morrerá.

Não foi preciso falar duas vezes. Baixando as cabeças, corremos pela floresta e para dentro da noite.

Sombras ainda acobertavam os pinheiros quando chegamos ao acampamento abandonado. Embora minha mãe estivesse ficando cada vez mais pálida, seu peito ainda subia e descia. O coração ainda batia.

Coco vasculhou a bolsa e tirou de seu interior um frasco de líquido âmbar viscoso.

— Mel — explicou diante de meu olhar ansioso. — Sangue e mel.

Pousando Madame Labelle no chão da floresta, assisti com fascínio mórbido a Coco reabrir o pulso e misturar seu sangue ao mel. Ela o aplicou com cuidado no rasgo no peito de Madame Labelle. Quase instantaneamente, sua respiração ficou mais profunda. A cor retornou às bochechas. Caí de joelhos, sem querer desviar os olhos nem por um segundo.

— Como?

Coco se sentou, fechando os olhos e massageando as têmporas.

— Já disse. Minha magia vem de dentro. Não... não é como a da Lou.

Lou.

Fiquei de pé num pulo.

— Ela está bem. — Ansel aninhava a cabeça de minha esposa em seu colo do outro lado do acampamento. Não demorei a me aproximar, examinando seu rosto pálido. A garganta dilacerada. As bochechas descarnadas. — Ainda está respirando Os batimentos cardíacos estão fortes.

Virei para Coco, apesar das afirmações tranquilizadoras de Ansel.

— Pode curá-la também?

— Não. — Ela se levantou de repente, como se tivesse se dado conta de algo, tirando um punhado de ervas e um pilão da bolsa. Começou a triturar as folhas até virarem pó. — Você já a curou.

— Então por que não acorda? — perguntei com rispidez.

— Dê um pouco de tempo a ela. Vai acordar quando estiver pronta. — Com a respiração ofegante, forçada e irregular, deixou o sangue de seu pulso cair em gotas no pó antes de passar os dedos na mistura. Depois engatinhou até o lado de Lou. — Dê espaço. Ela precisa de proteção. Todos precisamos.

Fitei a mistura com repulsa, me colocando entre as duas. Fedia terrivelmente.

— Não.

Com um ruído de impaciência, ela me empurrou para o lado e passou um polegar ensanguentado pela testa da amiga. Depois na de Madame Labelle. E Beau. E Ansel. Encarei todos eles, afastando a mão dela quando se levantou diante de meu rosto.

— Não seja idiota, Reid. É sálvia — explicou com impaciência. — É o melhor que posso fazer contra Morgane.

— Vou arriscar ficar sem.

— Não, não vai. Você será o primeiro alvo de Morgane quando ela não conseguir encontrar Lou... *se* não conseguir encontrar Lou. — Seus olhos voaram para a forma inerte da amiga, e ela pareceu titubear. Beau e Ansel estenderam as mãos ao mesmo tempo para equilibrá-la. — Não sei se sou forte o suficiente para nos resguardar dela.

— Qualquer coisa ajuda — murmurou Beau.

Palavras vazias. Ele sabia tanto de magia quanto eu, ou seja, nada. Tinha começado a abrir a boca para dizer exatamente isso quando Ansel soltou um suspiro pesado, tocando meu ombro. Suplicando.

— Faça pela Lou, Reid.

Não me movi quando Coco pintou minha testa com seu sangue.

Todos concordamos em deixar o acampamento o mais rápido possível, mas o caminho pela montanha se provou tão perigoso quanto o Château. Bruxas e Chasseurs seguiam pela floresta com intenção predatória. Mais de uma vez, tínhamos sido forçados a escalar árvores para evitar que fôssemos detectados, sem ter certeza de que a proteção de Coco seria suficiente. Palmas suadas. Braços e pernas trêmulos.

— Se deixá-la cair, mato você — sibilara ela, fitando a forma inconsciente de Lou em meus braços. Como se eu fosse permitir que isso acontecesse. Jamais abriria mão dela outra vez.

Durante todo o percurso, Morgane não se revelou.

Sentíamos sua presença pairando no ar acima de nós, mas ninguém se atrevia a mencioná-la — como se expressar nosso temor fosse fazê-la se materializar bem na nossa frente. Tampouco falamos do que eu tinha feito no templo. Mas a lembrança me atormentava como uma praga. A sensação nauseante de minha faca se fincando na carne do arcebispo. O pouco de força extra que precisara fazer para forçar a lâmina a se alojar entre os ossos e o coração logo abaixo deles.

Os olhos do arcebispo — arregalados e confusos — diante da traição de quem considerava um filho.

Eu queimaria no inferno pelo que fiz. Se é que um lugar assim de fato existia.

Madame Labelle acordou primeiro.

— Água — pediu, rouca. Ansel se apressou, desajeitado, a pegar o cantil enquanto eu corria para o lado dela.

Não falei enquanto bebia. Simplesmente a observei. Examinei. Tentei acalmar as batidas frenéticas de meu coração. Como Lou, sua aparência permanecia pálida e doente, e hematomas esmaecidos faziam sombras sob os familiares olhos azuis.

Quando finalmente deixou o cantil cair, aqueles olhos procuraram os meus.

— O que aconteceu?

Suspirei.

— Saímos de lá.

— Sim, evidentemente — respondeu ela com mordacidade surpreendente. — Estou perguntando *como?*

— Nós... — Olhei para os outros. Quanto da história já tinham adivinhado? Quanto dos acontecimentos tinham visto? Sabiam que eu tinha matado o arcebispo e sabiam que Lou estava viva, mas teriam conectado os dois fatos?

Um olhar na direção de Coco me deu a resposta. Ela suspirou fundo e deu um passo à frente, abrindo os braços para Lou.

— Deixe eu ficar com ela um pouco. — Hesitei, e seus olhos se endureceram. — Fique com sua mãe, Reid. Vão dar um passeio. Conte-lhe tudo... ou conto eu.

Olhei de rosto em rosto, mas ninguém parecia surpreso com suas palavras. Ansel se recusava a me encarar. Quando Beau gesticulou, com a cabeça para o lado, dizendo apenas com os lábios *anda logo com isso*, senti meu coração afundar.

— Está bem. — Coloquei Lou nos braços estendidos da bruxa. — Não iremos longe.

Carregando Madame Labelle para um lugar afastado o bastante para ninguém mais poder nos escutar, a pousei no ponto mais macio que pude encontrar no chão e depois me sentei de frente para ela.

— Então? — Ela alisou as saias, impaciente. Fiz uma carranca. Aparentemente, quase morrer deixava minha mãe irritada. Não me incomodou, na verdade. Sua irritação me dava algo em que focar que não fosse meu próprio desconforto crescente. Muitas coisas não ditas tinham se passado entre nós naquele momento em que ela estivera à beira da morte.

Culpa. Raiva. Anseio. Arrependimento.

Não, irritação era muito mais fácil de enfrentar do que tudo *aquilo*.

Narrei o que havia acontecido no templo em tom monocórdio e contrariado, deixando meu próprio papel em nossa fuga vago. Mas Madame Labelle era uma mulher inconvenientemente astuta. Farejou minha omissão como se fosse uma raposa.

— Tem algo que não está me contando. — Debruçou-se para a frente a fim de me examinar, os lábios retorcidos. — O que você fez?

— Não *fiz* nada.

— Não fez? — Arqueou uma sobrancelha e se inclinou para trás, recostando-se no apoio das mãos. — Então, de acordo com a sua história, você matou seu superior, um homem a quem amava, por nenhuma razão aparente?

Amava. Um nó se formou em minha garganta ao ouvi-la falar no passado. Engoli-o com uma tosse forçada.

— Ele nos traiu...

— E, depois, sua esposa reviveu... também por nenhuma razão aparente?

— Ela nunca chegou a morrer de verdade.

— E como você sabe disso?

— Porque... — Parei abruptamente, me dando conta tarde demais de que não tinha explicações para o fio de vida conectando Lou ao arcebispo. Não sem me revelar. Os olhos de minha mãe se estreitaram diante da hesitação, e suspirei. — Eu... vi, de alguma forma.

— Como?

Encarei minhas botas. Meus ombros doíam por conta de toda a tensão.

— Um cordão. Ele... ele estava conectado aos dois. Pulsava no ritmo do coração dela.

Ela se sentou empertigada de repente, fazendo uma careta por conta do movimento brusco.

— Você viu um padrão.

Não respondi.

— Você viu um padrão — repetiu, quase como se para si mesma — e o reconheceu. Você... o *usou*. Como? — Curvou-se para a frente outra vez, segurando meu braço com força surpreendente apesar das mãos trêmulas. — De onde surgiu? Precisa me contar tudo que lembrar.

Alarmado, envolvi seus ombros com um braço.

— Você precisa descansar. Podemos falar sobre isso mais tarde.

— *Conte-me.* — Suas unhas se fincaram em meu antebraço.

Eu a encarei. Ela retribuiu meu olhar. Enfim entendendo que não cederia, soltei um fôlego exasperado.

— Não me lembro. Aconteceu rápido demais. Morgane cortou a garganta de Lou e achei que estivesse morta, e... e, depois disso, só havia escuridão, que me engoliu. Eu não conseguia pensar com muita nitidez. Só... só reagi. — Fiz uma pausa, engolindo em seco. — Foi de lá que o cordão saiu... da escuridão.

Olhei para minhas mãos e relembrei aquele lugar desalentador. Estivera sozinho lá — verdadeira e absolutamente só. O vazio me fazia lembrar o que imaginava que seria o Inferno. Meus punhos se cerraram. Embora já tivesse lavado o sangue do arcebispo da pele, algumas manchas permaneciam sob a superfície.

— Incrível. — Madame Labelle liberou meu braço e se recostou. — Não achei que seria possível, mas... não há outra explicação. O cordão... o equilíbrio que negociou... tudo se encaixa. E você não apenas *viu* o padrão, também foi capaz de *manipulá-lo*. É algo inédito... É... é incrível. — Olhou para mim com assombro. — Reid, você possui magia.

Abri a boca para negar, mas voltei a fechá-la quase que de imediato. Não deveria ser possível. Lou *me dissera* que não era possível. E, no entanto, ali estava eu. Maculado. Manchado pela magia e morte que invariavelmente se seguia.

Nós nos encaramos por alguns segundos tensos.

— Como? — Minha voz soou mais desesperada do que eu gostaria, mas precisava daquela resposta mais do que do meu orgulho. — Como isso pode ter acontecido?

O assombro nos olhos dela se apagou.

— Não sei. Parece que a morte iminente de Lou foi o estopim, de alguma forma. — Tomou minha mão na dela. — Sei que é difícil para você, mas isto muda tudo, Reid. Você é o primeiro, mas e se houver outros por aí? E se estivéssemos erradas a respeito de nossos filhos?

— Mas bruxos não existem. — As palavras soaram vazias, não convincentes, mesmo a meus próprios ouvidos.

Um sorriso triste tocou os lábios dela.

— No entanto, aí está você.

Desviei os olhos, incapaz de suportar ver a pena em seus olhos. Eu me sentia enjoado. Mais do que isso — me sentia *injustiçado*. Passara a vida inteira abominando bruxas. As caçando. Matando. E, agora — em uma reviravolta do destino —, de repente *era* um.

O primeiro bruxo.

Se Deus existia, ele ou ela tinha um senso de humor de merda.

— Ela se deu conta? — A voz de Madame Labelle ficou baixa. — Morgane?

— Não faço ideia. — Fechei os olhos, mas me arrependi no mesmo instante. Rostos demais se insurgiram para me encontrar. Um em especial. Olhos arregalados. Amedrontados. Confusos. — Os Chasseurs me viram matar o arcebispo.

— Sim, isso é potencialmente problemático.

Minhas pálpebras se abriram e a dor me percorreu. Rascante e afiada. À flor da pele.

— Potencialmente problemático? Jean Luc tentou me *matar*.

— E vai continuar tentando, não tenho dúvidas, assim como as bruxas farão. Muitos morreram esta noite em uma busca tola por vingança. Ninguém se esquecerá da sua parte nisso... Morgane, em especial. — Suspirou e apertou minha mão. — Também temos a questão do seu pai.

Meu coração afundou ainda mais, se é que isso era possível.

— O que tem ele?

— Logo ficará sabendo do que se passou no templo. Ficará sabendo do seu nome... e o de Lou.

— Nada disso é culpa de Lou...

— Não importa de quem é a culpa. O sangue da sua esposa tem o poder de apagar a linhagem inteira dos Lyon. Acha mesmo que qualquer pessoa, ainda mais um *rei*, permitiria que um risco assim não fosse contido?

— Mas ela é inocente. — Minha pulsação acelerou, ribombando em meus ouvidos. — Não pode aprisioná-la pelos crimes de Morgane...

— Quem falou em aprisionar? — Ela arqueou as sobrancelhas e me deu tapinhas na bochecha novamente. Desta vez, não me afastei. — Ele vai querer vê-la morta, Reid. Queimada, para ser mais específica, de modo que nem uma gota de seu sangue possa ser usada para o objetivo hediondo de Morgane.

A fitei por um longo instante, convencido de que não tinha ouvido bem. Convencido de que ela começaria a rir a qualquer momento, ou que um *feu follet* surgiria diante de mim num lampejo e me transportaria de volta à realidade. Mas... não. Aquela *era* minha nova realidade. Raiva explodiu dentro de mim, queimando o que restava de meus escrúpulos.

— Por que *porra* todos neste reino querem assassinar a minha esposa?

Uma risada borbulhante escapou dos lábios de Madame Labelle, mas não achei graça nenhuma.

— O que faremos? Aonde *iremos?*

— Virão comigo, claro. — Coco saiu de trás de um grande pinheiro, sorrindo com deleite descarado. — Perdão, acabei ouvindo tudo, mas achei que não ia se importar, considerando que... — Apontou com a cabeça para Lou em seus braços.

Lou.

Qualquer rastro de fúria — qualquer dúvida, pergunta e *pensamento* — se esvaiu de minha mente quando seus olhos azul-esverdeados encontraram os meus.

Estava desperta. Desperta e me encarando como se nunca tivesse me visto antes. Dei um passo à frente, em pânico, orando para que sua mente não tivesse sido afetada. Para que ainda se lembrasse de mim. Que Deus não estivesse me pregando mais uma peça cruel e doentia...

— Reid — começou ela, lenta, incredulamente —, você acabou de *xingar?*

Depois se debruçou por cima do braço de Coco e vomitou bile por todo o chão da floresta.

LA VOISIN

Lou

— Estou bem, juro — repeti as palavras pela centésima vez, mas não tinha certeza se era mesmo verdade.

Até onde sabia, o interior de minha garganta estava colado apenas por uma cicatriz monstruosamente desfigurada, meu estômago se revirava por conta da droga abominável de minha mãe, minhas pernas estavam adormecidas pelo desuso, e minha mente continuava às voltas tentando processar o que acabara de entreouvir.

Reid estava ali.

E era um bruxo.

E... e acabara de falar *porra*.

Talvez eu tivesse mesmo morrido, no fim das contas. Era sem dúvidas mais plausível do que Reid xingando com tal proficiência deliciosa.

— Tem certeza de que está bem mesmo? — insistiu ele.

Tinha ignorado completamente a bile sujando o chão em sua pressa para me alcançar. Fofo! E Coco — talvez sentindo que Reid era um homem à beira de um colapso nervoso — me entregara a ele com alguma boa vontade. Tentei não me ressentir deles por estarem me tratando como um saco de batatas. Sabia que suas intenções eram boas, mas, por favor, era perfeitamente capaz de me mover sozinha.

Mas também era verdade que minha cabeça *estava* girando graças à proximidade repentina de Reid, de modo que talvez não fosse má ideia que me carregasse, afinal. Abracei seu pescoço com mais firmeza e inspirei fundo seu cheiro.

Não. Não era mesmo uma má ideia.

— Tenho.

Reid soltou um suspiro aliviado antes de fechar os olhos e deixar a testa repousar contra a minha.

Madame Labelle lançou um sorriso a Coco que continha uma mensagem implícita.

— Querida, acho que gostaria de esticar as pernas um pouquinho. Importa-se de me acompanhar?

Coco concordou, ajudando a mulher a se levantar. Embora Coco carregasse boa parte do peso, ela ainda empalideceu por conta do esforço do movimento. Os olhos de Reid se abriram depressa, e deu um passo à frente, preocupado.

— Não acho que seja bom você começar a andar agora.

Madame Labelle o silenciou com um olhar feio. Impressionada, memorizei a expressão para usá-la mais tarde.

— Tolice. Meu corpo precisa se lembrar de como é ser um corpo.

— Muito verdade — resmunguei.

Reid fez uma carranca para mim.

— Quer sair para andar também?

— Eu... Não. Estou muito bem aqui, obrigada.

— Conversamos mais tarde. — Coco revirou os olhos, mas seu sorriso só se alargou. — Me façam um favor e vão para mais longe desta vez. Não tenho nenhuma vontade de ouvir essa conversa em especial.

Minhas sobrancelhas dançaram, malandras.

— Ou a falta de conversa.

Madame Labelle franziu o rosto com nojo.

— E *essa* é a minha deixa. Cosette, vamos, por favor, e depressa.

Meu sorriso se desfez quando saíram de vista, aos trancos. Era a primeira vez que Reid e eu ficávamos a sós desde... bem, desde tudo acontecer. Ele também pareceu sentir a mudança repentina no ar entre nós. Todos os músculos em seu corpo ficaram tensos, rijos. Como se estivessem se preparando para fugir — ou lutar.

Mas era uma ideia ridícula. Não queria brigar. Depois de tudo por que passara, tudo por que *nós* passáramos, tinha lutado o suficiente por uma vida inteira. Levantei as sobrancelhas e depois a mão para tocar sua bochecha.

— Uma *couronne* pelos seus pensamentos?

Ansiosos, seus olhos azuis da cor do oceano sondaram os meus, mas não disse nada.

Infelizmente, ao menos para Reid, nunca fui de aguentar o silêncio sem reclamar. Fiz uma cara feia e abaixei a mão.

— Sei que é difícil para você, Reid, mas *tente* não tornar isto ainda mais constrangedor do que é necessário.

Funcionou. Seus olhos recuperaram a vida.

— Por que não está com raiva de mim?

Ah, Reid. O desprezo transparecia com nitidez em seus olhos... mas não era por mim, como eu temera. Mas por si próprio. Descansei o rosto contra seu peito.

— Você não fez nada de errado.

Ele balançou a cabeça, os braços me apertando.

— Como pode dizer isso? Eu... eu a deixei cair nesta armadilha. — Seus olhos percorreram os arredores com expressão sofrida, depois pousaram em meu pescoço. Engoliu em seco e voltou a balançar a cabeça com repulsa. — Prometi protegê-la, mas a abandonei na primeira oportunidade.

— Reid. — Quando se recusou a me encarar, tomei seu rosto em minhas mãos outra vez. — Eu sabia quem você era. Sabia no que acreditava... E me apaixonei por você mesmo assim.

Ele fechou os olhos, ainda balançando a cabeça, e uma lágrima solitária rolou por sua bochecha. Meu coração ficou apertado.

— Nunca o culpei por isso. Não de verdade. Reid, me escuta. Escuta. — Ele abriu os olhos com relutância, e o forcei a me encarar, desesperada para que entendesse. — Quando era criança, via o mundo preto no branco. Caçadores eram nossos inimigos. Bruxas, amigas. Nós éramos boas, eles, maus. Não havia meio-termo. E então minha mãe tentou me matar, e, de repente, aquele mundo transparente, sem nuances, se estilhaçou em mil pedacinhos. — Sequei a lágrima de seu rosto. — Você pode imaginar meu desespero quando um Chasseur especialmente alto e de cabelos cor de cobre chegou e esmagou o que restava daqueles pedacinhos, até virarem pó.

Ele afundou no chão, me levando consigo. Mas eu não tinha terminado ainda. Ele arriscara tudo por mim, vindo ao Château. Abandonara sua vida — suas crenças — quando me escolheu. Eu não o merecia. Mas, ainda assim, agradecia a Deus por isso.

— Depois que caí com você para dentro daquele palco — sussurrei —, eu disse que devia esperar que me comportasse como uma criminosa. Não contei que era uma bruxa porque estava seguindo o meu próprio conselho. Eu esperava que você se comportasse como um Chasseur... mas não se comportou. Não me matou. Só me deixou partir. — Comecei a tirar minha mão de seu rosto, mas ele a segurou, a mantendo lá.

Sua voz estava pesada de emoção.

— Devia ter ido atrás de você.

Levei a outra mão a sua face e me inclinei para perto. — Eu não devia ter mentido.

Tomou um fôlego trêmulo.

— Eu... eu disse coisas terríveis.

— Sim. — Franzi a testa de leve, me recordando. — Disse, sim.

— Não era nada verdade... exceto uma coisa. — Suas mãos recobriam as minhas, e seus olhos fitavam dentro dos meus como se quisesse ver dentro de minha alma. Talvez conseguisse. — Eu amo você, Lou. — Os olhos ficaram marejados com lágrimas frescas. — Eu... nunca vi ninguém saborear *nada* da maneira como você faz com *tudo*. Você me faz sentir vivo. Só de estar na sua presença... é viciante. *Você* é viciante. Não importa que seja bruxa. A maneira como enxerga o mundo... quero enxergá-lo assim também. Quero estar com você sempre, Lou. Nunca mais quero me separar de você.

Não pude conter as lágrimas que escorriam por minhas bochechas.

— Aonde quer que tu fores irei eu.

Com lentidão deliberada, pressionei os lábios nos dele.

Consegui caminhar de volta para o acampamento sozinha, mas meu corpo se cansou depressa.

Quando enfim chegamos, os outros preparavam o jantar. Coco cuidava de uma fogueira pequena, e madame Labelle dispersava a fumaça no ar com os dedos. Duas lebres gordas assavam no espeto. Meu estômago se contraiu, e levei um punho à boca antes que voltasse a vomitar.

Ansel nos avistou primeiro. Um sorriso largo se abriu em seu rosto, e deixou cair a panela que segurava para correr até nós, me envolvendo como podia em um abraço feroz. Reid me liberou com relutância, e retribuí o abraço de Ansel com fervor equivalente.

— Obrigada — sussurrei em seu ouvido. — Por tudo.

Estava corado quando se afastou, mas manteve um braço firme ao redor de minha cintura ainda assim. Reid parecia estar se esforçando muito para não sorrir.

Beau estava encostado contra uma árvore, os braços cruzados.

— Sabe, não era bem isto que tinha em mente quando disse que eu e você poderíamos nos divertir juntos, Madame Diggory.

Arqueei uma sobrancelha, recordando seu peito nu se requebrando sob o luar.

— Ah, não sei. Achei que partes da noite foram bem divertidas.

Ele sorriu.

— Gostou do espetáculo, então?

— Muito. Parece que frequentamos os mesmos bares na cidade.

Os dedos de Madame Labelle ainda se moviam, preguiçosos, pelo ar. Um filete diminuto de magia fluía deles enquanto a fumaça se dissipava.

— Detesto interromper, mas as nossas lebres estão queimando.

O sorriso de Beau desapareceu, e ele deu um salto para retirar os animais já escurecidos do espeto, grunhindo com amargura.

— Levei *séculos* para conseguir capturar estas duas.

Coco revirou os olhos.

— Quer dizer para observar enquanto *eu* capturava as duas.

— Como é? — Ele ergueu a lebre menor no ar com indignação. — Fui eu quem acertou esta aqui, muito obrigado!

— Sim, verdade... na perna. Tive que procurar a pobre criatura e acabar com o sofrimento dela.

Quando Beau abriu a boca para responder, os olhos inflamados, me virei para Reid:

— Perdi alguma coisa?

— Estão nessa desde que saímos da cidade — disse Ansel. A satisfação em sua voz e o sorrisinho torto no rosto não passaram despercebidos por mim.

— O príncipe teve um pouco de dificuldade para se ajustar à natureza selvagem — explicou Reid, baixinho. — Coco ficou... menos impressionada.

Não pude deixar de rir. Quando a discussão só ficou mais acalorada, porém, e sem sinal de que qualquer uma das partes cederia em breve, abanei a mão para chamar sua atenção.

— Com licença — exclamei, alto. Os dois viraram-se para mim. — Por mais engraçado que seja tudo isto, temos questões mais importantes a discutir.

— Como por exemplo? — perguntou Beau, ríspido.

Cretino. Quase sorri, mas, diante da ferocidade da carranca de Coco, me segurei no último segundo.

— Não podemos nos esconder na floresta para sempre. Morgane conhece os rostos de todos vocês agora, e vai fazer questão de matá-los por terem me ajudado a fugir.

Beau bufou.

— Meu pai vai querer a cabeça dela num espeto quando ficar sabendo do que ela planeja.

— E a minha também — lembrei, contundente.

— Provavelmente.

Com certeza, um cretino.

Madame Labelle suspirou.

— Auguste vem tentando capturar Morgane há décadas sem sucesso, da mesma forma como seus ancestrais tentaram e falharam em capturar uma única Dame des Sorcières em sua longa e tenebrosa história. É extremamente improvável que ele seja bem-sucedido agora. Ela continuará sendo uma ameaça a todos nós.

— Mas agora os Chasseurs conhecem a localização do Château — argumentou Reid.

— Ainda não são capazes de entrar sem a ajuda de uma bruxa.

— Mas já entraram uma vez.

— Ah... sim. — Madame Labelle limpou a garganta com delicadeza e desviou os olhos, alisando as saias amassadas e manchadas de sangue. — Isso porque os guiei até lá dentro.

— Você *o quê?* — Reid se enrijeceu a meu lado, e aquele típico rubor subiu pelo seu pescoço. — Você... você se encontrou com Jean Luc? Você perdeu a razão? Como? Quando?

— Depois de mandar vocês embora com aquelas trigêmeas tagarelas. — Ela deu de ombros, curvando-se para passar as unhas no tronco escurecido a seus pés. Quando se moveu, piscando os luminosos olhos amarelos, meu coração quase pulou para a boca. Não era tronco. Não era sequer um gato. Era... era um...

— O *matagot* entregou uma mensagem a seus companheiros logo depois da nossa divergência. Jean Luc não ficou nada feliz em ter um demônio desfilando por sua mente, mas nem ele podia ignorar a oportunidade que estava lhe entregando de bandeja. Nos encontramos na praia perto do Château, e eu os guiei pelo encantamento adentro. Era para terem esperado meu sinal. Quando não reapareci, Jean Luc tomou as rédeas da situação. — Ela tocou o corpete encrustado de sangue como se estivesse lembrando a sensação da adaga de Morgane afundando em seu peito. Minha garganta pulsou em comiseração. — E graças à Deusa ele fez isso.

— Sim — concordei depressa, antes que Reid pudesse interromper. O rubor tinha se espalhado do pescoço até as pontinhas das orelhas durante a explicação de Labelle, e parecia que ele estava prestes a descarrilar aquela conversa estrangulando alguém. — Mas nossa situação está pior agora do que antes.

— Por quê? — A testa de Ansel se franziu. — Os Chasseurs mataram dúzias de bruxas. Sem dúvidas Morgane está mais fraca agora, ao menos?

— Talvez — murmurou a cortesã —, mas um animal ferido é uma criatura perigosa.

Quando Ansel fez uma expressão confusa, apertei sua cintura.

— Tudo o que aconteceu... tudo o que fizemos... Só vai torná-la ainda mais brutal. A mesma coisa com as outras bruxas. Esta guerra está longe de terminar.

Um silêncio agourento caiu sobre nós enquanto eles processavam minhas palavras.

— Certo — disse Coco, levantando o queixo. — Só existe uma solução. Vocês voltam comigo para o meu coven. Morgane não será capaz de tocá-los lá.

— Coco... — Encontrei seus olhos com relutância. Ela trincou o maxilar e pôs a mão no quadril em resposta. — A chance de nos matarem é tão grande quanto a de nos ajudarem.

— Não vão matá-los. Vocês estarão sob a minha proteção. A minha gente não vai ousar colocar um dedo em vocês.

Houve outra pausa enquanto nos encarávamos.

— Você não tem muita opção, Louise, querida — lembrou Madame Labelle, enfim. — Mesmo Morgane não é insensata o bastante para atacá-la no coração de um coven de sangue, e Auguste e os Chasseurs jamais a encontrarão lá.

— Você não virá conosco? — indagou Reid, franzindo o cenho. De tão vermelha, sua nuca quase se confundia com os cabelos ruivos, e os punhos permaneciam cerrados. Tensos. Fiz a mão se abrir com uma carícia gentil de meus dedos, depois os entrelacei nos dele. Reid inspirou fundo e relaxou um pouco.

— Não. — Madame Labelle engoliu em seco, e o *matagot* roçou a cabeça contra seu joelho em um gesto alarmantemente domesticado. — Embora tenham se passado anos desde que o vi, acho... acho que é hora de ter uma conversa com Auguste.

Beau fechou a cara.

— Você teria que ser uma completa idiota para revelar a ele que é uma bruxa.

Reid e eu o encaramos, mas Labelle apenas levantou um ombro num gesto de indiferença elegante, inabalável.

— Ora, que bom, então, que não sou uma completa idiota. Você virá comigo, é lógico. Não posso mais simplesmente ir entrando no castelo assim. Juntos, pode ser que sejamos capazes de dissuadir Auguste de qualquer que seja o plano incauto que com certeza está tramando.

— O que a faz pensar que *você* seria capaz de dissuadi-lo de qualquer coisa?

— Ele me amou um dia.

— Sim. Tenho certeza de que minha mãe ficará felicíssima em saber disso.

— Desculpe, mas ainda não consegui entender. — Ansel balançou a cabeça, confuso, e olhou para Coco. — Por que acha que estaríamos seguros com o seu coven? Se Morgane é mesmo tão perigosa como todos dizem... vão mesmo conseguir nos proteger?

Coco deixou escapar uma gargalhada curta.

— Você não sabe quem é minha tia, sabe?

A testa do jovem se franziu.

— Não.

— Então me permita elucidar. — Seu sorriso se alargou e, na claridade agonizante do fim de tarde, seus olhos pareciam brilhar, vermelhos. — Minha tia é a bruxa La Voisin.

Reid soltou um grunhido alto.

— Merda.

AGRADECIMENTOS

Esta história passou por muitas mãos antes de ser publicada, o que significa que tenho muitas pessoas a agradecer por terem me ajudado a torná-la algo especial.

Ao meu marido, RJ — literalmente não teria conseguido escrever *Pássaro e serpente* sem você. Obrigada por sua paciência durante esta jornada — por todas as noites que escovou os dentes dos meninos e os colocou na cama enquanto eu escrevia, e por todos os fins de semana que foi com eles para o porão enquanto eu dava cabeçadas no laptop. Por todos os pratos e roupas lavados enquanto eu revisava e por todas as idas emergenciais ao supermercado quando meus energéticos acabavam. Você nunca terá ideia do quanto seu apoio significa para mim. Eu amo você. (P.S. você está com meu livro em mãos neste exato segundo, o que quer dizer que... É OFICIALMENTE HORA DE LER.)

Aos meus filhos, Beau, James e Rose — se eu sou capaz, vocês também são. Sigam seus sonhos.

Aos meus pais, Zane e Kelly, vocês estimularam meu amor pela leitura, e, mais importante, estimularam meu amor por mim mesma. Sem seus elogios — e sua total confiança nas minhas capacidades —, nunca teria tido a coragem de correr atrás de uma publicação. Não tenho palavras para expressar minha gratidão por seu amor e apoio incondicionais.

Aos meus irmãos, Jacob, Justin, Brooke, Chelsy e Lewie — seria difícil levar a sério uma menininha de oito anos escrevendo poesias a respeito de Peter Pan, mas vocês sempre levaram. Nunca riram dos meus sonhos de escritora. O entusiasmo de vocês é tudo para mim.

Aos meus sogros, Dave e Pattie — obrigada por todos aqueles dias que se ofereceram para cuidar das crianças. Amamos vocês.

Aos meus eternos amigos Jordan, Spencer, Meghan, Aaron, Adrianne, Chelsea, Riley, Courtney, Austin e Jon — obrigada por celebrarem minha esquisitice e por estarem sempre lá apesar dela. A vida é dura — e publicar ainda mais —, mas sei que sempre me apoiarão. Nos vemos no celeiro de festas!

Às minhas primeiras críticas, Katie e Carolyn — como as primeiras pessoas a acreditarem na minha história, vocês duas terão sempre um lugar especial em meu coração. Obrigada por todo o incentivo e pelas críticas — bem como por me ajudarem a superar meus bloqueios, a desemaranhar subenredos complicados e por me lembrarem que essas personagens são especiais. Por sua causa, terminei meu primeiro rascunho. *Pássaro e serpente* não estaria aqui hoje sem vocês.

Aos meus primeiros leitores beta, Mystique_ballerina, Somethings-Here, fashionablady, BadlandsQueenHalsey, drowsypug, Dj-westwood, Arzoelyn, Mishi_And_Books, reaweiger, lcholland-82700, laia233, saturday—, JuliaBattles e BluBByGrl — obrigada por todas as visualizações, comentários e mensagens. Sou grata por cada um deles.

A Brenda Drake, Heather Cashman e toda a equipe de Pitch Wars — seu incrível programa de tutoria deu o primeiro impulso em minha carreira de escritora. Obrigada.

À minha mentora de Pitch Wars, Jamie Howard — sem sua visão, este livro teria sido uma história muito diferente —, e não no bom sentido. Obrigada por ter acreditado em mim e em minha trama, e obrigada por todo o tempo e energia que nos devotou.

Às minhas críticas e irmãs, Abby e Jordan — adoro vocês. Entraram em minha vida em um momento crucial e, embora tenhamos começado como parceiras de críticas, somos muito mais do que isso agora. Considero vocês minhas irmãs. Obrigada por caminharem a meu lado nesta jornada louca, segurando minha mão quando acometida por incertezas, e por me encorajarem a continuar em frente quando teria sido tão mais fácil capitular. Escrever pode ser uma carreira incrivelmente isolada, mas vocês me fizeram me sentir menos sozinha.

Aos meus amigos escritores Lindsay Bilgram, Madeline Johnston, Destiny Murtaugh, Abigail Carson, Kate Weiler, Jessica Bibi Cooper, Hannah Whitten, Layne Fargo, Allison L. Bitz, Laura Taylor Namey, Monica Borg, E. K. Thiede, Kimberly Vale, Elora Cook, Christina Wise, Isabel Cañas, Kylie Schachte, Luke Hupton, Rachel Simon e Lily Grant — obrigada por serem uma comunidade on-line tão acolhedora. Vocês são todos *maravilhosos*, e sou tão grata por ter topado com vocês no momento certo.

À minha francófila, Catherine Bakewell — seu conhecimento da língua e da cultura francesas enriqueceu esta história, especialmente com aqueles xingamentos! Lou e eu temos uma dívida eterna com o seu linguajar vulgar.

À minha incrível agente, Sarah Landis — soube depois de três segundos no primeiro telefonema com você que tinha encontrado a agente certa para mim. Seu entusiasmo é contagiante e, mais importante, você tem o dom de me deixar à vontade — um feito difícil para uma pessoa sempre preocupada como eu! Sua transparência e seu calor foram inestimáveis enquanto eu navegava as águas da indústria editorial. Obrigada por estar sempre do meu lado.

À minha família de agentes, Erin A. Craig, Jessica Rubinkowski, Meredith Tate, Julia Abe, Jennie K. Brown, Ron Walters, Elisabeth Funk — seu conhecimento e experiência editoriais foram um recurso de importância enorme para mim. Obrigada por partilharem suas percepções e encorajamento!

Às minhas leitoras beta, Erin Cotter, Margie Futson, Megan McGee Lysaght, Lindsey Ouimet, Kylie Schachte, Emily Taylor, E. K. Thiede, Carol Topdjian, Kimberly Vale e Christina Wise — nunca poderei agradecer o suficiente por terem lido as primeiras versões de *Pássaro e serpente*. Seus feedbacks — tanto os elogios quanto as críticas — foram vitais para dar forma a este livro.

À minha editora fenomenal, Erica Sussman — nunca encontrarei as palavras adequadas para agradecer sua paciência infindável e visão. Como escritora, existe sempre aquele medinho na hora de entregar sua história nas mãos de alguém. Depois de nossa primeira sessão de brainstorming, porém, o medo foi embora. Confio minha história a você sem reservas — desde minhas personagens até o sistema de magia e construção de mundo. Você é uma estrela de verdade. Obrigada por amar este livro tanto quanto eu amo.

À minha equipe na HarperTeen, Sarah Kaufman, Alison Donalty, Jessie Gang, Alexandra Rakaczki, Ebony LaDelle, Michael D'Angelo, Bess Braswelll, Olivia Russo, Kris Kam e Louisa Currigan — *obrigada* por terem acreditado nesta história. Suas aptidões nunca param de me espantar, e me considero incrivelmente sortuda por estar cercada por um time de tanto talento. Obrigada por terem tornado realidade meu sonho da vida toda.

Este livro foi composto na tipologia Janson Text LT Std,
em corpo 11/17,3, e impresso em papel off-white,
no Sistema Cameron da Divisão Gráfica
da Distribuidora Record.

LEIA AQUI O PRIMEIRO
CAPÍTULO DE *SANGUE & MEL*,
A ESPERADA SEQUÊNCIA DE
PÁSSARO & SERPENTE.

AMANHÃ

Lou

Nuvens carregadas acumulavam-se adiante.

Embora eu não pudesse enxergar o céu por trás das densas copas das árvores da *Forêt des Yeux* — ou sentir os ventos castigantes se agitando do lado de fora do nosso acampamento —, sabia que uma tempestade estava se formando. As árvores balançavam no crepúsculo cinzento, e os animais tinham ido se esconder debaixo da terra. Vários dias antes, havíamos nos abrigado dentro de nosso próprio buraco, por assim dizer: uma espécie peculiar de depressão na floresta, onde as árvores tinham criado raízes que lembravam dedos, entrando e saindo da terra fria. Dei-lhe o apelido carinhoso de O Buraco. Embora a neve recobrisse tudo que havia do lado de fora dele, os flocos se derretiam ao tocar na barreira de magia protetora criada por Madame Labelle.

Enquanto arrumava a pedra que usávamos para cozinhar na fogueira, cutuquei, esperançosa, a massa disforme sobre ela. Não podia ser chamada de *pão*, exatamente, tendo em vista que os únicos ingredientes eram cascas de troncos moídas e água, mas eu me recusava a comer mais uma refeição feita de pinhão e cardo-mariano. Simplesmente me recusava. Precisava de *algo* que tivesse *gosto* de vez em quando — e não me refiro às cebolas que Coco encontrara aquela manhã. Meu hálito ainda cheirava como o de um dragão.

— Isso eu não como — disse Beau, seco, encarando o pão de casca como se estivesse prestes a criar pernas para o atacar. Seus cabelos escuros, normalmente penteados de maneira imaculada, estavam desgrenhados e despontando para todos os lados, e um risco de terra manchava sua bochecha marrom-clara. O terno de veludo, que teria sido considerado a última moda em Cesarine, estava agora também arruinado pela sujeira.

Abri um sorriso largo para ele.

— Tudo bem. Pode morrer de fome.

— É... — Ansel se aproximou, franzindo o nariz de maneira discreta. Com os olhos brilhando de fome e os cabelos despenteados pelo vento, não tivera muito mais sucesso se adequando à natureza selvagem do que Beau. Mas Ansel, com sua pele marrom-clara e o corpo esguio, os cílios curvados e o sorriso genuíno, seria sempre bonito. Ele não tinha como evitar.

— Você acha que é...

— Comestível? — completou Beau por ele, arqueando uma sobrancelha escura. — Não.

— Não era isso o que eu ia dizer! — As bochechas do mais jovem enrubesceram-se, e ele me lançou um olhar de desculpas. — Ia perguntar se era... hã, bom. Acha que ficou bom?

— Também não. — Beau virou-se para procurar algo em sua mochila. Sorrindo, empertigou-se um momento depois, empunhando algumas cebolas, e atirou uma para dentro da boca. — *Este* será meu jantar hoje, muito obrigado.

Quando abri a boca com uma resposta mordaz, o braço de Reid pousou sobre meus ombros, pesado, quente e reconfortante. Deixou um beijo em minha têmpora.

— Tenho certeza de que o pão está delicioso.

— Está mesmo. — Escorei-me nele, contente com o elogio. — *Vai ficar* delicioso. E não vamos ficar com cheiro de bunda... hã, *cebola*... pelo resto da noite. — Sorri com doçura para Beau, que parou com a mão na metade do caminho para a boca, olhando feio para mim e depois para o bulbo. — Amanhã, você vai passar o dia inteiro fedendo a isso aí. No mínimo.

Rindo, Reid se curvou para beijar meu ombro, e sua voz, lenta e grave, reverberou por minha pele.

— Sabe, tem um riacho pertinho daqui.

Por instinto, estiquei o pescoço, e ele deixou outro beijo logo abaixo do meu maxilar. Meu pulso se acelerou sob a boca dele. Embora Beau tenha retorcido o lábio com nojo diante de nossa demonstração pública de afeto, ignorei-o, me deliciando com a proximidade de Reid. Não tivemos a chance de estarmos realmente a sós desde que eu acordara depois de Modraniht.

— Talvez devêssemos dar um pulinho lá — respondi, um pouco sem fôlego. Como de costume, ele se afastou cedo demais. — Podíamos levar nosso pão e... fazer um piquenique.

A cabeça de Madame Labelle virou-se para nós. Ela estava do outro lado do acampamento, perto das raízes de um abeto antiquíssimo, discutindo com Coco. Ambas seguravam um pedaço de pergaminho entre elas, os ombros tensos e os rostos sérios. Tinta e sangue salpicavam os dedos de Coco. Já tinha enviado duas mensagens a La Voisin no coven de sangue, pedindo refúgio. A tia não respondera. Eu duvidava que uma terceira mensagem fosse mudar alguma coisa.

— De jeito nenhum — negou a cortesã. — Vocês não podem sair. Está proibido. Além do mais, uma tempestade se aproxima.

Proibido. A palavra me enervava. Ninguém me *proibia* de fazer coisa alguma desde os meus três anos.

— Devo lembrá-los — continuou, o nariz em pé e o tom insuportável — de que a floresta ainda está cheia de caçadores e, embora não tenham sido avistadas, as bruxas não devem estar longe. Sem falar na guarda real. A notícia da morte de Florin em Modraniht já se espalhou — Reid e eu ficamos tensos nos braços um do outro —, e a recompensa pela nossa captura subiu. Até os camponeses conhecem seus rostos. Vocês não podem sair do acampamento enquanto não tivermos formulado algum tipo de estratégia ofensiva.

A ênfase sutil que colocou em *vocês* não me passou despercebida, tampouco a maneira como olhou de mim para Reid. Éramos *nós* que estávamos proibidos de deixar o acampamento. Eram os *nossos* rostos que estavam nos cartazes espalhados por toda Saint-Loire — e, àquela altura, provavelmente por todas as demais aldeias do reino também. Coco e Ansel tinham afanado alguns deles depois da incursão em Saint-Loire em busca de mantimentos; um deles retratava o belo rosto de Reid, os cabelos pintados de vermelho com granza, e o outro, o meu.

O artista me retratara com uma verruga no queixo.

Irritada diante da lembrança, virei o pão, revelando a casca queimada debaixo dele. Todos pararam para olhar.

— Tem razão, Reid. Tão delicioso.

Beau abriu um sorriso largo. Atrás dele, Coco espremia sangue da palma da mão para deixar cair na mensagem. As gotas chiaram e soltaram fumaça ao fazer contato, queimando o papel até não sobrar mais nada. Transportando-o até onde quer que La Voisin e as Dames Rouges se encontravam no momento.

Beau sacudiu o restante das cebolas logo abaixo do meu nariz, chamando a minha atenção.

— Tem certeza de que não vai mesmo querer uma?

Derrubei-as da mão dele com um tapa.

— Some daqui.

Apertando meus ombros, Reid pegou o pão queimado da pedra e cortou uma fatia com precisão profissional.

— Não precisa comer — falei, amuada.

Os cantos dos lábios dele se ergueram em um sorriso.

— *Bon appétit.*

Assistimos, fascinados, a Reid enfiar o pedaço na boca — e se engasgar com ele.

Beau quase caiu de tanto gargalhar.

Com os olhos marejados, Reid se apressou em engolir enquanto Ansel dava pancadas em suas costas.

— Está bom — assegurou-me, ainda tossindo e tentando mastigar. — Juro. Tem gosto de... de...

— Queimado? — Beau curvou-se de tanto rir diante da minha expressão, e Reid lançou um olhar feio a ele, ainda engasgando, mas levantando a perna para lhe dar um chute na bunda. Literalmente. Perdendo o equilíbrio, Beau caiu para a frente no musgo e líquen do chão da floresta, a impressão de uma bota visível na calça de veludo.

Ele cuspiu a lama da boca no mesmo instante em que Reid enfim conseguiu engolir o pedaço de pão.

— Babaca.

Antes que pudesse dar outra mordida, estapeei o pão da mão dele, fazendo-o cair dentro do fogo.

— Seu cavalheirismo foi registrado, marido, e será recompensado da maneira adequada.

Ele me puxou para um abraço, o sorriso agora genuíno. E vergonhosamente aliviado.

— Eu teria comido o resto.

— Eu devia ter deixado.

— E agora todos vamos passar fome — comentou Beau.

Ignorando o ronco traidor do meu estômago, peguei a garrafa de vinho que tinha escondido entre os demais objetos dentro da mochila de Reid. Não tinha tido a chance de trazer nada para mim mesma, visto que Morgane me raptara dos degraus da Cathédral Saint-Cécile d'Cesarine. Por sorte, havia *acidentalmente* me afastado um pouco demais do acampamento no dia anterior e obtido um punhado de itens úteis de uma vendedora ambulante que passava pela estrada. O vinho era essencial. Assim como as roupas novas. Embora Coco e Reid tivessem se esforçado para arrumar algo que eu pudesse vestir em vez do vestido ensanguentado que usara na cerimônia de sacrifício, as roupas pendiam do meu corpo magro — que ficara ainda mais magro, ou melhor, esbelto, graças ao tempo passado no Château. Até então, havia conseguido manter os frutos de minha pequena excursão em segredo — dentro da mochila de Reid e debaixo do manto emprestado de Madame Labelle —, mas o coelho tinha que sair da cartola em algum momento.

E que melhor hora senão agora?

Os olhos de Reid se fixaram na garrafa de vinho, e o sorriso se desfez.

— O que é isso?

— Um presente, óbvio. Você não sabe que dia é hoje? — Determinada a salvar a noite, empurrei a garrafa para os braços de Ansel. Seus dedos envolveram o gargalo, e ele sorriu, voltando a corar. Meu coração se aqueceu. — *Bon anniversaire, mon petit chou!*

— Meu aniversário é só no mês que vem — disse ele, acanhado, mas pressionando a garrafa contra o peito ainda assim. A fogueira lançava uma luz bruxuleante em sua alegria tímida. — Ninguém nunca... — Pigarreou e engoliu em seco. — Nunca ganhei nenhum presente.

A felicidade em meu peito afundou levemente.

Quando criança, meus aniversários tinham sido celebrados como se fossem feriados religiosos. Bruxas de todo o reino vinham ao Château le Blanc para comemorar, e, juntas, dançávamos sob a luz da lua até nossos pés começarem a doer. Magia recobria o templo com seu aroma pungente, e minha mãe me enchia de presentes extravagantes — uma tiara de diamantes e pérolas num ano, um buquê de orquídeas fantasma eternas no seguinte. Chegara até a abrir as águas de L'Eau Mélancolique para que eu pudesse caminhar pelo fundo do mar, e melusinas colaram seus belos rostos inquietantes contra as paredes de água para nos observar, agitando os cabelos luminosos e as caudas de prata.

Mesmo naquela época, tinha consciência de que minhas irmãs celebravam menos minha vida e mais minha morte, porém mais tarde comecei a me perguntar — em meus momentos de maior fraqueza — se tinha também sido esse o caso da minha mãe. "Nossos destinos são desencontrados, o meu e o seu", murmurou ela em meu quinto aniversário, beijando a minha testa. Embora não pudesse lembrar bem os detalhes, apenas as sombras em meu quarto, o ar frio da noite em minha pele, o óleo de eucalipto em meus cabelos, pensei ter visto uma lágrima escorrer por sua face. Naqueles momentos de fraqueza, soubera que Morgane não celebrara meus aniversários de modo algum.

Ela os tinha lamentado.

— Creio que a resposta mais apropriada seja "obrigado". — Coco se aproximou a fim de examinar a garrafa de vinho, jogando os cachos escuros por cima de um ombro. O vermelho no rosto de Ansel se aprofundou. Com um sorrisinho, ela traçou a curva do vidro com um dedo, pressionando as próprias curvas contra a figura alta e esguia do jovem. — De que safra é?

Beau revirou os olhos diante da encenação óbvia, abaixando-se para recuperar as cebolas. Ela o observava de canto de olho. Os dois não trocavam uma palavra civilizada sequer já fazia dias. Tinha sido divertido, no início, assistir Coco pisoteando o ego inflado do príncipe, gracejo por gracejo, mas recentemente Ansel fora levado para dentro da carnificina. Eu teria que ter uma conversa com ela a respeito em breve. Meus olhos retornaram a Ansel, que ainda sorria de orelha a orelha, fitando o vinho.

No dia seguinte. Conversaria com ela no dia seguinte.

Cobrindo os dedos de Ansel com os dela, Coco levantou a garrafa para examinar o rótulo que se desfazia. A luz da fogueira iluminava as diversas cicatrizes em sua pele marrom.

— *Boisaîné* — leu devagar, com dificuldade de discernir as letras. Limpou um pouco de terra com a bainha do manto. — Elderwood. — Olhou para mim de relance. — Nunca ouvi falar desse lugar. Mas tem cara de ser *velhíssimo*. Deve ter custado uma fortuna.

— Bem menos do que você imagina, na verdade. — Sorrindo novamente diante da expressão desconfiada de Reid, tirei a garrafa dela com uma piscadela. Um carvalho gigante adornava o rótulo, e, ao lado dele, um homem monstruoso com chifres e cascos de bode trazia uma coroa de galhos na cabeça. Tinta amarela luminosa coloria seus olhos, que tinham pupilas como as de um gato.

— Ele é assustador — comentou Ansel, debruçado por cima de meu ombro para poder ver melhor.

— É o Homem Selvagem, como um sátiro. — Fui tomada por uma onda inesperada de nostalgia. — O homem selvagem da floresta, rei da flora e da fauna. Morgane costumava me contar histórias sobre ele quando eu era criança.

A menção à minha mãe teve um efeito instantâneo. A carranca de Beau se desfez abruptamente. Ansel deixou de corar, e Coco, de sorrir. Reid percorreu as sombras ao redor de nós com os olhos e levou a mão à Balisarda guardada na bandoleira. Até as chamas na fogueira tremeram, como se Morgane tivesse soprado uma frente fria em meio às árvores tentando as extinguir.

Abri um sorriso falso.

Não tínhamos ouvido uma palavra de Morgane desde Modraniht. Dias haviam se passado, mas não avistáramos uma única bruxa sequer. Para ser justa, não tínhamos visto muita coisa além da gaiola de raízes que nos abrigava. Não podia me queixar d'O Buraco, porém. A bem da verdade — apesar da falta de privacidade e da autoridade rígida de Madame Labelle

—, eu tinha ficado quase aliviada quando não recebemos resposta de La Voisin. Fomos agraciados com alguns momentos de alívio. E tínhamos tudo de que necessitávamos também. A magia de Madame Labelle mantinha o perigo longe — nos aquecendo, escondendo de olhos à espreita —, e Coco encontrara o córrego ali perto. A corrente impedia a água de congelar, e Ansel acabaria, eventualmente, conseguindo capturar um peixe.

Naquele momento, era como se vivêssemos em uma bolha de tempo e espaço separada do restante do mundo. Morgane e suas Dames Blanches, Jean Luc e seus Chasseurs, até o rei Auguste — todos tinham deixado de existir naquele lugar. Ninguém podia nos tocar. Era... estranhamente sereno.

Como a calma que antecede a tempestade.

Madame Labelle deu voz a meu medo oculto.

— Vocês sabem que não podemos ficar escondidos para sempre — disse, repetindo o mesmo discurso de sempre. Coco e eu nos entreolhamos, contrariadas, quando ela se juntou a nós, confiscando o vinho. Se eu tivesse que ouvir *mais uma* advertência nefasta, viraria aquela garrafa na cabeça dela e a afogaria. — Sua mãe vai encontrá-la. Apenas nós, sozinhos, não seremos capazes de mantê-la longe. Se, porém, conseguíssemos aliados, se convencêssemos outras pessoas a se juntarem à nossa causa, talvez fosse possível...

— O silêncio das bruxas de sangue não poderia ser mais indicativo. — Tomei a garrafa dela, lutando com a rolha. — Não vão arriscar a fúria de Morgane *juntando-se à nossa causa*. Seja lá qual for essa nossa tal *causa*.

— Não seja tola. Se Josephine se recusar a nos ajudar, ainda assim há outras entidades poderosas que podemos...

— Preciso de mais tempo — a interrompi em voz alta, mal lhe dando ouvidos, gesticulando para meu pescoço. Embora a magia de Reid tivesse fechado a ferida e salvado a minha vida, ainda havia uma casca grossa. E doía demais. Mas não era por isso que eu queria continuar ali. — Você mesma mal se recuperou, Helene. Vamos deixar para pensar em estratégias amanhã.

— Amanhã. — Seus olhos se estreitaram diante da promessa vazia. Eu repetia a mesma coisa havia dias. Desta vez, porém, até eu pude ouvir as palavras assentarem de maneira diferente: verdadeiras. Madame Labelle não aceitaria mais nada além. Como se para confirmar meus pensamentos, continuou: — Amanhã *teremos* uma conversa, com ou sem resposta de La Voisin. Combinado?

Enfiei a faca na rolha, girando com força. Todos se retraíram. Voltando a sorrir, baixei a cabeça no mais breve aceno de concordância.

— Quem está com sede? — Atirei a rolha no nariz de Reid com um peteleco, e ele a rebateu, exasperado. — Ansel?

Os olhos do jovem se arregalaram.

— Ah, eu não...

— Talvez devêssemos procurar um peito para ele. — Beau pegou a garrafa de debaixo do nariz de Ansel e deu um gole generoso. — Pode ser mais palatável para ele dessa forma.

Engasguei numa risada.

— Para com isso, Beau...

— Tem razão. Ele não teria ideia do que fazer com um peito.

— Já bebeu alguma vez, Ansel? — perguntou Coco com curiosidade.

Com o rosto sombrio, Ansel roubou o vinho de Beau e bebeu dele com sofreguidão. Em vez de se engasgar e gorgolejar, pareceu deslocar o maxilar e engolir metade do conteúdo. Ao terminar, apenas passou as costas da mão pela boca e empurrou a garrafa na direção de Coco. Suas bochechas continuavam ruborizadas.

— Desce bem.

Não sabia o que era mais engraçado: as expressões chocadas de Coco e Beau ou a convencida de Ansel.

— Ah, muito bem, Ansel. Quando me disse que gostava de vinho, não achei que significava que podia beber como um peixe.

Ele deu de ombros e desviou o olhar.

— Morei em Saint-Cécile durante anos. Aprendi a gostar. — Seus olhos voltaram à garrafa na mão de Coco. — Esse aí é bem melhor do que todos que já provei na igreja. Onde foi que conseguiu?

— Pois é — concordou Reid, num tom de voz não tão ameno quanto seria de se esperar do momento. — Onde *foi* que conseguiu? Está na cara que não foram nem Coco nem Ansel que compraram junto com os mantimentos.

Os dois tiveram a decência de parecer sem graça.

— Ah. — Pestanejei enquanto Beau oferecia a bebida a Madame Labelle, que balançou a cabeça com rispidez. Ela aguardava minha resposta com lábios franzidos. — Não me faça perguntas, *mon amour*, e não lhe direi mentiras.

Quando trincou o maxilar, evidentemente lutando contra seu temperamento esquentado, me preparei para a inquisição. Embora não usasse mais o uniforme azul, parecia não poder evitar. A lei era a lei. Não importava de que lado ele estava. Abençoado fosse ele.

— Diz que você não roubou o vinho — pediu. — Diz que encontrou a garrafa jogada dentro de um buraco qualquer.

— Está bem. Não roubei. Encontrei-a jogada dentro de um buraco qualquer.

Ele cruzou os braços, me fitando com um olhar sério.

— Lou.

— O quê? — perguntei inocentemente. Num gesto prestativo, Coco me ofereceu a garrafa, e tomei um longo gole, admirando os bíceps de meu marido, o queixo quadrado, a boca cheia, os cabelos cor de cobre, com apreciação descarada. Dei tapinhas em sua bochecha. — Você não pediu para contar a verdade.

Ele prendeu minha mão contra seu rosto.

— Estou pedindo agora.

Fitei-o, o impulso de mentir subindo à garganta como uma onda. Mas... não. Franzi o rosto para mim mesma, examinando o instinto com reflexão. Ele interpretou meu silêncio como recusa, chegando mais perto com o intuito de me incentivar a responder.

— Você roubou, Lou? A verdade, por favor.

— Bem, essa pergunta não podia ter saído *mais* cheia de superioridade. Vamos tentar outra vez?

Com um suspiro exasperado, ele virou a cabeça para beijar meus dedos.

— Você é impossível.

— Posso ser idealista, improvável, mas nunca impossível. — Subi na pontinha dos pés e pressionei os lábios nos dele. Balançando a cabeça e rindo, mesmo contrariado, ele se abaixou e me envolveu com os braços, aprofundando o beijo. Um calor delicioso me percorreu, e precisei de uma força de vontade considerável para não o atirar no chão e fazer tudo o que queria com ele.

— Meu Deus — exclamou Beau, a voz cheia de nojo. — Parece que ele está comendo o rosto dela.

Mas Madame Labelle não estava escutando. Os olhos, tão familiares e azuis, brilhavam de raiva.

— Responda à pergunta, Louise. — Enrijeci diante do tom ríspido. Para minha surpresa, Reid também. Ele virou-se para ela devagar. — Você saiu do acampamento?

Pelo bem de Reid, mantive o tom de voz agradável.

— Não roubei nada. Pelo menos — dei de ombros, me forçando a sustentar o sorriso despreocupado — não roubei o *vinho*. Comprei pela manhã de uma vendedora ambulante com algumas *couronnes* do Reid.

— Você roubou do meu filho?

Reid levantou a mão de forma apaziguadora.

— Calma. Ela não roubou nada de...

— Ele é meu *marido*. — Meu maxilar doía de tanto sorrir, e ergui a mão esquerda para dar ênfase às palavras. A madrepérola da própria Madame Labelle ainda brilhava em meu dedo anelar. — O que é meu é dele, e o que é dele é meu. Não faz parte dos votos que trocamos?

— Faz. — Reid rapidamente assentiu, me lançando um olhar tranquilizador antes de encarar Madame Labelle com uma carranca. — Ela tem direito a tudo que me pertence.

— Claro, filho. — A mulher abriu também um sorriso tenso, sem mostrar os dentes. — Embora eu me sinta na obrigação de lembrar que vocês dois nunca chegaram a se casar legalmente. Louise usou um nome falso na certidão de casamento, o que anula o contrato. É evidente que, se ainda quiser dividir seus bens com ela, você tem toda a liberdade para tal, mas não se sinta na obrigação. Especialmente se ela insistir em colocar a sua vida em risco... *todas* as nossas vidas em risco... com seu comportamento impulsivo e inconsequente.

Meu sorriso enfim se desfez.

— Meu rosto estava escondido pelo capuz do seu manto. A mulher não me reconheceu.

— E se tiver reconhecido? E se os Chasseurs ou as Dames Blanches nos emboscarem hoje à noite? E aí? — Quando não fiz menção de responder, ela soltou um suspiro e continuou, com mais suavidade: — Entendo sua relutância em confrontar isso, Louise, mas fechar os olhos não vai fazer com que os monstros não a enxerguem. Apenas vai cegá-la. — E depois, ainda mais suave: — Você já se escondeu tempo demais.

Repentinamente incapaz de encarar qualquer pessoa, deixei os braços caírem de onde estavam em volta do pescoço de Reid. Senti falta de seu calor na mesma hora. Ele se aproximou como se quisesse me trazer de volta para perto, mas em vez disso tomei outro gole de vinho.

— Está bem — falei, enfim, me forçando a encontrar o olhar implacável da mulher. — Não deveria ter saído, mas também não podia pedir para que Ansel comprasse o próprio presente de aniversário. Aniversários são sagrados. Falaremos em estratégias amanhã.

— Juro — começou Ansel com sinceridade —, meu aniversário é só mês que vem. Isto não é necessário.

— *É* necessário, sim. Pode ser que nem estejamos mais aqui... — Parei antes de completar a frase, mordendo minha língua imprudente, mas já era tarde demais. Embora não tivesse falado as palavras em voz alta, elas reverberavam pelo acampamento da mesma forma. *Pode ser que nem estejamos mais aqui no mês que vem.* Empurrando o vinho de volta para as mãos dele, voltei a tentar: — Vamos celebrar você, Ansel. Não é todo dia que se faz dezessete anos.

Os olhos dele foram até Madame Labelle, como se buscasse permissão. Ela assentiu com um movimento rígido de cabeça.

— *Amanhã*, Louise.

— Claro. — Aceitei a mão de Reid, deixando que me puxasse para perto enquanto abria mais um terrível sorriso falso. — Amanhã.

Reid me beijou outra vez, agora com mais força e intensidade, como se tivesse algo a provar. Ou a perder.

— Hoje, celebramos.

O vento aumentou enquanto o sol mergulhava atrás das árvores, e as nuvens continuavam a se adensar.